DISCOURS 38-41

La publication de cet ouvrage a été préparée avec le concours de l'Institut des Sources Chrétiennes (U.R.A. 993 du Centre National de la Recherche Scientifique).

SOURCES CHRÉTIENNES

Nº 358

GRÉGOIRE DE NAZIANZE

DISCOURS 38-41

INTRODUCTION, TEXTE CRITIQUE ET NOTES

PAR

Claudio MORESCHINI

Professeur à l'Université de Pise

TRADUCTION

PAR

Paul GALLAY

Doyen honoraire de la Faculté libre des Lettres de Lyon

*Ouvrage publié avec le concours
du Centre National de la Recherche Scientifique,
du Centre National des Lettres et de l'Œuvre d'Orient*

LES ÉDITIONS DU CERF, 29, Bd de Latour-Maubourg, PARIS 7ᵉ

1990

AVANT-PROPOS

Ce volume est dû à la collaboration de MM. Moreschini et Gallay. M. Moreschini a rédigé l'Introduction, établi le texte et l'apparat critique, et composé la plus grande partie des notes. M. Gallay a fait la traduction française et ajouté des notes qui portent les initiales : P.G. Pour l'indication des citations ou des allusions bibliques, le travail des Mauristes a été complété par MM. Moreschini et Gallay. La traduction française a été révisée au cours des séances du Séminaire de Patristique grecque des Sources Chrétiennes. A ces séances assistaient, outre M. Gallay, Mme Calvet et MM. Cazeaux, Grillet et Guinot.

INTRODUCTION

C'est à Constantinople que furent prononcés les discours 38 à 41 contenus dans ce volume. Grégoire de Nazianze, qui vivait retiré à Séleucie en Isaurie depuis 374, vint à Constantinople au début de 379 et il y resta jusqu'au milieu de 381. Il fut appelé par le petit groupe des chrétiens qui étaient restés fidèles à la doctrine du concile de Nicée dans une cité où l'hérésie arienne dominait depuis quarante ans. Il réunit ses fidèles dans une maison particulière et donna à cette chapelle improvisée le nom d'*Anastasia* par allusion à la Résurrection (*Anastasis*); ce fut seulement à partir du 27 novembre 380 que la basilique des Apôtres et les autres sanctuaires de la ville furent rendus aux catholiques par l'empereur Théodose Ier.

Il sera souvent question dans les pages qui suivent du dogme de la Trinité et des attaques qu'il subissait de la part des hérétiques : en face des catholiques qui tenaient pour le symbole de Nicée déclarant le Fils de Dieu «de même substance» que le Père (*homoousios,* consubstantiel), les ariens niaient la divinité du Fils et le considéraient comme une créature. Cette négation prenait diverses formes. Les uns le disaient «dissemblable» du Père (*anomoios*) : c'étaient les «anoméens»; d'autres le proclamaient «semblable» au Père (*homoios*) : c'étaient les «homéens»; d'autres admettaient qu'il est « substance semblable » à celle du Père (*homoiousios*) : c'étaient les « homéousiens » ou « semi-ariens ». Ceux qui niaient la divinité du Saint-Esprit étaient appelés « pneumatomaques » (adversaires de l'Esprit) ou « macédoniens » (du nom de l'évêque Macedonios). Rappelons enfin que le mot *économie* (οἰκονομία) désigne souvent, chez les Pères grecs, l'action divine pour le salut de l'humanité, en particulier l'Incarnation.

P.G.

DISCOURS 38, 39 et 40

I. LE PROBLÈME LITURGIQUE

Les Discours 38, 39 et 40 sont étroitement liés à la fois par le temps et par le sujet : le Discours 39 renvoie, en son début, au Discours 38 qui l'a précédé de peu, et le Discours 40 se place au lendemain du jour où fut prononcé le Discours 39, l'orateur déclarant qu'il n'a pas eu le temps, la veille, de traiter complètement son sujet. La question de la date de ces trois discours sera examinée plus loin; il convient de parler d'abord de l'aspect liturgique des fêtes chrétiennes évoquées dans ces textes.

Le Discours 38 a pour objet de célébrer la naissance du Sauveur : «Le Christ naît», tels sont les premiers mots de l'orateur. Plus loin, au chap. 17, la crèche est évoquée de façon très concrète, avec mention du bœuf et de l'âne, d'après le texte célèbre du prophète Isaïe (1, 3). Il va sans dire que l'église dans laquelle Grégoire parle en ce jour ne contient pas la représentation de la crèche qui nous est familière au jour de Noël. L'usage de mettre dans les églises une crèche est apparu en Occident à partir du XIIIe siècle, à l'initiative de S. François d'Assise et de ses disciples. Après avoir annoncé l'objet de la fête, Grégoire indique au ch. 3, que cette fête a deux noms : Θεοφάνια (*Théophanie,* apparition de Dieu) et Γενέθλια (fête de la Nativité) : «Le nom de Théophanie vient du fait qu'il est apparu ; le nom de Nativité, du fait qu'il est né[1].» Mais il y a plus : la phrase que nous venons de citer pourrait laisser croire que, ce jour-là, les fidèles célèbrent seulement la naissance du Sauveur ; or, à la fin du Discours (ch. 17) s'ajoute la mention d'un autre événement : «Cours à la suite de l'étoile et avec les Mages apporte tes présents : de l'or, de l'encens et de la myrrhe, comme à un roi, comme à un Dieu, comme à celui qui pour toi s'est fait cadavre.» Voilà une notation intéressante : la fête de ce jour associe à la naissance de Jésus l'adoration des Mages. Il n'y a pas lieu de s'en étonner : on célébrait traditionnellement en Orient, depuis les premiers temps, la Nativité, l'adoration des Mages et le baptême du Christ en une solennité unique qui se plaçait au 6 janvier. Cette solennité unique était désignée par différents noms : Théophanie, Épiphanie, fête des Saintes Lumières ou des Lumières. Les deux premiers mots insistent sur l'aspect d'apparition, le troisième titre souligne le fait que le Christ est venu apporter la lumière au monde. Les trois événements commémorés marquaient que le Christ s'est révélé en naissant parmi les hommes, puis en se manifestant aux païens représentés par les Mages, et enfin en recevant son investiture de Messie par le baptême qui inaugure sa vie publique. Telle fut la situation en Orient jusqu'au IVe siècle[2].

Les choses avaient évolué différemment en Occident. Une fête païenne en l'honneur du «Soleil invincible» (*Sol inuictus*) se célébrait le 25 décembre, c'est-à-dire aux environs du solstice d'hiver ; or, pour les chrétiens, le vrai «Soleil invincible» était le Christ, appelé d'ailleurs le «Soleil de justice» en souvenir d'un passage du prophète

1. Ainsi s'explique la diversité des titres de ce discours dans les manuscrits (voir l'apparat critique).

2. Cf. H. LECLERCQ, article «Nativité», *DACL,* t. XII, Paris 1935, col. 918.

Malachie (3, 20). Comme on ne supprime bien que ce que l'on remplace, une fête chrétienne fut substituée à la fête païenne : la fête de la naissance du Verbe incarné fut fixée au 25 décembre. L'existence de la fête de Noël à cette date est certaine à Rome au début du IVe siècle[1]. L'usage de célébrer la naissance du Sauveur par une solennité spéciale précédant la fête des Lumières passa d'Occident en Orient dans la seconde moitié du IVe siècle : «Noël se célébrait déjà le 25 décembre vers l'année 380 à 400 dans les diocèses... qui relevaient de l'exarchat de Césarée en Cappadoce[2].»

Or, nous avons la certitude que Grégoire célébra à Constantinople une fête de la Nativité du Christ (associée à l'adoration des Mages); cette fête était distincte de la fête des Lumières et la précédait. Le Discours 38 s'ouvre – comme nous l'avons dit – par les mots : «Le Christ naît», et le Discours 39 débute en ces termes : Πάλιν Ἰησοῦς ὁ ἐμὸς καὶ πάλιν μυστήριον, «Voici de nouveau mon Jésus et de nouveau un mystère.» L'affirmation est nette : il s'agit d'une seconde fête, succédant à la première, et toutes les deux sont consacrées à Jésus. A cette remarque on peut ajouter le fait que le début du chap. 16 du Discours 38 annonce le Discours 39 : «Un peu plus tard (c'est-à-dire à la fête suivante) tu verras Jésus se purifier dans le Jourdain» (ce qui est l'objet du Discours 39). On ne peut douter que le Discours 39, pour la fête des Lumières, soit du 6 janvier. Le Discours 38 a donc été prononcé pour une fête différente et antérieure. Le texte ne nous dit rien de plus; mais il est tout naturel de conclure que la première de ces fêtes a été célébrée le 25 décembre. C'est ce qu'on pensé

---

1. *Ibid.*, col. 910-915.

2. *Ibid.*, col. 921. Voir l'étude, plus récente, de J. MOSSAY, *Les fêtes de Noël et d'Épiphanie d'après les sources littéraires cappadociennes au IVe siècle*, *Textes et Études liturgiques* III, Louvain 1965.

tous les auteurs, anciens ou modernes, qui se sont occupés de cette question. Ils ont eu raison sans doute ; mais nous devons reconnaître que c'est là une hypothèse. Cette hypothèse a pour elle les plus grandes probabilités ; cependant les paroles de Grégoire font seulement état d'une fête antérieure à celle des Lumières, sans donner plus de précision.

Puisque les Discours 38 et 39 montrent l'existence d'une fête de la Nativité distincte de la fête des Lumières, on peut se demander si Grégoire s'est trouvé en face d'une coutume déjà suivie à Constantinople, ou bien s'il a innové en instaurant une fête spéciale de la Nativité dans l'église qu'il dirigeait. Selon A. Baumstark[1], Grégoire doit être considéré comme ayant introduit à Constantinople la célébration de la fête de Noël le 25 décembre. Cette opinion se fonde sur un passage du Discours 39 (chap. 14) où Grégoire, parlant le jour de la fête des Lumières, déclare : « Nous avons précédemment célébré comme il convient la Nativité, aussi bien moi, le chef de la fête, que vous » (τῇ... γεννήσει τὰ εἰκότα προεορτάσαμεν, ἐγώ τε ὁ τῆς ἑορτῆς ἔξαρχος καὶ ὑμεῖς). De ce passage Baumstark conclut que le mot ἔξαρχος indique que Grégoire non seulement dirige la fête, mais encore qu'il en introduit l'usage. N'est-ce pas faire trop dire au mot *exarchos* ? Si l'on en examine le sens, on voit qu'il signifie ordinairement « chef », « président », et que, dans son acception primitive, il désigne celui qui donne le signal pour commencer un chant, une danse, ou encore des lamentations : ainsi dans l'*Iliade* (24, 721) le mot est employé quand on entonne un chant funèbre auprès du cadavre d'Hector (de même que le verbe correspondant ἐξάρχειν se dit lorsque Thétis commence les lamentations

1. « Die Zeit der Einführung des Weihnachtsfestes in Konstantinopel » dans *Oriens Christianus* II, 1902, p. 441-446.

après la mort de Patrocle : *Iliade* 18, 51). S'il est vrai, comme on l'a vu plus haut, que la Cappadoce célébrait la fête du 25 décembre vers 380-400, il est possible que Grégoire ait apporté cette coutume à Constantinople en 380, encore que l'emploi du mot *exarchos* ne soit pas décisif.

H. Usener[1] a émis une opinion encore plus radicale; il pense que la fête de Noël aurait été célébrée en Orient le 25 décembre seulement à partir du moment où Grégoire en introduisit l'usage à Constantinople. Il en voit une preuve dans le chap. 3 du Discours 38 où l'orateur, venant de donner à la fête de Noël les deux noms de Γενέθλια et de Θεοφάνια, prend la peine d'expliquer la signification de chacun de ces termes, ce qui fait supposer qu'il s'agit d'une chose nouvelle pour ses auditeurs. Mais G. Rauschen[2] a remarqué que ce détail n'a pas de valeur probante : en effet, dans le Discours 39 (chap. 1 et 17), Grégoire explique le nom et l'objet de la fête des Lumières – la fête du baptême du Christ –, alors qu'il s'agit d'une célébration traditionnelle. H. Lietzmann, rééditant le travail d'Usener (Bonn 1911), a reconnu qu'il faut abandonner l'idée d'attribuer à Grégoire de Nazianze l'introduction de la fête du 25 décembre en Orient.

Les discours 38-40 soulèvent, on le voit, une intéressante question d'histoire de la liturgie. Même s'il subsiste des obscurités, on constate que Grégoire a marqué de son empreinte personnelle la célébration des grandes fêtes chrétiennes relatives à la naissance et à la manifestation du Christ.

P.G.

1. *Religionsgeschichtliche Untersuchungen,* t. I. *Das Weihnachtsfest,* 2ᵉ éd., Bonn 1911, p. 269.

2. *Jahrbücher der christlichen Kirche unter dem Kaiser Theodosius dem Grossen. Versuch einer Erneuerung der Annales Ecclesiastici des Baronius für die Jahre 378-395,* Freiburg-im-Breisgau 1897, p. 79, n. 4.

II. DATE ET CONTEXTE HISTORIQUE

La principale caractéristique des Discours 38, 39 et 40 de Grégoire de Nazianze est leur rapport étroit, la communication réciproque qui se manifeste à différents niveaux et d'abord à celui de la chronologie : qu'on les date de 379-380 (c'est-à-dire entre Noël 379 et l'Épiphanie de 380) ou qu'on les place en 380-381, comme nous allons le voir, il est évident qu'ils constituent un tout unique, puisqu'ils sont suscités par des occasions de caractère liturgique, unitaires et homogènes elles aussi : les diverses célébrations liées à la naissance du Christ. En premier lieu, les rapports externes : le Discours 38 annonce (329 B) le Discours 39, le Discours 39 rappelle (349 B) le Discours 38, et le Discours 40 continue le Discours 39, car il a été prononcé le jour suivant, comme on le voit dès le début (360 B). Le Discours 38 a été prononcé à l'occasion d'une fête de Noël, puisqu'on célébrait la naissance du Christ en même temps que l'adoration des Mages, comme Grégoire en fait lui-même la remarque (cf. 313 C ; 329 D - 332 A). Le Discours 39 a été prononcé le 6 janvier pour la fête des «Saintes Lumières» ou Épiphanie : en cette solennité on célébrait le baptême du Christ, et on sait qu'un symbolisme chrétien bien connu liait le baptême à «l'illumination» du néophyte. On voyait donc un lien étroit entre l'illumination obtenue par l'intermédiaire du baptême et la lumière du Christ, lumière qu'il est venu apporter au monde et qui est apparue dès son baptême. Une riche série de thèmes symboliques et sentimentaux unissait les deux célébrations, celle du baptême du Christ (fête des «Saintes Lumières») et celle du baptême des chrétiens, qui recevaient leur illumination principalement par l'intermédiaire de ce sacrement.

Grégoire commence donc le Discours 39 en célébrant le

baptême du Christ. Il aurait dû poursuivre en traitant du baptême des hommes; cependant, comme il a dû abréger son discours du 6 janvier parce que «la satiété en matière de discours est insupportable» (40, 1), il continue le jour suivant avec un discours en apparence autonome, mais qui, en substance, est la suite du précédent[1].

A notre avis, le problème de la date, pour laquelle on a proposé, comme on l'a dit plus haut, les célébrations de 379-380 et celles de 380-381, n'est pas résolu de façon certaine. Tillemont[2] pense soit à 379 soit à 380, et ne prend pas une position décisive; les Mauristes proposent 380, mais n'en donnent pas les raisons. Usener[3] revient à 379, suivi peu d'années après par Sinko[4], dont les arguments sont repris, approfondis et, le cas échéant, rectifiés par

1. Il est vraisemblable que le *Discours* 40, étant donné sa longueur (il est seulement un peu moins long que la 1re Invective contre Julien et le *Discours* 43), a été retravaillé par l'auteur après avoir été prononcé à l'occasion de la fête en question.

2. Cf. LE NAIN DE TILLEMONT, *Mémoires pour servir à l'histoire ecclésiastique*, IX, Venise 1732, p. 462.

3. Cf. H. USENER, *Das Weihnachtsfest*, dans *Religionsgeschichtliche Untersuchungen*, 2ᵉ éd., Bonn 1911, p. 260-269. La question relative à la date de la fête de Noël est connue : selon Usener (p. 269), la fête de Noël, qui dans l'Orient était encore célébrée le jour de l'Épiphanie, aurait été avancée au 25 décembre – et donc distincte de la fête intitulée Θεοφάνια – par Grégoire lui-même à l'imitation de l'usage établi à Rome depuis la fin du siècle précédent déjà. Grégoire aurait donc introduit cet usage à Constantinople, comme on le déduit du terme γενέθλια, employé au chap. 3, et de l'expression ὁ τῆς ἑορτῆς ἔξαρχος, qui se trouve en 39, 14. Elle pourrait effectivement signifier que la vieille dénomination de Θεοφάνια aurait été changée justement par Grégoire en γενέθλια. Mais l'hypothèse de Usener ne semble pas tout à fait sûre, comme le remarque J. BERNARDI, *La prédication des Pères Cappadociens*, Paris 1968, p. 205. Cependant J. MOSSAY (*Les fêtes de Noël et d'Épiphanie d'après les sources littéraires cappadociennes du IVᵉ siècle*, Louvain 1965, p. 34), paraît pencher pour l'hypothèse de Usener.

4. Cf. TH. SINKO, *De traditione orationum Gregorii Nazianzeni*, Pars Prima, *Meletemata Patristica* 2, Cracoviae 1917, p. 49-52.

Gallay[1]. Sinko pense que le Discours 38 est en rapport
étroit, lorsqu'il expose l'*économie* du Christ, avec l'hérésie
d'Apollinaire, qui est prise pour cible sur un point précis
(325 A-C). Pareillement, dans le poème *Sur sa vie* (654 s.),
Grégoire fait allusion à l'accusation de trithéisme qui lui
aurait été faite et dont il se défend dans le Discours 40, 43 :
puisque le passage de 38, 14 s. se réfère, selon Sinko, à
Apollinaire, il s'ensuivrait que tout l'ensemble des Discours 38, 39, 40 aurait été prononcé à Constantinople la
première année du séjour de Grégoire. Cette argumentation est sans aucun doute indéfendable, comme l'a montré
Gallay[2], qui voit, et avec raison, dans l'ensemble des
discours une polémique anti-arienne qui n'exclut pas,
quand le contexte le réclame, un éclaircissement par
rapport à Apollinaire de Laodicée. Les autres arguments
de Sinko sont plus valables[3]. Du reste, ils reprennent
quelques observations déjà faites par Usener[4], et qui seront
également approuvées ensuite par Gallay[5]. Dans le Discours 38, 6, Grégoire affirme qu'il est un «étranger» (ξένος)
et un «campagnard» (ἄγροικος) : une telle affirmation
n'est concevable dans la bouche de Grégoire qu'avant
le 26 novembre 380, c'est-à-dire avant sa désignation
officielle comme évêque de Constantinople par Théodose.
Donc le jour de Noël du Discours 38 est celui de 379. Les
considérations d'Usener, qui viennent d'être exposées,
reprises par Sinko et Gallay[6], ont suscité cependant de

---

1. Cf. P. GALLAY, *La vie de saint Grégoire de Nazianze*, Lyon-Paris
1943, p. 153-159.
2. Cf. *Vie*, p. 157.
3. Cf. *De traditione orationum*, p. 50-52.
4. Cf. *Religionsgeschichtliche Untersuchungen*, p. 266-268.
5. Cf. *Vie*, p. 154-156.
6. Gallay ajoute, pour étayer sa thèse, que dans le *Discours* 39, 14,
349 C, Grégoire se présente comme quelqu'un «venu du désert», ce qui
voudrait dire, à son avis (p. 157), que peu de temps avait passé depuis le

fortes objections de la part de Rauschen[1]. Celui-ci observa que les déclarations de modestie auxquelles se référait Usener n'étaient pas un fait inhabituel chez Grégoire : il les répète encore dans ses discours postérieurs à 380 – comme D. 36, 6 et 17, et 42, 1 et 10. Sinko et Gallay ont répondu à cette objection de Rauschen en remarquant que Grégoire présente dans le Discours 38 sa modeste condition comme un fait réel, avec des accents de sincérité, alors que dans les Discours 36, 37 et 42, au contraire, l'orateur ironise sur sa condition antérieure qui ne l'aurait pas empêché d'arriver jusqu'à la nomination officielle à l'évêché de Constantinople.

La date de 379, qui semblait presque certaine à la suite des arguments d'Usener, Sinko et Gallay, a été cependant plus récemment mise en doute par Bernardi[2] pour qui il n'y a aucune raison de ne pas voir de l'ironie dans les paroles de Grégoire, non seulement dans les Discours 36, 37 et 42, mais aussi dans le Discours 38 lui-même; d'où l'on doit conclure que les mêmes sentiments animaient deux situations analogues : Grégoire veut montrer aux citoyens de Constantinople, fiers de leur luxe, de leurs richesses et de leur culture, que même un évêque venu de Cappadoce, un campagnard et un étranger, peut arriver, par son seul mérite, à une position de la plus haute importance. Une autre considération avait également poussé Sinko et Gallay à placer en 379 le Discours 38, précisément l'allusion aux violences que Grégoire lui-même avait dû subir à la suite de l'assaut que les ariens avaient donné à l'*Anastasia* (38, 18). Eh bien, selon Bernardi, les allusions aux événements de 379 sont aussi valables pour 380; ce sont des reproches

moment où Grégoire avait quitté sa solitude de Séleucie en Isaurie (début de 379).

1. *Jahrbücher der christlichen Kirche...*, p. 79, n. 4.
2. Cf. BERNARDI, p. 199 s.

que les nicéens pouvaient adresser aux ariens (ou de toute façon à ceux qui étaient présents dans l'église de Constantinople) à tout moment et dans toute situation, et ils n'avaient certainement pas cessé de faire ces reproches en 380 ou 381. En outre, si ces allusions aux événements passés avaient été faites le 25 décembre 379, elles n'auraient été entendues que par les fidèles rassemblés dans l'*Anastasia* : moins directement appropriées, puisqu'elles n'auraient pas été adressées au public arien lui-même devant lequel de tels reproches sont au contraire bien concevables, elles auraient eu une signification bien moins grande, et n'ont donc de raison d'être que si on descend jusqu'à Noël 380. Mais il y a plus : les trois discours ont une importance et une signification bien différentes, selon qu'ils ont été prononcés devant le public restreint de l'*Anastasia* ou dans le cadre grandiose de la basilique des Saints-Apôtres. La polémique anti-hérétique et la défense de la doctrine trinitaire qui apparaissent dans ces Discours (surtout 39, 13 et 40, 41), signifient que Grégoire prend une position officielle. Et même la critique dirigée contre ceux qui se préparent mal au baptême et qui, ne se rendant pas compte de l'importance de cet acte officiel, le placent après tant d'occupations apparemment plus agréables ou plus lucratives, se comprend moins bien si elle est adressée au petit groupe de nicéens rassemblés dans l'*Anastasia* plutôt qu'à la grande foule de Constantinople; à cette foule, l'évêque doit parler à ce moment-là sur un ton bien différent : celui de l'admonition et de la dureté aussi. Le clergé indocile auquel il est fait allusion en 39, 15 (352 A) ne peut être que le clergé arien, passé sous l'autorité de Grégoire à la suite des dispositions religieuses de Théodose. L'insistance même avec laquelle Grégoire revient sur la fonction, la dignité et la nécessité du baptême s'explique si on tient compte du fait qu'en 381 l'orateur avait désormais une position officielle et que le baptême représentait l'acte

public régulièrement requis pour l'adhésion au christianisme. Dans ce cadre, dans cette situation élargie, entre
aussi la considération de la position, en face du christianisme, de ceux qui avaient alors des charges publiques et
dont il est question en 40, 19 : naturellement on ne peut
exclure le fait que dans l'*Anastasia* se trouvaient également
des magistrats, mais il semble plus vraisemblable que le
problème ait été évoqué pendant un discours officiel
prononcé dans la basilique des Saints-Apôtres. C'est de la
même façon qu'on doit interpréter le ton solennel et
autoritaire de la conclusion du Discours 40 : le nouvel
evêque de Constantinople expose alors publiquement les
termes de sa profession de foi, c'est à elle que devra adhérer
dès lors celui qui voudra être admis au baptême.

Que déduit-on de cette série de considérations exposées
par ceux qui retiennent comme probable l'une ou l'autre
date, 379 ou 380? Chacune des deux hypothèses peut
recevoir des justifications vraisemblables, mais il manque
aux Discours 38-40 une explication interne qui garantisse
une date sûre. Malheureusement, ces hypothèses radicalement opposées ont recours, de surcroît, aux mêmes
preuves tirées du texte, et ces preuves sont faibles. La
solution est peut-être donnée, toujours hypothétique
cependant, précisément par le Discours 40 sur le baptême,
qui semble avoir une ampleur et une solennité qu'on ne
rencontre dans aucun des autres discours prononcés pendant la période de la prédication dans l'*Anastasia*. En effet,
si nous parcourons de nouveau les discours qui se situent
entre le début de 379 et Noël de cette année (qui serait la
date à laquelle Usener, Sinko et Gallay placent la triade
38-40), nous pouvons voir que tous (c'est-à-dire 20-25 et
32-33), à part une plus grande brièveté, ont un ton moins
solennel, moins impérieux, mais plus modeste et pourtant,
en même temps, plus chaleureux, comme celui de quelqu'un qui s'adresse à un auditoire clairsemé, mais ardent

dans la foi et affectionné à son pasteur. Dans ces Discours 20-25 et 32-33, Grégoire donne toujours l'impression d'une certaine insécurité personnelle, comme s'il se sentait tenu à l'écart dans la grande métropole qui lui est indifférente ou hostile. Bien différent, au contraire, est le ton du Discours 40 où l'orateur s'exprime avec une pleine autorité et une conscience sereine de sa propre importance. Même les Discours 38 et 39, bien que moins étendus, montrent à l'occasion que Grégoire se sent désormais tranquille sur le plan politique (il suffit de comparer la façon dont il s'adresse aux ariens dans les Discours 38 et 39 et le ton du Discours 33); et il peut aussi admonester et condamner (lire les chapitres consacrés aux sectateurs de Novatien, à la fin du Discours 39).

Donc, tout bien considéré, et en reconnaissant qu'on ne peut présenter que des hypothèses, puisque nos considérations se fondent plus sur une impression que sur des données de fait, nous sommes plus enclin à accepter la proposition de Bernardi qui place, comme on l'a vu, les trois Discours 38-40 entre Noël 380 et l'Épiphanie 381.

III. DÉVELOPPEMENT DOCTRINAL ET ASPECTS ARTISTIQUES

Le début du Discours 38 est vibrant de joie : tous les chrétiens sont invités à célébrer le retour du Sauveur, le retour de Dieu auprès des hommes (chap. 1-3). Mais on ne doit pas manifester sa joie comme on le fait habituellement dans les fêtes publiques, où les habitudes restent encore païennes (et la plus grande partie de la foule de Constantinople avait dû rester païenne en esprit), mais conformément à la solennité divine qu'on est en train de célébrer (chap. 4-5). Aux fêtes terrestres et vulgaires des Gentils doit s'opposer la célébration du mystère chrétien : les chrétiens, et Grégoire en particulier, qui est un adorateur du *logos* divin, doivent, pour manifester leur joie, mettre toutes leurs forces dans le *logos,* c'est-à-dire dans un discours dont le contenu doit être conforme à la vraie doctrine et dont la forme doit être digne de l'ordre, de l'harmonie et de la beauté de la révélation divine, spécialement célébrée en cette fête. C'est l'exaltation la plus significative et la plus consciente que Grégoire ait jamais faite de son art oratoire : l'élaboration stylistique, signe d'un équilibre dû essentiellement à sa culture grecque, et le contenu, représenté par la vérité de la révélation chrétienne, s'unissent pour créer une nouvelle forme d'art oratoire qui est la première et, peut-être, la plus belle expression que la littérature grecque ait atteinte dans ce domaine. A cette exaltation du *logos,* compris comme art oratoire et *logos* chrétien, on peut rattacher la défense, à la fois décidée et dure, de sa propre activité de prédicateur, théologien en même temps que lettré, que Grégoire jette à la tête de ses auditeurs récalcitrants après son intronisation, dans le Discours 36, chap. 4 (*SC* 318, p. 248 s.).

Au début donc, exposition et interprétation platoniciennes de la cosmogonie chrétienne : la nature du Dieu suprême et transcendant exaltée dans le chap. 7; la place de la Monade divine dans une Trinité, selon la foi de Nicée, au chap. 8; la création de l'univers comme manifestation de la suprême bonté de Dieu et de son art inégalable, dans les chapitres suivants (chap. 9-11); et, plus précisément, d'abord la création du monde intelligible, c'est-à-dire des créatures angéliques (chap. 9), puis la création du monde sensible, parfait dans ses parties (chap. 10), enfin la création de l'homme − synthèse de l'élément intelligible et de l'élément sensible (νοῦς et αἴσθησις) − dans le chap. 11. A ce moment, le discours de Grégoire se déroule selon le récit de la Genèse et selon la tradition de la doctrine chrétienne du salut (chap. 12-13), mais il ne s'agit pas, pour autant, d'une répétition vide et banale de thèmes attendus ; au contraire, des problèmes particuliers et délicats sont soulevés, comme nous le verrons. L'homme a été créé avec le don du libre arbitre et placé au Paradis. On parcourt de nouveau le récit biblique qui a trait à l'interdiction de toucher au fruit de l'arbre, à la désobéissance de nos premiers parents et à leur expulsion du Paradis ; puis l'histoire de l'humanité déchue, à laquelle ne suffisent plus, pour son rachat moral, les signes envoyés du ciel, mais qui a vraiment besoin de l'incarnation du Fils de Dieu, qui s'abaisse et se dépouille de sa grandeur pour assumer la chair humaine.

Bien que le grand récit de l'histoire du salut chrétien, avec la cosmogonie et l'incarnation du Fils de Dieu, ait été suggéré par la solennité de Noël et qu'il ait, pour cette raison, une justification plus que suffisante, il trouve toutefois bien rapidement son intérêt dans son lien avec les problèmes du moment. C'est encore la polémique contre les ariens qui s'insère dans la célébration de la fête : ce qu'impose la situation sociale et culturelle de Constantinople, des problèmes urgents à résoudre, cela intervient aussi dans la célébration émue de la fête de Noël. Le caractère sublime de l'incarnation du Fils de Dieu est exalté non seulement parce qu'il correspond à la foi du vrai chrétien, mais aussi parce qu'il est soumis aux pièges de l'hérésie. Les ariens en effet avaient l'habitude de souligner l'humilité et l'abaissement qui avaient caractérisé la vie du Christ sur la terre, pour en tirer une preuve ultérieure de sa nature créée ; d'autre part, c'était une habitude courante des nicéens de distinguer les deux séries de faits intervenus dans la vie du Christ : les faits, pour ainsi dire, humbles et indignes, et les faits surhumains et sublimes, pour attribuer les uns à sa nature humaine, les autres à sa nature divine. Nous trouvons la même attitude (un peu simpliste, à dire

vrai, parce qu'elle fait totalement abstraction du problème
de l'union hypostatique des deux natures dans le Christ)
dans ce discours de Grégoire. Mais il s'y ajoute aussi
l'insistance sur la valeur et la fonction de la *kénôsis* du Fils
de Dieu pour réaliser le salut de l'homme : la sotériologie
constitue le sens le plus profond de la *kénôsis* du Christ,
comme l'orateur le souligne avec émotion (chap. 14).
L'hérétique, parce qu'il ne s'émeut pas devant l'humilité
du Christ mais en est au contraire scandalisé, est pire que
les juifs et les démons exorcisés par Jésus (chap. 15). Et,
après les diverses actions qui révèlent l'humilité de la vie
humaine du Fils de Dieu et le sens donné à chacune
(chap. 14-15), l'orateur passe alors en revue, avec un
parallélisme parfait, tous les moments où s'est manifestée la
grandeur du Fils de Dieu sur la terre : chacun d'entre eux,
et non seulement la naissance surhumaine, puisqu'il est né
d'une vierge, pourrait justifier une fête (chap. 16-17). En
tout cas, dans tous les épisodes de la vie du Christ, dans
toutes les violences, les humiliations, les offenses, il y a un
sens évident pour chaque chrétien : le chrétien est celui qui
tient son nom du Christ; il prend également exemple sur
lui dans chacune de ces souffrances, s'il en est capable
(chap. 18).

Le Discours 39 reprend d'assez près le contenu du
Discours 38 auquel il renvoie explicitement plus d'une fois.
La fête des chrétiens (c'est ainsi que commence Grégoire)
est bien différente de celle des païens : celle-ci est toute
sensualité et matérialité, celle-là est spiritualité. L'interprétation du jour des «Saintes Lumières» est évidente pour
Grégoire qui donne à la lumière (comme nous le verrons
plus loin, p. 62 s.) une signification si pleine et si profonde
qu'elle constitue une constante de sa spiritualité et de son
expression poétique. Le chrétien a de nombreuses raisons
pour fêter le baptême du Christ, qui est la vraie lumière
(cf. *Jn* I, 9) : il signifie son passage des ténèbres à la

lumière, de l'ignorance à la connaissance de la vérité, du paganisme au christianisme (chap. 1-2). Les cultes païens, en particulier les cultes à mystères, sont ensuite soumis à une attaque serrée qui a pour but d'en démontrer la vanité et l'immoralité (chap. 3-6). Toutefois, dans ce passage, Grégoire ne fait rien d'autre que répéter de vieilles idées que nous connaissons mieux et de façon plus précise par les Apologistes, qui avaient mené semblables attaques avec un engagement bien plus vigoureux, étant donné la plus grande vitalité de ces cultes au IIe siècle. Au cours du IVe siècle, à vrai dire, on ne ressent plus l'urgence de démasquer et de railler les cultes païens ; le vrai danger, la vraie menace pour l'orthodoxie vient moins des dieux et des démons de l'idolâtrie que de l'hérésie. Cependant, on ne peut pas exclure le fait que la tentative de Julien l'Apostat de redonner vie au paganisme mourant et la menace que le christianisme avait dû redouter dans ces circonstances pouvaient faire sentir leurs effets. A près de vingt ans de distance, Grégoire et ceux qui avaient vu ces menaces de très près ne les avaient pas oubliées (il suffit de se rappeler les Discours 4 et 5 pour comprendre que le réveil du paganisme faisait encore partie de la réalité immédiate).

Ces cultes idolâtres, répugnants et abominables, ont été introduits au milieu des hommes par la jalousie des démons (chap. 7). A cause de l'idolâtrie, l'homme a adoré la créature au lieu du créateur et est devenu le souffre-douleur des démons. Pour expliquer comment l'homme a perdu sa dignité originelle, Grégoire a recours au schéma dont se sert S. Paul pour l'interprétation de la Genèse (*Rom.* 1, 24-25).

Jusqu'à maintenant, le discours a donc repris, en l'élargissant, le thème du Discours 38 : refus des cultes païens, différence entre les fêtes païennes et les fêtes chrétiennes et, ensuite, exposition du dogme chrétien. En face de la dépravation du paganisme, en effet, se dresse la vérité chrétienne, qui propose l'adoration du Dieu vrai et repousse l'idolâtrie de tout ce qui est inférieur au temps et au mouvement originel (expression de facture platonico-aristotélicienne pour désigner la nature divine). Il est donc nécessaire de «philosopher» à partir de ce commencement qu'il faut respecter : ce commencement est la crainte de Dieu, comme nous l'a enseigné Salomon (cf. *Prov.* 4, 7) : «là où il y a crainte de Dieu, il y a observation de ses commandements; là où il y a observation des commandements, il y a purification de la chair, ce nuage qui fait écran devant l'âme et ne laisse pas voir dans sa pureté le rayon divin; là où il y a purification, il y a illumination; et l'illumination, c'est le rassasiement du désir» (chap. 8). Grégoire développe alors largement un de ses thèmes les plus chers, celui de la purification, qui est, pour tout chrétien, la condition première et fondamentale pour s'approcher de l'Être pur, pour connaître la vérité (voir aussi plus loin, p. 67 s.).

Une fois que les auditeurs et l'orateur lui-même se sont convenablement purifiés, on peut parler de la raison de la fête pour laquelle la communauté chrétienne s'est rassemblée. Puisque la fête des «Saintes Lumières» est la fête de Dieu (elle célèbre en effet le baptême de Jésus dans le Jourdain), parlons de Dieu. La célébration de Dieu nous relie, déjà sur la terre, aux bienheureux qui exaltent le créateur dans le Paradis (chap. 11). A ce moment, Grégoire se rend compte que son discours se développe de la même façon que le Discours 38, prononcé peu de jours auparavant, et il s'en excuse; cependant, il continue d'insister sur la doctrine nicéenne de la Trinité (345 C; cf. 38, 8, 320 B) et sur la distinction, propre aux Cappadociens, entre substance et hypostase (345 CD), avec la référence habituelle aux hérésies opposées d'Arius et de Sabellius (348 A, chap. 12). L'exposé de la doctrine trinitaire donne beaucoup de place aussi à l'Esprit-Saint dont il dit, pour en

expliquer l'origine – avec l'attitude du doute parce qu'il se
rend compte de la nouveauté de son interprétation – qu'il
provient du Père «par procession» (ἐκπορευτῶς). Tout cela
nous rapproche de la spéculation du cinquième discours
théologique, de même que la comparaison avec Seth tenant
son origine d'Adam sans qu'il s'agisse de génération
naturelle, comparaison qui sert à éclairer le fait que
l'Esprit-Saint tient son origine du Père sans être le Fils
(cf. aussi Discours 31, 11, *SC* 250, 294-296).

Face à l'interprétation de type ouvertement platonico-
philosophique du Discours 38, cette théologie du Discours 39 est plus spécifiquement chrétienne, peut-être
exprès, comme si l'orateur voulait corriger le platonisme
excessif du discours précédent. Même le thème de la
création de l'homme est ramené, comme dans le discours 38
(chap. 9), à la volonté de Dieu de ne pas être adoré
seulement dans les sphères supérieures. Mais ici, dans le
Discours 39 (chap. 13), l'explication est moins «philosophique» : il fallait que la gloire de Dieu n'eût pas de limites,
dit-il simplement, sans s'arrêter un instant, comme dans le
Discours 38, 9 sur le concept du *bonum* comme *diffusiuum sui*.
Puis il répète l'histoire de la création et de la chute de
l'homme à cause du démon, le renouvellement de la nature
humaine et l'incarnation du Fils de Dieu. C'est donc
l'exposé, de façon bien plus brève, de ce qui avait été
expliqué de façon plus ample et plus approfondie dans le
Discours 38. La nouveauté de la fête, par conséquent, est
autre : c'est le baptême du Christ, dont la valeur et le sens
sur le plan de la régénération de l'homme doivent être
convenablement approfondis (Chap. 14).

Quel est l'enseignement que l'on tire du baptême de
l'être le plus pur et le plus parfait, de celui qui n'a
pas besoin de purification? Évidemment, un stimulant
pour notre propre purification qui seule nous permettra
d'annoncer la parole divine. Cela est dit pour ceux qui,

soudainement, sans préparation convenable, veulent enseigner aux autres et se sentent autorisés à assumer une position prééminente[1]. C'est la même leçon que l'on tire de deux autres discours de Grégoire, les Discours 27 et 32, une leçon particulièrement adaptée à une époque pendant laquelle les controverses trinitaires portaient à la scène même le plus improvisé des prédicateurs. Aussi, l'exhortation à ne pas se rebeller contre ceux qui annoncent la parole de Dieu est particulièrement opportune à une époque où il était question chaque jour de schismes et de conventicules. Le Christ lui-même, du reste, donna toute sa vie de clairs exemples d'humilité (chap. 15-16).

D'une façon un peu brusque (chap. 17) on en vient alors à «philosopher» de nouveau sur le baptême du Christ, et donc sur le baptême en général. Il y a eu à ce sujet une progression dans le sens que le baptême, seulement esquissé par des épisodes célèbres de l'Ancien Testament (le passage de la Mer Rouge), puis imparfaitement réalisé par Jean, à qui manquait la présence sanctificatrice de l'Esprit, trouve ensuite sa pleine et parfaite signification dans le baptême chrétien. La symbolique du type de baptême est, comme il est facile de le voir, la symbolique traditionnelle de tout le christianisme antique, et Grégoire n'y ajoute aucune considération particulière; on peut en dire autant en ce qui concerne l'examen des divers types de baptêmes (chap. 17), comme le baptême du sang (c'est-à-dire le martyre) et le baptême des larmes et de la contrition (c'est-à-dire la pénitence). Ce dernier type de baptême, qui efface les péchés de la vie passée dans le paganisme, est celui que Grégoire administre, celui dont il

1. Selon BERNARDI (p. 208), cette allusion ne peut se comprendre que comme un reproche adressé au clergé arien qui, depuis quelques années, était conduit par Démophile : il y avait donc, parmi ses membres, des prêtres trop jeunes et manquant d'expérience.

devra parler le jour suivant dans le Discours 40. Personne
ne peut s'en passer : ni le pharisien qui se vante de sa fausse
pureté, ni le sectateur de Novatien qui n'accepte pas le
repentir et refuse la rémission des péchés (chap. 18). Le
nom de Novatien, à ce moment-là, est à peine plus qu'un
cliché pour désigner les courants de rigorisme excessif qui
devaient être encore présents dans la Constantinople du
IVᵉ siècle. Novatien était sans doute alors une personne
aussi peu concrète que l'autre hérétique du IIIᵉ siècle,
Sabellius, qui n'est, lui aussi, qu'un nom pour désigner
l'hérésie modaliste. De toute façon, c'est certainement le
rigorisme de ces chrétiens qui rend difficile la prédication
de Grégoire. Aussi adopte-t-il, en face d'eux, une attitude
en partie conciliante, en partie décidément opposée : si les
rigoristes ne sont pas d'accord avec Grégoire et n'approu-
vent pas sa position sur le plan moral, qu'ils aillent leur
chemin. Une attitude de ce genre-là est peut-être plus
compréhensible (pour revenir au problème insoluble de la
datation de ce discours) dans la situation de sécurité et
d'autorité que devait connaître Grégoire dans les premiers
jours de 381 ; il pouvait alors se permettre de repousser des
gens qui, sur le plan doctrinal, pensaient probablement
comme lui et n'étaient pas ariens, tandis que, l'année
précédente, n'importe quelle alliance contre les ariens
aurait été bien acceptée. Ainsi, dans le fond, Grégoire se
comporte comme avec les chrétiens du discours 41, qu'il
exhorte à accepter la doctrine de la divinité de l'Esprit,
mais avec lesquels il ne mène pas la polémique à fond.
D'ailleurs il n'y a pas lieu d'insister davantage sur cet
argument, qui est très aléatoire.

Pour éviter que le Discours 39 ne paraisse trop long aux
auditeurs, il a été interrompu avant que Grégoire ait fini
d'exposer tout ce qu'il aurait voulu dire sur le baptême
(c'est ce qu'on lit au début du Discours 40). En effet
l'orateur commence à parler du baptême (chap. 17), puis

s'écarte de son sujet en ouvrant une polémique avec les
sectateurs de Novatien (chap. 18-20); sur quoi le discours a
dû être brusquement interrompu, parce qu'il se faisait tard.
Après ce bref préambule, Grégoire entre dans le vif du
sujet : si on y regarde bien, il y a trois naissances pour
l'homme, la naissance selon la chair, celle du baptême et
celle de la résurrection. Toutes les trois ont été réalisées par
le Christ, exemple pour tous les hommes (chap. 2). La fête
que Grégoire veut célébrer maintenant, c'est-à-dire le
baptême du Christ, lui impose de parler de la seconde
génération. Par un procédé fréquent chez notre auteur (on
le voit dans le Discours 41, 2-4, où le sens chrétien de la
fête de la Pentecôte est illustré par une savante recherche
préliminaire sur la signification et l'histoire du nombre 7),
dans ce discours aussi Grégoire fait précéder la méditation
sur le mystère du baptême proprement dit d'une énumération (les énumérations sont également une caractéristique
de la structure des homélies de notre auteur; cf. Discours 30, 19-20; 31, 29-30) des divers sens du sacrement,
d'une revue de toutes les prérogatives dont peut jouir
l'homme à la suite de son passage du paganisme au
christianisme (chap. 3-4). En particulier, le christianisme
ancien avait répandu, entre autres formes d'interprétation
du baptême au point de vue spirituel, celle de l'identification entre baptême et illumination, avec l'équation, favo-
risée aussi par une assonance verbale, entre βαπτισμός et
φωτισμός (cf. Justin, *Apol.* I, *PG* 6, 421). Grégoire, à qui la
terminologie de la lumière est particulièrement chère,
comme nous aurons l'occasion de le voir, développe l'idée
que lui fournit l'identification (traditionnelle, nous le
répétons), entre baptême et lumière, pour reprendre la
célébration de la nature lumineuse de Dieu, de la structure
des lumières qui viennent après Dieu (deuxième lumière :
l'ange, troisième lumière : l'homme) et pour souligner avec
force combien l'illumination du baptême rend l'homme

encore plus semblable à Dieu (chap. 5). Mais cela ne suffit pas : la lumière de Dieu se répand sur la terre et se manifeste à la vie humaine de diverses façons. Le premier commandement de Dieu était lumière : la loi mosaïque était lumière ; la lumière de Dieu est apparue à Moïse, à Israël, à Élie, dans d'autres occasions. L'énumération des diverses apparitions de la lumière dans l'Ancien et le Nouveau Testaments ne constitue pas une pure et simple réminiscence érudite ; elle s'explique si l'on tient compte de l'intention didactique de Grégoire, qui recherche dans ces apparitions la présence et l'efficacité de la nature divine (chap. 6-7). Et c'est toujours dans ce but didactique que Grégoire répète à grands traits la théologie trinitaire qu'il avait déjà esquissée dans les deux précédents discours : Dieu seul est sans péché ; les anges aussi peuvent être sans péché, mais, qu'ils le soient ou non, c'est un problème qui reste ouvert du fait de leur nature, parce que Grégoire tient compte de la chute des anges qui se sont rebellés contre Dieu et, surtout, de la fonction maléfique de l'Ennemi, Lucifer, dans l'histoire de nos premiers parents. L'homme, qui est un composé, fait de chair et d'esprit, a péché, mais il n'a pas été abandonné par Dieu. Le baptême sert justement à ramener l'homme à sa condition originelle. Cette interprétation du salut de l'homme pourrait sembler trop rapide et sommaire parce que Grégoire ne fait pas allusion ici à l'incarnation du Fils de Dieu ; mais il est aisé de penser qu'il avait devant lui le même auditoire que lors des deux fêtes précédentes et n'éprouvait donc pas le besoin de répéter l'histoire de la décadence humaine après le péché originel et celle de l'incarnation du Christ, ou d'expliquer la façon dont cette dernière était la condition nécessaire du baptême.

Tel est donc le précieux effet du baptême : ramener l'homme à sa dignité originelle. Grégoire affronte là un problème assez brûlant à son époque, celui du baptême retardé, si possible, jusqu'au moment de la mort, et il s'emploie presque tout au long du discours à combattre cette habitude répréhensible (chap. 11-40). C'est une longue partie, un peu pénible à lire, surtout à cause de son caractère discursif sans approfondissement particulier, mais assez intéressante à certains égards, dans la mesure où on peut y voir de près les usages et les préjugés d'une société qui, chrétienne en apparence, continuait à vivre selon les habitudes du paganisme. Le baptême donné aux adultes, particulièrement à la fin de la vie, n'arrivait pas à avoir une incidence sur les incrustations d'une mentalité dissolue, et la société de la Constantinople chrétienne du IVe siècle ne paraît pas très différente de ce que pouvait être la société païenne de l'époque. A une telle société le baptême ne devait pas paraître plus qu'une formalité qui contraignait à des engagements d'un genre plus précis et devait donc être repoussée le plus possible, jusqu'à une période de la vie humaine où de tels engagements ne seraient pas particulièrement lourds. Un autre aspect frappe dans l'attitude de cette société devant le baptême : sa réduction presque totale à un acte purement formel puisqu'elle réclamait pour le baptême le même caractère théâtral, les mêmes apparences qui semblaient indispensables dans la vie laïque. On se fait baptiser, oui, mais l'évêque qui baptise doit être un métropolite (chap. 26); on se fait baptiser, mais tous les parents doivent être présents de façon à ce que la solennité ait le faste dû non au sacrement lui-même mais au rang du baptisé; et surtout, on se fait baptiser, mais sans que le baptême ait la moindre influence sur notre vie dans le monde et nous pousse à modifier nos habitudes, les ambitions, les intérêts qui nous mènent dans cette société. C'est pourquoi la dure polémique de Grégoire contre cet état de choses et contre cette mentalité formaliste, paresseuse et superficielle, si on la comprend bien, apparaît comme une sévère prise de position qui a son origine dans le sens le plus profond du christianisme : aucune comédie, aucun dédoublement, aucun mensonge entre la vie et la pensée, entre les œuvres et la foi; telle doit être l'attitude du chrétien chez lui et hors de chez lui; celui qui s'est revêtu du Christ ne peut le faire à moitié, comme il en a l'habitude, mais il doit être chrétien jusqu'au bout. Même s'il n'y a plus de persécutions (elles étaient en fait terminées à l'époque de Grégoire), la vie civile, les engagements mêmes liés à la condition sociale réservée à chaque homme, exigent toutefois une conduite de vie chrétienne. Voilà l'enseignement de ce long discours.

Une allusion a déjà été faite (p. 20-21) au contenu des derniers chapitres (41 s) : les traits d'une théologie trinitaire et la profession de foi que Grégoire proclame solennellement devant son auditoire sont plus qu'une considération valable seulement sur le plan doctrinal : l'évêque fait remarquer quelles sont les normes de caractère doctrinal et sacramentel auxquelles il entend se tenir pour accorder le baptême. Quiconque voudra recevoir le baptême devra souscrire à la profession de foi de l'évêque de Constantinople. Comme nous l'avons remarqué plus haut, on voit clairement la signification particulière et l'inhabituelle autorité avec laquelle Grégoire professe sa foi devant tous, même devant les autorités civiles qui entendent cette prédication (cf. chap. 19); et on voit clairement de quelle chaire il entend la défendre et la professer.

Ce n'est pas seulement pour les raisons extérieures de leur composition que les Discours 38-40 constituent un tout unique : ils nous présentent, en effet, une complexe composition théologico-philosophique typique de Grégoire de Nazianze et qui renferme, si on peut dire, toutes ses principales doctrines. L'importance même des fêtes au cours desquelles ces discours ont été prononcés avait vraisemblablement conduit notre orateur à manifester le meilleur de ses capacités artistiques et théologiques. Les discours sur Noël et sur la fête des «Saintes Lumières» sont parmi les plus beaux que Grégoire ait écrits : exemple splendide d'art «asianique» (selon la fameuse étude de E. Norden[1]). Je ne saurais dire quels autres écrits du christianisme grec des premiers siècles pourraient les égaler : probablement aucun.

En ce qui concerne l'aspect théologico-philosophique, il est compris dans une ample structure qui contient les points essentiels de la doctrine chrétienne : l'*économie* divine, la sotériologie et l'anthropologie, le péché originel et le libre arbitre, la régénération de l'homme par le baptême. Sans doute, le caractère homilétique des trois écrits, qui sont des textes dits (bien qu'une réélaboration littéraire soit intervenue par la suite, comme il est logique), non des traités techniques, a provoqué quelques répétitions (elles sont plus évidentes dans certaines parties des discours 38 et 39 et sont reconnues par Grégoire lui-même), mais l'impression générale que l'on retire de la lecture de ces trois discours est celle d'un ensemble bien homogène et significatif de la doctrine de Grégoire de Nazianze. Et on ne doit pas passer sous silence le fait que l'orateur affronte aussi avec le même approfondissement doctrinal d'autres problèmes qui, s'ils n'entrent pas parfaitement dans la définition de la «théologie» *stricto sensu,* ont cependant une importance notable, par exemple celui de la

---

1. Cf. E. NORDEN, *Die antike Kunstprosa,* Leipzig 1909, p. 566-567. L'étude de Norden, consacrée surtout aux premiers chap. du *Discours* 38, exemple typique de style asianique dans la succession rapide et harcelante («à la manière d'une danse», remarquait USENER, *op. cit.,* p. 253) de *kôla* parallèles, soulignés par des homéotéleutes et des antithèses, est encore la plus valable des études concernant le style des discours de Grégoire. Une étude stylistique et littéraire de sa prose comblerait une lacune particulièrement importante. Une tentative en ce sens a été faite par R. RADFORD RUETHER, *Gregory of Nazianzus Rhetor and Philosopher,* Oxford 1969, mais beaucoup reste encore à faire.

pénitence (Discours 39, 17-19), celui du baptême des enfants (Discours 40, 17) et d'autres.

IV. DOCTRINE TRINITAIRE

Assurément, la doctrine trinitaire est le fondement de la réflexion théologique de Grégoire de Nazianze, elle est l'objet des importantes déclarations qui sont aussi au programme de ces discours, même si on doit reconnaître que le sujet n'est pas discuté ici avec l'approfondissement que l'on trouve dans les «Discours théologiques» (27-31). Chez notre auteur, elle est traditionnelle et banale l'affirmation que la nature divine ne peut se trouver hors des trois Personnes, qu'une telle conception ne saurait être autre chose que le polythéisme des Grecs, et que cette nature divine ne peut être, d'autre part, limitée seulement au Père, pour ne pas tomber dans le judaïsme. La foi chrétienne, remarque Grégoire en accord avec d'autres auteurs du *credo* nicéen[1], consiste à garder le juste milieu entre les deux extrêmes. Lorsque l'orateur se pose la question de savoir à qui revient la nature divine, il utilise, pour condamner ceux qui limitent seulement au Père une telle prérogative, le terme de «monarchie»; ce terme nous rappelle évidemment Sabellius et le modalisme de Marcel d'Ancyre, hérésie considérée par les nicéens comme un péril égal à celui de l'arianisme (38, 8). Grégoire répète

---

1. Les exemples seraient innombrables, même si les formules ne semblent pas toujours aussi nettes et constantes, balancées, oserais-je dire, que chez Grégoire; de toute façon, il suffirait de parcourir superficiellement les écrits d'Athanase, d'Hilaire de Poitiers, d'Ambroise. Cf. généralement à ce sujet M. SIMONETTI, *La crisi ariana nel quarto secolo,* Rome 1975, et nos observations dans SC 318, p. 35-37.

d'autres fois le rapprochement entre le sabellianisme et le judaïsme (cf. Discours 25, 16) : il faut toutefois remarquer que les occasions ne lui manquent pas de rattacher le judaïsme à l'hérésie opposée, l'arianisme (cf. Discours 2, 37 ; 33, 16). La raison de tout cela est évidente : refuser au Fils la nature divine et la subsistance personnelle, ce sont les erreurs typiques des deux hérésies. La profession de foi trinitaire est répétée avec une solennité particulière à la fin du Discours 40 (chap. 41-43), car l'occasion est particulièrement importante : la foi orthodoxe devait représenter la condition *sine qua non* pour être admis au baptême et faisait incomber à l'évêque, c'est-à-dire à Grégoire lui-même, la tâche de surveiller la parfaite régularité de cette admission. La nature divine, dite aussi «puissance» (δύναμις : le terme ne doit pas surprendre, car il est d'un usage courant chez Grégoire de Nysse aussi[1]), a la caractéristique d'être unitaire, mais en trois personnes, tandis que les Trois sont comprises à leur tour de façon unitaire : «(elle) se trouve dans les Trois d'une manière une... et réunit les Trois d'une manière distincte (40, 41)»; c'est la rhétorique qui, dans le jeu subtil des antithèses, est mise au service de la théologie, de même que dans le Discours 39, 11 : «car il y a division sans division, pour ainsi dire, et réunion en gardant la division». Une telle nature est toujours égale à elle-même : elle n'admet pas de différences à l'intérieur d'elle-même, comme le pensaient les ariens, qui niaient la divinité du Fils et de l'Esprit-Saint, ou les macédoniens, qui niaient celle de l'Esprit seulement. Il n'y a pas de substance plus grande ou plus petite dans la Trinité[2]. Grégoire parle d'une cohésion infinie (ἄπειρος συμφυΐα) de trois êtres sans limites. Cette

---

1. Cf. *Ad Eustathium*, p. 7, 3 ; 7, 22 s. Müller; *Ad Ablabium*, p. 44, 7, etc.; *Adversus Macedonianos*, p. 92, 23, etc.; *Hom. Beat.* VI, *PG* 44, 1269 A; VII, 1280 B.

2. Cf. encore à ce sujet GRÉGOIRE DE NYSSE, *Adversus Macedonianos*, p. 90, 27 s.; *Ad Ablabium*, p. 41, 3 s., etc.

expression, si on l'isolait du contexte, aurait comme une vague odeur «homéousienne» (semi-arienne) : c'est-à-dire que la substance commune qui constitue les Trois ne se distinguerait pas assez de leurs caractéristiques particulières; mais la nature divine se présente comme le résultat de l'union des Trois. Quoi qu'il en soit, la conviction trinitaire est parfaite, puisqu'il n'y a pas de différence entre les Personnes et que chacune d'entre elles est Dieu. Chaque Personne doit être conçue comme unie aux autres, soit parce qu'elle est «de même substance», soit parce que les trois, ensemble, constituent une monarchie : le terme, qui caractérisait souvent le sabellianisme, comme on l'a vu plus haut, est ici racheté parce qu'il est employé conjointement à *homoousion* et, de la sorte, toute déformation modaliste est évitée. Chacune des trois personnes fait immédiatement penser à toute la nature divine qui est derrière elle.

Immédiatement après (40, 42), la doctrine trinitaire se précise dans une polémique avec les ariens, qui représentaient toujours le péril majeur, même dans le cas où ces discours auraient été prononcés après l'intronisation de Grégoire. Aux ariens, Grégoire reproche de détruire la nature divine en séparant le Fils du Père (διαίρεσις) ou l'Esprit-Saint du Fils. Les hérétiques, en effet, tout en considérant le Fils comme une créature, l'incluent dans la divinité. Et ce n'est pas tout! Comme ils ont séparé le Fils du Père, les ariens séparent l'Esprit du Fils, ce qui équivaut à diviser une créature (420 A), si on tient compte du présupposé que le Fils est une créature. En tout cas, nous aurions une créature unie à Dieu, et le baptême chrétien perdrait toutes ses propriétés, parce qu'il ne pourrait plus sanctifier ou régénérer celui qui serait baptisé au nom d'une créature, esclave de Dieu comme l'homme[1].

1. Cette argumentation est assez chère à Grégoire : si le baptême n'est pas réalisé par la divinité tout entière, mais si, en lui, est aussi

Il y a encore une formule de foi, suggérée par la circonstance du baptême, auquel elle était souvent liée dans le christianisme antique : le catéchumène prononce sa confession devant la communauté chrétienne. Plus solennelle et plus grandiose, dans son ampleur, est la formule que Grégoire énonce au chap. 45. En peu de mots sont résumées la doctrine trinitaire et la création du monde, œuvre de la puissance de Dieu et de sa providence. En outre, il est proclamé que le mal ne doit pas son existence à Dieu, énoncé qui peut paraître étrange dans ce contexte, mais qui avait peut-être été suggéré par l'occasion de faire opposition aux insidieuses propositions des manichéens, assez actifs sans doute dans la société de Constantinople. Vient ensuite une confirmation de la doctrine de l'incarnation du Fils, de sa complète humanité et de sa complète divinité. Grégoire insiste, comme nous le verrons plus tard (p. 54), sur la totalité de la rédemption réalisée par le Christ, de façon polémique encore (certainement contre l'hérésie d'Apollinaire de Laodicée). Puis, bien plus rapidement et succinctement, sont confessées la mort, la crucifixion, la résurrection et l'ascension du Christ.

Il y a encore une autre partie (précisément dans le Discours 39, 12) particulièrement intéressante pour ce qui concerne la confession trinitaire de notre auteur. Dans ce passage, Grégoire rattache sa doctrine des trois hypostases à certaines formules pauliniennes qui avaient été appliquées par d'autres avant lui à la théologie. Les formules proviennent de I Cor. 8, 6 et Rom. 11, 36, opportunément adaptées. Les modifications apportées par Grégoire consis-

présente, avec l'Esprit (selon la formule traditionnelle qui remonte à Matth. 28, 19), une créature, ce sacrement n'a pas la capacité de transformer la nature humaine, parce que l'Esprit aussi serait un esclave de Dieu comme toutes les autres créatures : cf. Discours 33, 17; 34, 12; GRÉGOIRE DE NYSSE, Adv. Macedon., p. 103, 27 s.; 105, 19 s.

tent, dans le premier cas, à joindre également l'Esprit-Saint
au Père et au Christ en lui attribuant la préposition
spécifique : «Pour nous, il y a un seul Dieu : le Père, de qui
viennent toutes les choses, et un seul Seigneur Jésus-
Christ, par qui sont toutes les choses», dit saint Paul. Et
Grégoire ajoute : «Il y a un seul Esprit-Saint en qui (ἐν ᾧ)
sont toutes choses.» L'addition a un rôle évident, celui de
compléter la doctrine trinitaire que les Pères cappadociens
se sont efforcés de formuler, avec l'introduction à part
entière de l'Esprit-Saint. Cette addition du syntagme ἐν ᾧ
doit créer un parallèle avec les deux syntagmes précédents
du texte de saint Paul, ἐξ οὗ, et δι' οὗ dans *I Cor.* 8, 6,
et avec la formule ἐξ αὐτοῦ, δι' αὐτοῦ, εἰς αὐτόν dans
Rom. 11, 36 : ce parallélisme, Grégoire le doit probablement à la doctrine trinitaire de Basile, qui avait utilisé les
trois syntagmes pour en attribuer un à chacune des trois
personnes, soulignant que la formule représente ainsi la
diversité des causes de toutes choses et les attribuant toutes
à Dieu lui-même, mais ces causes étant interchangeables
entre les Personnes (cf. *De Spiritu Sancto* 5, 7 s.). Basile
aussi avait échafaudé sa doctrine des trois causes pour
combattre les pneumatomaques, qui qualifiaient le Père de
cause efficiente, accordaient au Fils seulement la fonction
de cause matérielle et à l'Esprit la fonction de lieu ou de
temps (cf. *De Spiritu Sancto,* 2, 4-3, 5). De la sorte, Eunome
comme Basile reprenaient une terminologie d'origine platonicienne, tirée d'une longue tradition remontant aux
premiers temps de l'Académie platonicienne, comme on l'a
noté[1]. De toute façon, il est clair que si la séquence des

---

1. Cf. W. THEILER, *Die Vorbereitung des Neuplatonismus,* Berlin-
Zürich 1964², p. 23 s.; H. DÖRRIE, «Die Epiphanias-Predigt des
Gregor von Nazianz (Hom. 39) und ihre Geistesgeschichtliche Bedeutung» dans *Kyriakon. Festschrift Johannes Quasten* I, Münster 1970,
p. 409-423, maintenant dans *Platonica Minora,* München 1976, p. 137-153
(cité ici selon cette édition).

prépositions est en apparence comparable à celle de la
tradition platonicienne, en réalité elle s'en détache nettement, parce que, dans la tradition platonicienne, la
séquence indiquait une pluralité de causes diverses et de
valeurs différentes, et chez Grégoire la séquence est appliquée à la divine Trinité.

Analogue est l'emploi, dans ce passage, de la formule de
Rom. 11, 36 : «De lui, par lui et pour lui sont toutes les
choses.» Dans le texte de saint Paul la formule s'appliquait
à Dieu en tant que tel et n'avait aucune signification
trinitaire[1], mais on voit déjà une tendance à interpréter la
formule dans ce sens, comme le remarque Dörrie[2], dans
Origène, *Comm. in Epist. ad Rom.*, PG 14, 1202; et nous
apprenons encore du même Basile (*De Spiritu Sancto* 1, 3,
SC 17 bis, p. 256-258) qu'une formule semblable était
employée par lui-même et avait été comprise par les
hérétiques comme si elle exprimait une différence de
natures divines dans la doxologie : (δόξα) τῷ Θεῷ καὶ
Πατρὶ μετὰ τοῦ Υἱοῦ σὺν τῷ Πνεύματι τῷ ἁγίῳ.

Le reste du chapitre expose la doctrine trinitaire spécifique à Grégoire et à Basile : le Père n'a pas de commencement (ἄναρχος), ce qui n'est pas le cas du Fils, qui tient
son origine du Père; mais le Fils non plus n'a pas de
commencement, si on comprend ἀρχή comme un commencement dans le temps, selon la fausse doctrine des ariens : il
ne peut être en effet soumis au temps, celui qui est le
créateur du monde, donc du temps[3]. Grégoire affirme de

---

1. Ainsi DÖRRIE, *ibid.,* p. 145-146. Mais lire aussi la longue introduction de B. PRUCHE dans : BASILE DE CÉSARÉE, *Sur le Saint-Esprit,*
SC 17 bis, Paris 1968, surtout p. 41-52.

2. Cf. DÖRRIE, *ibid.,* p. 146.

3. Selon DÖRRIE, *ibid.,* p. 149, n. 40, cette argumentation reprend
quelques affirmations des platoniciens de l'âge impérial, qui l'utilisaient
pour étayer leur thèse de l'éternité du monde, contre ceux qui, comme
Plutarque et Atticus, voulaient à la suite de Platon que le monde ait été
créé.

nouveau que l'Esprit tient son origine du Père, non parce qu'il serait Fils ou un être engendré (οὐκ υἱικῶς δέ, οὐδὲ γὰρ γεννητῶς), mais parce qu'il «procède» du Père (ἐκπορεύεσθαι). L'orateur est bien conscient de la nouveauté de la terminologie qu'il tire de *Jn* 15, 26 (τὸ πνεῦμα τῆς ἀληθείας ὃ παρὰ τοῦ πατρὸς ἐκπορεύεται), en donnant un sens prégnant à l'expression évangélique qu'il interprète comme «la façon d'être» de l'Esprit[1]. C'est dans cet approfondissement du problème de l'origine de l'Esprit que se trouve le plus grand apport de Grégoire à la pneumatologie, un apport qu'acceptera quelques mois plus tard le concile œcuménique de Constantinople dans son formulaire du *Credo*. Assurément, quand il prononce son discours, l'orateur est bien conscient de la nouveauté de sa proposition et du fait que le terme qu'il emploie est inhabituel pour désigner la façon dont l'Esprit vient du Père. Les propriétés des Personnes (ἰδιότητες) restent intactes; mais il s'agit, souligne Grégoire, de propriétés et non de natures — ce qui ferait tomber dans le trithéisme. Grégoire ne s'exprime pas ouvertement de cette façon, mais nous savons que justement l'incapacité de certains milieux ecclésiastiques à distinguer entre οὐσία et ὑπόστασις rendront Grégoire de Nysse, en ces mêmes années, victime de l'accusation de trithéisme (cf. *Ad Eustath.*, p. 5, 3 s. Müller). Si on commet l'erreur de confondre propriété et nature (ou substance), on commet aussi l'erreur de penser qu'Adam et Seth sont de deux natures différentes, puisque Adam a été modelé par les mains de Dieu, alors que Seth a été engendré par Adam et Ève. Donc différentes sont les façons dont le Fils et l'Esprit-Saint parviennent à l'exis-

---

1. Parmi les nombreuses études concernant ce sujet, cf. K. HOLL, *Amphilochius von Ikonium in seinem Verhältnis zu den grossen Kappadoziern*, Tübingen und Leipzig 1904, p. 160-170; SIMONETTI, *La crisi ariana*, p. 498-499.

tence, mais unique est leur nature. C'est également cette
doctrine qui a été élaborée par Grégoire dans le cinquième
Discours théologique (cf. Discours 31, 11 : SC 250, 294-
296), qu'elle ait été mise au point avant celle-ci, ou qu'elle
lui ait été postérieure.

L'accusation de trithéisme, qui n'est pas explicitement
mentionnée dans le Discours 39, apparaît au contraire dans
le Discours 40 (chap. 43), dans un contexte de théologie
trinitaire qui a déjà été effleuré un peu plus haut (420 C).
Au commencement du passage en question, Grégoire
admet tranquillement que le Père est «plus grand» puisqu'il est à l'origine de l'existence et de l'égalité des autres
Personnes. En ce cas, le fait d'être μείζων (terme sur lequel
se fondaient les ariens pour soutenir leur hérésie[1]) n'a pas
d'autre sens que le fait d'être à l'origine des Personnes, qui
sont cependant égales au Père. On doit comprendre de la
même façon le fait (communément admis par tous, même
par les ariens), sur lequel nous nous fondons maintenant,
que le Père est ἀρχή : le Père est origine, mais origine
(ἀρχή) d'êtres qui ne lui sont pas inférieurs ; la préférence
donnée au Père en ce cas finirait par devenir une offense, si
l'on n'apportait pas un correctif (remarquer avec quelle
habileté rhétorique Grégoire continue à raisonner au
moyen d'antithèses et d'idées qui rectifient aussitôt ce qui a
été admis dans un premier temps). Pour des êtres consubstantiels (ὁμοούσια) aucune supériorité de nature n'est possible : le mot clef est ici ouvertement proclamé. Pour
récapituler : le Père est plus grand non par nature, mais

---

1. Cf. *Jn* 14, 28. L'affirmation que le Père est plus grand que le Fils,
puisque le Fils s'est incarné, se trouve entre autres chez AMBROISE, *De
fide* II, 8, 59 ; IV, 12, 168 (*CSEL* 78, p. 77, 216) ; Basile, au contraire,
avait proposé la solution qui est celle de Grégoire (cf. aussi les *Discours*
29, 15 s. et 30, 7) : le Père est plus grand puisqu'il est la cause du Fils :
cf. BASILE, *Adversus Eunomium*, I, 24 s (*SC* 299, p. 256 s.).

parce qu'il est la cause (αἰτία : le mot a été employé par
Basile; cf. *Adv. Eunomium* I, 25, *SC* 299, p. 262, II, 17; III,
1 *SC* 305, p. 66, 146, etc.); le Fils n'est pas plus grand que
l'Esprit-Saint, parce que seul l'Esprit peut accomplir
l'œuvre de sanctifier au moyen du baptême. Voici donc
l'accusation de trithéisme (420 C) de la part de ceux qui
n'étaient pas en mesure de saisir la distinction entre nature
et personne, entre substance et hypostase. Grégoire ne
répond pas de façon approfondie à cette accusation (cette
tâche sera assumée par Grégoire de Nysse, surtout dans ses
petits ouvrages adressés *ad Ablabium*[1] et *ad Graecos*[2]);
Grégoire de Nazianze répond, en substance, que discuter le
dogme de foi n'est pas le travail du peuple chrétien, c'est
une prérogative qui lui est réservée, car il est évêque. Le
chrétien professe sa foi selon les formules établies par celui
qui est en mesure de le faire. Cette réponse peut paraître un
peu brusque et dure, mais il faut tenir compte encore une
fois de la situation dans laquelle avait fini par se trouver
l'Église au cours du IVe siècle, alors que chaque chrétien, si
on peut dire, se croyait autorisé à discuter de théologie,
alors que non seulement les évêques pouvaient proclamer
de nouvelles formules ou adhérer à d'autres, mais que
certaines communautés chrétiennes pouvaient se permettre
de choisir (certainement sans raisonnement) entre un
Paulin et un Mélèce et provoquer ainsi le schisme
d'Antioche. Si on tient compte de tout cela, un rappel à la
mesure et à l'ordre, comme celui que nous voyons dans le
Discours 40 (et qui retentit d'autres fois dans les homélies
de Grégoire : on pense aux Discours 27 et 32), ne peut
manquer d'être opportun.

---

1. Cf. p. 23, 4 s. Müller; cf. SIMONETTI, *La crisi ariana,* p. 522-523.
2. Cf. p. 40, 5 s. Müller.

V. DIEU ET L'HOMME

L'anthropologie est exposée rapidement dans le Discours 38, 11, avec la distinction traditionnelle entre νοῦς et αἴσθησις, que Grégoire considère cependant comme deux substances réelles, représentées par νοητὸς κόσμος et ὑλικὸς κόσμος. Leur union se réalise dans l'homme, composé des deux substances, la matière et le νοῦς, contenu dans le souffle divin qui lui a été insufflé à l'origine. Parce que Dieu est vivant et doué de raison[1], avec son souffle ont été placés par Dieu dans l'homme (ou, mieux, dans le composé matériel) la vie et la faculté de raisonner, une ψυχὴ νοερά, une âme (avec le sens de «vitalité» que le mot grec souligne) dotée de raison. L'homme ainsi créé en vient à être défini, comme l'avaient proposé en leur temps Démocrite[2], Aristote *(De philosophia),* Posidonius et Philon d'Alexandrie[3], comme un «microcosme» (cf. D. 28, 22); sa condition fondamentale est une condition intermédiaire entre la nature divine et la nature matérielle. Cette condition devait déjà être celle du premier homme, puisque Grégoire affirme explicitement qu'il a été créé par Dieu «esprit et chair : esprit pour l'action de grâces, chair pour l'orgueil, l'un, afin qu'il demeure à jamais et glorifie son créateur, l'autre, afin qu'il souffre, et qu'en souffrant il se souvienne (de ce qu'il est) et soit corrigé s'il ambitionne la

---

1. La définition de Dieu comme νοῦς est dominante chez Grégoire (cf. *Discours* 2, 74; 18, 4; 32, 15; *Poèmes* I, 1, 5, 2; I, 1, 10, 1, etc.); cf. C. MORESCHINI, «Il platonismo cristiano di Gregorio Nazianzeno», *Annali della Scuola Normale Superiore di Pisa* III, 4, 1974, p. 1347-1392, p. 1382-1383; H. ALTHAUS, *Die Heilslehre des heiligen Gregor von Nazianz,* Münster 1972, p. 130.

2. Cf. *VS* 68 B 34.

3. Cf. *Quis rer. div. heres* 155; *de Vita Mosis* II, 135, etc.; R. GOTTWALD, *De Gregorio Nazianzeno platonico,* diss., Breslau 1906, p. 30.

grandeur, être vivant dirigé ici-bas (par la Providence) et
en marche vers un autre monde, et, comble du mystère, par
son penchant vers Dieu il devient un Dieu». La condition
du premier homme, donc, n'est pas différente de celle de
l'homme après la chute. Il a été doté, en outre, du libre
arbitre (38, 12) – cela aussi est en accord avec ce que nous
venons de dire –, afin que le mérite du bien soit attribué
non seulement à celui qui a procuré au premier homme les
germes du bien même, c'est-à-dire l'inclination à la vertu,
mais aussi à celui qui est en mesure de réaliser et mener à
bonne fin les inclinations mêmes. On retient donc de cette
description que la condition d'Adam était en tous points
semblable à la nôtre; ou mieux, il était caractérisé par une
simplicité et une immaturité d'esprit, si l'on peut dire, qui
pouvaient le rendre accessible à la tentation du diable.
Dans la pensée de Grégoire se prolonge l'ancienne conviction chrétienne selon laquelle Adam dans le Paradis aurait
eu l'esprit d'un enfant[1].

L'état d'enfance dans lequel se trouve Adam est décrit
par Grégoire au cours du chap. 12. Le premier homme a
des pensées «simples» et en tout et pour tout inspirées par
l'amour de Dieu; surtout, la connaissance du bien et du
mal (en quoi consistait le projet divin violé par le péché
originel) n'était pas destinée à Adam tant qu'il se trouvait
dans la condition paradisiaque, mais aurait dû être atteinte
«en son temps». Comme le dit Althaus[2], Adam n'était pas
un homme mûr : c'était un homme en cours de maturation.

Déjà Théophile d'Antioche avait représenté Adam
comme un enfant (νήπιος : *Ad Autol.* II, 25), et Irénée
(*Adv. Haer.* IV, 62) avait développé la même idée, à savoir
que Dieu avait garanti à Adam la perfection, mais seulement pour un moment ultérieur, puisque, dans l'état

1. Cf. ALTHAUS, *Die Heilslehre,* p. 66 s.
2. Cf. *ibid.,* p. 67.

paradisiaque où il se trouvait alors, il n'aurait pas été en mesure de l'accueillir en lui-même : νήπιος γὰρ ἦν. Naturellement, les problèmes culturels du christianisme du deuxième siècle (cette idée apparaît aussi chez Clément d'Alexandrie, *Protr.* 117, 1, *SC* 2, p. 185; *Strom.* VI, 96, 1, *GCS,* p. 480) ne sont pas ceux du IVe siècle : alors, les écrivains chrétiens devaient défendre le récit biblique contre les interprétations malveillantes des gnostiques, qui se demandaient comment il se pouvait que Dieu ait créé l'homme imparfait au point de pécher tout de suite, et ils devaient donc offrir une interprétation positive de la «simplicité» et de la «puérilité» d'Adam. Une telle idée n'a pas grande importance pour Grégoire, qui préfère insister sur le fait qu'Adam, bien que «simple», avait été cependant doté du libre arbirtre au moyen duquel il pouvait obtenir le mérite en agissant correctement[1]. Origène déjà avait remarqué que Dieu ne pouvait avoir placé dans le Paradis un être doué de raison qui fût imparfait (*Comm. Joh.* XIII, 239 s.).

De toute façon, Grégoire met fermement en avant le fait que Dieu avait doté l'homme du libre arbitre en le créant : cela est fondamental pour toute interprétation du péché originel, question la plus épineuse, abordée ensuite dans le même chap. 12. L'homme pèche par la faute de la jalousie du diable : c'est la première cause du péché, comme on peut le lire aussi dans le Discours 36, 5 et dans les Poèmes I, 1, 7, 64-66. La jalousie du diable se réalise à travers l'outrage que la femme fait à l'homme, évidemment en lui suggérant de goûter au fruit défendu : la femme est condamnée par Grégoire pour sa faiblesse, mais la faute du péché appartient aux deux.

---

1. La fonction fondamentale du libre arbitre, accordé à l'homme justement pour qu'il puisse obtenir le mérite d'agir correctement, a été soulignée par F.X. PORTMANN, *Die göttliche Paidagogia bei Gregor von Nazianz,* St. Ottilien 1954, p. 68-78; ALTHAUS, *Die Heilslehre,* p. 60-62.

Mais en quoi consiste ce péché? Le problème est particulièrement difficile, car on a souvent soutenu que Grégoire considérait que l'humanité n'était pas solidairement coupable du péché du premier homme, mais en subissait seulement les conséquences; on sait aussi que, très tôt, les pélagiens et Augustin ont tenté de s'approprier l'interprétation de Grégoire, afin de soutenir leur propre conception de la solidarité de l'homme dans le péché d'Adam[1].

Un récit analogue à celui que nous venons de voir dans le Discours 38 se trouve dans un des Poèmes dogmatiques (I, 1, 8, 107 s.) : «Dieu interdit seulement à l'homme de toucher l'arbre le plus parfait, celui qui possédait la parfaite distinction entre le bien et le mal. La contemplation est en effet la meilleure chose pour ceux qui sont déjà adultes, mais elle ne convient pas aux commençants : elle est lourde à supporter, comme l'est une nourriture plus parfaite pour les enfants. Mais puisqu'il ajouta foi aux mensonges de l'envieux homicide et à la sottise des paroles de la femme et goûta avant l'heure le fruit au doux goût, il revêtit sa lourde chair de tuniques de peau (le Christ en effet punit de la mort le péché) : il devint sujet à la mort, il fut chassé du paradis, il revint à la terre dont il était né et subit une vie pleine d'angoisses...» D'autres récits de la chute des premiers hommes n'abordent pas le péché originel; ainsi, dans le Poème I, 2, 10, 120 s. nous lisons : «Dieu ajoute la loi afin qu'elle soit une aide pour sa créature et il me crée libre artisan du bien, pour que je puisse remporter la

---

1. Cf. à ce sujet B. ALTANER, «Augustinus und Gregor von Nazianz, Gregor von Nyssa», dans *Kleine Patristische Schriften,* Berlin 1967, p. 277-285; ALTHAUS (*Die Heilslehre,* p. 118-122) remarque qu'Augustin ne peut être considéré comme un témoin digne de foi de la doctrine de Grégoire. Voir aussi : P.-F. BEATRICE, *Tradux peccati. Alle fonti della dottrina agostiniana del peccato originale,* Milano 1978, p. 115-116 et 200-201.

couronne de la bataille et de la lutte : cela vaut mieux en effet que de vivre libre de tout lien» (c'est le même raisonnement que dans le Discours 38, 12). Adam, comme le dit le même poème (474 s.) «se nourrissait seulement des fruits de la terre, sans aucune limitation... Mais cette loi, puisqu'elle n'a pas été observée, m'a privé de toute chose et m'a voué aux travaux de ma mère, la terre».

Mais Grégoire affronte ailleurs le problème du péché de nos premiers parents et de son sens pour ceux qui sont venus après eux. Dans le Poème II, 2, 1, 345 s., il se lamente : «N'est-il pas suffisant qu'aient apporté un joug si pesant aux hommes le premier péché du premier père et l'arbre homicide unis à la jalousie du serpent, à la sottise de la femme et au goût funeste de la connaissance qui est pour nous pernicieux? Tout cela m'a fait mortel et m'a rejeté sur la terre d'où j'avais été tiré, a rendu ma vie malheureuse, m'a contraint à vivre dans les douleurs et les angoisses, me pliant vers l'ample dos de la terre.» Donc c'est la condition de l'homme qu'a transformée le péché, et plus spécialement de l'homme Grégoire, qui ressent la faute d'Adam : c'est en effet à lui-même qu'il attribue les vicissitudes d'Adam. Ne nous cachons pas cependant que, dans ce passage, Grégoire fait moins allusion à lui personnellement qu'à l'humanité dans son ensemble, puisqu'il parle de lui comme humanité corrompue, non pas tant comme humanité pécheresse. Plus explicite cependant est l'affirmation du Poème I, 1, 4, 53 : «moi-même, de ma propre main, j'ai semé la triste corruption»; II, 1, 45, 98 s. : «l'esprit de l'homme ne cesse de pleurer sur son douloureux esclavage, sur l'erreur du premier père, sur la séduction coupable de notre mère qui est devenue mère de notre concupiscence, sur le perfide mensonge du tortueux serpent assoiffé de notre sang, et qui se réjouissait des péchés des hommes, sur le bois, sur l'arbre au fruit nuisible pour les mortels, sur la gourmandise funeste ouvrant toute grande la porte à la mort, sur notre nudité honteuse et sur l'exclusion de la gloire du Paradis et de l'arbre de vie». Il est certain que Grégoire s'identifie avec notre premier père : «Alors sont apparues ma nudité et ma honte, j'ai pris conscience de ma nudité et je l'ai couverte d'une tunique de peau; alors j'ai été écarté du Paradis et rendu à la terre d'où j'avais été tiré... j'ai été condamné à une tristesse sans fin à cause d'un plaisir amer, et à faire la guerre à celui que j'ai rencontré pour mon malheur et qui m'a séduit au moyen de la gourmandise. Voilà le châtiment de mon péché» (Discours 19, 14). «C'est du péché d'origine qu'il s'agit, revécu mystérieusement par le chrétien», remarque Szymusiak[1]. C'est justement le sens de ce «mystérieusement» qui nous intéresse ici. Sans doute Grégoire considère-t-il comme sien le péché des premiers parents, mais non dans le sens devenu courant depuis le Ve siècle en Occident[2] : en tant qu'homme, Grégoire se sent coupable du péché d'Adam, et en tant qu'homme, il en paie les conséquences. Est-ce parce que le péché originel s'était propagé d'Adam à toute l'humanité, la chair et l'âme humaine dépendant nécessairement de celles du premier homme; ou plutôt est-ce parce que Grégoire, en tant qu'homme, se sentait responsable avec Adam de son péché et donc amené, par nécessité – une nécessité due à la décadence de la nature humaine par suite du péché originel –, à être pécheur autant qu'Adam? Cela veut dire que la dépravation de la nature humaine due au péché originel fait *ipso facto* de l'homme un pécheur, si bien que l'homme d'aujourd'hui peut à bon droit se

---

1. Sur un problème aussi complexe que celui du péché originel dans Grégoire de Nazianze, nous suivons l'interprétation de J.M. SZYMUSIAK, «Grégoire de Nazianze et le péché», *Studia Patristica* IX, Berlin 1966 (= *Texte und Untersuchungen* 94), p. 288-305. On peut lire également d'importantes remarques dans F.X. PORTMANN, *Die göttliche Paidagogia*, p. 79 s., et ALTHAUS, *Die Heilslehre*, p. 79-118.

2. Cf. SZYMUSIAK, *ibid.*, p. 303.

reconnaître dans le pécheur originel et considérer véritablement comme sien le péché originel (d'où l'attribution à lui-même du péché d'Adam que nous trouvons dans les passages cités plus haut des Poèmes I, 1, 4 et du Discours 19).

Le problème de la propagation réelle, concrète, physique du péché originel, de la nature des premiers hommes à celle de l'humanité dégénérée qui a suivi, ne pouvait se poser à l'esprit de Grégoire dans les termes avec lesquels il s'est posé à Augustin, et il serait absurde de notre part de rechercher dans Grégoire les idées d'Augustin. En tout cas, quelle que soit la façon dont le péché originel s'est diffusé, Grégoire en ressent la lourde présence et en assume aussi la responsabilité. Comme le remarque justement Szymusiak[1] : «Et c'est à ce premier péché que le Theologos rattache la suite des péchés où nous sommes enlisés. C'est tout le drame de notre humanité dont Grégoire reconnaît que nous sommes responsables, encore que mystérieusement. Les théories postérieures de solidarité biologique ou morale, de transmission héréditaire ou «consensuelle» n'ajouteront rien à la doctrine essentielle telle que la comprennent Grégoire et ses contemporains. Il faut seulement souligner avec vigueur que notre Theologos n'est pas responsable de l'opinion que lui prêtent nombre de manuels de théologie dogmatique, à savoir qu'il n'admettrait qu'un héritage de peines, conséquences du péché, non une responsabilité réelle, toute mystique qu'elle est, dans la transgression originelle : la faiblesse de mon premier père, c'est ma propre faiblesse.»

Donc, le péché originel est présent en tout homme qui vient au monde, en tant que tel. Mais de quoi est constitué, réellement, ce péché? Pour connaître la pensée de Grégoire à ce sujet, nous devons nous référer presque exclusivement

1. *Ibid.*, p. 303.

au passage que nous sommes en train d'examiner (38, 12),
parce que les allusions et les références que nous trouvons
ailleurs sont très brèves et rapides. Assurément, nous ne
pourrons pas nous contenter de ce que notre auteur répète
plus d'une fois (cf. Discours 8, 14; 33, 14; 37, 4; 39, 13)
quand il parle d'un fruit au «goût amer» (πικρὰ γεῦσις). Le
fait d'avoir mangé le fruit défendu a été la conséquence
matérielle, concrète, de la transgression des lois de Dieu.
Comme on l'a dit plus haut, la jalousie du démon a été la
cause initiale du péché, concrétisée chez Adam par la
violation de la loi de Dieu, qui avait établi l'interdiction de
toucher à l'arbre de la connaissance du bien et du mal,
puisque cette connaissance n'était pas encore adaptée à
celui qui, comme Adam, n'était pas encore en mesure de la
posséder : la θεωρία en effet n'était pas conciliable avec
celui qui était encore simple, tel, justement, Adam encore
dans le Paradis. Non que Dieu ait lancé un tel interdit pour
faire envie à l'homme ou qu'il n'ait pas voulu que l'homme
aussi devienne, grâce à cette connaissance, divin; tout au
contraire! Dieu voulait bien la «divinisation» de l'homme,
mais non prématurément : la connaissance «aurait dû être
atteinte par l'homme en temps voulu (εὐκαίρως) (324 C)».
Il y a donc un aspect extérieur, plus banal, si on peut dire,
du péché de nos premiers parents : le fait d'avoir mangé le
fruit défendu; et il y a en même temps une signification
plus profonde : la transgression a été un acte de désobéissance suscitée par la jalousie du démon, parce que cette
désobéissance a fait acquérir à nos premiers parents une
connaissance qui ne leur était pas encore réservée.

En tout cas, les conséquences de la désobéissance ont été
celles que la tradition chrétienne a enseignées : la perte de
l'arbre de vie, du Paradis et de Dieu, et le commencement
d'une longue dégradation, toujours plus grave et irrémé-
diable, au point que, pour sauver l'humanité, Dieu dut
envoyer son Fils unique (38, 13).

Le contexte du Discours 38 et la doctrine chrétienne elle-même donnent ici à Grégoire l'idée d'introduire la discussion sur l'incarnation du Christ : elle se déroule de façon narrative et familière dans les chap. 15-16, bien que dans le chap. 13 de brèves allusions aient été faites au problème qui était le plus important et le plus grave à l'époque de Grégoire, celui des deux natures du Christ. L'attitude de Grégoire dans ces trois discours est assez claire et nette, même si l'auteur ne développe pas le problème en le traitant de façon autonome. L'affirmation du Discours 38, 13, est fondamentale : le Christ «se mêle à une âme spirituelle (ψυχῇ νοερᾷ) à cause de mon âme, purifiant le semblable par le semblable», et un peu plus loin : «par l'intermédiaire d'une âme spirituelle qui tient le milieu (μεσιτευούσης) entre la divinité et l'épaisseur de la chair». Il est évident que ces précisions ont une raison d'être polémique à l'égard d'Apollinaire de Laodicée, qui soutenait que le Logos incarné avait assumé la chair et l'âme humaines, mais non le νοῦς, puisque le Logos lui-même constituait le νοῦς du Fils incarné. Les répliques de Grégoire à l'hérésie apollinariste sont assez brèves et fragmentaires tout au long des discours, bien qu'elles soient ensuite rassemblées et présentées de façon systématique dans les célèbres «Lettres théologiques» (101, 102 et 202), postérieures de peu d'années. Grégoire, on le sait, rejette la doctrine apollinariste au moyen surtout de la sotériologie chrétienne, en forgeant la fameuse formule «ce qui n'a pas été assumé n'a pas été guéri» (τὸ γὰρ ἀπρόσληπτον ἀθεράπευτον : Lettre 101, 32). Il veut dire par là que si le νοῦς humain n'a pas été assumé par le Christ, c'est l'homme tout entier qui ne peut être sauvé. Il est donc nécessaire que le Christ ait assumé une nature humaine complète, parfaite, corps, âme et νοῦς (il ressort de ces distinctions que le christianisme ancien, et en particulier le milieu des Cappadociens, reprenait la distinction de la philosophie grecque entre ψυχή, ou force vitale, et νοῦς, c'est-à-dire intellect, raison). C'est justement sur le concept de totalité de l'homme – et donc aussi de l'homme assumé par le Christ dans l'Incarnation – que Grégoire revient avec autorité dans le discours prononcé peu de jours après le Discours 38, le Discours 40. Dans un passage de ce discours (chap. 45, 424 AB) il insiste particulièrement sur la condition complète du Christ, considéré comme ὅλος ἄνθρωπος, ὁ αὐτὸς καὶ θεός, et sur le terme ὅλος, qui devient le mot clef de la discussion, il revient dans tout le passage. Dans un autre discours prononcé au cours de cette même période (si la datation de Bernardi est bonne), précisément dans le Discours 37, 2, il revient sur l'argument de façon très claire et précise : il y a deux natures (φύσεις) dans le Christ – non dans le sens où Grégoire emploie le terme οὐσία, qui se réfère normalement à la Trinité, mais dans le sens où, comme il l'explique, se trouvent rassemblées dans le Christ la nature humaine et la nature divine. Sur cette idée de «dualité» du Christ, c'est-à-dire de la présence en lui des deux natures, Grégoire revient plus d'une fois dans le Discours 38, et plus particulièrement au chap. 15 (328 C) : le Christ est διπλοῦς; au chap. 13 (325 C) il est question, d'une manière plus générale, d'une deuxième κοινωνία entre Dieu et l'homme, la seconde après celle de la création : c'est-à-dire après l'introduction du souffle de Dieu dans le corps humain qui fait de l'homme une «âme vivante» selon le récit de la Genèse. La «dualité» du Christ est amplement développée dans le Discours 38 (chap. 15-16), mais surtout sur un ton homilétique, non sur le plan du rigoureux développement théologique : à la constitution corporelle du Christ sont attribuées les fonctions les plus humbles, alors que celles de ses actions qui dépassent la nature humaine sont un effet de sa nature divine. C'est une façon un peu mécanique et simpliste de comprendre la «dualité» de la nature du Christ, et qui surtout ne peut

résister aux objections de l'apollinarisme; mais, dans la
doctrine des nicéens, c'était un usage habituel, largement
pratiqué par Athanase (cf. par exemple *Contra Arianos* III,
34-35, *PG* 26, 396-400), et qui se rencontre chez Grégoire
(cf. Discours 29, 18 et 20; 30, 1)[1] et, en Occident, chez
Ambroise (cf. *De fide V*, 16, 194 s.; III, 10, 65, *CSEL* 78,
p. 289 s., 132) et Hilaire de Poitiers (*De Trin.* IX, 75,
CCL 62 A, p. 456-457).

Dans le Discours 38 (chap. 13), il y a un autre point
intéressant, que nous avons déjà rencontré plus haut. On a
vu que l'âme spirituelle fait fonction de médiatrice entre la
nature corporelle et la nature divine. C'est une doctrine
typique de Grégoire, qui l'avait déjà présentée environ
vingt ans plus tôt dans un de ses premiers essais littéraires
et théologiques (Discours 2, 23) : « Voilà ce que veut cette
divinité qui s'est anéantie; voilà ce que veut la chair
assumée; voilà ce que veut ce nouveau mélange de Dieu et
de l'homme où la dualité aboutit à l'unité et où l'unité
introduit la dualité. Voilà pourquoi Dieu s'est fondu dans
la chair par l'intermédiaire de l'âme, et pourquoi des
réalités séparées ont été liées par la parenté que cet
intermédiaire avait avec toutes deux. A cause de tous, et en
particulier à cause de l'unique ancêtre, tout s'est orienté
vers l'unité : l'âme à cause de celle qui avait désobéi, la
chair à cause de celle qui avait prêté son aide et partagé la
condamnation – la première à cause d'une âme et la
seconde à cause d'une chair – et le Christ, plus fort et plus
haut que le péché, à cause d'Adam tombé au pouvoir du
péché» (trad. Bernardi).

Avec une fougue oratoire et une participation émue au
mystère de l'Incarnation, Grégoire s'exclame dans le dis-

1. La distinction entre les deux natures implique, selon Grégoire,
l'ἀπάθεια du Christ en tant que Dieu (cf. *Discours* 30, 16; 40, 45, 424 B) :
chacun voit combien cette idée est dangereuse pour définir l'union
hypostatique des deux natures.

cours sur Noël : «Ô mélange nouveau! Ô déconcertante
fusion!» (38, 13, 325 C), en faisant justement allusion à la
présence de Dieu et de l'homme dans le Christ incarné. Les
termes employés, κρᾶσις et μίξις, sont d'origine stoïcienne :
ils servent tous deux ici à désigner l'union de deux
substances qui peuvent même se diviser à nouveau et qui,
surtout, conservent chacune leurs propres caractéristiques,
même après que l'union s'est faite[1]; il est donc clair que
cette terminologie aussi doit être rapportée à l'idée que
nous avons rencontrée plus haut, celle de la «dualité» du
Christ et de la fonction autonome de ses deux natures. On a
remarqué à ce propos que Grégoire reprend l'idée origénienne de l'âme comme médiatrice entre Dieu et la chair[2].

On a donc vu que l'intérêt tout particulier que Grégoire
portait au grand miracle du salut de l'humanité, garanti par
l'Incarnation, est au centre de l'interprétation de la venue
du Fils de Dieu sur terre, puisque c'est justement le salut de
l'humanité qui donne un sens à la miséricorde de Dieu. En
effet, déjà avant l'Incarnation, remarque Grégoire (38, 13),
Dieu avait cherché par tous les moyens à corriger l'humanité qui, après le péché originel, s'enfonçait toujours plus,

---

1. Cf. à ce sujet ALTHAUS, *Die Heilslehre,* p. 57-60.

2. Cf. A. GRILLMEIER, *Christ in christian Tradition,* London-Oxford
1975, p. 369; cf. le passage fondamental d'ORIGÈNE, *De principiis* II,
6, 3 : «Cette âme... adhérant à lui depuis sa création et dans la suite d'une
manière inséparable et indissociable, comme à la Sagesse et à la Parole de
Dieu, à la Vérité et à la Vraie Lumière, le recevant tout entier en elle
tout entière et se changeant en sa lumière et en sa splendeur, est devenue
avec lui dans son principe un seul esprit... De cette substance de l'âme
servant d'intermédiaire entre un Dieu et la chair – car il n'était pas
possible que la nature d'un Dieu se mêlât à la chair sans médiateur –
naît, comme nous l'avons dit, le Dieu-homme : cette substance était
l'intermédiaire, car il n'était pas contre nature pour elle d'assumer un
corps» (trad. H. Crouzel et M. Simonetti, *SC* 252, p. 315). Sur cette
doctrine de l'âme du Christ chez Origène, cf. GRILLMEIER, *ibid.,*
p. 145-148.

jusqu'à ce qu'il envoie à la fin son Fils lui-même, voyant qu'aucune correction ne donnait le résultat espéré. Le discours ici a sans doute un caractère rhétorique et ne peut être considéré comme un enseignement authentique de l'évêque à ses disciples, parce qu'on ne pourra certainement pas croire que l'Incarnation est comme le sommet d'une échelle, la plus importante des tentatives de Dieu pour nous sauver. Non, l'unique salut a été l'Incarnation, et aucun signe ou prodige venu du ciel (c'est ce qu'on lit en 325 A) n'aurait été suffisant. Le *Logos* du Père «vient vers sa propre image, il porte une chair à cause de la chair, il se mêle à une âme spirituelle à cause de mon âme, purifiant le semblable par le semblable» (38, 13, 325 B). Il y a quelques autres passages de Grégoire particulièrement significatifs de son intérêt pour le salut de l'humanité comme fruit principal de l'Incarnation (une doctrine qui, selon Althaus[1], n'est pas encore considérée comme un dogme à l'époque de Grégoire). Il suffira de citer un passage du quatrième Discours théologique (30, 6, trad. Gallay) : «en tant que "forme d'esclave", il descend au niveau de ses frères en esclavage et des esclaves, il prend une forme qui lui est étrangère et me porte tout entier en lui-même avec ce qui est mien, afin de consumer en lui ce qu'il y a de mauvais, comme le feu consume la cire ou le soleil la brume de la terre, et afin que je participe à ce qui est à lui, grâce à ce mélange. C'est pourquoi il honore l'obéissance par ses actes et il en fait l'expérience par ses souffrances ; il ne lui suffit pas de la disposition intérieure, pas plus qu'à nous, si nous n'en venions pas aux actes, car l'acte est la démonstration de la disposition intérieure. Et il n'est pas moins bon de penser qu'il veut se rendre compte de ce qu'est pour nous l'obéissance et qu'il mesure tout sur ses propres souffrances, par une invention de son amour ;

1. Cf. *Die Heilslehre,* p. 125, n. 7.

ainsi peut-il savoir, d'après ce qu'il éprouve, ce que nous éprouvons, combien il nous est demandé, combien il nous est pardonné, calculant notre faiblesse d'après ses souffrances», et un passage de la Lettre 101 à Clédonios (101, 50-51, trad. Gallay) : «Et maintenant voyons quelle raison ils donnent du fait qu'Il se soit fait homme, ou plutôt qu'Il se soit fait chair, comme ils disent. Si c'est pour faire entrer Dieu dans des limites, lui qui est sans limites, et pour qu'il converse avec les hommes grâce à la chair comme un voile, ingénieux est leur masque et ingénieux l'agencement de leur pièce; et je dis cela pour ne pas ajouter qu'il avait la possibilité de s'adresser à nous d'une autre façon, comme dans le buisson de feu et, antérieurement, sous forme humaine. Si au contraire c'est pour abolir la condamnation du péché en sanctifiant le semblable par le semblable, de même qu'il lui a fallu une chair à cause de la condamnation de la chair et une âme à cause de la condamnation de l'âme, de même lui a-t-il fallu un esprit à cause de la condamnation de l'esprit qui, en Adam, n'avait pas seulement péché, mais avait présenté les premiers symptômes du mal, comme disent les médecins à propos des maladies.»

Grégoire se représente le triomphe du Christ sur le mal comme une vraie lutte personnelle du Christ contre le démon. Dans le Discours 39, 13, après avoir répété brièvement tout ce qu'il a déjà dit dans le Discours 38, Grégoire conclut ainsi : «Comme le spécieux avocat du mal se croyait invincible parce qu'il nous avait trompés par l'espoir de devenir des dieux, il s'est trompé lui-même par l'obstacle de la chair : il croyait s'élancer sur Adam[1], il s'est heurté à Dieu; et ainsi le nouvel Adam a sauvé l'ancien, et

---

1. Ici le nom propre est employé à des fins purement rhétoriques : ce n'est ni le vieil Adam ni le nouvel Adam = Christ, bien qu'il s'agisse de la désignation métaphorique de l'homme Christ seulement *qua homo ;* le

la condamnation portée contre la chair a été abolie parce que la mort a été mise à mort par la chair.» On note donc deux choses dans cette image : le combat, la lutte du Christ avec le démon, dont ne pouvait pas ne pas sortir vainqueur le Fils de Dieu, et la ruse qu'il utilisa contre l'Ennemi. A ce sujet on peut lire d'autres passages dans lesquels Grégoire revient sur cette idée de la lutte entre le Christ et le démon : Poèmes I, 2, 1, 162 s. : «Dieu, voulant remodeler l'homme, est venu en tant que Dieu dans la nature humaine, pour pouvoir, après avoir combattu (ἀεθλεύσας) et frappé à mort l'homicide, après avoir vaincu avec l'amertume le goût du fruit défendu, avec les percements des clous les mains qui avaient commis l'acte infâme, avec la croix l'arbre et avec l'élévation la terre, ressusciter Adam à sa vie et à sa gloire.» Quant à l'idée de la tromperie dont le démon a été victime de la part du Christ, elle peut paraître curieuse pour notre mentalité, mais Grégoire aime représenter concrètement, matériellement, le mystère du salut de l'homme. L'explication qu'il en donne dans le Discours 45, 22 est célèbre : «Il s'agit d'un fait et d'une doctrine dont la plupart des gens ne se préoccupent pas, mais que j'examine pour mon compte, et soigneusement. A qui et pour quelle raison a été versé le sang versé pour nous, le noble et sublime sang de Dieu, du grand-prêtre et de la victime? Car nous étions tenus enchaînés par le Malin, nous avions été vendus, nous étions soumis au péché et avions obtenu le plaisir comme récompense de la méchanceté. Si le prix du rachat n'a pas pu être versé à personne d'autre qu'à celui qui nous tenait enchaînés, alors je me demande à qui il a été versé et pour quelle raison. S'il a été versé au Malin, quelle honte, si le

démon, en effet, attaque l'humanité du Christ sans avoir prévu son union hypostatique avec la divinité et il en reste déconfit. Ainsi, en l'espace de deux lignes, Grégoire emploie le nom propre d'Adam avec trois sens différents (chair humaine du Christ, Christ homme et Dieu, l'humanité).

larron non seulement devait obtenir de Dieu le prix du rachat, mais carrément Dieu lui-même, et donc une récompense aussi extraordinaire pour sa tyrannie! Pour cette raison, il était juste de nous épargner. Donc, s'il fallait verser le prix du rachat au Père, de quelle façon, alors, le faire? Nous n'étions certainement pas tenus enchaînés par lui. En second lieu, quelle raison pouvait faire que le sang du Fils unique contentât le Père, lui qui n'avait même pas permis qu'Isaac fût sacrifié par son père, mais avait accepté comme victime un mouton au lieu d'un être vivant et doué de raison et, ainsi, avait transformé le sacrifice? Ou n'est-il pas plus vrai que le Père a reçu le prix du rachat sans l'avoir demandé ni en avoir eu besoin, mais seulement à cause de l'économie[1] et parce qu'il fallait que l'homme fût sanctifié par l'élément humain de Dieu, afin que lui-même nous arrachât au tyran et nous ramenât donc à lui grâce à la médiation du Fils, qui réalisa cela pour rendre honneur au Père et se montrer à lui obéissant en tout? Voilà donc ce qu'il faut dire à propos du Christ, et tout le reste doit être honoré en silence.» Et on lit encore dans le Poème I, 1, 10, 65-72 : «Je me demande pour qui a été versé le sang du Christ. Si c'est pour un méchant, hélas! Le sang du Christ pour un scélérat? Si au contraire il a été versé pour Dieu, comment cela est-il possible, étant donné que nous étions esclaves d'un autre? Car le rachat est toujours donné à celui qui est le maître. Telle est la vérité sans doute : le Christ s'est offert lui-même à Dieu pour nous enlever à celui qui nous avait en sa possession et pour que Dieu ait le Christ à

---

1. Le terme est d'usage archaïque, mais HOLL en a donné une explication juste (*Amphilochius von Ikonium,* p. 181-182) : il désigne l'ordre nécessaire des événements dans le cadre du sacrifice du Christ. Dieu ne pouvait libérer du démon sans avoir reçu d'abord un tribut d'honneur sous la forme d'un sacrifice, et le sacrifice, de toute façon, était nécessaire à cause de la condition dans laquelle se trouvait l'humanité qui, devant Dieu, était impure et éloignée.

la place de celui qui avait péché.» La solution proposée ici peut sembler étrange : le fait est que Grégoire se sentait obligé de trouver une réponse à un problème ancien, surtout au fait qu'il ait fallu un sacrifice pour calmer la colère de Dieu (comme on le voit, par exemple, en *Rom.* 5, 9-11). A la colère de Dieu qui paraît inconcevable, Grégoire substitue l'honneur dû à Dieu ; à quelque chose qui devait nécessairement lui être payé, Grégoire substitue quelque chose qui lui est volontairement offert. La question, selon Grégoire, devait être abordée et résolue, parce que la théologie grecque, de caractère plus populaire, affirmait la nécessité de la mort du Christ en recourant toujours au vieil argument que seulement la mort de Dieu fait homme pouvait valoir comme rachat de l'humanité (cf. Athanase, *De incarn.* 9, *PG* 25, 11 ; *Contra Arian.,* II, 69, *PG* 26, 293)[1].

«Que de nombreuses solennités à propos de chacun des mystères du Christ! Mais ils ont tous un seul principe : me conduire à la perfection, me remodeler, me ramener au premier Adam» (l'expression confirme ce qu'on a remarqué plus haut, l'identification de tout homme, même de celui qui n'est pas directement responsable du péché originel, avec les premiers hommes) (38, 16). Le salut de l'homme consiste donc dans son retour à sa condition primitive, comme Grégoire le répète souvent (Lettre 101, 15 ; Discours 45, 22 ; Poèmes I, 2, 1, 162-166).

---

1. C'est ce que remarque HOLL, *ibid.,* p. 180.

VI. LUMIÈRE ET PURIFICATION

Après nos observations sur l'Incarnation du Christ et le salut de l'humanité dû à la passion du Fils de Dieu, il n'est pas difficile de voir le lien entre le Discours 40 et les deux précédents sur le plan théologique et sur le plan théorique. Entre le Discours 40 et le Discours 39 il y avait déjà un lien extérieur, comme on l'a dit plus haut, puisque Grégoire avait dû interrompre un ensemble de considérations à cause de l'heure tardive et reprendre le jour suivant (7 janvier) le discours interrompu. Mais, naturellement, le lien n'est pas seulement extérieur. Le baptême a une efficacité spécifique pour l'homme, puisque, en faisant du païen qu'il était précédemment un chrétien, il le place de façon indissoluble sous l'effet de l'action salvatrice du Christ. D'où la longue exhortation, non dénuée d'aspects socio-historiques concrets et intéressants sur un autre plan que théologique, à ne pas retarder le baptême jusqu'aux dernières années de sa vie, à se hâter d'entrer le plus rapidement possible en communion avec le salut que le Christ a donné à l'humanité.

Grégoire, écrivant au IVe siècle, connaît bien le symbolisme très riche et varié du baptême, qu'il expose avec la luxuriante richesse de terminologie typique de son art dans les chapitres 3 et 4 du Discours 40. Mais on saisit surtout le lien direct avec l'Incarnation du Christ en se référant au début du Discours 39, qui était destiné à célébrer le baptême du Christ lui-même (chap. 2). En effet, le baptême du Christ dans le Jourdain est le début de son œuvre salvatrice et la justification de notre baptême.

Tout cela paraît assez clair, car assez traditionnel; le grand ami et le maître de Grégoire, Basile, avait aussi rapidement exposé, dans une efficace synthèse, le sens du baptême pour le salut du chrétien (cf. *De Spiritu Sancto,* chap. 15, 35). Mais il y a, semble-t-il, un aspect fondamental de la doctrine baptismale de Grégoire qui lui est particulier et qu'il faut souligner. On connaît la symbolique du christianisme primitif qui rattachait, avec un certain goût aussi pour le jeu de mots typique du symbole, le baptême à l'illumination, et qui faisait de βαπτισμός l'équivalent de φωτισμός, soit dans l'expression, soit dans l'idée : bien que le baptême soit par lui-même un acte complètement purificateur, parce qu'il purifie des péchés, il peut cependant être considéré aussi sous un autre aspect, celui de l'illumination, parce qu'il nous donne la connaissance de Dieu. Eh bien, cette symbolique, devenue stéréotypée et mécanique à la fin du IVe siècle, reçoit une nouvelle vie et une nouvelle fonction de Grégoire, qui la renouvelle en fondant en un tout unique la purification du baptême, l'illumination que ce sacrement comporte et la lumière que Dieu nous donne et qui nous rapproche de Lui.

La nature divine, comme nous l'avons déjà noté[1], est caractérisée dans l'œuvre de Grégoire par le terme de «lumière», de préférence à tout autre. La «terminologie de la lumière» a été un des éléments les plus significatifs de la réflexion de Grégoire, celui qui l'a accompagné toute sa vie et tout le temps de son activité littéraire. Elle apparaît déjà au début de sa carrière, en 363, quand il compose le Discours 2 : Dieu, écrit-il (chap. 5), est unique par son éclat et par sa splendeur, il dépasse en pureté toute nature corporelle (l'homme) et incorporelle (l'ange). A côté de simples affirmations qui caractérisent la divinité comme l'être le plus lumineux[2], affirmations qui, toutefois, ont

1. Cf. C. MORESCHINI, «Luce e purificazione nella dottrina di Gregorio Nazianzeno», Augustinianum, 13, 1973, p. 535-549, surtout p. 535-542.
2. Il suffit de citer les Discours 17, 8; 21, 31; 28, 1; 31, 26 et 28 etc. Cette terminologie est assez fréquente aussi dans les Poèmes : cf. Praecepta ad virgines I, 2, 2, 686-689; De vitae itineribus I, 2, 18, 36-37; In laudem virginitatis I, 2, 1, 20-55.

souvent une particulière importance, parce que notre
auteur en arrive à attribuer le terme «lumière» à chacune
des trois Personnes divines[1], nous observons une fréquente insistance sur la caractéristique lumineuse de Dieu :
«La Trinité resplendissant et brillant de l'éclat de la
divinité tout entière[2]»; le mystère de la fête des Saintes
Lumières est sublime et divin, et proche de la splendeur
d'en haut (39, 1). Lisons surtout le passage du discours
consacré au baptême (c'est particulièrement de cette étroite
corrélation entre baptême et illumination que nous
sommes partis) : «Dieu est la lumière suprême, inaccessible
et inexprimable; elle n'est ni comprise par l'esprit, ni
exprimée par la parole (οὔτε νῷ καταληπτὸν οὔτε λόγῳ
ῥητόν[3])... Elle se contemple et se comprend elle-même et se
répand peu dans ce qui est extérieur à elle. Je parle de la
lumière qui est contemplée dans le Père, le Fils et le
Saint-Esprit; leur richesse, c'est l'identité de nature et le
jaillissement unique de leur splendeur» (40, 5). Et encore,
toujours dans le même contexte : «Il était lumière aussi, le
premier précepte donné au premier homme..., lumière
figurative et à la mesure de ceux qui la recevaient, la loi
écrite donnant une esquisse de la vérité et du mystère de la
grande lumière...; c'était une lumière, celle qui apparut à
Moïse en venant du feu, lorsque le feu brûlait le buisson
sans le consumer...; c'était aussi une lumière, celle qui dans
la colonne de feu guidait la marche d'Israël et adoucissait la
rigueur du désert; c'était une lumière, celle qui enleva Élie

1. Ainsi, l'Esprit-Saint est dit «lumière et donneur de lumière» dans
le *Discours* 41, 9; lumière est le Fils dans le *Discours* 30, 20 (cf. du reste
Jn 1, 9). Les trois personnes sont «lumière» : *Discours* 31, 2 (*SC* 250,
281-282 et la note).
2. Cf. *Discours* 36, 5.
3. La terminologie utilisée ici par Grégoire dérive clairement de
Platon : elle est, de toute façon, d'usage courant chez Grégoire de Nysse
aussi.

dans un char de feu sans brûler celui qui était enlevé; c'était une lumière, celle qui enveloppa de son éclat les bergers, lorsque la lumière qui est en dehors du temps se mêlait à celle qui est dans le temps; c'était une lumière, celle de l'astre qui se hâta vers Bethléem; et cela, entre autres raisons pour guider les Mages dans leur marche et faire escorte à la Lumière qui est au-dessus de nous et qui s'est mise avec nous; c'était une lumière, la divinité qui se montra un instant aux disciples sur la montagne, mais presque avec trop de force pour la vue; c'était une lumière, l'apparition qui enveloppa Paul de son éclat...; c'est une lumière aussi, la béatitude de l'au-delà, pour ceux qui se sont purifiés ici-bas, lorsque les justes brilleront comme le soleil...; c'est une lumière au sens propre, plus que les précédentes, l'illumination du baptême» (chap. 6). Dieu «est une lumière inaccessible, qui n'admet pas de sucession, n'a pas eu de début et n'aura pas de fin, sans limites, brillant toujours et resplendissant de triple façon; peu d'hommes peuvent le contempler tel qu'il est, ou plutôt il n'en est pas un qui puisse le contempler» (Discours 44, 3).

La seconde lumière après Dieu, ce sont les anges, «rayon qui descend de la lumière parfaite» (Discours 6, 12), «rayon de la première lumière» (44, 3). Ils peuvent jouir mieux et plus complètement de la lumière divine (40, 5) et en reçoivent la lumière parfaite (28, 31). De la même façon, ceux qui seront comme les anges, comme on le lit dans le texte évangélique (cf. *Lc* 20, 36), les bienheureux, seront auprès de Dieu et jouiront de sa lumière parfaite : tel son frère Césaire qui pourra, dans le paradis, jouir de la lumière irradiée par Dieu (7, 21); ainsi ceux qui ont reçu de Dieu une juste récompense et ont purifié leur esprit jouissent de la lumière de Dieu (40, 45) : Dieu est donc la première lumière; la deuxième lumière est l'ange; la troisième est l'homme, selon une hiérarchie établie justement dans le Discours 40, 5.

Mais la lumière divine, si elle est inaccessible dans son essence, ne reste pas du tout étrangère à l'homme. Se rattachant à une longue tradition de l'école platonicienne provenant d'un passage célèbre de la *République* (508 c s.), Grégoire institue une comparaison entre le soleil et Dieu, en l'accentuant dans le sens mystique[1], conformément à ses tendances spéculatives : «Dieu joue dans le domaine des choses intelligibles le rôle que le soleil joue dans le domaine des choses sensibles» (Discours 21, 1; cf. aussi 28, 30; 40, 5 et 37); «Dieu crée pour les choses d'ici le soleil, de même que Lui-même est lumière pour les êtres éternels» (44, 3). De toute façon, l'illumination n'est pas une chose facile, elle ne se réalise pas ainsi sans aucune préparation : «Comme le soleil révèle la faiblesse de l'œil humain», qui ne peut fixer son regard sur cette source très vive de lumière, de même «Dieu aussi révèle la faiblesse de l'âme (9, 2)»; «Il y a un seul soleil, mais s'il illumine la vue qui est saine, il blesse celle qui est faible» (17, 7; cf. 20, 10 sur le danger qu'il y a à fixer son regard sur les rayons du soleil). Donc, comme le soleil sensible met à nu la faiblesse de notre vue, celui qui n'est pas saisi pas les sens fait comprendre à notre âme son incapacité à le regarder; si on veut le regarder, il est nécessaire de se purifier. La purification et l'illumination se correspondent, soit sur le plan physique, soit sur le plan mystique.

La lumière en effet demande la pureté (καθαρότης) (Discours 2, 5), et Dieu est la pureté (30, 20). La connaissance de Dieu n'est possible qu'à travers la purification, parce que l'esprit humain ne s'approche de l'être le plus

---

1. Cet emprunt à Platon d'un concept philosophique auquel est donnée une couleur mystique accentuée a été déjà constaté avant nous : cf. R. GOTTWALD *De Gregorio Nazianzeno platonico*, p. 40-41; H. PINAULT, *Le platonisme de saint Grégoire de Nazianze*, La Roche-sur-Yon 1925, p. 52 s.

pur que s'il est pur lui aussi. Cette idée vient d'une célèbre affirmation platonicienne (*Phédon* 67 b) : «Il est interdit à celui qui est impur de toucher ce qui est pur», et, en général, de toute la première partie du *Phédon*[1] ; la connaissance de Dieu sur la terre signifie contemplation de la lumière divine qui, cependant, ne se réalise que partiellement à l'avantage de celui qui s'est purifié : «Nous ne recevons de la lumière de là-haut qu'un faible rayonnement, tel qu'il nous apparaît dans des miroirs et des énigmes. Puissions-nous trouver après cela la source même de la beauté, contemplant dans un esprit pur la pure vérité et obtenant, comme récompense des efforts que nous faisons ici-bas en vue du beau, la plus parfaite participation, là-haut, au beau et sa contemplation» (7, 17).

L'exigence de purification est fondamentale, surtout si on veut parler de Dieu (cf. 27, 3 ; 28, 1-2 ; 39, 10). Q'est-ce que la purification? C'est ce qu'explique justement un passage de première importance du Discours 39 (chap. 8) : «Là où il y a crainte, il y a observation des commandements ; là où il y a observation des commandements, il y a purification de la chair, ce nuage qui fait écran devant l'âme et ne laisse pas voir dans sa pureté le rayon divin ; là où il y a purification, il y a illumination ; et l'illumination, c'est le rassasiement du désir chez ceux qui tendent vers les réalités les plus grandes, ou la réalité la plus grande, ou celle qui surpasse toute grandeur.»

La succession est claire : purification des péchés et donc possibilité d'être illuminés. Mais l'illumination est dite φωτισμός – et φωτισμός est aussi le baptême, selon la symbolique chrétienne. Grégoire passe donc sans cesse de l'une à l'autre idée : purification et baptême sont la même

---

1. Cette idée d'origine platonicienne est assez chère à Grégoire; on la trouve dans les *Discours* 2, 39; 2, 71; 17, 12; 18, 3; 20, 4; 27, 3; 30, 20; 39, 9; et aussi dans le *Poème De virtute* I, 2, 10, 975 (*PG* 37, 750).

chose, et l'un comme l'autre sont indispensables à qui veut
arriver à la connaissance de Dieu. Si l'esprit humain vient à
se purifier, il recevra l'illumination de Dieu, comme nous
l'avons lu dans un passage cité plus haut (40, 5). «Le Christ
est lumière en tant qu'illumination des âmes qui se
purifient à la fois dans leur «verbe» et dans leur vie; car si
l'ignorance et le péché sont ténèbres, la science et la vie en
Dieu sont sans doute lumière» (30, 20); «ceux qui ont
mérité de voir la beauté cachée (des Écritures) ont été
éclairés par la lumière et la science» (31, 21). L'illumination
dont nous pouvons jouir sur terre est naturellement
insuffisante et limitée, à cause de notre faiblesse et de notre
petitesse (8, 19; 28, 3-4; 29, 11; 32, 23, etc.); cependant
c'est toujours la lumière qui nous permet de nous unir à la
lumière inaccessible (32, 15). Ici, dans le discours de
Grégoire, la connaissance de Dieu prend une forte colora-
tion mystique, puisqu'il fait du contact entre l'homme et
Dieu le but ultime de notre vie : «captant la lumière plus
pure avec la moins pure, jusqu'au moment où nous
parviendrons à la source des rayons qui arrivent en bas et
où nous obtiendrons la perfection heureuse, une fois que le
miroir se sera dissout dans la vérité» (20, 1)[1]. L'identification de la plus petite lumière avec la plus grande, dans
laquelle la plus petite se perd et se dissout, est un aspect
mystique de la doctrine, d'origine platonicienne également,
qu'on trouve aussi bien chez Grégoire de Nazianze que
chez Grégoire de Nysse, celle de la ressemblance avec Dieu
(ὁμοίωσις Θεῷ)[2]. Celui qui arrive à la connaissance de

---

1. Cf. aussi les *Discours* 7, 17; 27, 3; 32, 15 etc., où Grégoire
développe surtout l'exhortatoin à retourner à la source de la lumière,
d'où nous tenons notre origine.
2. Cette doctrine, amplement diffusée dans le platonisme de l'âge
impérial et chez les Cappadociens eux-mêmes, s'allie presque toujours à
une forte exigence d'ascèse; diverses doctrines de caractère spirituel et

Dieu, qui est lumière, devient lumineux lui aussi (28, 17)[1], ou, ce qui revient au même, «divin» (θεοειδής) (28, 17 et 21, 1). Cette identification de l'âme purifiée avec Dieu, dans une union mystique, est affirmée avec une grande clarté aussi dans le Discours 38, 7 : «en purifiant elle (la divinité) rend aussi semblable à Dieu;... Dieu s'unit à des dieux, il en est connu, et peut-être autant qu'il connaît déjà ceux qui sont connus de lui».

Assurément, c'est une tension mystique que Grégoire décrit rapidement, sans la systématisation de l'interprétation donnée par Grégoire de Nysse. Mais l'idée que la connaissance mystique s'obtient de façon limitée et ne satisfait pas l'âme, qui cherche encore à comprendre Dieu, est présente aussi chez Grégoire de Nazianze : «Saisissons la divinité, saisissons la première et la plus pure lumière»;

---

ascétique (si nous pouvons les définir ainsi en parlant d'un écrivain du IVe siècle av. J.-C., mais c'est ainsi qu'elles ont été considérées dans les siècles suivants), énoncées par Platon à une époque et dans un contexte différents, sont ensuite regroupées et reçoivent une forme systématique (purification, assimilation à Dieu, retour à l'humanité originelle) par les platoniciens de l'âge impérial (je pense surtout à Plotin) et bien accueillies dans cette acception par les écrivains chrétiens les plus sensibles à la thématique platonicienne (en premier lieu, les Cappadociens et leur maître Origène). Pour Grégoire de Nysse, la célèbre étude de J. DANIÉLOU, *Platonisme et théologie mystique,* Paris 1954[2], est fondamentale.

1. Ici aussi on trouve une influence de la doctrine platonicienne; nous avons noté ailleurs («Il platonismo cristiano», p. 1347-1392, surtout p. 1363-1365) que Plotin aussi, examinant le passage de PLATON, *Tim.* 45 b-c, où il est dit que la vue, qui est lumière, ou, mieux, est unie à la lumière, voit la lumière, affirme que la vision intellectuelle du *Nous* consiste dans le fait de voir la lumière avec la lumière, sans aucun intermédiaire. Et, après avoir parlé de la connaissance que le *Nous* a de lui-même, Plotin explique comment l'âme peut arriver à la connaissance de l'hypostase supérieure (cf. *Ennéades* V, 3, 8 : «Cette lumière éclaire l'âme de ses rayons et la rend intelligente, en la faisant semblable à elle-même, la lumière d'en haut» (trad. É. Bréhier, *CUF,* Paris 1956, p. 59).

telle est son exhortation Discours 40, Chap. 37. C'est
seulement dans la vie de l'au-delà, complément définitif de
la purification humaine, que nous pourrons jouir dans
toute sa splendeur de la lumière de la Trinité : «Ce que tu
as sous les yeux maintenant surpasse tout ce que nous
pouvons voir, je le sais bien, et a bien plus de prix – dit
Grégoire en s'adressant à sa sœur Gorgonie défunte –,
l'éclat de la Trinité suprême, la splendeur la plus pure et la
plus parfaite qui n'échappe plus désormais à l'esprit
enchaîné et dispersé par les sens; mais elle est contemplée
et possédée par l'esprit tout entier et illumine nos âmes de
la lumière tout entière de la divinité. Puisses-tu jouir de
tous ces biens, dont tu voyais le seul rayonnement quand
tu étais encore sur terre» (8, 23).

VII. LE PLATONISME CHRÉTIEN

On a souvent fait allusion dans les pages précédentes à
des concepts et à des termes de la philosophie grecque, en
particulier celle de Platon, qui constituent une part non
négligeable de la doctrine grégorienne de la purification et
de la connaissance de Dieu. Le sujet demande une analyse
plus approfondie parce que justement les Discours 38-40
apportent une grande moisson de thèmes platoniciens qui
méritent d'être examinés et interprétés, dans le cadre d'un
jugement d'ensemble sur le platonisme de Grégoire de
Nazianze[1].

---

1. L'influence du platonisme sur le christianisme de Grégoire de
Nazianze a été, en général, bien moins étudiée que celle qu'on trouve
dans les œuvres de Grégoire de Nysse; quoi qu'il en soit, on ne peut nier

Avant la partie consacrée à l'anthropologie et à l'économie de l'homme, une partie importante du Discours 38 est réservée à l'exposé de la doctrine de Dieu. Grégoire veut présenter à son auditoire une somme de la doctrine chrétienne et, pour ce faire, il a besoin d'appuyer son exposé relatif à l'homme sur ce qu'est, à l'origine, sa fonction : connaître Dieu, Dieu qui est justement l'origine de toutes les choses, visibles et invisibles, qui donne un sens à l'existence humaine, non seulement l'existence actuelle, mais aussi la future.

Eh bien, le Dieu des chrétiens, l'unique vrai Dieu, celui qui a tout créé, celui sans qui n'est même pas concevable l'existence humaine, n'est pas le Dieu des idées populaires, ni seulement le Dieu de la tradition chrétienne, ni exclusivement celui de l'Ancien Testament, Yahvé : ce que Grégoire enseigne à son sujet ne se comprend bien que si on tient compte de l'ample et fertile tradition savante du christianisme grec, celle qui, commençant avec les Apologistes, continuée avec Clément d'Alexandrie et Origène, a été reprise *recta via,* si on peut dire, par les Cappadociens. C'est la tradition qui réinterpète, selon certains paramètres de la philosophie platonicienne, quelques-unes des plus importantes doctrines du christianisme : en premier lieu, la théologie en tant que telle, en tant que «discours sur Dieu».

Le discours sur Dieu commence (38, 7) avec la proclamation de son éternité : mais cette considération, évidente en elle-même, ne se limite pas à son aspect le plus banal, à l'affirmation que Dieu était, est et sera. Non, Dieu *est* toujours : être «celui qui est», en effet, c'est avoir la nature

la présence de doctrines platoniciennes chez notre auteur, même s'il les élabore bien différemment de Grégoire de Nysse. Dans les pages suivantes nous faisons allusion à ce que nous avons déjà étudié dans «Il platonismo cristiano».

transcendante, alors que dire «était» ou «sera» ne peut que
se référer à la nature créée et transitoire. La démonstration
du fait que Dieu «est» se fonde pour une part sur la
fameuse réponse que Dieu lui-même donna à la demande
de Moïse (cf. *Ex.* 3, 14) : «Je suis celui qui est», d'autre
part, elle touche à la philosophie platonicienne. Ce petit
verset biblique, resté célèbre, peut se trouver partout dans
la littérature chrétienne. Cependant, Grégoire ne s'est pas
arrêté à son pur énoncé. L'idée même d'«être» est, en ce
qui concerne Dieu, problématique, parce que ce n'est pas la
même chose de dire que l'homme est et que Dieu est :
«l'existence non plus n'est pas concevable pour Dieu dans
le sens humain», affirme-t-il dans le Discours 25, 17; et
encore : «Dieu est ce qu'il y a de plus beau et de plus élevé
parmi les êtres — à moins qu'on ne préfère le mettre
au-dessus de l'essence, ou bien parce qu'on place l'être
totalement en lui-même (καὶ ὑπὲρ τὴν οὐσίαν ἄγειν αὐτόν, ἢ
ὅλον ἐν αὐτῷ τιθέναι τὸ εἶναι)», lit-on dans le Discours 6, 12,
737 B. Cette affirmation est riche de contenu spéculatif,
malgré sa brièveté : en disant que Dieu est au-dessus de
l'être, Grégoire se rattache à une riche et fertile tradition
philosophique qu'on trouve déjà dans Platon (*Rép.* 509 B :
Dieu ἐπέκεινα τῆς οὐσίας) et, plus près, chez Plotin[1]; de
toute façon, l'être de Dieu, notre humanité n'est pas en
mesure de le concevoir, parce que notre être est un être
humain (idée profondément chrétienne, même si Grégoire
ne la développe pas particulièrement); Dieu, en outre,
possède en lui tout l'être, comme on l'a vu : eh bien, cette
même affirmation revient justement dans le Discours 38, 7
où Grégoire trouve pour l'existence de Dieu et pour la

---

1. Cf. *Enn.* V, 3, 13-14; V, 3, 17; VI, 8, 21. En conséquence,
Grégoire fait de très nombreuses allusions (comme du reste les autres
Cappadociens) à notre incapacité à connaître Dieu; la théologie négative
est fortement développée chez un auteur comme Grégoire qui est
particulièrement enclin à donner une couleur mystique à sa doctrine.

totalité de l'être en lui contenue une très belle expression :
Dieu est «un océan d'existence» (πέλαγος οὐσίας). Nous
avons pensé[1] que cette idée de Grégoire était inspirée par
le fait qu'il attribuait dans ce cas à Dieu les caractéristiques
attribuées par Plotin à l'Un et au *Nous* : pour Plotin aussi,
en effet, l'être se trouve dans la seconde hypostase, alors
que l'Un, justement parce qu'il est antérieur au *Nous,* est
encore «au-delà de l'être»; ainsi, l'existence de Dieu,
comme on l'a vu plus haut, est considérée par Grégoire
comme différente de l'existence humaine; il n'est pas dans
l'habitude des écrivains chrétiens d'attribuer à Dieu tantôt
les caractères de l'Un platonicien, tantôt les caractères du
Nous[2].

Mais pour revenir au passage de 38, 7, pour Grégoire,
on l'a vu, Dieu est toujours, est toujours maintenant, parce
qu'en Lui justement est tout «un océan d'existence»;
«l'être maintenant» infini de Dieu est l'éternité (αἰών),
tandis que «l'être maintenant» fini, qu'on peut voir dans
une succession de moments déterminés, est le temps, qui
ne peut s'appliquer qu'aux choses corruptibles. Cette
distinction entre temps et éternité, que Grégoire présente
aussi dans le Discours 29, chap. 3 est, comme on le sait,
d'origine platonicienne : dans le *Timée* (37 d) il est question
d'une telle distinction, et il est affirmé que le temps est
l'image de l'éternité qui, contrairement au temps, reste
ferme dans l'un (μένοντος αἰῶνος ἐν ἑνί).

Plotin aussi avait repris le problème de la distinction

---

1. Cf. «Il platonismo cristiano», p. 1379.
2. L'Un des platoniciens, en effet, ne se prêtait pas facilement à une
interprétation chrétienne, justement à cause de son caractère abstrait et
de son aspect mathématique; les écrivains chrétiens, depuis l'époque de
Clément d'Alexandrie, attribuent à Dieu soit les caractères de l'Un soit
les caractères du *Nous.* Cf. les remarques de S.R.C. LILLA, *Clement of
Alexandria. A Study in Christian Platonism and Gnosticism,* Oxford 1971,
p. 212 s.

platonicienne entre temps et éternité : après avoir rappelé
(*Enn*. III, 7, 1) l'attribution habituelle de l'éternité à la
nature toujours égale à elle-même et celle du temps à la
nature transitoire, il avait justement assigné l'éternité au
monde intelligible dans lequel se trouve la plénitude de
l'être, avec l'exclusion absolue du futur (III, 7, 3-4), ne
pouvant pas concevoir pour le monde intelligible une
existence à laquelle viendrait s'ajouter quelque chose que le
monde intelligible ne possédait pas avant. Donc, déjà
Plotin, comme le fera Grégoire, lie l'éternité à la plénitude
de l'être en excluant tout «moment» successif du temps, et
il insiste (III, 7, 6) sur le fait que l'être éternel n'est pas
différent de l'être qui réellement est, de l'être existant :
«Cet acte possède, dis-je, l'être véritable, c'est-à-dire qu'il
ne peut jamais cesser d'être ni être autrement qu'il n'est ; ce
qui veut dire qu'il est toujours de même» (trad. Bréhier).

Au contraire, pour Plotin (III, 7, 11, s.) le temps, en tant
qu'image de l'éternité, était lié à la vie de l'âme : il ne
mesure pas, mais il indique les processus vitaux de l'âme
cosmique répandue dans le tout.

Cependant, dans la définition du temps (38, 8), Grégoire
ne suit pas Plotin, mais revient à la définition de type
platonicien (*Tim.* 37d-e) et stoïcien (cf. *SVF* II, 509-510
etc.), plus courante et plus répandue : ὁ χρόνος, ἡλίου
φορᾷ μετρούμενος, qui est explicitement rejetée par Plotin
(III, 7, 12). Il est évident que Grégoire ne pouvait accepter
la doctrine plotinienne de l'âme cosmique, alors que celle
du *Nous* pouvait entrer, avec les adaptations voulues, dans
une conception chrétienne.

Examinons maintenant les autres attributs divins que
Grégoire nous présente dans le passage en question (38, 7).
Dieu est esquissé (non connu) seulement au moyen de
l'esprit (νῷ μόνῳ σκιαγραφούμενος) et, de toute façon, de
manière obscure et imparfaite. On trouve la même affirmation dans le Discours 30 (chap. 17) : «la substance de Dieu,

aucun esprit ne l'a conçue, aucun mot ne l'a embrassée
entièrement, mais d'après ce qui est autour de lui (ἐκ τῶν
περὶ αὐτόν) nous nous faisons une esquisse de ce qui est en
lui (τὰ κατ'αὐτόν), et nous composons une image à la fois
obscure et faible, et diverse par ses divers éléments» (trad.
Gallay). Cette attitude en face de la profondeur et du
caractère incommensurable de la nature de Dieu est de type
platonisant; même la citation platonicienne *ad hoc* ne
manque pas (c'est la citation d'un passage très connu à
l'époque impériale) : «comprendre Dieu est difficile, mais
l'exprimer est impossible, c'est ce qu'a enseigné un des
«théologiens» chez les Grecs (cf. *Tim.* 28 c); non sans
habileté, je crois... mais, selon moi, exprimer Dieu, c'est
impossible, et le comprendre, c'est plus impossible» (Discours 28, 4; cf. 30, 17 : τὸ θεῖον ἀκατονόμαστον). Grégoire,
donc, accentue la négation de la connaissance de Dieu :
Dieu est connaissable seulement par l'esprit, et non par les
sens (νῷ μόνῳ ληπτός, comme disaient les platoniciens), et
surtout de façon extrêmement faible. Ce qu'on peut
connaître de Lui tient non pas à ses propriétés spécifiques
mais à ce qui est «autour de Lui» : cette dernière expression, qui est assez obscure, peut se comprendre mieux, à
mon avis, si on se réfère à la conception de Grégoire de
Nysse (*Ad Ablab.* p. 42, 19-44, 6 Müller; *Hom. Beatit.*
VI, *PG* 44 1269 A) : selon lui, les hommes ne peuvent
connaître Dieu que par les rapports qu'ils ont avec Lui,
seulement par ce qui est autour de Lui. La connaissance
intellectuelle de Dieu est très difficile (δυσθεώρητον : 38, 7),
car l'image de Dieu échappe avant que nous ne réussissions
à la saisir (28, 10-11; 40, 5); il n'est pas en fait totalement
inconnaissable (ἄληπτος), mais seulement en partie. Cette
reconnaissance de la possibilité de connaître de Dieu
seulement son ἀπειρία malgré toutes ses limites possibles
est, au contraire, totalement refusée dans un discours
prononcé peu de jours après, sur le baptême (40, 5), dans

lequel Grégoire affirme au contraire que Dieu est ἄρρητος
(terme d'emploi spécifiquement platonicien) et n'est même
pas compréhensible par l'esprit (οὔτε νῷ καταληπτός). Il
semble que ce soit une contradiction – et, effectivement,
cela peut l'être –; mais Grégoire s'exprime plutôt, à ce
sujet, sous l'effet d'un enthousiasme mystique tel qu'il lui
fait contredire même ses présupposés intellectualistes de
type platonicien, si bien qu'il arrive à contredire ce qu'il
avait réussi à mettre au point à un autre moment avec tant
de peine et de circonspection. Dans le passage du Discours 38, 7 d'où nous sommes partis, en effet, Grégoire
exclut sans aucun doute le fait que Dieu soit totalement
inconnaissable, et il précise : il n'est pas dit qu'il puisse être
connu par le seul fait qu'il est de nature simple (τῷ ἁπλῆς
εἶναι φύσεως) comme quelqu'un (τις) pourrait le penser.
Naturellement nous ne savons pas qui est cette personne,
qui n'est pas nommée; on peut avancer l'hypothèse que
Grégoire veut parer à une objection de type philosophique, ce qui veut dire – puisque Grégoire lui-même
admet (cf. 40, 7 : ἀσύνθετος; 30, 20 : ἡ τῶν ἁπλῶν φύσις) que
Dieu est de nature «simple[1]» –, que pour cette raison il
pourrait être connaissable. Mais «être simple», explique
immédiatement Grégoire, n'épuise pas toute la nature
divine; cela en constitue seulement une caractéristique.
La caractéristique principale de Dieu est donc l'infinité
(ἀπειρία); il insiste encore sur cette idée dans le Discours 40
(chap. 41) : «c'est une cohésion (συμφυΐα) infinie (ἄπειρος)
de trois infinis». Évidemment Grégoire redoute surtout
que le discours théologique, lorsqu'il donne des défini-

---

1. Autre concept très fréquent chez les Cappadociens : cf. GRÉGOIRE
DE NYSSE, *De an. et resurr.*, PG 46, 93 C; *Adv. Maced.*, p. 91, 2 Müller;
Ad Ablab., p. 55, 14; *Contr. Eun.* I, 233 s. p. 95 Jaeger. Cette définition
est, elle aussi, d'origine platonicienne : cf. MORESCHINI, «Il platonismo
cristiano», p. 1384.

tions, limite les propriétés de Dieu et le réduise essentiellement à une créature. Donc, au-delà du discours théologique, il ne peut rien y avoir que la contemplation
mystique[1].

Revenant à l'examen du passage du Discours 38, 7 s.,
nous pouvons faire d'autres observations dans le cadre de
l'interprétation philosophique de la théologie chrétienne.
L'activité de Dieu, déjà avant la création du monde,
consiste surtout dans la contemplation de sa propre bonté
(38, 9, 320 C : ἡ ἑαυτῆς θεωρία). L'affirmation est intéressante, parce qu'elle nous renvoie à une notion de type
aristotélicien, même si elle n'est pas développée ultérieure-
ment de façon claire et rationnelle ; c'est cependant une
idée présente chez Grégoire et qui revient encore d'autres
fois (Discours 40, 5 ; Poèmes I, 1, 4, 62 s. : πρὶν τόδε πᾶν
στῆναι... κίννυτο κάλλεος οἷο φίλην θηεύμενος αἴγλην).

Non contente, donc, de se contempler elle-même, la
nature divine «se répand» (χέομαι) à l'extérieur d'elle-
même, dans la création, surtout dans la création du monde
intelligible (38, 10, 321 B-C : κόσμος νοητός, autre expression de la philosophie platonicienne, dans laquelle elle a
cependant une acception complètement différente, puisqu'elle désigne généralement le monde des idées) et, après,

---

1. Plus que pour Grégoire de Nazianze le concept de l'infinité de
Dieu est important pour Grégoire de Nysse, chez qui il a été étudié de
façon approfondie par E. MÜHLENBERG, *Die Unendlichkeit Gottes bei
Gregor von Nyssa,* Göttingen 1966. Mühlenberg (p. 115-118) pense qu'il
aurait été pris par Grégoire de Nazianze dans le *Contra Eunomium* de
Grégoire de Nysse, une œuvre contemporaine du *Discours* 38, puisqu'ils
sont tous deux de 380. ALTHAUS, *Die Heilslehre,* p. 42, n. 2, met en
doute, avec raison à mon avis, cette hypothèse de Mühlenberg et fait
remarquer que le concept du caractère infini de Dieu dérive du
platonisme et trouve sa dernière formulation chez Plotin lui-même
(cf. *Enn.* V, 5, 10 ; VI, 7, 32).

dans la création du monde sensible. La terminologie est
particulièrement intéressante, parce qu'elle est typique,
chez Grégoire, du développement de la Monade divine,
soit à l'intérieur d'elle-même, avec passage de la Monade à
la Trinité, soit à l'extérieur, avec la réalisation de son
amour et de sa bonté intrinsèques. Le développement de la
Monade à l'intérieur d'elle-même et le fait qu'elle produise
la Trinité (évidemment avec la génération du Fils et la
procession de l'Esprit-Saint) sont énoncés aussi dans un
passage riche de sens d'un des précédents discours (23, 8) :
«(j'honore) la Trinité parfaite, qui résulte de trois réalités
parfaites. En effet, la Monade se déplace par l'effet de sa
richesse (κινηθείσης διὰ τὸ πλούσιον), mais la dyade est
dépassée, puisque la Monade va au-delà de la matière et de
la forme qui sont à l'origine des réalités corporelles.» La
remarque est singulière : il est connu que le terme dyade
(δυάς) est un terme technique pour désigner la matière,
selon une tradition pythagorico-platonicienne déterminée,
mais le raisonnement qui semble dominer ici est que la
Monade doit s'élargir en une Trinité, parce que la dyade est
réservée à l'idée de matière et de forme, donc au monde
matériel. Quoi qu'il en soit, Grégoire poursuit : «La
dilatation s'arrête à la Trinité par la perfection de celle-ci.
Ceci arrive parce que la divinité, étant la première, trans-
cende la composition de la dyade, si bien que ni elle ne
reste concentrée en elle-même, ni elle ne se diffuse à
l'infini.» Avouons que la présence de l'idée de dyade, ici
encore, nous semble constituer un corps étranger au
raisonnement théologique; de toute façon, un point est
fondamental dans les passages du Discours 23, 8 et du
Discours 38, 9 : la Monade s'élargit en une Trinité, et non
plus loin; ce qui est en plus de la Trinité n'est pas autre
chose que du polythéisme. L'idée de πενία θεότητος qu'on
rencontre en 38, 8 correspond au terme στενή de 23, 8.
Le terme χεῖσθαι (23, 8), de fait, est d'usage néoplatoni-

cien; nous le retrouvons, dans un contexte trinitaire
également, chez Synésius de Cyrène (*Hymn.* 9, 65 : μονὰς
ἄρρητα χυθεῖσα; cf. 1, 406 : 1, 217 etc.) : et, surtout, ce
terme dérive de l'usage qu'en fait Plotin. Encore une fois
un passage de Grégoire éclaire soit ses rapports avec la
platonisme, soit l'origine platonicienne du terme χεῖσθαι,
employé dans le cadre de la doctrine trinitaire. Plotin en
effet avait dit (V, 2, 1) : «L'Un est parfait parce qu'il ne
cherche rien, ne possède rien et n'a besoin de rien; étant
parfait il surabonde, et cette surabondance produit une
chose différente de lui (trad. Bréhier)», et c'est à ce passage
que Grégoire fait problablement allusion sur un point
assez important du troisième discours théologique (29, 2) :
«Nous n'aurons certainement pas l'audace de parler d'un
débordement de bonté (ὑπέρχυσις ἀγαθότητος) comme un
des philosophes grecs qui osa dire : tel un cratère qui a
coulé par-dessus bord – il dit cela expressément dans le
passage où il traite de la cause première et de la cause
seconde. Gardons-nous d'admettre une génération forcée
et une sorte de débordement naturel et incoercible qui ne
convient pas du tout à nos idées sur la divinité» (trad.
Gallay). Barbel a remarqué[1] que l'allusion au cratère est
platonicienne (cf. *Tim.* 41 d; d'ailleurs le contexte est
complètement différent), alors que l'emploi du verbe
ὑπερρέω et l'allusion au traité sur la première et la deuxième
causes renvoient à Plotin, *Enn.* V, 1, 6; c'est aussi ce que
pense Gallay (*SC* 250, p. 181[2]). Il est donc probable qu'il

---

1. Cf. GREGOR VON NAZIANZ, *Die fünf theologischen Reden...,* heraus-
gegeben von J. BARBEL, Düsseldorf 1963, p. 130-131; MORESCHINI, «Il
platonismo cristiano», p. 1388-1390.

2. Remarquons aussi que l'image de la source et du «débordement»
est utilisée une autre fois par PLOTIN, et toujours dans un contexte
métaphysique (cf. *Enn.* III, 8, 10).

s'agit d'un amalgame de deux réminiscences : Grégoire, au moment où il prononçait le Discours 29, n'avait sous la main ni le texte de Platon, ni celui de Plotin; en conséquence, je ne crois pas qu'il fasse allusion comme le suppose Barbel à quelque platonicien inconnu de nous aussi. Quoi qu'il en soit, Grégoire nie ici explicitement la doctrine plotinienne de l'émanation et s'exprime avec des images très concrètes pour démontrer qu'on ne peut l'appliquer à la doctrine trinitaire chrétienne. En tout cas, dans le Discours 29, 2, ce qui a été affirmé dans le Discours 38 (chap. 8-9), c'est-à-dire le «débordement de bonté» (ὑπέρχυσις ἀγαθότητος), semble être nié. La solution se trouve vraisemblablement dans le fait que, dans le Discours 29, 2, Grégoire nie une surabondance de bonté dans la génération du Fils, dans le sens que le Père aurait engendré le Fils par sa bonté et non par force naturelle; dans le Discours 38, 9, au contraire, le contexte est différent : la nature divine ne pouvait rester limitée à la contemplation d'elle-même et de sa propre perfection, mais devait se tourner à l'extérieur et donc manifester et réaliser sa propre bonté au moyen de la création. Enfin, le passage du Discours 23, 8 est ambigu : il y est dit que la nature divine ne devait pas rester concentrée en elle-même, ni s'étendre dans l'infini. Donc Grégoire emploie dans le Discours 23, 8 le terme χέομαι dans un contexte qui n'est pas strictement trinitaire, c'est-à-dire lorsqu'il imagine, en toute hypothèse, que la Monade se répand en une pluralité de dieux, alors que, lorsqu'il parle du passage de la Monade à la Trinité — et donc dans un contexte de pensée strictement chrétien — il use de κινέομαι.

Et, pour conclure sur ce contact étroit entre la pensée théologique de Grégoire et le platonisme contemporain, remarquons que justement l'affirmation que Dieu, en tant que suprême bonté, ne peut rester circonscrit à lui-même, mais doit «se répandre» à l'extérieur, remonte à Plotin (cf. *Enn.* II, 9, 3), comme Althaus l'a constaté[1] fort à propos : «Chacune doit donner du sien à un autre être; sans quoi le bien ne serait pas le bien, l'intelligence ne serait pas l'intelligence; l'âme enfin ne serait plus elle-même...» (trad. Bréhier).

1. Cf. *Die Heilslehre*, p. 47, n. 22.

DISCOURS 41

Le Discours 41, qui vient ensuite parce que les éditeurs
mauristes lui ont donné cette place, ne peut assurément
rivaliser avec les précédents, ni pour la profondeur de la
pensée, ni pour la valeur artistique.

Les Mauristes, qui mettaient les discours de Grégoire
dans l'ordre chronologique qu'ils supposaient, donnèrent à
ce discours le numéro 41, estimant qu'il avait été prononcé
pour la Pentecôte 381. Cette hypothèse a été rejetée par les
savants modernes, d'abord par Sinko[1], qui place le Discours 41 à la Pentecôte de la première année du séjour de
Grégoire à Constantinople, une date également retenue par
Gallay[2]. Encore plus récemment, Bernardi[3] a adopté
d'autres arguments en faveur de cette date. C'est à Pâques
379 que Grégoire a été presque lapidé par les ariens : un
fait récent auquel notre auteur fait allusion avec des mots
qui se ressentent de l'actualité du danger, au chap. 5,
436 BC. En outre, Grégoire imagine que parler librement
de la nature divine de l'Esprit-Saint peut conduire au
martyre (cf. chap. 14, 448 D-449 A) : cette crainte n'a plus
de raison d'être en 380 (à plus forte raison en 381), mais
peut seulement avoir été réveillée par les violences dont il
avait été l'objet peu de jours auparavant. Toujours selon
Bernardi, il est question au chap. 5 des ennemis du Christ
de façon telle qu'on peut conclure que les ariens avaient le

1. Cf. SINKO, *De traditione orationum,* p. 69-70.
2. Cf. GALLAY, *Vie,* p. 148.
3. Cf. BERNARDI, p. 158.

pouvoir à ce moment à Constantinople. De plus, si le discours avait été prononcé en 381, à part la situation difficile dans laquelle Grégoire se serait trouvé, il aurait été impossible qu'une allusion n'ait pas été faite au concile de Constantinople qui se tenait alors, justement à un moment pendant lequel tombait la Pentecôte (en 381, le 16 mai). Il est donc inévitable de conclure en faveur d'une date antérieure : il s'agit vraisemblablement de la Pentecôte 379.

Le début du discours ne nous semble pas nouveau ; son introduction est semblable à celles des discours 38 et 39 : les autres, ceux qui ne sont pas chrétiens, qu'ils célèbrent leurs fêtes de la façon qui leur est propre, les juifs selon le sens littéral, les païens selon le sens que possèdent les rites impies et obscènes de leur religion ! Les chrétiens au contraire doivent célébrer la fête de l'Esprit de façon spirituelle (chap. 1). Ce début n'est pas neuf, nous l'avons dit, mais nous devons tenir compte du fait que, d'un point de vue chronologique, c'est le premier exemple d'opposition de l'esprit chrétien à l'esprit impie du païen, et du *logos* du chrétien au *logos* vide et superficiel du sophiste. Le terme «Pentecôte», qui évoque un nombre, plus précisément le 7, suggère ici à Grégoire un long *excursus* sur ses sens mystiques et profanes : un vrai tour de force, même s'il n'est pas toujours convaincant. Ce sont d'abord les philosophes païens qui sont nommés (les pythagoriciens), puis certains hérétiques connus seulement de façon assez confuse (sans doute des gnostiques de type «cabalistique», sectateurs de Marc le Mage, que Grégoire cependant ne connaît que par ouï-dire), puis Grégoire passe en revue (chap. 2) les divers emplois du nombre 7 dans les usages hébraïques (le sabbat, l'année sabbatique, le jubilé interprétés selon les «types» les plus largement répandus dans le christianisme antique). Après cet *excursus* de caractère historique, notre orateur ajoute, se référant à son érudition plus qu'à des canons de saine critique exégétique, tous les passages de l'Ancien et du Nouveau Testaments dans lesquels se trouve le nombre sacré (chap. 3-4), pour revenir finalement au thème principal, celui de la célébration de la Pentecôte, qui marque la fin du séjour terrestre du Christ et le moment où les dons de l'Esprit-Saint ont commencé à se répandre sur les chrétiens (chap. 5).

Alors, Grégoire affronte *ex abrupto* le problème de la divinité de l'Esprit-Saint. Cependant, la façon dont il aborde le problème est assez circonspecte : c'est un signe de sa faible position à Constantinople en 379 et du fait qu'il ne se sentait pas en mesure d'entrer en lutte ouverte avec les pneumatomaques, étant donné la forte opposition des ariens, prépondérants dans la capitale de l'Empire. Il met à part ceux qui considèrent l'Esprit comme une créature tout court, et se refuse à parler avec eux. Ce sont probablement les hérétiques. Puis il y a ceux qui, au contraire, le considèrent comme Dieu : ce sont des personnes qui ont une pensée élevée, bien qu'elles ne se comportent pas avec prudence si elles expriment une telle opinion devant ceux qui ne sont pas en mesure de la comprendre. De qui s'agit-il? Des nicéens qui ne suivaient pas le conseil de Basile (chap. 6). C'est vers eux que Grégoire se tourne pour montrer combien leur position est insoutenable. Si en effet ils ne croient pas que l'Esprit est incréé et supérieur au temps, ils sont vraiment des disciples de l'esprit mauvais. Si, au contraire, ils ne croient pas que l'Esprit est créé et qu'il est un «esclave de Dieu», comme toutes les créatures – et cette définition de l'hérésie macédonienne correspond en effet à ce que nous en apprend, avec une clarté et une précision bien autres, Basile, qui avait nié à plusieurs reprises (*De Spiritu Sancto* 13, 29; 19, 50; 20, 51; 28,70, *SC* 17 bis, p. 348 s., 422 s., 426 s., 497 s.; *Contra Eunomium* II, 31; III, 3, *SC* 305, p. 30 s., 154 s.) qu'on puisse tenir l'Esprit pour une créature comme toutes les autres

créatures, et un esclave de Dieu, et le rendre égal dans
l'esclavage (ὁμόδουλος) à nous les hommes –, il est évident
que l'Esprit doit être notre Seigneur. En tout cas Grégoire
s'adresse-avec une attitude conciliante à ces personnes dont
la position doctrinale n'est pas définie avec clarté et limpi-
dité, me semble-t-il (chap. 7). Il espère encore les ramener à
sa conviction, parce qu'il sait qu'elles sont hostiles, comme
lui-même, à l'hérésie, dont elles rejettent justement le noyau
doctrinal : la nature créée de l'Esprit. Grégoire, dans cette
attitude conciliante, souligne avec complaisance la conduite
irréprochable de ceux à qui il s'adresse et qui soutiennent
l'économie de l'Esprit : ils possèdent les dons de l'Esprit-
Saint et il est donc impossible qu'ils n'aient pas une foi
orthodoxe à propos de la nature de l'Esprit lui-même. On le
voit, l'attitude est encore bienveillante. C'est sur un ton
bien différent que Grégoire affrontera les pneumatomaques
dans le cinquième discours théologique (Discours 31),
prononcé l'année suivante.

Après ce préambule, notre auteur énonce avec force ce
qui peut être considéré comme sa doctrine sur l'Esprit-
Saint : en l'absence d'une définition fondée sur le symbole
de foi qui sera énoncé seulement deux ans plus tard par le
second concile œcuménique de Constantinople, Grégoire
doit faire appel à ses propres forces et, en l'occurrence, à
l'enseignement de Basile (mais cet enseignement, comme
nous avons pu le constater ailleurs[1], est plus sensible dans
le cinquième Discours théologique que dans ce Discours 41). En effet, dans ce contexte, Grégoire n'apporte
rien d'important en ce qui concerne la pneumatologie : il se
contente d'attribuer à la troisième personne de la Trinité
les caractéristiques qui sont propres au Père et au Fils

1. Cf. MORESCHINI, «Aspetti della pneumatologia in Gregorio
Nazianzeno e Basilio» dans : Basilio di Cesarea. La sua età, la sua opera e il
basilianesimo in Sicilia. Atti del Congresso internazionale, I, Messina 1983,
p. 567-578.

unique, comme cela est affirmé opportunément (cf. 441 B).
Puis vient une énumération, par un de ces tours de force
typiques de la mentalité et de l'art de Grégoire, de toutes
les caractéristiques particulières de l'Esprit, caractéristiques traditionnelles, tirées de l'enseignement de l'Écriture,
mais qui n'avaient pas encore été consacrées par un
symbole de foi. L'Esprit est celui qui donne la perfection et
sanctifie; c'est l'esprit d'adoption, de vérité, de sagesse,
d'intelligence, et ainsi de suite. Ces caractéristiques ne
constituent pas une définition de la substance, mais désignent ce qui concerne la substance (περὶ οὐσίαν δὲ ἀφορίζεται) selon la formule typique des Cappadociens (cf. *supra*,
p. 75).

Après avoir caractérisé l'Esprit en tant que Personne
divine, Grégoire illustre les manifestations de l'Esprit dans
le temps et dans la création du monde : l'Esprit sanctifie les
créatures angéliques, donne la vision de Dieu aux Pères,
inspire les prophètes, remplit de son souffle les disciples du
Christ (chap. 11). L'esprit qui est apparu avant la venue du
Christ est le même que celui que le Christ a envoyé comme
Paraclet aux apôtres; les langues de feu qui sont descen-
dues sur les apôtres le jour de la Pentecôte sont une
nouvelle preuve de la consubstantialité (*homoousion*) de
l'Esprit avec le Fils, parce que Dieu lui-même s'est défini
comme le «feu purificateur» (*Deut.* 4, 24). La descente de
l'Esprit-Saint sur les apôtres est interprétée de façon à
donner à tous les détails de l'épisode une parfaite correspondance avec tous les détails qu'on trouve dans l'Ancien
Testament à ce sujet (chap. 12). On répète donc – même si
l'explication se révèle d'une certaine façon un doublet
de ce qu'on trouve dans le chap. 11 – que le même
Esprit-Saint s'était manifesté de diverses façons dans
l'histoire du peuple hébreu, insufflant surtout l'esprit
prophétique même aux personnes les plus humbles comme
David et Amos, et transformant en conséquence leur

nature de manière radicale (chap. 13-14). Pareillement, au cours de la vie du Christ, c'est l'Esprit-Saint qui a été envoyé par le Fils pour permettre la transformation spirituelle du publicain (Matthieu) et des pêcheurs (Pierre et André) en apôtres (chap. 14). Le discours s'achève sur deux petits problèmes exégétiques : comment comprendre la phrase d'*Actes* 2, 6, lorsqu'il est dit que, au moment où les disciples prêchaient, tous les étrangers présents, aux origines les plus diverses, les entendaient chacun dans sa propre langue – sans qu'ils aient à connaître l'hébreu? Dans le sens que les apôtres parlaient dans leur langue, mais que tous ceux qui étaient là entendaient leur propre langue, ou dans le sens que les apôtres eux-mêmes étaient en mesure de s'exprimer dans un grand nombre de langues, précisément dans la langue que leurs auditeurs étaient en mesure de comprendre (chap. 15)? Et qui étaient ces Hébreux qui venaient de tous les peuples sous le ciel (cf. *Act.* 2, 5)? Grégoire refuse d'y voir une allusion à l'antique servitude que les Égyptiens avaient fait peser sur le peuple hébreu, il suppose avec plus de vraisemblance historique qu'il s'agit de celle qui eut lieu sous le règne d'Antiochos de Syrie. Mais quel Antiochos? Probablement Antiochos Épiphane, célèbre pour la persécution qu'il fit subir aux juifs.

Pour conclure, ce discours n'a pas une grande importance sur le plan dogmatique. Le problème de la divinité de l'Esprit-Saint est sans doute résolu, sans aucune hésitation, dans le sens orthodoxe. Cependant Grégoire donne l'impression d'être resté un peu à la surface du problème et de s'être limité à des énoncés qu'on peut retrouver chez n'importe quel écrivain nicéen. Les traits spécifiques de sa pneumatologie, qu'on rencontre par exemple dans le Discours 39, 12, ne sont pas développés ici. Grégoire n'affronte pas, en effet, le problème de la manière dont l'Esprit procède du Père sans être le Fils, et s'arrête plus sur l'identité d'honneur (*isotimia,* chap. 12) de la troisième personne – à laquelle il attribue sans doute, il est vrai, la prérogative d'être Dieu – que sur la consubstantialité (*homoousion*). L'orateur se contente de répéter des doctrines traditionnelles, comme celle de la prérogative qu'a l'Esprit-Saint d'inspirer les prophètes ou celle d'apporter la sanctification, accumulant des passages bibliques et des explications couramment utilisés par les écrivains nicéens. Pour arriver à un véritable et décisif approfondissement du problème, il faudra attendre sans doute l'année suivante, lorsque Grégoire prononcera le discours 31 (déjà paru dans *SC* 250).

LE TEXTE

Nous avons établi le texte des Discours 38-41 à partir des mêmes manuscrits que ceux que nous avons utilisés pour les Discours 32-37 (voir *SC* 318), en leur ajoutant le *Vaticanus Graecus* 1249, du Xe siècle (auquel nous avons donné le sigle Z), parce qu'il s'est révélé bon témoin de la tendance générale de toute la tradition manuscrite des Discours de Grégoire, c'est-à-dire la tendance à osciller de l'une à l'autre des deux familles (ou groupes).

Ces familles (m et n) regroupent, comme l'ont déjà noté les spécialistes et comme nous-même avons eu l'occasion de le relever, les neuf manuscrits que nous avons utilisés. La famille m comprend :

S *Mosquensis Synodalis 57,* Vladimir 139, du IXe siècle (38-40 : fol. 106^v-141^r; 41 : fol. 160^v-167^r),

P *Patmiacus 33,* de l'année 941 (fol. 67^r-81^v),

C *Coislinianus 51,* du Xe-XIe siècle (38-40 : fol. 127^v-164^v; 41 : fol. 185^v-193^v),

D *Marcianus Graecus 70,* du Xe siècle (38-40 : fol. 115^v-152^v; 41 : fol. 174^v-182^v).

Il faut tenir compte cependant du fait que les manuscrits P et C ne contiennent pas tout le texte des Discours 38-41. Le *Patmiacus* 33 s'arrête au fol. 81^v après les mots : ἐκεῖνο εἶναι ὑποκρινόμενον du Discours 40, 37, l. 4. Le *Coislinianus* 51 a une lacune au fol. 136^r après les mots τοῦ αὐτοῦ πράγμα[τος] de 39, 3, l. 11 et reprend au fol. 142^v avec les mots [προ]θύμως τὸν περὶ du Discours 40, 1, l. 11. La partie originelle, qui a été perdue, a été ensuite suppléée par une main du XVe siècle qui a copié un texte sans intérêt pour la recension (nous reviendrons bientôt sur lui).

En ce qui concerne la famille n nous avons eu à notre disposition :

A *Ambrosianus E 50 inf. gr. 1014,* du IXe siècle (38-40 : p. 492-543 ; 41 : p. 577-590),

B *Parisinus Graecus 510,* du IXe siècle (38-40 : fol. 250^r-284^r ; 41 : fol. 301^v-308^r),

Q *Patmiacus 44,* du Xe siècle (38-40 : fol. 41^r-92^r ; 41 : fol. 117^r-127^r),

W *Mosquensis Synodalis 64* (Vladimir 142), du IXe siècle (38-40 : fol. 212^v-239^r ; 41 : fol. 251^v-256^v),

T *Mosquensis Synodalis 53* (Vladimir 147), du Xe siècle (38-40 : fol. 201^r-233^v ; 41 : fol. 250^v-257^r),

V *Vindobonensis theol. gr. 126,* du début du XIe siècle (38-40 : fol. 182^r-207^v ; 41 : fol. 220^r-225^r),

Z *Vaticanus Graecus 1249,* du Xe siècle (38 : fol. 39^v-46^v ; 39-40 : fol. 81^v-109^v ; 41 : fol. 20^r-27^r).

Quelques manuscrits de la famille n présentent aussi de grandes lacunes. L'*Ambrosianus* omet, à cause de la perte de quelques folios, la partie du texte qui va du Discours 39, 14, l. 9 (après οὐ δύναμαι : p. 514) au Discours 40, 15, l. 4 (jusqu'à ὡς ὁ Ἰσραήλ : p. 515). Un autre manuscrit ancien, le *Parisinus Graecus* 510, omet quant à lui la partie du texte qui va de 38, 18, l. 9 (ἁγνίσθητι, fol. 255^v) à la fin du discours ; une main du XVe siècle a rétabli ce qui manque, mais cette restitution n'a aucun intérêt pour la constitution du texte. W, très endommagé, a perdu le texte original du Discours 38 et d'une bonne partie du Discours 39 (jusqu'à 13, 15 : début du fol. 221^r). La partie perdue a été récrite par une main du XIVe siècle.

Les deux familles s'opposent tout au long des Discours 38-41. Dans les discours qui nous intéressent ici, en effet, la famille m semble présenter encore un *textus auctior* par

rapport à celui de la famille n, comme dans les cas
suivants : dans le Discours 40, 23, l. 28, les manuscrits de la
famille m après les mots τοῦ βαπτίσματος ὁ πόθος ajoutent
cette phrase qui nous semble authentique : καὶ διὰ τοῦτο
νομίζεις καὶ δίχα βαπτίσματος ζήσεσθαι, περιττὴ λίαν ἡ τῆς
δόξης ἀπόλαυσις καὶ εἰ διὰ τοῦτο δικάζῃ περὶ τῆς δόξης κτλ.

En outre, l'opposition entre la famille m et la famille n se
rencontre aussi dans les cas suivants :

38, 2, 12 ἐπὶ n : ἐγενήθη ἐπὶ m;

    3, 8 πρὸς ἑαυτὸν m : πρὸς αὐτὸ n;

    13, 17 τοῦ ἀρχετύπου κάλλους m : τοῦ ἀρχετύπου n;

    ibid., 34 πληρότητος m : πληρώσεως n;

39, 1, 4 δὲ καὶ n : δ'ὅτι καὶ m;

    6, 7 τούς γε νοῦν ἔχοντας m : τοὺς νοῦν ἔχοντας n;

    8, 6 ἀρχόμενοι m : om. n;

40, 1, 3 πολὺ μᾶλλον m : πολὺ πλεῖον n;

    5, 1-2 καὶ ἄρρητον m : om. n;

    6, 16 ἐμίγνυτο m : μίγνυται n;

    9, 1 δεινὸν γὰρ m : δεινὸν n;

41, 4, 16 ἀνήλωσε m : ἀνάλωσε n;

    4, 39 τινὰ m : ἃ n;

    8, 3 αἰτήσομεν n : αἰτήσομαι m;

    8, 27 καὶ λέγειν m : λέγειν n;

et d'autres cas que peut révéler la simple lecture de
l'apparat critique.

Le problème du *textus auctus* qui caractérise la famille m
a été abordé par Sinko qui s'est arrêté longtemps non
seulement sur les autres *additamenta* (comme il les appelle,
bien que ce mot puisse donner l'impression qu'il s'agit
d'interpolation, non d'un texte authentique), mais aussi sur
ceux que l'on trouve dans les Discours 38 et 41 qui nous
intéressent ici. Le plus important, trouvé par le même
savant polonais[1] est contenu dans quelques manuscrits de

1. Cf. SINKO, *De traditione orationum*, p. 168.

la famille m, précisément dans le *Vatic. Gr.* 2061 (Xe s.), le
Vatic. Ottob. 396 (Xe s.), le *Laur.* VII, 8 (XIe s.), le *Vatic.
Pal.* 75 (Xe s.), et le *Vatic. Gr.* 1805 (Xe s.). Ces deux
derniers manuscrits contiennent seulement le premier livre
de l'édition de la famille m. Le texte, transcrit par Sinko,
est le suivant :

Τί γὰρ τὸ πρῶτον ἡμῶν ἀξίωμα; καὶ τί τὸ μέσον ἡμῶν διάπτωμα;
καὶ τί τὸ τελευταῖον ἐπανόρθωμα; τίς ἡ ἐπίφθονος τοῦ παραδείσου
τρυφή; καὶ τίς ἡ ἐλεεινὴ μετὰ μικρὸν ἐξορία; τίνα δὲ τὰ ξύλα καὶ τίς
ἡ γεῦσις, ἐξ ἧς ἀπολώλαμεν; τίς ἡ τοῦ Θεοῦ φιλανθρωπία καὶ τί τὸ
βάθος τῆς περὶ ἡμᾶς οἰκονομίας, ἵν' ὃ μὴ εἶχον ἑστώς, τοῦτο
λάβω πεσών, Θεὸν ἀνθρώποις ἐπιδημήσαντα καὶ διὰ μέσου τοῦ
νοῦ < σαρκὶ > πλησιάσαντα καὶ γενόμενον, ὅπερ τὸ πταῖσαν,
ἀπταίστως, εἰς θεραπείαν τοῦ ἐμοῦ πταίσματος; Ταῦτα μελέτα, ἐν
τούτοις ἐξέταζε · τούτων οὐκ ἔχεις οὐδὲν τῶν γενεθλίων λαμπρότερον, οὐδ' ὅσα πάνδημοι τιμῶσιν ἀταξίᾳ καὶ παρρησίᾳ μετὰ μύθων
τινῶν καὶ πλασμάτων, οὐδ' ὅσα σφίσιν αὐτοῖς ἢ τοῖς οἰκείοις τελεῖν
εἰώθασιν · τὰ μὲν γάρ εἰσι μανικά, τὰ δὲ σώφρονα καὶ τὰ μὲν τῶν
καθ' ἕκαστον, τὰ δὲ σχεδὸν πάσης τῆς οἰκουμένης. Γέννησιν δὲ
ἀκούων καὶ παρθένον καὶ σπάργανα καὶ ὅσα προόδου σωματικῆς,
μηδὲν ἐν μηδενὶ αἰσχυνθῇς · οὐδὲν γὰρ ἀκάθαρτον, ᾧ Θεὸς ὁμιλεῖ,
κἄν σοι φαίνεται, οὐδὲ μεταλαμβάνει μᾶλλον τοῦ ἡμετέρου
μολύσματος ὥσπερ οὐδὲ ἥλιος οἷς ἂν ἐπέλθῃ τὰ ἑαυτοῦ θέων, ἢ
μεταδίδωσι τῆς ἑαυτοῦ καθαρότητος, ἀλλ' ὁμοίως τήν τε πρώτην
προσκύνει γέννησιν ἀσωμάτως καὶ τὴν δευτέραν ἀρυπάρως καὶ
καθαρῶς, ὡς ἡδονῆς ἐλευθέραν, ἐν ᾗ τὸ αἰσχρὸν ἀπωθεῖται καὶ
διαγελᾷ τοὺς γελῶντας τὰ καθαρὰ καὶ σεβάσμια. – Ἦ βούλεσθε
κ.τ.λ.

Sinko[1] semble enclin à accepter dans le texte cet
additamentum en le considérant comme un passage authentique du Discours 38 (chap. 6, l. 9, après les mots : καὶ μὴ
πόρρω τοῦ συγκαλέσαντος). Il aurait pour origine une
pratique liée à la présentation des homélies de Grégoire et
qui était de sténographier les mots mêmes de l'orateur
pendant qu'ils étaient prononcés. Donc, les manuscrits qui
contiennent ce texte nous auraient conservé une partie de

1. Cf. *ibid.,* p. 169-170.

l'homélie qui n'est pas conservée, au contraire, dans les autres manuscrits, non seulement dans ceux de la famille n, c'était évident, mais non plus dans certains de la famille m auxquels Sinko[1] donne la priorité : P et C. En ce cas nous devrons conclure que les manuscrits qui contiennent cet *additamentum* constituent une vraie famille, particulière, autonome vis-à-vis de m et n, et qui remonterait en droite ligne à l'antiquité, et même à une époque assez proche de celle de Grégoire. On croira plus vraisemblablement, en attendant de voir l'*editio maior critica* dont s'occupe J. Mossay (une édition qui nous donnera une plus large vision de la tradition médiévale des *orationes*), qu'il s'agit d'une interpolation plus tardive, qui peut servir à regrouper les manuscrits qui la contiennent comme dérivant tous d'une source unique. Mais nous pouvons difficilement admettre qu'il s'agit d'un passage authentique de Grégoire, parce qu'il ne se trouve ni dans les manuscrits de la famille n ni dans les plus importants de la famille m, ni dans Rufin. L'explication que donne Sinko[2] de cette omission dans nos plus importantes sources manuscrites est loin d'être convaincante.

Différent au contraire est le cas du *textus auctus* du Discours 41, 14, contenu aussi dans quelques manuscrits importants de la famille m (C et D) en plus des autres qui,

---

1. S et D suppriment avec un signe en marge tout le passage.
2. «Itaque conicere licet ab auctore editionis, quae familia M repraesentatur, adhibitum esse exemplar completum» – c'est-à-dire avec l'*additamentum* dont il est question : mais comment cela est-il possible, si celui-ci ne se trouve que dans quelques manuscrits de la famille M? – ab auctore editionis, quae servata est in familia N, exemplar illa omissione infectum (uel exemplar M, in quo illa pars obelo notata est). Cum brevi tempore utraque familia quodammodo exaequaretur, ea, quae in familia N deerant, in nonnullis codicibus notata sunt ut quodammodo abundantia illique familiae ignota; mox ea, quae notata sunt, a scribis plane omittebantur, ita, ut etiam in multis codicibus familiae M additamentum periret» (*ibid.*, p. 169).

également cités par Sinko, n'ont pas la priorité aux yeux des éditeurs modernes : il manque en effet dans S (P est lacunaire depuis la fin du Discours 40). Sinko est enclin à accepter aussi cet *additamentum* et donne une explication laborieuse pour justifier son omission dans les manuscrits où on ne le trouve pas[1]. Avant tout, voici l'*additamentum* après les mots σοφώτατον γὰρ καὶ φιλανθρωπότατον (l. 15) : ἐὰν νέον ἐκ ποιμένων ἁρπάσῃ ἀριστέα κατ'ἀλλοφύλων ἐργάζεται. Ἔχεις τὴν κατὰ τοῦ Γολιὰθ νίκην τῷ Δαυὶδ μαρτυροῦσαν τῷ λόγῳ.

Mais il n'est pas nécessaire ici d'examiner l'explication que donne Sinko pour défendre son authenticité, avant tout parce que l'*additamentum* ne se trouve pas dans S (P *deest*); en second lieu, il faut préciser que, parmi les manuscrits qui le contiennent, D l'insère là où Sinko affirme qu'il est, c'est-à-dire après les mots τοῦτο τὸ Πνεῦμα (σοφώτατον γὰρ καὶ φιλανθρωπότατον), mais C l'insère plutôt là où les éditeurs mauristes l'avaient exactement signalé, c'est-à-dire après βασιλέα τοῦ Ἰσραὴλ ἀναδείκνυσιν. Et, de toute façon, l'hypothèse d'une interpolation érudite est aussi confirmée, à notre avis, par le fait qu'elle détruit l'ordre du discours : dans l'énumération des cas où, dans l'histoire sacrée, l'intervention de l'Esprit-Saint a radicalement transformé un homme, nous trouverons pour le seul David deux exemples de transformation, alors que pour tous les autres personnages Grégoire ne donne qu'un exemple. Donc, c'est également le contexte qui nous invite à ne pas accepter comme authentique cet *additamentum*. Le fait qu'il ne se trouve pas dans la tradition latine de Rufin s'explique bien dans notre hypothèse qu'il s'agit d'une interpolation du haut Moyen Age transmise par la source de CD. La valeur des manuscrits choisis pour l'établissement du texte et la structure interne de la phrase résolvent

---

1. Cf. *De traditione orationum*, p. 172-173.

également dans ce sens, à notre avis, un autre problème
d'augmentation du texte dans le Discours 41. Sinko
remarquait[1] que quelques manuscrits de la famille n (dont
les plus importants sont A et B) omettent la phrase
qu'on peut lire, au contraire, dans l'édition des Mauristes,
chap. 4, 433 B : ὥσπερ δὲ μυστικὴν τὴν τρισσὴν ἐμφύσησιν,
après l'affirmation : ὡς δὲ καὶ τὴν ἑβδόμην ἀναστροφὴν
Ἡλίου τοῦ προφήτου (4, 13-14). Les mots ὥσπερ δὲ μυστικὴν
τὴν τρισσὴν ἐμφύσησιν se trouvent dans certains manuscrits
de la famille m, le *Vatic. gr.* 2061 et le *Laur. Conv. Sopp.*
177, qui introduisent cette phrase en la signalant par διχῶς,
et en conséquence (il serait même logique de supposer
alors une relation de dépendance d'une série de manuscrits
par rapport à l'autre), la phrase est entrée dans le texte
en provoquant l'omission de la précédente : ὡς δὲ καὶ
τὴν ἑβδόμην ἀναστροφήν dans d'autres manuscrits, parmi
lequels le *Vindob. Theol. Gr.* 126 (V) et la première main de
D (*Marcianus Graecus* 70), que nous avons utilisés. Nous
avons vérifié une telle substitution d'une phrase à une autre
dans le *Vatic. Gr.* 1249 aussi, auquel nous avons donné le
sigle Z et que Sinko ne mentionne pas à ce sujet. Ici,
l'explication pour nous est simple : une glose marginale,
signalée par διχῶς, a provoqué dans le texte l'insertion de
la glose elle-même et la chute de la phrase précédente, qui
peut faire référence à un contexte analogue, les miracles
d'Élie : une glose, dont le but était d'enrichir le texte, a
produit, comme cela arrive assez souvent, la chute d'une
phrase authentique. Quant à Rufin, en traduisant ce
passage, il a recomposé toute la période, qui se présente
chez lui de la façon suivante : «Helias quoque septimo
demum misso ad speculandum puero in vestigium pedis
nubem movit et claustra caeli, quae verbi sui potestate
firmaverat, orationum clavibus reseravit.» Rufin, donc,

1. Cf. *ibid.*, p. 174.

n'est d'aucune aide à ce sujet, comme cela arrive souvent :
nous aurons l'occasion de le voir plus loin, la version de
Rufin est assez souvent très libre et il se trouve que
justement le contexte qui nous intéresse ici tombe dans une
structure dans laquelle Rufin unit les chap. 3 et 4 du
Discours 41. Et il ne nous surprendrait pas, du reste, que
cette phrase, absente dans presque tous les manuscrits qui
font autorité, manquât aussi dans une traduction «litté-
rale» de Rufin, dans le cas où elle existerait. Sinko pense
que cette phrase doit être comprise comme une parenthèse
avec les mots mêmes de Grégoire : après avoir rappelé
comment Élie s'était retourné sept fois sur l'enfant mort,
«hic ei in mentem venit illud Scripturae : καὶ ἐνεφύσησε τῷ
παιδαρίῳ τρίς (III *Rois* 17, 21); quod ne plane praeteriret in
parenthesi posuit (ὥσπερ δὲ μυστικὴν οἶδα τὴν τρισσὴν
ἐμφύσησιν)[1]». Mais il est facile d'objecter à Sinko qu'on lit
οἶδα dans un seul des manuscrits qu'il signale avec l'*additamentum* : le *Vat. Palat. Gr.* 402 (XIᵉ siècle). Comment
pourrions-nous donc alors faire l'hypothèse d'une parenthèse dont le mot clef est si faiblement attesté sur le plan de
la recension?

Ces remarques nous amènent à conclure que, dans
l'ensemble, la famille m présente pour les Discours 38-41,
comme on l'a déjà vu pour les Discours 32-37, un *textus
auctus,* mais non pas sur l'étendue que croyait Sinko; les
plus longs des *additamenta* signalés par le savant polonais
doivent être considérés comme des interpolations évidentes; le *textus auctus* se limite, à notre avis, à des
additions plus courtes, comme nous l'a montré l'exemple
cité plus haut.

En ce qui concerne Rufin, qui a vécu de 345 à 411, son
importance est évidente si on considère l'ancienneté de

1. Cf. *ibid.,* p. 175.

sa traduction; mais il s'agit, malheureusement, d'une traduction dont les critères eux-mêmes auraient besoin d'un examen et devraient être précisés dans le cadre de l'ensemble de l'activité traductrice de cet auteur[1]. En ce qui concerne nos discours, Rufin a traduit les n°s 38, 39 et 41. L'activité de Rufin comme traducteur du texte de Grégoire a été étudiée avec attention par Sinko, qui a tenu compte de ses leçons pour chercher à le situer dans l'histoire de la tradition manuscrite du Cappadocien. Il est surtout fondamental de préciser avec laquelle des deux familles de la tradition manuscrite, m ou n, Rufin s'accorde de préférence. Sinko a remarqué, et nous pouvons le confirmer aussi, que Rufin ne s'accorde pas constamment avec l'une ou l'autre des deux familles médiévales; son modèle «editionem primam collectivam repraesentare, quae quamquam ad M proxime accederet, neque M neque N familiae membrum fuisset, sed utriusque familiae archetypum, ex quo primum archetypus nostrae familiae M, tum archetypus familiae N fluxerit[2]». Rufin, donc, suit un modèle antérieur à la subdivision en familles de la tradition manuscrite, un modèle donc particulièrement ancien. Devons-nous alors nous fonder surtout sur Rufin? Malheureusement, cela n'est pas possible. L'écrivain latin a fait son œuvre de traducteur avec une remarquable liberté; il a été fidèle au critère adopté par les latins dans leurs «traductions» des textes grecs, c'est-à-dire celui de modifier le texte selon leur bon plaisir dans le cas où cela leur paraissait opportun, critère canonique depuis le temps de Cicéron. Même si l'on ne recourt pas à

---

1. Cf. C. MORESCHINI, «Rufino traduttore di Gregorio Nazianzeno», *Rufino di Concordia e il suo tempo, Antichità Alto Adriatiche*, XXXI, Udine 1987, p. 227-244.

2. Cf. *De traditione orationum*, p. 233.

l'hypothèse – qui est au contraire valable pour la traduction des auteurs à l'orthodoxie considérée comme dou-
teuse, tel Origène – que Rufin ait pu modifier le texte pour
éliminer des affirmations ou des idées inacceptables sur le
plan dogmatique, Rufin s'est autorisé à modifier le texte et
à intervenir quand bon lui semblait. Le Discours 41, pour
lequel nous avons examiné plus haut la valeur des *additamenta* faits au texte, en est un exemple évident. Les
chapitres 3 et 4 de ce discours ont été remaniés et fondus
ensemble par le traducteur latin, si bien qu'Engelbrecht,
éditeur assez attentif à cette façon particulière de procéder
chez notre auteur, n'a pas pu les distinguer. Engelbrecht
encore a noté dans l'apparat critique que Rufin a ajouté au
chap. 5 (p. 147, 1 et 147, 12 de l'édition *CSEL*) deux
citations bibliques qui ne se trouvent pas chez Grégoire.
De la même façon, pour des motifs évidents de clarté,
Rufin ajoute (p. 152, 8) : «Arrianos et Eunomianos dico»,
à propos des ennemis de l'Esprit-Saint dont parle Grégoire, p. 440 D - 441 A. Un autre exemple de modification
radicale de la traduction peut se rencontrer quand Rufin dit
(p. 158, 2) : «et... ea quae a se nondum possunt audire
discipuli, ab illo (sc. Spiritu) postmodum et commonenda
et docenda esse denuntiat». Si on compare ces quelques
mots avec le passage de la p. 448 A, on voit clairement
combien Rufin a simplifié et abrégé. Cependant, pour être
équitables, nous devons réfléchir à la complexité de la
situation : les possibilités des deux langues, la latine et la
grecque, sont différentes, ce qui peut empêcher parfois de
bien rendre en latin telles ou telles particularités typiques
du texte grec ; certaines particules, dont le grec est si riche,
n'ont pas d'équivalents en latin ; des expressions idioma-
tiques pouvaient sembler à un lecteur latin intraduisibles
dans sa propre langue. Si l'on tient compte du fait que de
nombreux cas d'opposition entre la famille m et la famille n
concernent des particularités linguistiques, on comprendra

que l'aide apportée par la traduction de Rufin soit très
limitée.

Les pages précédentes, consacrées au texte des discours
38-41, étaient déjà écrites en 1983, lorsque le manuscrit a
été remis à l'éditeur. Pour ne pas retarder davantage la
publication d'un livre qui a rencontré de singulières
difficultés, nous avons préféré les laisser réimprimer inté-
gralement, parce que nous considérons qu'elles sont
encore valables, bien qu'elles soient en partie à modifier.
Pour la même raison, nous n'avons pas pu nous servir du
manuscrit *Vindobonensis suppl. gr.* 189 (sigle J), palimpseste
du VIIIe-IXe siècle. Ce manuscrit, découvert et utilisé pour
la première fois par J. Bernardi (*SC* 309, 1983), aurait
demandé encore beaucoup de temps pour être collationné
(la lecture n'en est possible qu'aux rayons ultra-violets).

Entre-temps cependant, nous avons publié une étude
(«Ricerche sulla tradizione greca di alcune omelie del
Nazianzeno», *Studi Classici e Orientali,* 37, 1987, p. 267-291)
qui, examinant une vingtaine de manuscrits, a apporté des
résultats peut-être plus significatifs que ceux qu'aurait
apportés l'utilisation du seul manuscrit J, intégré sans
difficulté aucune dans le groupe n (et de surcroît non lisible
en entier) : cf. Bernardi, *SC* 309, 1983, p. 82.

C'est pourquoi nous avons préféré laisser intacte l'introduction préparée alors et qui suit, dans les lignes générales,
les critères de la *recensio* établis par J. Bernardi (*SC* 247 et
309), et nous servir, pour cette édition, des résultats de
notre recherche publiés dans les *Studi Classici e Orientali*.
Naturellement, nous nous rendons compte que l'échantil-
lonnage de la tradition manuscrite auquel nous avons
recours est bien réduit encore par rapport à ce qui reste à
explorer, mais nous croyons que l'utilisation d'autres

manuscrits ne devrait effrayer personne (cf. J. Mossay, *Le Muséon,* 1986, p. 379, pour le manuscrit Z que nous avons utilisé dans *SC* 318, 1985). Nous pouvons résumer ainsi ces résultats[1] :

1) Le groupe n n'est enrichi d'aucun témoin marquant, et reste donc limité à ABWVQTZ (J).

2) Le groupe m est, semble-t-il, le plus riche dans la *recensio* de Grégoire. Pour les discours 38-41, à S, d'un côté, peuvent être opposés tous les autres manuscrits, que nous pourrons regrouper sous le sigle m'. Les témoins prioritaires sont les suivants :

a. à côté de C, les manuscrits R et O, déjà utilisés par Bernardi dans *SC* 309, 1983 ; en outre Ve, qui fait partie de la même sous-famille. Les témoins R, O et Ve, plus anciens que C, ne sont pas, dans l'ensemble, inférieurs à C, et deviennent indispensables quand C manque ;

b. à côté de P, le manuscrit Pd : fondamental lui aussi là où manque P. CROVe, d'une part, P et Pd, de l'autre, concordent souvent en opposition à :

c. une tradition qui n'est pas bien définie, regroupée autour du manuscrit D et composée des exemplaires (tous deux plus anciens que D) Vb et Vp.

3) Les manuscrits d'usage homilétique, oscillant plus ou moins entre les deux groupes m et n et témoins d'une période assez ancienne de la tradition (VIIIe-Xe s.). Il s'agit des manuscrits E (discours 38, 39 et 41), Pa (discours 41), Pb (discours 38), Pc (fragment du discours 41) et Pg (discours 41).

Enfin, nous tenons compte systématiquement de l'*editio princeps aldina* (*Gregorii Nazianzeni Orationes lectissimae* XVI,

---

1. Précisons cependant que nous n'avons pas enregistré dans l'apparat les *lectiones singulares* évidemment erronées ou de peu d'intérêt (par exemple les alternances τέλεος / τέλειος ; σκιογραφεῖν / σκιαγραφεῖν).

Venise 1516) due à l'excellent savant, le Grec Marco
Musurus (à son sujet, cf. le récent article de M. Bertolini,
«L'edizione aldina del 1516 e il testo delle orazioni di
Gregorio Nazianzeno», *Studi Classici e Orientali* 38, 1988,
p. 383-390), et de l'édition mauriste de Caillau (Paris,
1842), éclectique dans ses choix, mais très équilibrée.

Mes remerciements les plus vifs et les plus sincères vont
à Mme M.-A. Calvet qui m'a encore aidé dans ce travail de
sa compétence habituelle et a eu l'obligeance de contrôler
pour moi les leçons de quelques manuscrits à la Biblio-
thèque Nationale de Paris.

SIGLES

Groupe m

m	groupe m	
S	Mosquensis Synodalis 57 (Vladimir 139)	saec. IX

Groupe m'

m'	Groupe m'	
P	Patmiacus 33	anni 941
Pd	Parisinus graecus 515	saec. IX
C	Parisinus Coislinianus 51	saec. X-XI
R	Vaticanus graecus 2061a	saec. X
O	Vaticanus Ottobonianus gr. 396	saec. X
Ve	Vaticanus graecus 1805	saec. X
Vb	Vaticanus graecus 462	saec. IX
Vp	Vaticanus Palatinus gr. 75	saec. X
D	Marcianus graecus 70	saec. X

Groupe n

n	Groupe n	
A	Ambrosianus E 49 inf. (gr. 1014)	saec. IX
B	Parisinus graecus 510	a. 880 circ.
W	Mosquensis Synodalis 54 (Vladimir 142)	saec. IX
Q	Patmiacus 44	saec. X
T	Mosquensis Synodalis 53 (Vladimir 147)	saec. X
V	Vindobonensis theol. gr. 126	saec. X-XI
Z	Vaticanus graecus 1249	saec. X

Tradition liturgique

E	Escorialensis Φ. III. 20	saec. IX
Pa	Parisinus graecus 1470	saec. IX
Pb	Parisinus graecus 1491	a. 890
Pc	Parisinus Coislinianus 46	saec. X
Pg	Parisinus graecus 766	saec. X

TEXTE ET TRADUCTION

312Α   1. Χριστὸς γεννᾶται, δοξάσατε· Χριστὸς ἐξ οὐρανῶν, ἀπαντήσατε· Χριστὸς ἐπὶ γῆς, ὑψώθητε. «Ἄισατε τῷ Κυρίῳ, πᾶσα ἡ γῆ[a]»· καί, ἵν' ἀμφότερα συνελὼν εἴπω, «Εὐφραινέσθωσαν οἱ οὐρανοὶ καὶ ἀγαλλιάσθω ἡ γῆ[b]», διὰ
313Α₅ τὸν ἐπουράνιον[c] εἶτα ἐπίγειον[d]. Χριστὸς ἐν σαρκί, τρόμῳ καὶ χαρᾷ ἀγαλλιᾶσθε[e]· τρόμῳ, διὰ τὴν ἁμαρτίαν, χαρᾷ, διὰ τὴν ἐλπίδα. Χριστὸς ἐκ Παρθένου· γυναῖκες παρθενεύετε, ἵνα Χριστοῦ γένησθε μητέρες. Τίς οὐ προσκυνεῖ τὸν ἀπ' ἀρχῆς[f]; τίς οὐ δοξάζει τὸν τελευταῖον[g];

2. Πάλιν τὸ σκότος λύεται, πάλιν τὸ φῶς ὑφίσταται[a], πάλιν Αἴγυπτος σκότῳ κολάζεται[b], πάλιν Ἰσραὴλ στύλῳ φωτίζεται[c]. Ὁ λαὸς ὁ καθήμενος ἐν σκότει τῆς ἀγνοίας ἰδέτω φῶς μέγα τῆς ἐπιγνώσεως[d]. «Τὰ ἀρχαῖα παρῆλθεν·
₅ ἰδοὺ γέγονε τὰ πάντα καινά[e].» Τὸ γράμμα[f] ὑποχωρεῖ, τὸ

Titulus εἰς τὸ γενέθλιον τοῦ σωτῆρος S εἰς τὸ γενέθλιον τοῦ σωτῆρος· ἐρρέθη ἐν κωνσταντινουπόλει· ὅλος δογματικὸς PPd R (sed ὅλος δογματικὸς om. Pd) τοῦ αὐτοῦ εἰς τὸ γενέθλιον τοῦ χριστοῦ C Ve εἰς τὸ γενέθλιον τοῦ χριστοῦ· ἐρρέθη ἐν κωνσταντινουπόλει Vp τοῦ ἁγίου γρηγορίου τοῦ θεολόγου εἰς τὸ γενέθλιον τοῦ σωτῆρος ἡμῶν ἰησοῦ χριστοῦ O εἰς τὸ γενέθλιον τοῦ κυρίου ἡμῶν ἰησοῦ χριστοῦ· ἐρρέθη ἐν κωνσταντινουπόλει· ὅλος δογματικὸς D τοῦ ἐν ἁγίοις ἡμῶν γρηγ*** κωνσταν*** λόγος εἰς τὸ γ*** τοῦ κυρίου ἡμῶν ἰησοῦ χριστοῦ Vb, sed recentiore manu.

εἰς τὰ θεοφάνια AW τοῦ αὐτοῦ εἰς τὰ θεοφάνια Q τοῦ αὐτοῦ εἰς τὰ ἅγια θεοφάνια T τοῦ αὐτοῦ εἰς τὴν ἁγίαν τοῦ χριστοῦ γέννησιν V τοῦ αὐτοῦ εἰς τὴν γενέθλιον ἡμέραν τοῦ κυρίου ἡμῶν ἰησοῦ χριστοῦ Z

γρηγορίου ἐπισκόπου ναζιανζοῦ τοῦ θεολόγου εἰς τὰ ἅγια θεοφάνια εἴτ' οὖν γενέθλια τοῦ κυρίου ἡμῶν ἰησοῦ χριστοῦ E τοῦ ἁγίου γρηγορίου τοῦ θεολόγου ἐπισκόπου ναζιανζοῦ λόγος εἰς τὰ γενέθλια Pb

DISCOURS 38

Pour la Théophanie

1. Le Christ naît, rendez gloire ; le Christ vient des cieux, allez à sa rencontre ; le Christ est sur terre, élevez-vous. «Chantez au Seigneur, toute la terre[a]» ; et pour dire les deux à la fois : «Que se réjouissent les cieux et qu'exulte la terre[b]» à cause de celui qui est «céleste[c]» et ensuite «terrestre[d]». Le Christ est dans la chair ; «exultez avec tremblement[e]» et joie : tremblement, à cause du péché ; joie, à cause de l'espérance. Le Christ (naît) d'une vierge ; femmes, pratiquez la virginité, si vous voulez être mères du Christ. Qui n'adorera celui qui est «dès le commencement[f]» ? Qui ne rendra gloire à celui qui est «le dernier[g]» ?

2. De nouveau les ténèbres sont détruites, de nouveau la lumière est créée[a] ; de nouveau l'Égypte est châtiée par les ténèbres[b] ; de nouveau Israël est illuminé par la colonne[c]. Que le peuple, «assis dans les ténèbres» de l'ignorance, «voie une grande lumière[d]», celle de la connaissance. «Les choses anciennes ont passé, voici que toutes les choses sont devenues nouvelles[e].» La lettre[f] cède, l'esprit[g] triomphe ;

1. a. *Ps.* 95, 1. b. *Ps.* 95, 11. c. Cf. I *Cor.* 15, 47. d. Cf. *ibid.*
e. *Ps.* 2, 11. f. I *Jn* 1, 1. g. *Apoc.* 1, 17 ; 2, 8.
2. a. Cf. *Gen.* 1, 3-4. b. Cf. *Ex.* 10, 21. c. Cf. *Ex.* 13, 21. d. *Is.* 9, 2. e. II *Cor.* 5, 17. f. II *Cor.* 3, 6.

πνεῦμα[g] πλεονεκτεῖ, αἱ σκιαὶ παρατρέχουσιν[h], ἡ ἀλήθεια
ἐπεισέρχεται. Ὁ Μελχισεδὲκ συνάγεται · ὁ ἀμήτωρ,
B ἀπάτωρ γίνεται · ἀμήτωρ[i] τὸ πρότερον, ἀπάτωρ[j] τὸ δεύτερον. Νόμοι φύσεως καταλύονται. Πληρωθῆναι δεῖ τὸν
10 ἄνω κόσμον. Χριστὸς κελεύει · μὴ ἀντιτείνωμεν. «Πάντα
τὰ ἔθνη, κροτήσατε χεῖρας[k], ὅτι παιδίον ἐγεννήθη ἡμῖν,
υἱὸς καὶ ἐδόθη ἡμῖν, οὗ ἡ ἀρχὴ ἐπὶ τοῦ ὤμου αὐτοῦ – τῷ
γὰρ σταυρῷ συνεπαίρεται – καὶ καλεῖται τὸ ὄνομα αὐτοῦ
«μεγάλης βουλῆς», τῆς τοῦ Πατρός, «Ἄγγελος[l]». Ἰωάννης
15 βοάτω · «Ἑτοιμάσατε τὴν ὁδὸν Κυρίου[m].» Ἐγὼ βοήσομαι
τῆς ἡμέρας τὴν δύναμιν. Ὁ ἄσαρκος σαρκοῦται, ὁ Λόγος
παχύνεται, ὁ ἀόρατος ὁρᾶται, ὁ ἀναφὴς ψηλαφᾶται, ὁ
ἄχρονος ἄρχεται, ὁ Υἱὸς τοῦ Θεοῦ υἱὸς ἀνθρώπου γίνεται,
«Ἰησοῦς Χριστός, χθὲς καὶ σήμερον, ὁ αὐτὸς καὶ εἰς τοὺς
20 αἰῶνας[n].» Ἰουδαῖοι σκανδαλιζέσθωσαν[o], Ἕλληνες διαγελά-
C τωσαν[p], αἱρετικοὶ γλωσσαλγείτωσαν. Τότε πιστεύσουσιν,

2, 12 ἡ ἀρχή : ἀρχὴ Maximus ‖ ἐγενήθη (uel ἐγεννήθη) ante ἐπὶ add. m
eras. P² D² ‖ 15 βοάτω : βοᾷ τὸ PC²D corr. P²Dmg, Pd non liquet ‖ ἐγὼ :
ego autem Rufinus, κἀγὼ Ald. Maur., probante Sinko ex Rufino (cf. *De
trad. orat.* 193)

2. g. Cf. *ibid.* h. Cf. *Rom.* 13, 12. i. *Hébr.* 7, 3. j. *ibid.* k. *Ps.*
46, 1. l. *Is.* 9, 6 (9, 5. *hébr.*). m. *Matth.* 3, 3. n. *Hébr.* 13, 8
o. Cf. I *Cor.* 1, 23. p. Cf. *ibid.*

2, 9 νόμοι φύσεως — 10 μὴ ἀντιτείνωμεν MAXIMUS, *Ambigua*, PG 91,
1273 D; 1280 C
11 παιδίον ἐγεννήθη — 13 συνεπαίρεται MAXIMUS, *Ambigua*, PG 91,
1281 B
16 ὁ Λόγος παχύνεται MAXIMUS *Ambigua*, PG 91, 1285 C

1. L'auteur veut dire que les caractéristiques de Melchisédech sont
rassemblées et pleinement réalisées par la naissance de Jésus. L'interprétation de Melchisédech comme figure du Christ est une des plus connues
du christianisme antique; elle a son point de départ en *Hébr.* 7, 1 s.
Elle se rencontre aussi dans CLÉMENT D'ALEXANDRIE, *Stromates* IV,
25, 161, 3, *GCS*, p. 319; AMBROISE, *De fide* III, 11, 88-89 etc., *CSEL* 78,
p. 140 (cf. plus généralement G. BARDY, «Melchisédech dans la
tradition patristique», dans *Revue Biblique*, 1926, p. 496-509; M. SIMON,

les ombres se dérobent hâtivement[h], la vérité fait son
entrée à leur suite ; c'est l'accomplissement de Melchisédech[1] : celui qui est sans mère[i] naît sans père[j][2], sans mère
en premier lieu, sans père en second lieu ; les lois de la
nature sont suspendues ; il faut que se réalise le monde d'en
haut[3]. Le Christ commande, ne nous opposons pas.
«Toutes les nations, battez des mains[k]», car «un petit
enfant nous est né et un fils nous a été donné, le pouvoir est
sur son épaule» – c'est en effet avec la croix qu'il s'élève –
«et il a pour nom Ange du grand conseil[l]», celui du Père.
Que Jean crie : «Préparez le chemin du Seigneur[m]» je
crierai, moi, la puissance de ce jour : celui qui n'a pas de
chair prend chair, le Verbe prend épaisseur[4], celui qu'on ne
peut voir est vu, celui qu'on ne peut toucher est palpable,
celui qui est en dehors du temps a un commencement[5], le
Fils de Dieu devient fils d'homme, «Jésus-Christ hier et
aujourd'hui, le même aussi pour les siècles[n]». Que les juifs
se scandalisent[o], que les Grecs se moquent[p], que les

«Melchisédech dans la polémique entre Juifs et Chrétiens et dans la
légende», dans *Revue d'Histoire et de Philosophie religieuses*, 1937, p. 58-93 ;
J. DANIÉLOU, *Bible et Liturgie*, Paris 1951).

2. Pour exprimer l'idée de «naître», Grégoire n'emploie pas ici
γεννᾶται (comme au début du chap. 1), mais γίνεται qui signifie «il naît»
et «il devient». Le Fils de Dieu a un Père dans la Trinité, mais, lorsqu'il
vient sur terre, on peut dire à la fois qu'il devient sans père et qu'il naît
sans père. P.G.- En ce qui concerne ἀπάτωρ/ἀμήτωρ, cf. EUSÈBE,
Démonstration évangélique V, 3, *PG* 22, 365 A s., où le Christ est dit
ἀπάτωρ, ἀμήτωρ, ἀγενεαλόγητος. Grégoire de Nazianze le dit aussi sans
mère en ce qui concerne le Verbe, sans père en ce qui concerne le Fils
incarné (cf. *Discours* 29, 19 ; 30, 21).

3. Le monde supérieur est le κόσμος νοητός (chap. 10) ou κόσμος
ἀόρατος (*Discours* 40, 45), le monde des créatures intellectuelles, c'est-à-
dire des anges.

4. C'est-à-dire qu'il se fait chair. *Chair* et *épaisseur* sont des notions
voisines (cf. ci-dessous 38, 13 et *Lettre* 101, 49, *SC* 208, 56). P.G.

5. Remarquer la pointe polémique contre les ariens, qui soutenaient
que le Christ avait son origine dans le temps (même si c'est un temps
idéal) ; cf. aussi *Discours* 37, 2.

ὅταν ἴδωσιν εἰς οὐρανὸν ἀνερχόμενον^q · εἰ δὲ μὴ τότε, ἀλλ'
ὅταν ἐξ οὐρανῶν ἐρχόμενον^r καὶ ὡς κριτὴν καθεζόμενον^s.

3. Ταῦτα μὲν ὕστερον. Τὰ δὲ νῦν Θεοφάνια ἡ πανήγυρις, εἴτουν Γενέθλια · λέγεται γὰρ ἀμφότερα, δύο κει-
μένων προσηγοριῶν ἐν ἑνὶ πράγματι. Ἐφάνη γὰρ Θεὸς
ἀνθρώποις διὰ γεννήσεως · τὸ μὲν ὢν καὶ ἀεὶ ὢν ἐκ τοῦ
5 ἀεὶ ὄντος, ὑπὲρ αἰτίαν καὶ λόγον — οὐδὲ γὰρ ἦν τοῦ Λόγου
λόγος ἀνώτερος — τὸ δὲ δι' ἡμᾶς γενόμενος ὕστερον, ἵν' ὁ
τὸ εἶναι δοὺς καὶ τὸ εὖ εἶναι χαρίσηται · μᾶλλον δέ,
ῥεύσαντας ἡμᾶς ἀπὸ τοῦ εὖ εἶναι διὰ κακίαν, πρὸς ἑαυτὸν
πάλιν ἐπαναγάγῃ διὰ σαρκώσεως. Ὄνομα δέ, τῷ φανῆναι
10 μέν, Θεοφάνια · τῷ δὲ γεννᾶσθαι, Γενέθλια.

316A   4. Τοῦτό ἐστιν ἡμῖν ἡ πανήγυρις, τοῦτο ἑορτάζομεν
σήμερον, ἐπιδημίαν Θεοῦ πρὸς ἀνθρώπους, ἵνα πρὸς Θεὸν
ἐκδημήσωμεν, ἢ ἐπανέλθωμεν — οὕτω γὰρ εἰπεῖν οἰκειότερον —, ἵνα τὸν παλαιὸν ἄνθρωπον ἀποθέμενοι τὸν νέον
5 ἐνδυσώμεθα^a, καὶ ὥσπερ ἐν τῷ Ἀδὰμ ἀπεθάνομεν οὕτως

2, 22 οὐρανοὺς PPdCRO Ve

3, 3 ἐν ἑνὶ m E : ἐνὶ n Pb P² Ald. Maur. ‖ 8 ἑαυτὸν m E : ἑαυτὸ D²
αὐτὸ n Pb Pd²Ve² Ald. Maur. ‖ 9-10 τῷ ... τῷ n Vb P² Pd² Pb Ald.
Maur. : τὸ ... τὸ S PPd CRO Ve D Pb E τὸ ... τῷ Vp τῷ ... τὸ Pd
4, 3 ἐνδημήσωμεν Maur. ‖ 5 ἐπενδυσώμεθα PPd CRO Ve Pb - όμεθα
E corr. P²

2. q. Cf. *Jn* 6, 62.   r. Cf. I *Thess.* 4, 16.   s. Cf. *Matth.* 25, 31.
4. a. Cf. *Éphés.* 4, 22-24.

3, 7 ὁ τὸ εἶναι — χαρίσηται cf. IOH. DAMASC., *Expos. fidei* 45, p. 106,
11 Kotter

1. La dérision des mystères chrétiens par les Grecs était répandue
jusqu'au temps de Celse, auteur du *Discours véritable,* et de Porphyre, qui
écrivit un ouvrage intitulé *Contre les Chrétiens.* Quant à la γλωσσαλγία,
c'est un travers des hérétiques, condamné par Grégoire dans le *Discours*
27 (*SC* 250).

hérétiques aient des démangeaisons à la langue[1] ! Ils
croiront lorsqu'ils le verront monter au ciel[q] ; et sinon
alors, du moins quand ils le verront descendre du ciel[r] et
siéger comme juge[s].

3. Cela, c'est pour plus tard. Maintenant c'est la solennité de la « Théophanie »[2] ou encore de la Nativité, car elle
est désignée de l'une et de l'autre façon, deux noms étant
attribués à une seule réalité. Dieu en effet est apparu aux
hommes en naissant : d'une part il est[3], et depuis toujours
il vient de Celui qui est depuis toujours, au-dessus de toute
cause et de toute raison[4] – car il n'y avait pas de raison
antérieure au Verbe – ; d'autre part, à cause de nous il est
né plus tard, afin que celui qui avait donné d'être accorde
aussi de bien être, ou plutôt, comme nous étions déchus du
bonheur à cause de notre malignité, il a voulu nous
ramener à lui-même par l'Incarnation. Le nom de Théophanie vient du fait qu'il est apparu, le nom de Nativité, du
fait qu'il est né.

4. Telle est pour nous la solennité, telle est la fête que
nous célébrons aujourd'hui : c'est la venue de Dieu chez les
hommes, afin que nous partions pour nous rendre chez
Dieu, ou que nous y revenions – car il est plus exact de
parler ainsi –, afin que nous déposions le vieil homme et
revêtions le nouveau[a], et, de même que nous sommes
morts en Adam, que nous vivions de même dans le

2. « Théophanie », décalque du mot Θεοφάνια qui signifie chez les
Pères grecs : « apparition de Dieu ». P.G.
3. Ὁ ὤν est la désignation typique de Dieu (cf. *Ex.* 3, 14), comme
Grégoire le remarque encore ailleurs (*D.* 30, 18 et, ci-dessous, chap. 7) ;
ici il fait allusion à la génération éternelle du Christ, idée chère à
ATHANASE (*Contra Arianos* II, 2 ; III, 66 s ; *PG* 26, 149, 461 s.).
4. La naissance du Fils n'est pas due à une cause – ce qui la rendrait
postérieure à cette cause –, mais elle est produite par la nature même du
Père. L'argumentation est amplement développée dans le *Discours*
29, 5 s. (*SC* 250, 184 s.).

ἐν τῷ Χριστῷ ζήσωμεν[b], Χριστῷ καὶ συγγεννώμενοι καὶ
συσταυρούμενοι[c] καὶ συνθαπτόμενοι[d] καὶ συνανιστάμενοι[e].
Δεῖ γάρ με παθεῖν τὴν καλὴν ἀντιστροφήν, καὶ ὥσπερ ἐκ
τῶν χρηστοτέρων ἦλθε τὰ λυπηρά, οὕτως ἐκ τῶν λυπηρῶν
10 ἐπανελθεῖν τὰ χρηστότερα. «Οὗ γὰρ ἐπλεόνασεν ἡ ἁμαρτία
ὑπερεπερίσσευσεν ἡ χάρις[f]», καὶ εἰ ἡ γεῦσις κατέκρινε[g],
πόσῳ μᾶλλον τὸ Χριστὸν παθεῖν ἐδικαίωσεν; Τοιγαροῦν
B ἑορτάζωμεν, μὴ πανηγυρικῶς, ἀλλὰ θεϊκῶς, μὴ κοσμικῶς,
ἀλλ' ὑπερκοσμίως, μὴ τὰ ἡμέτερα, ἀλλὰ τὰ τοῦ ἡμετέρου,
15 μᾶλλον δὲ τὰ τοῦ Δεσπότου, μὴ τὰ τῆς ἀσθενείας, ἀλλὰ
τὰ τῆς ἰατρείας, μὴ τὰ τῆς πλάσεως[h], ἀλλὰ τὰ τῆς
ἀναπλάσεως.

5. Ἔσται δὲ τοῦτο πῶς; Μὴ πρόθυρα στεφανώσωμεν,
μὴ χοροὺς συστησώμεθα, μὴ κοσμήσωμεν ἀγυιάς, μὴ
ὀφθαλμὸν ἑστιάσωμεν, μὴ ἀκοὴν καταυλήσωμεν, μὴ
ὄσφρησιν ἐκθηλύνωμεν, μὴ γεῦσιν καταπορνεύσωμεν, μὴ
5 ἀφῇ χαρισώμεθα, ταῖς προχείροις εἰς κακίαν ὁδοῖς καὶ
εἰσόδοις τῆς ἁμαρτίας, μὴ ἐσθῆτι μαλακισθῶμεν, ἁπαλῇ τε
καὶ περιρρεούσῃ καὶ ἧς τὸ κάλλιστον ἀχρηστία, μὴ λίθων
διαυγείαις, μὴ χρυσοῦ περιλάμψεσι, μὴ χρωμάτων
C σοφίσμασι ψευδομένων τὸ φυσικὸν κάλλος καὶ κατὰ τῆς
10 εἰκόνος ἐξευρημένων, μὴ κώμοις καὶ μέθαις[a], οἷς
κοίτας καὶ ἀσελγείας οἶδα συνεζευγμένας, ἐπειδὴ κακῶν
διδασκάλων κακὰ τὰ μαθήματα, μᾶλλον δὲ πονηρῶν

4, 6 ζήσωμεν E T ‖ καὶ[1] om. A ‖ 12 τὸν χριστὸν A SD Vb Pb ‖
13 ἑορτάζωμεν CR Ve
5, 7 περιρεούσῃ B D corr. D² ‖ 8 μὴ χρωμάτων : καὶ χρωμάτων Vb
Dmg.

4. b. Cf. I Cor.15, 22.   c. Cf. Gal. 2, 19.   d. Rom. 6, 4. Col. 2, 12
e. Cf. Éphés. 2, 6.   f. Rom. 5, 20.   g. Cf. Gen. 2, 17; 3, 6-7.
h. Cf. Gen. 2, 7. Ps. 118, 73.
5. a. Rom. 13, 13.

Christ[b], naissant nous aussi avec le Christ, étant crucifiés
avec lui[c], étant ensevelis avec lui[d], et ressuscitant avec lui[e].
Il faut en effet que je subisse ce beau retournement; et de
même que du bonheur est venue la peine, de même il faut
que de la peine vienne inversement le bonheur : «Car là où
le péché a abondé la grâce a surabondé[f]», et, si le fruit
goûté a condamné[g][1], combien plus la Passion du Christ a
justifié! C'est pourquoi célébrons la fête non comme une
solennité profane, mais d'une manière divine; non à la
manière du monde, mais d'une manière au-dessus du
monde; non comme notre fête, mais comme celle de Celui
qui est nôtre, ou plutôt comme celle de notre Maître, non
comme celle de la maladie, mais comme celle de la
guérison; non comme celle du modelage[h], mais comme
celle du remodelage[2].

5. Et comment cela se fera-t-il? Gardons-nous d'orner
de guirlandes les vestibules, de réunir des chœurs de danse,
de décorer les rues, de régaler l'œil, de charmer l'oreille,
d'offrir à l'odorat des parfums efféminés, de prostituer le
goût, de flatter le toucher : ce sont les chemins ouverts sur
le vice, et les entrées du péché; gardons-nous de nous
amollir avec un vêtement délicat et flottant − qui n'a pour
toute beauté que son inutilité −, ou bien avec le brillant des
pierres ou l'éclat de l'or ou les artifices des couleurs qui
donnent un démenti à la beauté naturelle et qui ont été
inventés contre l'image (divine)[3], ou encore «avec ripailles
et beuveries» auxquelles sont liées, je le sais, «luxures et
débauches[a]»; car des mauvais maîtres viennent les mauvais

---

1. Ce terme désigne le fait d'avoir goûté au fruit défendu. L'emploi
du mot est fréquent chez Grégoire : cf. *Discours* 8, 14; 30, 20 *in fine*
(d'après la leçon adoptée à juste titre dans *SC* 250, 270, l. 48); 33, 14;
37, 4; 39, 13; et ci-dessous chap. 12.
2. L'homme «modelé» par Dieu à la création (*Gen.* 2, 7), puis
défiguré par le péché, est «remodelé» par la Rédemption du Christ. P.G.
3. L'homme a été fait à l'image de Dieu (*Gen.* 1, 26.27; 9, 6). P.G.

σπερμάτων πονηρὰ τὰ γεώργια. Μὴ στιβάδας ὑψηλὰς
πηξώμεθα σκηνοποιοῦντες τῇ γαστρὶ τὰ τῆς θρύψεως.
15 Μὴ τιμήσωμεν οἴνων τοὺς ἀνθοσμίας, ὀψοποιῶν μαγ-
γανείας, μύρων πολυτελείας. Μὴ γῆ καὶ θάλασσα τὴν
τιμίαν ἡμῖν κόπρον δωροφορείτωσαν · οὕτω γὰρ ἐγὼ τιμᾶν
οἶδα τρυφήν. Μὴ ἄλλος ἄλλον ἀκρασίᾳ νικᾶν σπουδάζωμεν.
Ἀκρασία γὰρ ἐμοὶ πᾶν τὸ περιττὸν καὶ ὑπὲρ τὴν χρείαν,
20 καὶ ταῦτα πεινώντων ἄλλων καὶ δεομένων, τῶν ἐκ τοῦ
αὐτοῦ πηλοῦ τε καὶ κράματος[b].

D 6. Ἀλλὰ ταῦτα μὲν Ἕλλησι παρῶμεν καὶ Ἑλληνικοῖς
κόμποις καὶ πανηγύρεσιν, οἳ καὶ θεοὺς ὀνομάζουσι κνίσαις
χαίροντας καὶ ἀκολούθως τὸ θεῖον τῇ γαστρὶ θεραπεύουσι,
πονηροὶ πονηρῶν δαιμόνων καὶ πλάσται καὶ μυσταγωγοὶ
5 καὶ μύσται τυγχάνοντες. Ἡμεῖς δέ, οἷς Λόγος τὸ προσκυ-
317Α νούμενον, κἄν τι δέοι τρυφᾶν, ἐν λόγῳ τρυφήσωμεν καὶ
θείῳ νόμῳ καὶ διηγήμασι, τοῖς τε ἄλλοις καὶ ἐξ ὧν ἡ

5, 19 περιττὸν S CRmgO Ve D QZ Pb Ald. Maur. : περισσὸν ABVT
P Pd R Vb Vp E
6, 2 ὀνομάζουσι : νομίζουσι PPd CRO Ve Vb D E Pb corr. P² C² ‖
κνίσαις Pb P² Q² Ald. Maur. ‖ 4-5 καὶ μύσται καὶ μυσταγωγοὶ S CRO
Ve E ‖ 6 δέῃ Q T² Ve RO Ald. Maur. ‖ ἐν λόγοις CRO Ve Vb Vp Pb ‖
7 διηγήματι A Ald.

5. b. Cf. Gen. 2, 7.

1. C'est-à-dire les apprêts des cuisiniers. Le mot μαγγανεία se
dit, à l'occasion, de procédés culinaires employés par les courtisans
(ATHÉNÉE, Banquet des Sophistes 1, 9 c). P.G.
2. Le mépris des biens du corps, des plaisirs dus au luxe et aux
nourritures raffinées est un thème fréquent chez Grégoire. Cette
énergique condamnation se rencontre dans le Discours 36, prononcé, lui
aussi, à un moment d'une particulière solennité. C'est un thème que l'on
rencontre un peu partout dans la littérature moralisante de l'âge impérial
et qu'on a l'habitude d'attribuer à la philosophie cynique. J. DZIECH,
dans De Gregorio Nazianzeno diatribae quae dicitur alumno, Poznan 1925,

enseignements, ou plutôt des mauvaises semences viennent les mauvaises récoltes. Gardons-nous de dresser des lits de table élevés et d'offrir au ventre cet abri douillet; gardons-nous d'estimer le bouquet des vins, les sortilèges des cuisiniers[1], le grand prix des parfums. Que la terre et la mer ne nous apportent pas en présents les ordures que l'on estime – c'est de cette manière que je sais estimer les plaisirs[2]. Ne nous empressons pas à nous vaincre mutuellement en intempérance – car pour moi est intempérance tout ce qui est superflu et au-delà du besoin –; et cela quand d'autres ont faim et sont dans le dénuement, eux qui ont été formés par le même limon et le même mélange[b] que nous[3].

6. Mais cela, laissons-le aux Grecs, laissons-le aux pompes et aux solennités helléniques. Les Grecs nomment dieux des êtres qui prennent plaisir au fumet des graisses[4], ils servent la divinité en cherchant à plaire au ventre, et ils se font ainsi de démons pervers, les pervers fabricateurs, initiateurs et initiés. Nous, qui avons le Verbe pour objet d'adoration[5], si nous devons prendre quelques plaisirs, prenons-les dans la parole, dans la loi divine, dans les récits, surtout ceux qui nous valent la solennité présente;

p. 117 s., a rassemblé les éléments concernant cette position moralisante de Grégoire.

3. L'homme a été tiré du limon de la terre (*Gen.* 2, 7); il est constitué par le «mélange» de ce limon et du souffle de vie que Dieu lui a insufflé *(ibid.)*. P.G.

4. Dans les sacrifices. Ainsi dans l'*Iliade,* le prêtre Chrysès rappelle à Apollon qu'il a fait brûler sur son autel la graisse des victimes (Chant I, v. 40). P.G.

5. Le *Logos* divin inspire le *Logos* de l'écrivain chrétien qui, en cela aussi, s'élève et se distingue de tous les orateurs païens. Ainsi le *Logos* chrétien de la fête de Noël est bien supérieur à tous les *logoi* des récits mythologiques, qui sont faux et immoraux. Sur la signification du *Logos* chez Grégoire, voir nos observations en note au *Discours* 32, 2 (*SC* 318, 84-85).

παροῦσα πανήγυρις, ἵν᾽ οἰκεῖον ᾖ τὸ τρυφᾶν καὶ μὴ πόρρω
τοῦ συγκαλέσαντος.

10 Ἢ βούλεσθε — καὶ γὰρ ἐγὼ σήμερον ἑστιάτωρ ὑμῖν —
ἐγὼ τὸν περὶ τούτων παραθῶ λόγον τοῖς καλοῖς ὑμῖν
δαιτυμόσιν, ὡς οἷόν τε δαψιλῶς τε καὶ φιλοτίμως, ἵν᾽
εἰδῆτε πῶς δύναται τρέφειν ὁ ξένος τοὺς ἐγχωρίους καὶ
τοὺς ἀστικοὺς ὁ ἄγροικος καὶ τοὺς τρυφῶντας ὁ μὴ
15 τρυφῶν, καὶ τοὺς περιουσίᾳ λαμπροὺς ὁ πένης τε καὶ
ἀνέστιος; Ἄρξομαι δὲ ἐντεῦθεν, καί μοι καθήρασθε καὶ
νοῦν καὶ ἀκοὴν καὶ διάνοιαν, ὅσοι τρυφᾶτε τὰ τοιαῦτα,
ἐπειδὴ περὶ Θεοῦ καὶ θεῖος ὁ λόγος, ἵν᾽ ἀπέλθητε τρυφή-
σοντες ὄντως τὰ μὴ κενούμενα. Ἔσται δὲ ὁ αὐτὸς πλη-
B 20 ρέστατός τε ἅμα καὶ συντομώτατος, ὡς μήτε τῷ ἐνδεεῖ
λυπεῖν μήτε ἀηδὴς εἶναι διὰ τὸν κόρον.

7. Θεὸς ἦν μὲν ἀεὶ καὶ ἔστι καὶ ἔσται· μᾶλλον δὲ
«ἔστιν» ἀεί. Τὸ γὰρ «ἦν» καὶ «ἔσται», τοῦ καθ᾽ ἡμᾶς
χρόνου τμήματα καὶ τῆς ῥευστῆς φύσεως· ὁ δὲ ὢν ἀεὶ καὶ
τοῦτο αὐτὸς ἑαυτὸν ὀνομάζει, τῷ Μωϋσεῖ χρηματίζων ἐπὶ
5 τοῦ ὄρους[a]. Ὅλον γὰρ ἐν ἑαυτῷ συλλαβὼν ἔχει τὸ εἶναι,
μήτε ἀρξάμενον μήτε παυσόμενον, οἷόν τι πέλαγος οὐσίας
ἄπειρον καὶ ἀόριστον, πᾶσαν ὑπερεκπίπτων ἔννοιαν καὶ

6, 9 post συγκαλέσαντος additamentum, de quo supra (p. 92), prae-
bent S RO Ve Vp D E, sed punctis notant E D, del. S² O² Ve² ||
15 περιουσίας A || 16 ἄρξωμαι Maur. || 18 τρυφήσοντες S PPd CRO Ve
Vp Z coni. Combefis. apud Maur. probante Sinko : -σαντες ABVQ D P²
Vb E Pb Ald. Maur.
7, 4 ὀνομάζει — χρηματίζων : ὀνομάζων S || μωυσῆ P VZ E μωσεῖ A B
|| 7 ὑπερεκπίπτων S RO² VQZ Pb : – ον AB Q² P Pd CR²O Ve Vb Vp D
E Pb² Ald. Maur.

7. a. Ex. 3, 14.

7, 1 θεὸς ἦν μὲν — 14 ἱσταμένης Doctrina Patrum, p. 2 Diekamp
5 ὅλον γὰρ ἐν ἑαυτῷ — 7 ἀόριστον ΙΟΗ. DAMASC., Expos. fidei 9, p. 31,
12 Kotter

ainsi nos plaisirs seront en rapport avec elle, et non pas étrangers à celui qui nous a appelés.

Voulez-vous – puisque aujourd'hui je suis celui qui vous reçoit – que je serve aux convives de marque que vous êtes un discours sur ce sujet avec toute l'abondance et la somptuosité possibles? Vous saurez ainsi comment l'étranger[1] peut nourrir les gens du pays, le campagnard les citadins, l'homme sans plaisirs ceux qui sont dans les plaisirs, le pauvre et le sans foyer ceux qui brillent par leur superflu. C'est par là que je commencerai. Purifiez-vous, s'il vous plaît, l'esprit, l'ouïe et la pensée[2], vous tous qui recherchez les plaisirs de cet ordre; puisqu'il s'agit de Dieu, le discours, lui aussi, est divin. Ainsi vous partirez pour goûter réellement les plaisirs qui ne sont pas vains. Ce discours sera à la fois très plein et, en même tmeps, très concis, afin de ne pas chagriner par son indigence et de ne pas être désagréable en provoquant la satiété[3].

7. Dieu[4] était toujours et il est et il sera; ou plutôt il est toujours. Car les mots «il était» et «il sera» sont des divisions humaines du temps et de la nature sujette à l'écoulement; celui qui est, c'est précisément le nom qu'il se donne lui-même dans sa révélation à Moïse sur la montagne[a]. En effet, réunissant tout lui-même, il possède l'être, sans avoir commencé, sans devoir cesser; il est comme un océan d'existence[5] sans limite et sans borne,

1. Sur cette façon de parler avec ironie de lui-même, cf. *Introduction,* p. 18-19.
2. Sur le thème de la connaissance et de la purification, cf. *Introduction,* p. 66 s.
3. Les chap. 7 à 15 de ce discours correspondent mot pour mot aux chap. 2-9 et 26-27 du *Discours* 45. P.G.
4. Pour le doctrine platonico-chrétienne de ce chap., cf. *Introduction,* p. 71 s.
5. Comparer l'expression de PLATON : τὸ πολὺ πέλαγος τοῦ καλοῦ, «l'immense océan du Beau» (*Banquet* 210 d). P.G.

χρόνου καὶ φύσεως, νῷ μόνῳ σκιαγραφούμενος, καὶ τοῦτο
C λίαν ἀμυδρῶς καὶ μετρίως, οὐκ ἐκ τῶν κατ' αὐτόν, ἀλλ' ἐκ
10 τῶν περὶ αὐτόν, ἄλλης ἐξ ἄλλου φαντασίας συλλεγομένης
εἰς ἕν τι τῆς ἀληθείας ἴνδαλμα, πρὶν κρατηθῆναι φεῦγον καὶ
πρὶν νοηθῆναι διαδιδράσκον, τοσαῦτα περιλάμπον ἡμῶν
τὸ ἡγεμονικόν, καὶ ταῦτα κεκαθαρμένων, ὅσα καὶ ὄψιν
ἀστραπῆς τάχος οὐχ ἱσταμένης. Ἐμοὶ δοκεῖν, ἵνα τῷ
15 ληπτῷ μὲν ἕλκῃ πρὸς ἑαυτό – τὸ γὰρ τελέως ἄληπτον,
ἀνέλπιστον καὶ ἀνεπιχείρητον – τῷ δὲ ἀλήπτῳ θαυμά-
ζηται, θαυμαζόμενον δὲ ποθῆται πλέον, ποθούμενον δὲ
καθαίρῃ, καθαῖρον δὲ θεοειδεῖς ἐργάζηται, τοιούτοις δὲ
γενομένοις, ὡς οἰκείοις, ἤδη προσομιλῇ – τολμᾷ τι νεα-
20 νικὸν ὁ λόγος – Θεὸς θεοῖς[b] ἑνούμενός τε καὶ γνωριζό-
μενος, καὶ τοσοῦτον ἴσως ὅσον ἤδη γινώσκει τοὺς γινωσκομένους[c].

Ἄπειρον οὖν τὸ θεῖον καὶ δυσθεώρητον, καὶ τοῦτο πάντῃ
καταληπτὸν αὐτοῦ μόνον, ἡ ἀπειρία, κἂν τις οἴηται τῷ
D 25 ἁπλῆς εἶναι φύσεως ἢ ὅλον ἄληπτον εἶναι ἢ τελέως ληπτόν.
320A Τί γὰρ ὂν ἁπλῆς ἐστι φύσεως, ἐπιζητήσωμεν. Οὐ γὰρ δὴ
τοῦτο φύσις αὐτῷ, ἡ ἁπλότης, εἴπερ μηδὲ τοῖς συνθέτοις
μόνον τὸ εἶναι συνθέτοις.

7, 8 σκιαγραφούμενον E Vb Doct. Patrum ‖ τοῦτο m praeter Ve E Pb
Maur. : τούτῳ n Pd² P² Ve D² Ald. Doctrinae Patrum nonnulli codices ‖
11-12 φεύγων... διαδιδράσκων PPd RO² Ve corr. P² ‖ 12 περιλάμπων
PPd RO² Ve T² corr. P² ‖ 13 κεκαθαρμένων S PPd CRO Ve D QTV Pb
Ald. : -μένων AB Q² D² Vb Vp E Rufinus Maur. ‖ 15 πρὸς ἑαυτό n Vb
Vp D Pb Maur. : πρὸς ἑαυτὸν SPPd CRO Ve ‖ 17 ποθεῖται m praeter C
corr. P² ‖ 18 καθαίρει PPd RO Ve Vp Pb corr. P² ‖ καθαίρων R²O²Ve ‖
ἐργάζηται n P² Vb² Ald. Maur. : ἀπεργάζηται C Vp D ἐργάζεται S Vb
ἀπεργάζεται P Pd RO Ve D² E Pb ‖ 19 προσομιλεῖ A m corr. P² ‖
21 γινωσκομένους : γνωσομένους Pb ‖ 24-25 τὸ ἁπλῆς CRO Ve T E corr.
O² ‖ 28 μόνον τὸ εἶναι n Ald. Maur. : τὸ εἶναι μόνον m (μόνον om. Pb R)

7. b. Cf. Ps. 81, 1.6.   c. Cf. I Cor. 13, 12.

7, 9 οὐκ ἐκ τῶν — 11 ἴνδαλμα MAXIMUS, Ambigua, PG 91, 1288 A

dépassant toute idée et de temps et de nature ; l'esprit seul
en donne une esquisse, et cela d'une manière très obscure
et très médiocre, non pas d'après ce qui est en Dieu, mais
d'après ce qui est autour de lui ; on réunit de-ci de-là les
éléments d'une représentation pour arriver à une image
unique de la vérité, mais cette image s'enfuit avant qu'on
l'ait maîtrisée, et elle se dérobe avant qu'on l'ait conçue :
elle illumine la faculté directrice[1] en nous — et encore,
lorsque nous sommes purifiés — avec la rapidité d'un éclair
qui luit aux yeux sans s'arrêter. A mon sens, la divinité
veut, en tant qu'elle est saisissable, attirer à elle — car ce qui
est parfaitement insaisissable n'est pas objet d'espérance et
on ne cherche pas à l'atteindre — ; mais aussi, en tant qu'elle
est insaisissabble, elle veut provoquer l'admiration ; étant
admirée, elle est plus désirée ; étant désirée, elle purifie ; en
purifiant, elle rend aussi semblable à Dieu ; avec ceux qui
en sont arrivés là, Dieu entretient des relations d'intimité ;
et — je parle ici avec une certains audace — Dieu s'unit à des
dieux[b], il en est connu, et peut-être autant qu'il connaît
déjà ceux qui sont connus de lui[c].

La divinité est donc sans limites et difficile à contempler.
Ce qui est entièrement saisissable en Dieu, c'est seulement
qu'il est sans limites, même si l'on croit que le fait d'être
d'une nature simple le rend ou bien totalement insaisissable
ou complètement saisissable. Mais qu'est-ce qu'un être
dont la nature est simple ? Cherchons-le ; car la simplicité
n'est évidemmment pas la nature de cet être, de même que
la composition, à elle seule, n'est pas la nature des êtres
composés.

1. Le terme τὸ ἡγεμονικόν est d'origine stoïcienne. Grégoire l'emploie
aussi ailleurs (cf. D. 41, 11) ; mais c'est surtout chez Grégoire de Nysse
qu'il est fréquent.

8. Διχῇ δὲ τοῦ ἀπείρου θεωρουμένου, κατά τε ἀρχὴν καὶ
τέλος — τὸ γὰρ ὑπὲρ ταῦτα καὶ μὴ ἐν τούτοις, ἄπειρον —,
ὅταν μὲν εἰς τὸν ἄνω βυθὸν ὁ νοῦς ἀποβλέψῃ, οὐκ ἔχων
ὅποι στῇ καὶ ἀπερείσηται ταῖς περὶ Θεοῦ φαντασίαις, τὸ
5 ἐνταῦθα ἄπειρον καὶ ἀνέκβατον, ἄναρχον προσηγόρευσεν ·
ὅταν δὲ εἰς τὰ κάτω καὶ τὰ ἑξῆς, ἀθάνατον καὶ ἀνώλεθρον ·
ὅταν δὲ συνέλῃ τὸ πᾶν, αἰώνιον. Αἰὼν γὰρ οὔτε χρόνος
B οὔτε χρόνου τι μέρος — οὐδὲ γὰρ μετρητόν —, ἀλλ᾿ ὅπερ
ἡμῖν ὁ χρόνος, ἡλίου φορᾷ μετρούμενος, τοῦτο τοῖς ἀϊδίοις
10 αἰών, τὸ συμπαρεκτεινόμενον τοῖς οὖσιν, οἷόν τι χρονικὸν
κίνημα καὶ διάστημα.

Ταῦτά μοι περὶ Θεοῦ πεφιλοσοφήσθω τὰ νῦν. Οὐδὲ γὰρ
ὑπὲρ ταῦτα καιρός, ὅτι μὴ θεολογία τὸ προκείμενον ἡμῖν,
ἀλλ᾿ οἰκονομία. Θεοῦ δὲ ὅταν εἴπω, λέγω Πατρὸς καὶ Υἱοῦ
15 καὶ ἁγίου Πνεύματος, οὔτε ὑπὲρ ταῦτα τῆς θεότητος
χεομένης, ἵνα μὴ δῆμον θεῶν εἰσαγάγωμεν, οὔτε ἐντὸς
τούτων ὁριζομένης, ἵνα μὴ πενίαν θεότητος κατακριθῶμεν,
ἢ διὰ τὴν μοναρχίαν ἰουδαΐζοντες ἢ διὰ τὴν ἀφθονίαν
ἑλληνίζοντες. Τὸ γὰρ κακὸν ἐν ἀμφοτέροις ὅμοιον, κἂν ἐν
20 τοῖς ἐναντίοις εὑρίσκηται. Οὕτω μὲν οὖν τὰ Ἅγια τῶν
ἁγίων, ἃ καὶ τοῖς σεραφὶμ συγκαλύπτεται καὶ δοξάζεται
C τρισὶν ἁγιασμοῖς[a], εἰς μίαν συνιοῦσι κυριότητα καὶ θεό-

8, 12 πεφιλοσοφείσθω B S Vb Vp -φίσθω E

8. a. Cf. *Is.* 6, 2-3

8, 1 s. cf. IOH. DAMASC., *Expos. fidei* 15, p. 43, 9 Kotter
14 θεοῦ δὲ — 24 ὑψηλότατα *Doctrina Patrum,* p. 2 Diekamp
20 οὕτω μὲν οὖν — 24 ὑψηλότατα IOH. DAMASC., *Expos. fidei* 54,
p. 130, 33 Kotter; *Contra Jacobitas* 85, p. 142, 15 Kotter

1. C'est-à-dire le passé; et la suite de la phrase traite de l'avenir. P.G.

8. L'absence de limites s'envisage de deux façons : par rapport au commencement et par rapport à la fin, car ce qui est au-dessus des deux et non compris entre eux est sans limites. Lorsque l'esprit porte son regard vers l'abîme d'en haut[1], comme il n'a pas de point pour se fixer et s'appuyer sur les représentations qu'il se fait de Dieu, il nomme « sans commencement » ce qui est là-bas sans limite et sans fin ; lorsqu'il porte son regard vers ce qui en bas et vers ce qui suit, il le nomme immortel et impérissable ; et lorsqu'il réunit le tout, il le nomme éternel. L'éternité n'est ni le temps ni une partie du temps ; elle n'est pas mesurable non plus ; ce qu'est pour nous le temps, mesuré par le mouvement du soleil, c'est, pour ceux qui durent toujours, l'éternité : elle est coextensive à ces êtres, comme le seraient un mouvement et des intervalles de temps.

Mais c'est assez philosopher sur Dieu maintenant ; ce n'est pas le moment d'y ajouter, car notre sujet n'est pas la « théologie » mais l'« économie »[2]. D'ailleurs, lorsque je dis : Dieu, j'entends : le Père, le Fils et le Saint-Esprit ; la divinité ne se répand pas au-delà d'eux, pour que nous n'introduisions pas un peuple de dieux ; mais elle n'est pas limitée en-deçà d'eux, pour que nous ne soyons pas condamnés à une indigence de divinité, pour que la « monarchie » ne nous assimile pas aux juifs, ni la surabondance aux Grecs. Le mal est semblable dans les deux cas, quoiqu'il se trouve dans les contraires. Tel est donc le Saint des Saints, qui est caché aussi par les Séraphins et dont la gloire est célébrée par les trois exclamations : « Saint[a] » convergeant en une seule Seigneurie et divinité. Cela,

2. Rappelons qu'à cette époque la « théologie » est l'étude de Dieu dans sa vie propre (Unité et Trinité), tandis que l'« économie » traite des rapports de Dieu avec le monde, et particulièrement de l'Incarnation. P.G.

τητα · ὃ καὶ ἄλλῳ τινὶ πρὸ ἡμῶν πεφιλοσόφηται κάλλιστά
τε καὶ ὑψηλότατα.

9. Ἐπεὶ δὲ οὐκ ἤρκει τῇ ἀγαθότητι τοῦτο, τὸ κινεῖσθαι
μόνον τῇ ἑαυτῆς θεωρίᾳ, ἀλλ' ἔδει χεθῆναι τὸ ἀγαθὸν καὶ
ὁδεῦσαι, ὡς πλείονα εἶναι τὰ εὐεργετούμενα — τοῦτο γὰρ
τῆς ἄκρας ἦν ἀγαθότητος —, πρῶτον μὲν ἐννοεῖ τὰς
5 ἀγγελικὰς δυνάμεις καὶ οὐρανίους · καὶ τὸ ἐννόημα ἔργον
ἦν, Λόγῳ συμπληρούμενον καὶ Πνεύματι τελειούμενον. Καὶ
οὕτως ὑπέστησαν λαμπρότητες δεύτεραι, λειτουργοὶ τῆς
D πρώτης λαμπρότητος, εἴτε νοερὰ πνεύματα εἴτε πῦρ οἷον
ἄϋλον καὶ ἀσώματον εἴτε τινὰ φύσιν ἄλλην, ὅτι ἐγγυτάτω
321Α 10 τῶν εἰρημένων, ταύτας ὑποληπτέον. Βούλομαι μὲν εἰπεῖν
ὅτι ἀκινήτους πρὸς τὸ κακὸν καὶ μόνην ἐχούσας τὴν τοῦ
καλοῦ κίνησιν, ἅτε περὶ Θεὸν οὔσας καὶ τὰ πρῶτα ἐκ Θεοῦ
λαμπομένας · τὰ γὰρ ἐνταῦθα, δευτέρας ἐλλάμψεως. Πείθει
δέ με μὴ ἀκινήτους, ἀλλὰ δυσκινήτους, καὶ ὑπολαμβάνειν
15 ταύτας καὶ λέγειν ὁ διὰ τὴν λαμπρότητα Ἑωσφόρος[a],

8, 23 ὃ : ᾧ Vb ὅπερ Pb || τινι : τινι τῶν P² CRO Ve Vp D Ald. Maur.,
utrumque praebet Joh. (τινι Doctr. Patrum)
9, 2 τῇ ἑαυτῆς θεωρίᾳ : intelligentiam sui ... mouere Rufinus, unde τὸ
κινεῖν μόνον τὴν ἑαυτῆς θεωρίαν coni. Sinko, De trad. orat. 196 || 4 ἦν τῆς
ἄκρας Α || μὲν om. Ioh. Damasc. || 14-15 ταύτας καὶ ὑπολαμβάνειν CR Ve
ταύτας ὑπολαμβάνειν Vp

9. a. Cf. Is. 14, 12-15

9, 1 ἐπεὶ δὲ οὐκ ἤρκει — 3 τὰ εὐεργετούμενα MAXIMUS, Ambigua,
PG 91, 1288 D
4 πρῶτον μὲν ἐννοεῖ — 5 ἔργον ἦν IOH. DAMASC., Expos. fidei 17, p. 48,
76 Kotter
5 καὶ τὸ ἐννόημα — 6 τελειούμενον cf. IOH. DAMASC., Expos. fidei 16,
p. 45, 6 Kotter
8 εἴτε νοερὰ — 9 ἄϋλον cf. IOH. DAMASC., Expos. fidei 17, p. 45, 9; 46,
25 s
10 ss cf. IOH. DAMASC., Expos. fidei 17, p. 46, 15 s; 47, 58 s

quelqu'un qui nous a précédés l'a expliqué d'une manière très belle et très élevée[1].

9. Et comme il ne suffisait pas à la Bonté d'être mue seulement par la contemplation d'elle-même, mais comme il fallait que le bien se répandît et se propageât afin qu'il y eût un plus grand nombre d'êtres à recevoir ses bienfaits — c'est là le propre de la Bonté suprême —, elle pense d'abord les puissances angéliques et célestes, et cette pensée était œuvre, accomplie par le Verbe et achevée par l'Esprit. Et ainsi furent créées les deuxièmes splendeurs, qui sont au service de la Première Splendeur — que l'on doive les considérer comme des esprits intelligents, ou comme un feu en quelque sorte immatériel et incorporel, ou comme une autre nature aussi proche que possible de ce que l'on vient de mentionner —; je veux dire que (ces deuxièmes splendeurs) ne sont pas mues vers le mal et ont uniquement le mouvement vers le bien, puisqu'elles sont autour de Dieu et illuminées en premier par Dieu — car les êtres d'ici-bas ne sont illuminés qu'en second. Et je suis amené à penser et à dire que ces (deuxièmes splendeurs) ne sont pas impossibles à mouvoir, mais seulement difficiles à mouvoir, car celui qui était le Porte-lumière[a][2] à cause de sa

1. Cette interprétation du *trisagion* d'*Isaïe* 6, 2 s., c'est-à-dire en référence aux trois personnes de la Trinité, est de règle dans la pneumatologie orthodoxe : cf. BASILE, *Contre Eunome* III, 3, *SC* 305, p. 144 s.; ÉPIPHANE, *Ancor.* 10, *PG* 43, 33 s.; DIDYME, *Trinit. PG* 39, 857 A; AMBROISE, *De fide* II, 12, 107, *CSEL* 78, p. 96-97. Les Mauristes, suivant une brève indication donnée en marge du *Coislin.* 51 ('Αθανάσιον λέγει), pensent qu'ici Grégoire fait allusion à Athanase (cf., en effet, *De incarn. et contr. Ar.* 10, *PG* 26, 1000 B); mais, étant donné les rapports étroits entre Grégoire et Basile, il s'agit plutôt d'une allusion à ce dernier.

2. Il est traditionnel de rendre par *Luci-fer (Porte-lumière)* le mot 'Εωσφόρος qui signifie : *Porte-aurore.* P.G.

σκότος διὰ τὴν ἔπαρσιν καὶ γενόμενος καὶ λεγόμενος, αἵ τε
ὑπ' αὐτὸν ἀποστατικαὶ δυνάμεις, δημιουργοὶ τῆς κακίας τῇ
τοῦ καλοῦ φυγῇ, καὶ ἡμῖν πρόξενοι.

10. Οὕτω μὲν οὖν ὁ νοητὸς αὐτῷ καὶ διὰ ταῦτα ὑπέστη
κόσμος, ὡς ἐμὲ γοῦν περὶ τούτων φιλοσοφῆσαι, μικρῷ
λόγῳ τὰ μεγάλα σταθμώμενον. Ἐπεὶ δὲ τὰ πρῶτα καλῶς
B εἶχεν αὐτῷ, δεύτερον ἐννοεῖ κόσμον ὑλικὸν καὶ ὁρώμενον,
5 καὶ οὗτός ἐστι τὸ ἐξ οὐρανοῦ καὶ γῆς καὶ τῶν ἐν μέσῳ
σύστημά τε καὶ σύγκριμα, ἐπαινετὸν μὲν τῆς καθ' ἕκαστον
εὐφυΐας, ἀξιεπαινετώτερον δὲ τῆς ἐξ ἁπάντων εὐαρμοστίας
καὶ συμφωνίας, ἄλλου πρὸς ἄλλο τι καλῶς ἔχοντος καὶ
πάντων πρὸς ἄπαντα, εἰς ἑνὸς κόσμου συμπλήρωσιν · ἵνα
10 δείξῃ μὴ μόνον οἰκείαν ἑαυτῷ φύσιν, ἀλλὰ καὶ πάντη ξένην

10, 3 σταθμούμενον P (ut uid.) Pd RO Ve corr. P² O²

1. Lucifer est devenu «l'ange des ténèbres». P.G.
2. L'angélologie est assez développée chez Grégoire, même si l'enseignement d'Origène l'a notablement influencé, comme je crois l'avoir
montré ailleurs («Influenze di Origene su Gregorio di Nazianzo», *Atti e
Memorie ... Accademia la Colombaria*, 1979, p. 33-57 et surtout p. 54-56).
Les anges sont appelés δυνάμεις, terme courant depuis l'époque de
Philon d'Alexandrie pour désigner les créatures intermédiaires entre
Dieu et les hommes, et fréquemment aussi νοεραὶ δυνάμεις (cf. *Discours*
6, 12; 28, 31; 41, 11; 44, 3); Grégoire revient ailleurs sur la nature
intelligente de l'ange, l'attribuant à l'esprit (Πνεῦμα) dont il est constitué
(*Discours* 28, 31). Dans le cadre de ce que l'on appelle «la terminologie
de la lumière» (cf. *Introduction*, p. 65) ils sont appelés première création
de la splendeur de Dieu, eux-mêmes lumière et rayon de la parfaite
lumière (*Discours* 6, 12; 40, 5; 41, 11; 44, 3; 45, 12); ils comprennent
avec peine la splendeur de Dieu (*Discours* 2, 76) par laquelle ils sont
illuminés (*Discours* 28, 31); en tant que créatures intellectuelles, ils sont
«simples» (ἁπλοῖ), non composés d'un corps (cf. *Discours* 31, 15; *Poèmes*
I, 1, 7, v. 17). En ce qui concerne leur nature, Grégoire se heurte à une
difficulté, dans la mesure où il ne sait pas expliquer pourquoi les anges
peuvent tomber dans le péché, et à ce problème il propose une
explication qui, si elle peut paraître de bon sens, est philosophiquement
peu solide : il voudrait soutenir que les anges ne peuvent pas se tourner
vers le mal, comme on doit le déduire du fait qu'ils ne sont pas
corporels, mais la chute de Lucifer et des anges rebelles interdit cette
affirmation (cf. *Discours* 28, 31; 31, 15; 40, 7; 41, 11; *Poèmes* I, 1, 7,

splendeur est devenu et est appelé «ténèbres»[1] parce qu'il a
voulu s'élever, et les puissances rebelles soumises à lui sont
les auteurs du mal parce qu'elles ont fui le bien et nous ont
communiqué le mal[2].

10. Ainsi et pour ces raisons le monde spirituel[3] fut créé
par Dieu, pour autant du moins que je puisse disserter sur
ces questions, car mon discours est petit pour le poids de
ces grandes choses. Et comme cette première partie était
bonne à ses yeux, il pense un second monde, matériel et
visible : c'est l'ensemble composé du ciel et de la terre et de
ce qu'ils renferment ; il est louable à cause de l'heureuse
disposition de chaque élément en particulier, mais plus
digne de louange à cause de l'heureux ajustement de tous et
de leur accord[4], l'un s'adaptant bien à l'autre, et tous
s'adaptant à tous en vue de la pleine réalisation d'un seul
monde ; Dieu montre ainsi non seulement sa propre nature,

v. 53 s.). La question reste donc controversée (*Discours* 16, 15), avec une
allusion probable aux polémiques suscitées par la doctrine d'Origène sur
les νόες. Le problème, comme le remarque DANIÉLOU (*L'être et le temps
chez Grégoire de Nysse*, Leiden 1970, p. 115), ne pouvait être résolu, parce
qu'il était déterminé par l'idée que le péché est lié à l'élément sensible.
Grégoire de Nysse le résoudra autrement : l'Ange est changeant parce
qu'il est un être créé.

2. L'expression κόσμος νοητός est fréquemment utilisée dans la
philosophie de l'époque impériale, où elle désigne le monde des idées, le
monde intelligible ; pour Grégoire, elle désigne le monde intelligible
opposé au monde sensible, mais qui est auprès de Dieu ; c'est le monde
des créatures angéliques (appelées νόες déjà chez Origène, ce qui
explique l'emploi de l'expression par Grégoire) ; ce sont des créatures
seulement intelligibles et immatérielles).

3. L'éloge de la beauté du créé est traditionnelle chez les écrivains
chrétiens, qui en ont largement usé, probablement aussi sous l'influence
de la théodicée stoïcienne de l'époque. Chez Grégoire de Nazianze et
Grégoire de Nysse la connaissance de la perfection du monde sert à
montrer aux hommes – insuffisamment certes, mais de façon toujours
authentique cependant – l'existence d'une providence divine bienfai-
trice, que nous ne pourrions connaître dans son essence, parce que Dieu
est au-dessus de toute pensée humaine.

ὑποστήσασθαι δυνατὸς ὤν. Οἰκεῖον μὲν γὰρ θεότητος αἱ
νοεραὶ φύσεις καὶ νῷ μόνῳ ληπταί, ξένον δὲ παντάπασιν
ὅσαι ὑπὸ τὴν αἴσθησιν, καὶ τούτων αὐτῶν ἔτι πορρωτέρω
ὅσαι παντελῶς ἄψυχοι καὶ ἀκίνητοι.

15 Ἀλλὰ τί τούτων ἡμῖν; τάχα ἂν εἴποι τις τῶν λίαν
φιλεόρτων καὶ θερμοτέρων. Κέντει τὸν πῶλον περὶ τὴν
C νύσσαν. Τὰ τῆς ἑορτῆς ἡμῖν φιλοσόφει, καὶ οἷς προκαθεζό-
μεθα σήμερον. Τοῦτο δὴ καὶ ποιήσω, καὶ εἰ μικρὸν ἄνωθεν
ἠρξάμην, οὕτω τοῦ πόθου καὶ τοῦ λόγου βιασαμένων.

11. Νοῦς μὲν οὖν ἤδη καὶ αἴσθησις, οὕτως ἀπ᾽ ἀλλήλων
διακριθέντα, τῶν ἰδίων ὅρων ἐντὸς εἱστήκεισαν καὶ τὸ τοῦ
δημιουργοῦ Λόγου μεγαλεῖον ἐν ἑαυτοῖς ἔφερον, σιγῶντες
ἐπαινέται τῆς μεγαλουργίας καὶ διαπρύσιοι κήρυκες[a]. Οὔπω
5 δὲ ἦν κρᾶμα ἐξ ἀμφοτέρων οὐδέ τις μῖξις τῶν ἐναντίων,
σοφίας μείζονος γνώρισμα καὶ τῆς περὶ τὰς φύσεις πολυτελείας, οὐδὲ ὁ πᾶς πλοῦτος τῆς ἀγαθότητος γνώριμος.
Τοῦτο δὴ βουληθεὶς ὁ τεχνίτης ἐπιδείξασθαι Λόγος καὶ
ζῷον ἓν ἐξ ἀμφοτέρων, ἀοράτου τε λέγω καὶ ὁρατῆς
10 φύσεως, δημιουργεῖ τὸν ἄνθρωπον · καὶ παρὰ μὲν τῆς ὕλης
D λαβὼν τὸ σῶμα ἤδη προϋποστάσης, παρ᾽ ἑαυτοῦ δὲ πνοὴν
ἐνθείς – ὃ δὴ νοερὰν ψυχὴν καὶ εἰκόνα Θεοῦ οἶδεν ὁ
324A λόγος[b] –, οἷόν τινα κόσμον δεύτερον, ἐν μικρῷ μέγαν, ἐπὶ

10, 15 ἡμῖν n C D P² Ald. Maur. : ἡμῖν τῶν λόγων Dmg. cett. codd.
11, 11 πνοὴν : ζωὴν A BTV Ald.

11. a. Cf. Ps. 18, 4-5. b. Gen. 1, 26.27; 2, 7; 9, 6.

11, 1 s. cf. IOH. DAMASC., Expos. fidei 26, p. 76, 16 s. Kotter
13 s. cf. IOH. DAMASC., Expos. fidei 26, p. 76, 24 s. Kotter

1. On rencontre ici, et un peu plus loin, les expressions typiques de la
création du monde comme œuvre du Logos, appelé δημιουργός et
τεχνίτης.

2. Allusion au Psaume 18, 4-5. Parlant des cieux qui «racontent la
gloire de Dieu», le psalmiste dit : «Il n'y a pas de parole ni de récit», et :
«Sur toute la terre s'est répandu leur son.» P.G.

mais son aptitude à créer une nature qui lui est complètement étrangère. En effet, sont apparentées à la divinité les
natures spirituelles et qui ne peuvent être saisies que par
l'esprit seul; sont entièrement étrangères toutes celle qui
sont dépourvues d'âme et de mouvement.

Mais en quoi cela nous intéresse-t-il, dira peut-être un de
ceux qui sont attachés aux fêtes d'une façon excessive et
qui sont trop ardents? Aiguillonne ton coursier en direction de la borne! Parle-nous de la fête et de ce pour quoi
nous sommes assis devant toi aujourd'hui! – Eh bien, je
vais le faire, même si j'ai commencé en prenant les choses
d'un peu haut, parce que mon désir et mon discours m'y
ont contraint.

11. Jusque-là l'esprit et le sensible, si distincts entre eux,
restaient dans leurs propres limites et portaient en eux-
mêmes la majesté du Verbe Artisan[1] du monde; ils
louaient silencieusement la grandeur de l'œuvre et ils en
étaient les hérauts répandus partout[a][2]. Il n'y avait pas
encore la fusion des deux ni le mélange des contraires, qui
sont le signe distinctif d'une sagesse plus grande et de la
magnificence (divine) à l'égard des êtres créés; toute la
richesse de la bonté (de Dieu) ne s'était pas encore signalée.
Alors, voulant manifester tout cela, le Verbe Artisan
organise aussi un être vivant composé des deux, je veux
dire la nature visible et la nature invisible : c'est l'homme.
Il tire le corps de l'homme de la matière déjà créée
auparavant, et il prend en Lui-même une vie qu'il met dans
l'homme, c'est-à-dire une âme spirituelle et une image de
Dieu – le récit biblique le sait[b] –; puis cet homme, un
second univers[3], grand dans sa petitesse, il le place sur la

3. L'homme est un microcosme, le «second monde», comme l'avait
déjà enseigné PHILON D'ALEXANDRIE (cf. *De post. Cain.* 16, 58; *Quis rer.
div. heres* 31, 155; *De Abr.* 15, 71, etc.). Chez Grégoire cette idée revient
dans le *Discours* 28, 22.

τῆς γῆς ἵστησιν, ἄγγελον ἄλλον, προσκυνητὴν μικτόν,
15 ἐπόπτην τῆς ὁρατῆς κτίσεως, μύστην τῆς νοουμένης,
βασιλέα τῶν ἐπὶ γῆς, βασιλευόμενον ἄνωθεν, ἐπίγειον καὶ
οὐράνιον, πρόσκαιρον καὶ ἀθάνατον, ὁρατὸν καὶ νοούμενον,
μέσον μεγέθους καὶ ταπεινότητος · τὸν αὐτὸν πνεῦμα καὶ
σάρκα, πνεῦμα διὰ τὴν χάριν, σάρκα διὰ τὴν ἔπαρσιν · τὸ
20 μέν, ἵνα μένη καὶ δοξάζη τὸν εὐεργέτην · τὸ δέ, ἵνα πάσχη
καὶ πάσχων ὑπομιμνήσκηται καὶ παιδεύηται τῷ μεγέθει
φιλοτιμούμενος · ζῷον ἐνταῦθα οἰκονομούμενον καὶ ἀλλαχοῦ
μεθιστάμενον καὶ πέρας τοῦ μυστηρίου τῇ πρὸς Θεὸν
νεύσει θεούμενον. Εἰς τοῦτο γὰρ ἐμοὶ φέρει τὸ μέτριον
25 ἐνταῦθα φέγγος τῆς ἀληθείας, λαμπρότητα Θεοῦ καὶ ἰδεῖν
καὶ παθεῖν, ἀξίαν τοῦ καὶ συνδήσαντος καὶ λύσοντος καὶ
B αὖθις συνδήσοντος ὑψηλότερον.

12. Τοῦτον ἔθετο μὲν ἐν τῷ παραδείσῳ[a], ὅστις ποτὲ ἦν
ὁ παράδεισος οὗτος, τῷ αὐτεξουσίῳ τιμήσας ἵν᾿ ᾖ τοῦ

11, 20 δοξάζει S P D E corr. P² ‖ 21 πάσχων S P² VT²Z Pb Ald.
Maur. : -ον ABQT m᾿E ‖ 22 φιλοτιμούμενος VT²Z Vb² Vp Pb Ioh. Ald.
Maur. : -ον ABQT m praeter Vp ‖ 26 λύσοντος A BQ Pd Vp D² Pb :
λύσαντος SP CRO Ve Vb D E Pd² TVZ Ioh. Ald.
12, 1 τῷ om. BVQTZ D P² Pb add. D²

12. a. *Gen.* 2, 8.15.

1. L'homme est dit «un autre ange», parce qu'il est serviteur et
adorateur de Dieu, et parce que son âme est de la même nature
spirituelle que les anges.
2. Μύστης, le terme propre aux mystères païens, a déjà une acception
chrétienne (cf. un peu plus loin chap. 13, et aussi *D.* 28, 3; 39, 10; et
encore 7, 17; 8, 6; 25, 2; 36, 2, etc.). Il est cher à la mentalité
«mystique» de Grégoire (voir quelques observations dans ce sens dans
PLAGNIEUX, *Saint Grégoire de Nazianze théologien,* Paris 1951, p. 116 s.).
3. Le corps a pour l'homme une fonction pédagogique : l'homme
doit être rabaissé, justement pour qu'il ne s'enorgueillisse pas et ne se
considère pas comme l'égal de Dieu. Nous avons compris le passage
selon l'interprétation de ALTHAUS, *Die Heilslehre,* p. 55-56. L'idée de
«pédagogie» divine revient encore aux *Discours* 16, 12; 17, 4-5. Sur ce

terre comme un autre ange[1], un adorateur formé d'éléments divers, un contemplateur de la création visible, un
initié[2] de la création invisible, un roi de ce qui est sur la
terre, un sujet de ce qui est en haut, un être terrestre et
céleste, éphémère et immortel, visible et intelligible, intermédiaire entre la grandeur et la bassesse, à la fois esprit et
chair : esprit pour l'action de grâces, chair pour l'orgueil[3],
l'un, afin qu'il demeure à jamais et glorifie son créateur,
l'autre, afin qu'il souffre, et qu'en souffrant il se souvienne
(de ce qu'il est) et soit corrigé s'il ambitionne la grandeur,
être vivant dirigé ici-bas (par la Providence) et en marche
vers un autre monde, et, comble du mystère, par son
penchant vers Dieu[4] il devient un Dieu[5]. En effet, la
lumière de la vérité, mesurée ici-bas, me porte à désirer la
vision et l'expérience d'une splendeur de Dieu qui soit
digne de celui qui m'a lié (à la chair), qui m'en déliera, et
qui de nouveau me liera de façon plus haute.

12. Cet être, Dieu le plaça dans le paradis[a] – quel que
fût, d'ailleurs, ce paradis[6] –; il le gratifia du libre arbitre,
afin que le bien fût l'œuvre de celui qui le choisissait[7]

---

thème, cf. F.X. PORTMANN, *Die göttliche Paidagogia bei Gregor von
Nazianz,* St. Ottilien 1954.

4. C'est l'aspiration de l'homme à retourner à Dieu ; le terme νεῦσις
est anologue à ἔφεσις, d'emploi néo-platonicien, et désigne le retour de
la réalité inférieure à la réalité supérieure (cf. MORESCHINI, «Il Platonismo cristiano», p. 1369-1370).

5. Il est rendu divin grâce à l'Esprit-Saint, qui rend saint et parfait ;
cf. plus loin chap. 13 et *Discours* 7, 22-23 ; 31, 29 ; 33, 17.

6. Grégoire déclare se désintéresser de toute interprétation, allégorique ou non, du Paradis ; ce qui lui importe, c'est de parcourir de
nouveau l'histoire de l'homme et de sa chute.

7. L'expression rappelle celle de PLATON (*Rép.* 617 e) par laquelle le
philosophe déclarait l'innocence de Dieu, malgré le mal que peuvent
commettre les hommes (αἰτία ἑλομένου, θεὸς ἀναίτιος), affirmation
fréquemment répétée par le platonisme de l'époque impériale. Grégoire
la reprend, en en renversant l'application, c'est-à-dire qu'il la rapporte
au mérite d'accomplir le bien ; cf. aussi *Poèmes* I, 1, 8, v. 100-102.

ἑλομένου τὸ ἀγαθὸν οὐχ ἧττον ἢ τοῦ παρασχόντος τὰ
σπέρματα, φυτῶν ἀθανάτων γεωργόν[b], θείων ἐννοιῶν ἴσως,
5 τῶν τε ἁπλουστέρων καὶ τῶν τελεωτέρων, γυμνὸν[c] τῇ
ἁπλότητι καὶ ζωῇ τῇ ἀτέχνῳ καὶ δίχα παντὸς ἐπικαλύμ-
ματος καὶ προβλήματος. Τοιοῦτον γὰρ ἔπρεπεν εἶναι τὸν
ἀπ' ἀρχῆς. Καὶ δίδωσι νόμον, ὕλην τῷ αὐτεξουσίῳ. Ὁ δὲ
νόμος ἦν ἐντολὴ ὧν τε μεταληπτέον αὐτῷ φυτῶν καὶ οὗ
10 μὴ προσαπτέον[d]. Τὸ δὲ ἦν τὸ ξύλον τῆς γνώσεως, οὔτε
φυτευθὲν ἀπ' ἀρχῆς κακῶς οὔτε ἀπαγορευθὲν φθονερῶς
– μὴ πεμπέτωσαν ἐκεῖ τὰς γλώσσας οἱ θεομάχοι, μηδὲ τὸν
ὄφιν[e] μιμείσθωσαν –, ἀλλὰ καλὸν μὲν εὐκαίρως μετα-
C λαμβανόμενον – θεωρία γὰρ ἦν τὸ φυτόν, ὡς ἡ ἐμὴ
15 θεωρία, ἧς μόνης ἐπιβαίνειν ἀσφαλὲς τοὺς τὴν ἕξιν τελεω-
τέρους –, οὐ καλὸν δὲ τοῖς ἁπλουστέροις ἔτι καὶ τὴν
ἔφεσιν λιχνοτέροις, ὥσπερ οὐδὲ τροφὴ τελεία λυσιτελὴς
τοῖς ἁπαλοῖς ἔτι καὶ δεομένοις γάλακτος[f]. Ἐπεὶ δὲ φθόνῳ
διαβόλου καὶ γυναικὸς ἐπηρείᾳ, ἥν τε ἔπαθεν ὡς ἁπαλω-

12, 4 γεωργόν in rasura A ‖ 5 τελειοτέρων S PPd Vb Vp Dmg. ‖
15 ἧς : ἦν Dmg. οἷς Pb ‖ μόνοις P² R²O² D TVZ Pb Maur. μόνους Vb
mg. Ald. ‖ τοῖς ... τελεωτέροις TVZ O² P² Pb Ald. Maur.

12. b. *Gen.* 2, 15.   c. *Gen.* 2, 25.   d. *Gen.* 2, 16-17.   e. Cf. *Gen.*
3, 1-3.   f. Cf. I *Cor.* 3, 2. I *Pierre* 2, 2.

1. La description de la vie d'Adam au Paradis est développée de
façon presque analogue à celle qu'on lit dans *Poèmes* I, 2, 1, v. 158 s.
Dans ce passage cependant, Grégoire hasarde une interprétation allégorique : les arbres du Paradis terrestre sont en réalité les pensées d'Adam,
et l'arbre de la connaissance du bien et du mal est le symbole de la
θεωρία. Le problème de l'interprétation des arbres du Paradis avait déjà
été affronté et résolu de façon semblable par PHILON D'ALEXANDRIE
dans *De plant.* 36-40, que Grégoire connaissait peut-être.
2. Cette affirmation rappelle le mot célèbre de PLATON (*Phèdre* 247 a :
«l'envie reste hors du chœur des dieux»), auquel Grégoire fait également allusion dans le *Discours* 28, 11. Les ennemis de Dieu qui avancent
l'idée d'attribuer au Créateur la responsabilité de la faute de l'homme

autant que de celui qui en avait fourni les semences ;
l'homme cultivait[b] des plantes immortelles : peut-être des
pensées divines, à la fois les plus simples et les plus
parfaites[1] ; il était nu[c] à cause de sa simplicité et de sa vie
exempte d'artifice, éloignée de la dissimulation et du
déguisement. Tel est l'état qui convenait à l'homme à
l'origine. Puis Dieu lui donne une loi comme matière à son
libre arbitre. Cette loi, c'était un précepte indiquant les
plantes dont il devait user et celle à laquelle il était défendu
de toucher : cette dernière était l'arbre de la connaissance[d],
qui n'avait pas été planté à l'origine par malveillance, ni
interdit par jalousie[2] – que les adversaires de Dieu ne
mettent pas en branle ici leurs langues, et qu'ils n'imitent
pas le serpent[e][3] ! – ; au contraire, cet arbre est bon quand
on en use au moment opportun : cet arbre, c'était la
contemplation – d'après ma contemplation à moi –, et ils
l'atteignent sans péril dans sa solitude, ceux dont les
dispositions sont plus parfaites ; mais il n'est pas bon pour
ceux qui sont encore trop simples[4] et trop avides dans leur
désir, comme une nourriture complète n'est pas profitable
à ceux qui sont encore délicats et qui ont besoin de lait[f].
Mais par suite de la jalousie du diable et du piège de la
femme, aussi bien celui dont elle fut victime parce qu'elle

---

semblent être des chrétiens d'inspiration généralement gnostique ; ou
peut-être est-ce une pointe polémique contre les manichéens ?

3. Le serpent avait affirmé à la femme, au Paradis terrestre, que Dieu
interdisait le fruit de l'arbre de la connaissance pour empêcher l'homme
et la femme de devenir ses égaux : «Dieu sait que, le jour où vous en
mangerez, vos yeux s'ouvriront et vous serez comme des dieux, qui
connaissent le bien et le mal» (*Gen.* 3, 5). P.G.

4. La connaissance de Dieu n'est utile qu'à une humanité qui s'est
normalement développée et dont les pensées ne sont pas restées simples.
Cette description de la simplicité de la condition d'Adam peut être
appliquée aussi, au fond, à l'homme contemporain, dans le sens que la
contemplation de Dieu est réservée à ceux qui s'en rendent dignes par la
purification.

20 τέρα καὶ ἣν προσήγαγεν ὡς πιθανωτέρα — φεῦ τῆς ἐμῆς
ἀσθενείας · ἐμὴ γὰρ ἡ τοῦ προπάτορος —, τῆς μὲν ἐντολῆς
ἐπελάθετο τῆς δοθείσης καὶ ἡττήθη τῆς πικρᾶς γεύσεως[g],
ὁμοῦ δὲ τοῦ τῆς ζωῆς ξύλου[h] καὶ τοῦ παραδείσου[i] καὶ τοῦ
Θεοῦ διὰ τὴν κακίαν ἐξόριστος γίνεται καὶ τοὺς δερματί-
25 νους ἀμφιέννυται χιτῶνας[j], ἴσως τὴν παχυτέραν σάρκα καὶ
θνητὴν καὶ ἀντίτυπον · καὶ τοῦτο πρῶτον γινώσκει, τὴν
ἰδίαν αἰσχύνην, καὶ ἀπὸ Θεοῦ κρύπτεται[k]. Κερδαίνει μέν τι
D κἀνταῦθα · τὸν θάνατον καὶ τὸ διακοπῆναι τὴν ἁμαρτίαν,
ἵνα μὴ ἀθάνατον ᾖ τὸ κακόν, καὶ γίνεται φιλανθρωπία ἡ
30 τιμωρία. Οὕτω γὰρ πείθομαι κολάζειν Θεόν.

325 A   13. Πολλοῖς δὲ παιδευθεὶς[a] πρότερον ἀντὶ πολλῶν τῶν
ἁμαρτημάτων, ὧν ἡ τῆς κακίας ῥίζα ἐβλάστησε κατὰ
διαφόρους αἰτίας καὶ χρόνους, λόγῳ, νόμῳ, προφήταις,
εὐεργεσίαις, ἀπειλαῖς, πληγαῖς, ὕδασιν, ἐμπρησμοῖς, πολέ-
5 μοις, νίκαις, ἥτταις, σημείοις ἐξ οὐρανοῦ, σημείοις ἐξ
ἀέρος, ἐκ γῆς, ἐκ θαλάττης, ἀνδρῶν, πόλεων, ἐθνῶν

12, 27 μέν τι : μέντοι A D Ald. ‖ 30 ἐγὼ πείθομαι S Vp Ald. Maur.
13, 6 θαλάσσης Pb D corr. D mg.

12. g. Cf. *Gen.* 3, 6.   h. Cf. *Gen.* 2, 9; 3, 24.   i. Cf. *Gen.* 3, 23.
j. *Gen.* 3, 21.   k. Cf. *Gen.* 3, 7-8.
13. a. Cf. *Hébr.* 12, 6.

1. Par brachylogie, l'auteur dit que la femme présenta le piège à son
mari, au lieu de dire qu'elle lui présenta le fruit, qui était un piège
(*Gen.* 3, 6). P.G.
2. Cette interprétation des «tuniques de peau» dont se seraient
revêtus, après le péché, les premiers êtres créés est, on le sait, celle
d'Origène (cf. MÉTHODE, *De resur.* I, 29, *GCS* 27, p. 258). GRÉGOIRE
DE NYSSE la reprend avec quelques modifications (cf. *De an. et res.*,
PG 46, 148 C - 149 A; J. DANIÉLOU, *Platonisme et théologie mystique,* Paris
1954, p. 48 s.; *L'être et le temps...*, p. 154 s.). Toutefois, le Nazianzène est
beaucoup plus réservé dans cette interprétation, sur laquelle il reviendra
dans *Poèmes* I, 1, 8, v. 114 s., *PG* 37, 445 A. Voir en général sur ce

était plus faible, que celui qu'elle présenta (à son mari)[1]
parce qu'elle était persuasive – malheur à ma faiblesse à
moi, car elle est mienne la faiblesse de mon premier père –,
l'homme oublia le précepte qui lui avait été donné et se
laissa aller à goûter au fruit amer[g]. Alors il est écarté à la
fois de l'arbre de vie[h], du paradis[i] et de Dieu à cause de sa
malignité, et il revêt les tuniques de peau[j], c'est-à-dire
peut-être la chair épaissie, mortelle et rebelle[2], et il connaît
en premier lieu sa propre honte et se cache de Dieu[k]. A
cela il gagne cependant quelque chose : la mort et l'inter-
ruption du péché, afin que son mal ne soit pas immortel; et
le châtiment devient amour de l'homme. C'est ainsi, j'en
suis sûr, que Dieu punit[3].

13. L'homme fut d'abord corrigé[a] de plusieurs manières
à cause des nombreux péchés que la racine du mal avait fait
germer; pour différentes causes et à différents moments :
parole, loi, prophètes, bienfaits, menaces, coups, eaux,
incendies, guerres, victoires, défaites, signes venus du ciel,
signes venus de l'air, de la terre, de la mer, changements
inattendus d'hommes, de villes, de nations, tout cela

---

problème : M. HARL, «La prise de conscience de la nudité d'Adam»,
Studia Patristica VII, Texte und Untersuchungen, Berlin 1966, p. 486-495,
et, avec une ample discussion des diverses interprétations (même
contraires à celle de Daniélou), P.F. BEATRICE, «Le tuniche di pelle -
Antiche letture di *Gen.* 3, 21», dans : La tradizione dell'enkrateia... Atti
Colloquio internazionale. Milano 20-23 aprile 1982, Roma 1986, p. 433-
484.

3. La mort a donc une signification positive, puisqu'elle empêche
l'homme de pécher. GRÉGOIRE DE NYSSE pense de même (*Or. cat.,* 8,
PG 45, 33). Grégoire de Nazianze revient sur ce problème dans *Poèmes*
I, 1, 7, v. 82-95. Une telle conception, analogue à celle qu'on peut lire
dans le *Discours* 40, 36, est indubitablement influencée par la doctrine
origénienne de la fonction pédagogique du mal et de la douleur
(cf. *Contra Cels.* IV, 99; V, 31 *SC* 136, p. 434; *SC* 147, p. 92; *De princ.* I,
6, 3; II, 5, 3; 10, 6 etc. *SC* 352, p. 200, 298, 388. A ce propos voir
H. KOCH, *Pronoia und Paideusis, Studien über Origenes und sein Verhältnis
zum Platonismus,* Leipzig 1932, p. 161-172).

ἀνελπίστοις μεταβολαῖς, ὑφ' ὧν ἐκτριβῆναι τὴν κακίαν τὸ
σπουδαζόμενον ἦν, τέλος ἰσχυροτέρου δεῖται φαρμάκου
ἐπὶ δεινοτέροις τοῖς ἀρρωστήμασιν, ἀλληλοφονίαις, μοι-
10 χείαις, ἐπιορκίαις, ἀνδρομανίαις, τὸ πάντων ἔσχατον τῶν
κακῶν καὶ πρῶτον, εἰδωλολατρείαις, καὶ τῇ μεταθέσει
τῆς προσκυνήσεως ἀπὸ τοῦ πεποιηκότος ἐπὶ τὰ κτίσματα[b].
Ταῦτα ἐπειδὴ μείζονος ἐδεῖτο τοῦ βοηθήματος, μείζονος
B καὶ τυγχάνει. Τὸ δὲ ἦν αὐτὸς ὁ τοῦ Θεοῦ Λόγος, ὁ
15 προαιώνιος, ὁ ἀόρατος, ὁ ἀπερίληπτος, ὁ ἀσώματος, ἡ ἐκ
τῆς ἀρχῆς ἀρχή, τὸ ἐκ τοῦ φωτὸς φῶς[c], ἡ πηγὴ τῆς ζωῆς[d] καὶ
τῆς ἀθανασίας, τὸ ἐκμαγεῖον[e] τοῦ ἀρχετύπου κάλλους, ἡ μὴ
κινουμένη σφραγίς[f], ἡ ἀπαράλλακτος εἰκών[g], ὁ τοῦ Πατρὸς
ὅρος καὶ λόγος · ἐπὶ τὴν ἰδίαν εἰκόνα[h] χωρεῖ καὶ σάρκα
20 φορεῖ διὰ τὴν σάρκα καὶ ψυχῇ νοερᾷ διὰ τὴν ἐμὴν ψυχὴν
μίγνυται, τῷ ὁμοίῳ τὸ ὅμοιον ἀνακαθαίρων. Καὶ πάντα
γίνεται, πλὴν τῆς ἁμαρτίας[i], ἄνθρωπος · κυηθεὶς μὲν ἐκ
τῆς Παρθένου καὶ ψυχὴν καὶ σάρκα προκαθαρθείσης τῷ
Πνεύματι[j] — ἔδει γὰρ καὶ γέννησιν τιμηθῆναι καὶ παρθε-
25 νίαν προτιμηθῆναι — · προελθὼν δὲ Θεὸς μετὰ τῆς προσλή-

13, 17 κάλλους om. n Pb del. S²P²C²D²O² om. Ald. ‖ 19 σάρκα : σῶμα
E T mg. γρ. ‖ 20 νοερὰ* A ‖ 22 γίγνεται Ald. Maur.

13. b. Cf. *Rom.* 1, 25.   c. *Jn* 8, 12.   d. Cf. *Jn* 1, 4; 11, 25.
e. Cf. *Hébr.* 1, 3.   f. Cf. *Jn* 6, 27.   g. Cf. *Col.* 1, 15. II *Cor.* 4, 4.
h. Cf. *Gen.* 1, 26.27; 2, 7; 9, 6.   i. Cf. *Hébr.* 4, 15.   j. Cf. *Lc* 1, 35.
k. *Ex.* 3, 14.   l. Cf. *Rom.* 10, 12. II *Cor.* 8, 9.

1. Affirmation de couleur antiarienne, étant donné que selon les
hérétiques le Fils de Dieu n'avait pas toujours existé (ἦν ὅτε οὐκ ἦν).
2. Terminologie et image de type platonicien. Ἐκμαγεῖον était, pour
les platoniciens, la matière (cf. *Timée* 50 c; *Doxographi graeci*, p. 448
Diels) sur laquelle Dieu imprime les «formes» (εἴδη) pour la création du
monde. Le Père est τὸ ἀρχέτυπον selon Grégoire (cf. *Discours* 33, 12;
37, 22; ici on ne lit que dans certains manuscrits ἀρχετύπου κάλλους),
puisque le Christ est l'image de Dieu, comme l'enseigne S. Paul
(*Col.* 1, 15).

visait à extirper le mal. A la fin l'homme a besoin
d'un remède plus énergique pour des maladies plus redou-
tables : meurtres réciproques, adultères, parjures, fureurs
homosexuelles, et le dernier et le premier de tous les maux :
les idolâtries, c'est-à-dire le transfert de l'adoration du
créateur aux créatures[b]. Comme cela demandait un plus
grand secours, un plus grand secours aussi est accordé :
c'était le Verbe de Dieu lui-même, celui qui est antérieur
aux siècles[1], l'invisible, l'insaisissable, l'incorporel, celui
qui est le Principe issu du Principe, la lumière[c] née
de la lumière, la source de la vie[d] et de l'immortalité,
l'empreinte[e] du Modèle[2], le sceau[f] immuable, l'image[g]
exacte, la définition et l'explication du Père[3]. Il vient vers
sa propre image[h4], il porte une chair à cause de la chair, il
se mêle à une âme spirituelle[5] à cause de mon âme,
purifiant le semblable par le semblable; et il devient
homme en tout, excepté le péché[i] : il est conçu par la
Vierge qui a été préalablement purifiée par l'Esprit[j] dans
son âme et dans sa chair, car il fallait à la fois que la
génération fût à l'honneur et que la virginité y fût plus
encore[6]; il s'avance, Dieu avec ce qu'il a assumé[7], être

---

3. Le Verbe (ou Fils) est la définition du Père en ce sens que
l'existence du Fils implique celle du Père; et il est l'explication du Père,
car sans le Fils il n'y aurait pas de Père. D'ailleurs, *logos,* le mot qui
désigne le Verbe, a aussi le sens de «définition», comme Grégoire le
remarque dans un autre discours : «On pourrait dire peut-être que (le
Verbe) est comme la définition (ὅρος) par rapport à l'objet défini (τὸ
ὁριζόμενον), puisque *définition* se dit aussi *logos*» (*Discours* 30, 20, *SC* 250,
266-267). P.G.

4. L'homme, formé à l'image de Dieu (*Gen.* 1, 26.27; 9, 6). P.G.

5. Sur cette question de l'âme rationnelle du Christ et l'incarnation,
cf. *Introduction*, p. 53 s..

6. La virginité mérite un honneur plus grand que la condition
matrimoniale, affirme encore Grégoire (*Discours* 37, 9-12). On sait que
ce thème est très répandu dans le christianisme ancien.

7. Le terme πρόσληψις désigne la chair «assumée» par le Christ (cf. *D.*
37, 2; 2, 23).

C ψεως, ἓν ἐκ δύο τῶν ἐναντίων, σαρκὸς καὶ Πνεύματος, ὧν
τὸ μὲν ἐθέωσε, τὸ δὲ ἐθεώθη. Ὦ τῆς καινῆς μίξεως, ὢ
τῆς παραδόξου κράσεως. Ὁ ὢν[k] γίνεται καὶ ὁ ἄκτιστος
κτίζεται καὶ ὁ ἀχώρητος χωρεῖται, διὰ μέσης ψυχῆς νοερᾶς
30 μεσιτευούσης θεότητι καὶ σαρκὸς παχύτητι. Καὶ ὁ πλουτί-
ζων[l] πτωχεύει[m] · πτωχεύει γὰρ τὴν ἐμὴν σάρκα ἵν' ἐγὼ
πλουτήσω τὴν αὐτοῦ θεότητα. Καὶ ὁ πλήρης[n] κενοῦται[o] ·
κενοῦται γὰρ τῆς ἑαυτοῦ δόξης ἐπὶ μικρόν, ἵν' ἐγὼ τῆς
ἐκείνου μεταλάβω πληρότητος. Τίς ὁ πλοῦτος τῆς ἀγαθό-
35 τητος; Τί τὸ περὶ ἐμὲ τοῦτο μυστήριον; Μετέλαβον τῆς
εἰκόνος[p], καὶ οὐκ ἐφύλαξα · μεταλαμβάνει τῆς ἐμῆς σαρκός,
ἵνα καὶ τὴν εἰκόνα σώσῃ καὶ τὴν σάρκα ἀθανατίσῃ.
Δευτέραν κοινωνεῖ κοινωνίαν, πολὺ τῆς προτέρας παραδοξοτέραν · ὅσῳ τότε μὲν τοῦ κρείττονος μετέδωκε, νῦν δὲ
D 40 μεταλαμβάνει τοῦ χείρονος. Τοῦτο τοῦ προτέρου θεοει-
δέστερον · τοῦτο τοῖς νοῦν ἔχουσιν ὑψηλότερον.

328A   14. Πρὸς ταῦτα τί φασιν ἡμῖν οἱ συκοφάνται, οἱ πικροὶ
τῆς θεότητος λογισταί, οἱ κατήγοροι τῶν ἐπαινουμένων, οἱ
σκοτεινοὶ περὶ τὸ φῶς, οἱ περὶ τὴν σοφίαν ἀπαίδευτοι, ὑπὲρ
ὧν «Χριστὸς δωρεὰν ἀπέθανε[a]», τὰ ἀχάριστα κτίσματα, τὰ
5 τοῦ Πονηροῦ πλάσματα; Τοῦτο ἐγκαλεῖς Θεῷ, τὴν εὐεργε-

13, 34 πληρότητος m E : πληρώσεως n P²Pb (in ras. ut uid.) Vb in ras.
Ald. Maur. ‖ 37 ἀθανατίσῃ A S PPd CRO Ve D -τήσει E corr. P²D²

13. m. II *Cor.* 8, 9.   n. Cf. *Col.* 2, 9.   o. *Phil.* 2, 7.   p. Cf. *Gen.*
1, 26-27; 2, 7; 9, 6.
14. a. *Gal.* 2, 21.

13, 26 ὢν τὸ μὲν — 27 ἐθεώθη IOH. DAMASC., *Expos. fidei* 61, p. 155, 5
Kotter
38 δευτέραν κοινωνεῖ — παραδοξοτέραν MAXIMUS, *Ambigua,* PG 91,
1289 B

unique formé des deux contraires : chair et Esprit, l'un a divinisé, l'autre a été divinisée. Ô mélange nouveau! Ô déconcertante fusion! «Celui qui est[k]» devient, celui qui est incréé est créé, celui que rien ne contient est contenu par l'intermédiaire d'une âme spirituelle qui tient le milieu entre la divinité et l'épaisseur de la chair. Celui qui enrichit[1] subit la pauvreté[m]; il subit cette pauvreté : ma chair, pour que j'aie cette richesse : sa divinité. Celui qui est la plénitude[n] se vide[o] : il se vide de sa gloire pour un peu de temps, afin que moi, je participe à sa plénitude. Quelle est la richesse de sa bonté? Quel est ce mystère qui m'enveloppe? J'ai participé à l'image (divine)[p] et je ne l'ai pas gardée; il participe à ma chair pour sauver l'image et immortaliser la chair; il instaure avec nous une seconde communauté, bien plus extraordinaire que la première : il nous avait donné part à ce qui est supérieur, maintenant il participe à ce qui est inférieur; cet état est plus digne de Dieu que le premier, cet état, pour ceux qui savent comprendre, est plus élevé.

14. En face de cela, que disent les malveillants[1], les acerbes calculateurs de la divinité[2], les accusateurs de ce qui mérite éloge, les ténébreux parlant de la Lumière, les insensés parlant de la sagesse, eux pour lesquels «le Christ est mort inutilement[a]», les créatures ingrates, les êtres façonnés par le Malin? Fais-tu grief à Dieu de son bienfait :

---

1. Le mot συκοφάνται doit être entendu ici dans un sens assez large; il indique des dispositions malveillantes, comme le verbe συκοφαντεῖν qui signifie dans *Lc* 19, 8 «faire du tort». P.G.

2. Grégoire fait allusion aux ariens en général, qui réexaminaient toute la tradition chrétienne et soupesaient les faits de la vie du Christ; et peut-être les eunomiens sont-ils ici particulièrement visés à cause de l'usage (et de l'abus) qu'ils faisaient de la dialectique (c'était connu). Cf. *Discours* 33, 1.

σίαν; Διὰ τοῦτο μικρός, ὅτι διὰ σὲ ταπεινός; Ὅτι ἐπὶ τὸ
πλανώμενον[b] ἦλθεν ὁ ποιμὴν ὁ καλός, ὁ τιθεὶς τὴν ψυχὴν
ὑπὲρ τῶν προβάτων[c], «ἐπὶ τὰ ὄρη καὶ τοὺς βουνούς, ἐφ'
ὧν ἐθυσίαζες[d]», καὶ πλανώμενον εὗρε · καὶ εὑρὼν ἐπὶ τῶν
10 ὤμων ἀνέλαβεν[c], ἐφ' ὧν καὶ τὸ ξύλον · καὶ λαβὼν ἐπανή-
γαγεν ἐπὶ τὴν ἄνω ζωήν · καὶ ἀναγαγὼν τοῖς μένουσι
συνηρίθμησεν; Ὅτι λύχνον ἦψε, τὴν ἑαυτοῦ σάρκα, καὶ τὴν
οἰκίαν ἐσάρωσε, τῆς ἁμαρτίας τὸν κόσμον ἀποκαθαίρων,
B καὶ τὴν δραχμὴν ἐζήτησε[f], τὴν βασιλικὴν εἰκόνα συγκε-
15 χωσμένην τοῖς πάθεσι, καὶ συγκαλεῖ τὰς φίλας[g] αὐτῷ
δυνάμεις ἐπὶ τῇ τῆς δραχμῆς εὑρέσει, καὶ κοινωνοὺς
ποιεῖται τῆς εὐφροσύνης, ἃς καὶ τῆς οἰκονομίας μύστιδας
πεποίητο; Ὅτι τῷ προδρόμῳ λύχνῳ[h] τὸ φῶς ἀκολουθεῖ τὸ
ὑπέρλαμπρον, καὶ τῇ φωνῇ ὁ Λόγος[i], καὶ τῷ νυμφαγωγῷ ὁ
20 νυμφίος[j], κατασκευάζοντι Κυρίῳ λαὸν περιούσιον[k] καὶ προ-
καθαίροντι ἐπὶ τὸ Πνεῦμα διὰ τοῦ ὕδατος[l]; Ταῦτα ἐγκαλεῖς
Θεῷ; Καὶ διὰ ταῦτα ὑπολαμβάνεις χείρονα, ὅτι λεντίῳ
διαζώννυται καὶ νίπτει τοὺς πόδας τῶν μαθητῶν[m] καὶ
δείκνυσιν ἀρίστην ὁδὸν ὑψώσεως τὴν ταπείνωσιν[n]; Ὅτι διὰ
25 τὴν συγκύπτουσαν χαμαὶ ψυχὴν ταπεινοῦται[o], ἵνα καὶ
συνυψώσῃ τὸ κάτω νεῦον ὑπὸ τῆς ἁμαρτίας; Ἐκεῖνο δὲ

14, 15 συγκαλεῖ n Pb Ald. Maur. : -εῖται m ‖ 18 ἐπεποίητο D Pb
πεποίηται PPd CRO Ve ‖ 22 τῷ Θεῷ A Ald. Maur. ‖ καὶ διὰ ταῦτα m E :
διὰ ταῦτα n Pb Ald. Maur. (rasura ante διὰ in B) ‖ 25 συγκύπτουσαν
Χαναναίαν ψυχὴν ex Syra uersione et Rufino (propter animam incuruatam,
quae Chananaea dicitur) coni. Sinko, De trad. orat. 202 ‖ 26 συνανυψώσῃ
Vb Q Pb Ald. Maur., secum exaltet Rufinus

14. b. Cf. Lc 15, 4.   c. Jn 10, 11.   d. Osée 4, 13 (LXX).   e. Cf. Lc
15, 5.   f. Cf. Lc 15, 8.   g. Cf. Lc 15, 9.   h. Cf. Jn 5, 35.   i. Cf. Jn
1, 23.   j. Cf. Matth. 9, 15. Lc 5, 34-35.   k. Cf. Lc 1, 17. Tite 2, 14.
l. Cf. Jn 1, 26. Matth. 3, 11. Lc 3, 16.   m. Cf. Jn 13, 4.   n. Cf. Lc
14, 11; 18, 14.   o. Cf. Matth. 26, 38-39. Mc 14, 34-35.

1. Sur la bassesse et l'humilité du Christ, cf. Discours 29, 19 s. Nous
avons déjà dit (Introduction, p. 55) que Grégoire, comme les autres

d'être petit parce qu'il s'est abaissé à cause de toi[1]? Fais-tu
grief à ce bon pasteur d'être allé vers la brebis errante[b], lui
qui donne sa vie pour ses brebis[c], d'être allé «vers les
montagnes et les collines sur lesquelles tu sacrifiais[d]»,
d'avoir trouvé cette brebis errante, puis, l'ayant trouvée,
de l'avoir soulevée et prise sur ses épaules[e] qui portent
aussi le bois (de la croix), et, l'ayant prise ainsi, de l'avoir
ramenée vers la vie d'en haut, enfin, l'ayant ramenée, de
l'avoir comptée parmi les brebis restées (au bercail)? Lui
fais-tu grief d'avoir allumé une lampe, c'est-à-dire sa
propre chair, d'avoir balayé sa maison, en purifiant le
monde du péché, et d'avoir cherché la drachme[f], l'effigie
royale enfouie sous l'amas des passions[2], puis de convo-
quer ses amies[g], c'est-à-dire les puissances célestes, à cause
de la découverte de la drachme, et de faire participer à sa
joie ces puissances initiées au mystère de l'«économie[3]»?
Lui fais-tu grief parce que la Lumière resplendissante suit
la lampe[4] qui la précède, parce que le Verbe suit la voix[i] et
l'Époux l'ami de l'époux[j] qui prépare au Seigneur un
peuple choisi[k] et qui purifie d'abord par l'eau en vue de
l'Esprit[l]? Fais-tu grief de cela à Dieu? Et le crois-tu
inférieur parce qu'il se ceint d'un linge, lave les pieds des
disciples[m], et montre que la voie la meilleure pour s'élever,
c'est celle de l'abaissement[n]? Le crois-tu inférieur parce
qu'il s'abaisse à cause de l'âme entraînée vers la terre[o], afin
de relever avec lui ce qui incline vers le bas à cause du

écrivains nicéens, attribuait *sic et simpliciter* à l'humanité du Christ toutes
ses actions les plus humbles et les plus banales.
  2. Le *pathos* ravage et cache l'image de Dieu qu'est l'homme. Dans
cette doctrine, seulement esquissée en ce passage, le Nazianzène
s'accorde avec GRÉGOIRE DE NYSSE (cf. *Or. Cat.* 13 s.; 16, 1,
PG 45, 45 s., 49 et voir J. DANIÉLOU, *Platonisme et théologie mystique*,
Paris 1954, p. 46-48, 61-83; W. VÖLKER, *Gregor von Nyssa als Mystiker*,
Wiesbaden 1956, p. 117-123).
  3. Cf. *Discours* 38, 8, note 2. P.G.
  4. Tout ce passage fait allusion à Jean-Baptiste. P.G.

C πῶς οὐ κατηγορεῖς, ὅτι καὶ μετὰ τελώνων ἐσθίει καὶ παρὰ τελώναις[p] καὶ μαθητεύει τελώνας[q], ἵνα καὶ αὐτός τι κερδάνῃ; Τί τοῦτο; Τὴν τῶν ἁμαρτωλῶν σωτηρίαν · εἰ μὴ 30 καὶ τὸν ἰατρὸν αἰτιῷτό τις ὅτι συγκύπτει ἐπὶ τὰ πάθη καὶ δυσωδίας ἀνέχεται, ἵνα δῷ τὴν ὑγίειαν τοῖς κάμνουσι, καὶ τὸν ἐπικλινόμενον βόθρῳ διὰ φιλανθρωπίαν, ἵνα τὸ ἐμπεπτωκὸς κτῆνος, κατὰ τὸν νόμον[r], ἀνασώσηται.

15. Ἀπεστάλη[a] μέν, ἀλλ' ὡς ἄνθρωπος · διπλοῦς γὰρ ἦν · ἐπεὶ καὶ ἐκοπίασε[b] καὶ ἐπείνησε[c] καὶ ἐδίψησε[d] καὶ ἠγωνίασε[e] καὶ ἐδάκρυσε[f] νόμῳ σώματος · εἰ δὲ καὶ ὡς D Θεός, τί τοῦτο; Τὴν εὐδοκίαν τοῦ Πατρὸς ἀποστολὴν εἶναι 5 νόμισον, ἐφ' ὃν ἀναφέρει τὰ ἑαυτοῦ, καὶ ὡς ἀρχὴν τιμῶν ἄχρονον καὶ τοῦ μὴ δοκεῖν εἶναι ἀντίθεος. Ἐπεὶ καὶ παραδεδόσθαι λέγεται[g], ἀλλὰ καὶ ἑαυτὸν παραδεδωκέναι[h] γέγραπται · καὶ ἐγηγέρθαι παρὰ τοῦ Πατρὸς[i] καὶ ἀνειλῆφθαι[j], ἀλλὰ καὶ ἑαυτὸν ἀνεστακέναι καὶ ἀνεληλυθέναι 10 πάλιν[k] · ἐκεῖνα τῆς εὐδοκίας, ταῦτα τῆς ἐξουσίας. Σὺ δὲ τὰ 329A μὲν ἐλαττοῦντα λέγεις, τὰ ὑψοῦντα δὲ παρατρέχεις, καὶ ὅτι μὲν ἔπαθε, λογίζῃ, ὅτι δὲ ἑκών, οὐ προστίθης. Οἷα πάσχει καὶ νῦν ὁ Λόγος. Ὑπὸ μὲν τῶν ὡς Θεὸς τιμᾶται καὶ

15, 12 προστιθεὶς A Vb Vp (corr. A mg.) προτίθης P (corr. Pmg.) προστίθεις E

14. p. Cf. Matth. 9, 11. Lc 19, 2.7.   q. Cf. Matth. 9, 9. Mc 2, 14. Lc 5, 27-28.   r. Cf. Deut. 22, 4.
15. a. Cf. Jn 3, 34; 5, 36.37; 6, 40 etc.   b. Jn 4, 6.   c. Matth. 4, 2; 21, 18.   d. Jn 4, 7; 19, 28.   e. Lc 22, 44.   f. Lc 19, 41. Jn 11, 35.   g. Rom. 4, 25. I Cor. 11, 23.   h. Gal. 2, 20. Éphés. 5, 2.25. I Pierre 2, 23, etc.   i. Cf. Act. 17, 31. Rom. 4, 24.   j. Cf. Mc 16, 19. k. Matth. 28, 6. Mc 16, 9.19. Cf. Act. 1, 9. Jn 20, 17.

15, 1-2 ἀπεστάλη — ἦν Doctrina Patrum, p. 4 Diekamp
1 ἀπεστάλη — 6 ἀντίθεος THEODOR., Eranistes, Flor. II, 45

péché ? Comment ne lui fais-tu pas grief de manger avec les
publicains et chez les publicains[p] et de prendre des
publicains comme disciples[q] pour faire lui-même à son
tour quelque gain ? Quel gain ? Le salut des pécheurs — à
moins que l'on accuse aussi le médecin parce qu'il se
penche vers les maladies et en supporte les mauvaises
odeurs pour donner la santé aux malades, ou que l'on
accuse aussi celui qui se penche par bonté vers la fosse, afin
d'en retirer, conformément à la Loi[r], la bête de somme qui
est tombée dedans !

15. Il a été envoyé[a], mais en tant qu'homme, car il était
double[1] : en effet, il a éprouvé la fatigue[b], il a eu faim[c], il a
eu soif[d], il a subi l'agonie[e] et il a pleuré[f], en vertu de la loi
du corps[2]. Mais si cela lui est arrivé aussi en tant que Dieu,
qu'est-ce à dire ? Estime que le bon plaisir du Père est une
mission à laquelle le Fils rapporte ce qui le concerne, à la
fois pour honorer le Principe qui est en dehors du temps, et
pour ne pas sembler être un adversaire de Dieu. De fait, on
dit qu'il a été livré[g], mais il est écrit aussi qu'il s'est livré
lui-même[h] ; qu'il a été ressuscité[i] et élevé au ciel par le Père[j],
mais aussi qu'il s'est ressuscité lui-même et qu'il est
remonté au ciel[k] : dans le premier cas, c'est par le bon
plaisir (du Père) ; dans le second, c'est par sa propre
puissance. Toi, tu parles de ce qui diminue, et tu passes
sous silence ce qui élève : il a souffert, tu prends cela en
compte ; mais c'était volontairement, et cela tu ne l'ajoutes
pas. Comme le Verbe souffre encore maintenant ! Les uns
l'honorent en tant que Dieu et ils le confondent (avec le

1. La liste des humiliations du Christ continue : celles-ci, loin de
révéler une faiblesse de sa nature (c'est-à-dire d'une nature non divine,
comme le voulaient les ariens) en exaltent la bonté. Voir des considérations analogues dans le *Discours* 29, 18-19.

2. C'est-à-dire : l'interprétation des faiblesses du Christ incarné.
Cf. pour cette problématique *Discours* 30, 1 s. ; ATHANASE, *Contra
Arian.* III, 26 s., *PG* 26, 377 s. ; M. SIMONETTI, *La crisi ariana*, p. 476 s.

συναλείφεται · ὑπὸ δὲ τῶν ὡς σὰρξ ἀτιμάζεται καὶ χωρί-
15 ζεται. Τίσιν ὀργισθῇ πλέον; Μᾶλλον δὲ τίσιν ἀφῇ; Τοῖς
συναιροῦσι κακῶς ἢ τοῖς τέμνουσι; Καὶ γὰρ κἀκείνους
διαιρεῖν ἔδει καὶ τούτους συνάπτειν · τοὺς μὲν τῷ ἀριθμῷ
τοὺς δὲ τῇ θεότητι. Προσκόπτεις τῇ σαρκί; Τοῦτο καὶ
Ἰουδαῖοι. Ἦ καὶ Σαμαρείτην ἀποκαλεῖς[1]; καὶ τὸ ἑξῆς
20 σιωπήσομαι. Ἀπιστεῖς τῇ θεότητι; Τοῦτο οὐδὲ οἱ δαίμονες[m]. Ὦ καὶ δαιμόνων ἀπιστότερε σὺ καὶ Ἰουδαίων
ἀγνωμονέστερε. Ἐκεῖνοι τὴν τοῦ Υἱοῦ προσηγορίαν ὁμοτι-
μίας φωνὴν ἐνόμισαν[n], οὗτοι τὸν ἐλαύνοντα Θεὸν ᾔδεσαν[o].
Ἐπείθοντο γὰρ ἐξ ὧν ἔπασχον. Σὺ δὲ οὔτε τὴν ἰσότητα
B 25 δέχῃ οὔτε ὁμολογεῖς τὴν θεότητα. Κρεῖττον ἦν σοι περι-
τετμῆσθαι καὶ δαιμονᾶν, ἵν' εἴπω τι καὶ γελοίως, ἢ ἐν
ἀκροβυστίᾳ καὶ ὑγιείᾳ διακεῖσθαι πονηρῶς καὶ ἀθέως.

16. Μικρὸν μὲν οὖν ὕστερον ὄψει καὶ καθαιρόμενον
Ἰησοῦν ἐν τῷ Ἰορδάνῃ[a] τὴν ἐμὴν κάθαρσιν · μᾶλλον δὲ
ἁγνίζοντα τῇ καθάρσει τὰ ὕδατα — οὐ γὰρ δὴ αὐτὸς ἐδεῖτο
καθάρσεως, ὁ αἴρων τὴν ἁμαρτίαν τοῦ κόσμου[b] —, καὶ
5 σχιζομένους τοὺς οὐρανοὺς[c] καὶ ὑπὸ τοῦ συγγενοῦς Πνεύ-

15, 15 ὀργισθεῖ A Vb ὀργίσθη A mg. ὠργίσθη Pdmg. ἐν ἑτέρῳ ‖ ἀφεῖ A
Vb ‖ 21 καὶ[1] om. Maur. ‖ δαιμόνων ... ἰουδαίων n P[2] C Ald. Maur. :
ἰουδαίων ... δαιμόνων S PPd RO Ve Vb Vp D E Pb probante Sinko, De
trad. orat. 204 ‖ σὺ om. Maur. ‖ 22 υἱοῦ : θεοῦ P Χριστοῦ D ‖ 24-25 οὔτε
... οὔτε A Pb : οὐδὲ ... οὐδὲ P (ut uid.) D[2] E Ald. Maur. οὐδὲ ... οὔτε S PPd
CRO Ve Vb D Z οὔτε ... οὐδὲ BVQT P[2] Vp

16, 1 ὄψῃ A S Pd Ve Vb Vp D Pb ‖ 2 ἐν om. n praeter Z, Pb

15. l. Cf. Jn 8, 48. m. Cf. Jac. 2, 19. n. Jn 5, 18. o. Cf. Mc
1, 34. Lc 4, 41.
16. a. Cf. Matth. 3, 13. b. Jn 1, 29. c. Mc 1, 10. Cf. Matth. 3, 16.

1. C'est le terme technique pour désigner les sabelliens, de même que
le verbe συναιρεῖν qui suit.
2. Autre terme technique de la polémique nicéenne pour désigner les
ariens, comme le verbe διαιρεῖν qui vient ensuite.
3. Autre allusion aux sabelliens, qui devraient diviser la monade

Père)[1], les autres le privent d'honneur en tant que chair et ils le séparent (du Père)[2]. Contre lesquels doit-il s'irriter le plus? Ou plutôt auxquels doit-il pardonner le plus : à ceux qui unissent malencontreusement ou à ceux qui coupent? Les uns devraient distinguer et les autres devraient réunir, les uns au point de vue du nombre, les autres au point de vue de la divinité[3]. C'est la chair qui te choque? Les juifs en étaient choqués également. Est-ce que tu le traiteras aussi de «Samaritain[1]»? Et je tairai la suite[4]. Tu refuses de croire à sa divinité? Cela, les démons eux-mêmes ne le font pas[m]. Ô homme encore plus incrédule que les démons et plus insensé que les juifs[5]! Ces derniers jugèrent que le nom de «Fils» était un terme impliquant l'égalité[n]; les démons savaient que celui qui les expulsait était Dieu[o], car ce qui leur arrivait les en persuadait. Toi, au contraire, tu n'acceptes pas l'égalité et tu ne confesses pas non plus la divinité. Il vaudrait mieux pour toi avoir été circoncis et être possédé du démon – pour dire quelque chose de ridicule –, plutôt que d'être incirconcis et en bonne santé, mais dans un état de perversion et d'athéisme.

16. Un peu plus tard[6] tu verras Jésus se purifier dans le Jourdain[a] pour me purifier, ou plutôt sanctifier les eaux par sa purification, car il n'avait évidemment pas besoin lui-même de purification, lui «qui enlève le péché du monde[b]»; tu verras «les cieux se fendre[c]» et Jésus recevoir

divine par rapport au nombre et non par rapport à la substance, alors que, au contraire, les ariens devraient unir les personnes du Père et du Fils dans l'unique nature divine.

4. Dans la suite du texte de S. Jean, les juifs accusent Jésus d'être possédé du démon. P.G.

5. Comme dans le *Discours* 2, 37, le judaïsme est placé sur le même plan que l'arianisme; ici, il est fait allusion à l'attitude des ariens qui, de même que les juifs, trouvaient scandaleuse l'idée d'une humanité assumée par le Fils de Dieu.

6. C'est-à-dire : quand on fêtera le baptême du Christ, 12 jours après Noël. P.G.

ματος μαρτυρούμενον[d] καὶ πειραζόμενον καὶ νικῶντα τὸν
πειράζοντα καὶ ὑπὸ ἀγγέλων ὑπηρετούμενον[e] καὶ «θερα-
C πεύοντα πᾶσαν νόσον καὶ πᾶσαν μαλακίαν[f]» καὶ ζωο-
ποιοῦντα νεκροὺς[g] – ὡς ὄφελόν γε καὶ σὲ τῇ κακοδοξίᾳ
10 νενεκρωμένον – καὶ δαίμονας ἀπελαύνοντα, τὰ μὲν δι᾽
ἑαυτοῦ[h], τὰ δὲ διὰ τῶν μαθητῶν[i], καὶ ἄρτοις ὀλίγοις
τρέφοντα μυριάδας[j] καὶ πεζεύοντα πέλαγος[k] καὶ προ-
διδόμενον[l] καὶ σταυρούμενον[m] καὶ συσταυροῦντα τὴν ἐμὴν
ἁμαρτίαν[n] · ὡς ἀμνὸν προσαγόμενον[o] καὶ ὡς ἱερέα προσά-
15 γοντα[p], ὡς ἄνθρωπον θαπτόμενον[q] καὶ ὡς Θεὸν ἐγειρόμε-
νον[r], εἶτα καὶ ἀνερχόμενον[s] καὶ ἥξοντα[t] μετὰ τῆς ἑαυτοῦ
δόξης. Πόσαι μοι πανηγύρεις καθ᾽ ἕκαστον τῶν Χριστοῦ
μυστηρίων. Ὧν ἁπάντων κεφάλαιον ἕν, ἡ ἐμὴ τελείωσις[u]
καὶ ἀνάπλασις καὶ πρὸς τὸν πρῶτον Ἀδὰμ ἐπάνοδος.

D   17. Νυνὶ δέ μοι δέξαι τὴν κύησιν καὶ προσκίρτησον · εἴ
τοι καὶ μὴ ὡς Ἰωάννης ἀπὸ γαστρός[a], ἀλλ᾽ ὡς Δαβὶδ
ἐπὶ τῇ καταπαύσει τῆς κιβωτοῦ[b]. Καὶ τὴν ἀπογραφὴν
αἰδέσθητι, δι᾽ ἣν εἰς οὐρανοὺς ἀπεγράφης, καὶ τὴν γέννησιν
332A5 σεβάσθητι, δι᾽ ἣν ἐλύθης τῶν δεσμῶν τῆς γεννήσεως, καὶ
τὴν Βηθλεὲμ τίμησον τὴν μικράν, ἥ σε πρὸς τὸν παρά-

16, 6-7 τὸν πειράζοντα om. n Rufinus Ald. Maur. ‖ 11 αὐτοῦ A SD E
‖ 17 τοῦ χριστοῦ n praeter Q, Ald. Maur. ‖ 18 πάντων m praeter SC corr.
D²

17, 1-2 εἴ τοι SP Vb VpD ABT : ἢ τοι P²Pd R (ἤ- in ras. R) O Ve εἰ C
Vb² E Pb VZ Ald. Maur. καὶ εἰ Maximus *Amb.* 1289 D ‖ 4 ἀπεγράφης
SC : ἐγράφης P Pd RO Ve Pb Vb Vp D E Ald. Maur. γράφῃς Q γράφῃ A
BVQ² T Z P²

16. d. Cf. *Matth.* 3, 16. *Mc* 1, 10. *Lc* 3, 22. *Jn* 1, 32.   e. Cf. *Matth.*
4, 1-11. *Mc* 1, 12-13. *Lc* 4, 1-13.   f. *Matth.* 4, 23.   g. Cf. *Matth.* 9, 25.
Mc 5, 41. *Lc* 8, 54-55; 7, 14-15. *Jn* 11, 43-44.   h. Cf. *Matth.* 8, 16, etc.
i. Cf. *Matth.* 10, 8. *Mc* 6, 13. *Lc* 9, 1; 10, 17.   j. Cf. *Matth.* 14, 16-21
et parallèles.   k. Cf. *Matth.* 14, 25. *Mc* 6, 48. *Jn* 6, 19.   l. Cf. *Matth.*
26, 47-49. *Mc* 14, 43-45. *Lc* 22, 47-49. *Jn* 18, 2.   m. Cf. *Matth.* 27, 35.
Mc 15, 24. *Lc* 23, 33. *Jn* 19, 17.   n. Cf. *Col.* 2, 14.   o. Cf. *Is.* 53, 7. *Jér.*
11, 19.   p. Cf. *Ps.* 109, 4. *Hébr.* 8, 1-2, etc.   q. Cf. *Matth.* 27, 60. *Mc*
15, 46. *Lc* 23, 53. *Jn* 19, 41-42.   r. Cf. *Matth.* 28, 6. *Mc* 16, 6. *Lc* 24, 6.

le témoignage de l'Esprit[d], son parent[1]; puis tu verras
Jésus tenté, vainqueur du tentateur et servi par les Anges[e];
tu le verras guérir toute maladie et toute infirmité[f]», rendre
la vie à des cadavres[g] – que ne fait-il de même pour toi, qui
es un cadavre par ta mauvaise doctrine! –; tu le verras
chasser les démons tantôt par lui-même[h], tantôt par
l'intermédiaire de ses disciples[i]; tu le verras nourrir des
milliers de gens avec quelques pains[j] et marcher sur la
mer[k]; tu le verras livré[l], crucifié[m] et crucifiant avec lui
mon péché[n]; tu le verras livré en tant qu'agneau[o], offrant
en tant que prêtre[p], enseveli en tant qu'homme[q], ressuscitant en tant que Dieu[r], ensuite montant au ciel[s] et devant
venir avec sa propre gloire[t]. Que de nombreuses solennités
à propos de chacun des mystères du Christ! Mais ils ont
tous un seul principe : me conduire à la perfection[u], me
remodeler[2], me ramener au premier Adam.

17. Maintenant apprends, s'il te plaît, que (le Christ) est
conçu, et bondis de joie, sinon comme Jean dès le sein de
sa mère[a], du moins comme David en voyant l'arche
trouver son repos[b]; révère le recensement, grâce auquel tu
as été inscrit dans les cieux; célèbre la Nativité, grâce à
laquelle tu as été délivré des liens de ta propre naissance[3];
honore Bethléem la petite qui t'a ramené au paradis; adore

s. Cf. *Mc* 16, 19. *Lc* 24, 51. *Act.* 1, 9-10.   t. Cf. *Act.* 1, 11.   u. Cf.
Hébr. 2, 10.

17. a. Cf. *Lc* 1, 41.   b. Cf. II *Sam.* 6, 14.

17, 1 νυνὶ δέ μοι — 3 τῆς κιϐωτοῦ MAXIMUS, *Ambigua,* PG 91,
1289 D; 1293 A

1. Grégoire a remarqué ailleurs que les noms de parenté ne s'appli-
quent à la divinité que dans un sens métaphorique (*D.* 31, 7 : *SC* 250,
288, l. 15-17). P.G.

2. Voir ci-dessus la fin du chap. 4, avec la note 2. P.G.

3. Tout homme naît pécheur (*Psaume* 50, 7). P.G.

δεισον ἐπανήγαγε, καὶ τὴν φάτνην^c προσκύνησον, δι' ἣν
ἄλογος ὢν ἐτράφης ὑπὸ τοῦ Λόγου. Γνῶθι, ὡς βοῦς, τὸν
κτησάμενον — Ἡσαΐας^d διακελεύεταί σοι — καί, ὡς ὄνος,
10 τὴν φάτνην τοῦ κυρίου αὐτοῦ, εἴτε τῶν καθαρῶν τις εἶ καὶ
ὑπὸ τὸν νόμον καὶ μηρυκισμὸν ἀναγόντων τοῦ λόγου καὶ
πρὸς θυσίαν ἐπιτηδείων · εἴτε τῶν ἀκαθάρτων τέως καὶ
ἀβρώτων καὶ ἀθύτων καὶ τῆς ἐθνικῆς μερίδος. Μετὰ τοῦ
ἀστέρος δράμε^e, καὶ μετὰ Μάγων δωροφόρησον, χρυσὸν
15 καὶ λίβανον καὶ σμύρναν^f, ὡς βασιλεῖ καὶ ὡς Θεῷ καὶ ὡς
διὰ σὲ νεκρῷ. Μετὰ ποιμένων δόξασον^g, μετὰ ἀγγέλων
ὕμνησον^h, μετὰ ἀρχαγγέλων χόρευσον. Ἔστω κοινὴ πανήγυρις οὐρανίων καὶ ἐπιγείων δυνάμεων. Πείθομαι γὰρ
B κἀκείνας συναγάλλεσθαι καὶ συμπανηγυρίζειν σήμερον, εἴ-
20 περ εἰσὶ φιλάνθρωποι καὶ φιλόθεοι, ὥσπερ ἃς Δαβὶδⁱ
εἰσάγει μετὰ τὸ πάθος συνανιούσας Χριστῷ, καὶ προσυπ-
αντώσας καὶ διακελευομένας ἀλλήλαις τὴν τῶν πυλῶν
ἔπαρσιν.

18. Ἓν μίσησον τῶν περὶ τὴν Χριστοῦ γένναν, τὴν
Ἡρώδου παιδοκτονίαν^a · μᾶλλον δὲ καὶ ταύτην αἰδέσθητι,
τὴν ἡλικιῶτιν Χριστοῦ θυσίαν, τοῦ καινοῦ σφαγίου προθυο-

17, 9 κτισάμενον B PD E Vb Vp ‖ 14 τῶν μάγων m′
18, 2 αἰδέσθητι : σεβάσθητι Pd R (αἰδέσθητι ἐν ἄλλῳ R mg.) Vb Vp D
E ‖ 3 σφαγίου : θύματος E

17. c. Cf. Lc 2, 7.   d. Cf. Is. 1, 3.   e. Cf. Matth. 2, 2.   f. Matth.
2, 12.   g. Lc 2, 20.   h. Lc 2, 13-14.   i. Cf. Ps. 23, 7.9 (LXX).
18. a. Cf. Matth. 2, 16.

17,7 καὶ τὴν φάτνην — 8 τοῦ λόγου Doctrina Patrum, p. 328 Diekamp

1. Il y a dans le texte grec un jeu de mots intraduisible entre Λόγος (le
Verbe) et ἄλογος (privé de raison), mot qui s'applique en particulier aux
animaux et qui est illustré ensuite par la mention du bœuf et de l'âne
dans le citation d'Isaïe. P.G.

la crèche[c], grâce à laquelle toi, qui es privé de raison, tu as
été nourri par le Verbe[1], reconnais, comme le bœuf, ton
possesseur – Isaïe t'y invite – et, comme l'âne, reconnais la
crèche de ton maître[d], que tu sois parmi ceux qui sont
purs, qui sont soumis à la loi, qui ruminent la Parole et qui
sont prêts pour le sacrifice, ou bien que tu sois parmi ceux
qui sont impurs, qui ne sont admis ni au repas ni au
sacrifice et qui sont du groupe des païens. Cours à la suite
de l'étoile[e] et avec les Mages apporte tes présents : de l'or,
de l'encens et de la myrrhe[f] comme à un roi, comme à un
Dieu, comme à celui qui pour toi s'est fait cadavre[2]. Rends
gloire avec les bergers[g], chante l'hymne avec les Anges[h],
danse avec les Archanges. Que la solennité soit commune
aux puissances célestes et aux puissances terrestres, car je
suis convaincu que ces puissances elles-mêmes s'associent à
notre joie et à notre solennité, s'il est vrai qu'elles aiment
les hommes et qu'elles aiment Dieu, comme celles que
David représente[i] montant au ciel avec le Christ après la
Passion, allant à sa rencontre et s'exhortant mutuellement à
élever les linteaux des portes[3].

18. Un seul des actes accomplis lors de la naissance du
Christ mérite ton aversion : le massacre des enfants par
Hérode[a]; ou plutôt révère ce sacrifice de ceux qui avaient
le même âge que le Christ et qui sont offerts en sacrifice à la

2. Allusion à la signification de la myrrhe offerte par les Mages et qui
symboliserait la mort. Cette idée se trouve déjà dans IRÉNÉE, *Contre les
hérésies* III, 9, 2, *SC* 211, p. 107; GRÉGOIRE DE NYSSE, *Cant. Hom.*, VI,
p. 189, 2; IX, p. 290, 11 Langerbeck.

3. L'utilisation des versets 7-10 du *Psaume* 23 en référence à la
résurrection du Christ et dans le but de souligner que le Fils aussi est
omnipotens comme le Père (argumentation antiarienne) a été étudiée par
B. STUDER, «Die antiarianische Auslegung von Psalm. 23, 7-10 in *De
Fide* IV, 1-2 des Ambrosius von Mailand», dans *Ambroise de Milan,
XVIᵉ centenaire de son élection épiscopale*, Paris 1974, p. 245-266.

μένην. Ἂν εἰς Αἴγυπτον φεύγῃ[b], προθύμως συμφυγαδεύ-
5 θητι. Καλὸν τῷ Χριστῷ συμφεύγειν διωκομένῳ. Ἂν ἐν
Αἰγύπτῳ βραδύνῃ, κάλεσον αὐτὸν ἐξ Αἰγύπτου, καλῶς ἐκεῖ
προσκυνούμενον. Διὰ πασῶν ὅδευσον ἀμέμπτως τῶν ἡλι-
κιῶν Χριστοῦ καὶ δυνάμεων, ὡς Χριστοῦ μαθητής.
C Ἁγνίσθητι[c], περιτμήθητι[d], περιελοῦ τὸ ἀπὸ γενέσεως
10 κάλυμμα. Μετὰ τοῦτο δίδαξον ἐν τῷ ἱερῷ[e], τοὺς θεοκαπή-
λους ἀπέλασον[f] · λιθάσθητι, ἂν τοῦτο δέῃ παθεῖν · λήσῃ
τοὺς βάλλοντας, εὖ οἶδα, φεύξῃ καὶ διὰ μέσου αὐτῶν, ὡς
Θεός[g]. Ὁ Λόγος γὰρ οὐ λιθάζεται. Ἂν Ἡρώδῃ προσ-
αχθῇς, μηδὲ ἀποκριθῇς τὰ πλείω[h]. Αἰδεσθήσεταί σου καὶ
15 τὴν σιωπὴν πλέον ἢ ἄλλων τοὺς μακροὺς λόγους. Ἂν
φραγελλωθῇς[i], καὶ τὰ λειπόμενα ζήτησον. Γεῦσαι χολῆς[j]
διὰ τὴν γεῦσιν[k] · ὄξος ποτίσθητι[l], ζήτησον ἐμπτύσματα[m],
δέξαι ῥαπίσματα[n], κολαφίσματα[o] · ἀκάνθαις στεφανώθητι[p],
τῷ τραχεῖ τοῦ κατὰ Θεὸν βίου · περιβαλοῦ τὸ κόκκινον[q],
20 δέξαι κάλαμον[r], προσκυνήθητι[s] παρὰ τῶν παιζόντων τὴν

18, 5 συμφυγεῖν C Rmg. O Ve ‖ 11 δέοι ATZ SC Vp ‖ 13 ἡρώδη :
πιλάτω C ‖ προαχθῆς P Pd R corr. R² ‖ 16 γεῦσον Vb

18. b. Cf. *Matth.* 2, 13-14. c. Cf. *Deut.* 10, 16. *Lc* 2, 22. d. Cf. *Lc*
2, 21. e. Cf. *Lc* 2, 46; 19, 47. f. Cf. *Matth.* 21, 12. *Mc* 11, 15.
Lc 19, 45. *Jn* 2, 15. g. Cf. *Jn* 8, 59. *Lc* 4, 30. h. Cf. *Lc* 23, 9.
i. Cf. *Matth.* 27, 26. *Mc* 15, 15. *Jn* 19, 1. j. Cf. *Matth.* 27, 34.
k. Cf. *Gen.* 3, 6. l. Cf. *Matth.* 27, 48. *Mc* 15, 36. *Lc* 23, 36. *Jn* 19, 29.
m. Cf. *Matth.* 26, 67; 27, 30. *Mc* 14, 65; 15, 19. n. Cf. *Jn* 18, 22; 19, 2.
o. Cf. *Matth.* 26, 67 p. Cf. *Matth.* 27, 29. *Mc* 15, 17. *Jn* 19, 2.5.
q. Cf. *Matth.* 27, 28. *Mc* 15, 17. *Jn* 19, 2. r. Cf. *Matth.* 27, 29. *Mc*
15, 18. s. Cf. *Mc* 15, 19.

18, 4 ἂν εἰς Αἴγυπτον — 7 προσκυνούμενον MAXIMUS, *Ambigua*,
PG 91, 1297 C

1. Comme le remarquent les Mauristes, en se fondant sur une
observation de Nicétas, les martyrs innocents sont considérés comme
des victimes sacrifiées pour la défense du Christ et à sa place. Du reste,

place de la victime nouvelle[1]. Si le Christ fuit en Égypte[b],
empresse-toi de l'accompagner dans sa fuite; il est bon de
fuir avec le Christ persécuté. S'il s'attarde en Égypte,
rappelle-le d'Égypte, où il est adoré d'une manière parfaite[2]. Passe irréprochable par tous les âges du Christ et par
toutes ses vertus, en disciple du Christ. Purifie-toi[c], circoncis ton cœur[d][3], retire le voile qui t'enveloppe depuis ta
naissance[4]. Ensuite, enseigne dans le Temple[e], chasse les
vendeurs sacrilèges[f], sois lapidé, s'il faut que tu subisses
cela, tu échapperas à ceux qui lancent des pierres, je le sais
bien, et tu fuiras en passant au milieu d'eux[g][5] comme
Dieu : le Verbe n'est pas atteint par des pierres. Si tu es
amené devant Hérode, évite même le plus souvent de
répondre[h] : il respectera ton silence plus que les longs
discours des autres. Si tu es flagellé[i], recherche encore les
autres supplices : goûte au fiel[j] parce que tu as goûté (au
fruit défendu)[k][6], abreuve-toi de vinaigre[l], recherche les
crachats[m], accepte les coups[n], les soufflets[o], laisse-toi
couronner d'épines[p] par l'aspérité d'une vie selon Dieu,
revêts le manteau écarlate[q], reçois le roseau[r] et les adora-

---

dans le *Discours* 15, 3, le verbe προθύω est employé dans le même sens à
propos d'Éléazar qui prie et sacrifie en faveur du peuple.

2. Claire allusion à la foi nicéenne du patriarche d'Alexandrie, où
siégeait alors Pierre, successeur d'Athanase. Cette allusion est plus
compréhensible si l'on place le *Discours* 38 après le *Discours* 34 qui scelle
la réconciliation entre Grégoire et Pierre, donc à Noël 380, et non 379.

3. Le texte dit littéralement : «circoncis-toi»; mais c'est une allusion
certaine à *Deutéronome* 10, 16 où il est écrit : «circoncisez votre cœur».
P.G.

4. C'est-à-dire : écarte ce qui est contraire à la vie chrétienne, comme
le voile du Temple se déchira à la mort de Jésus, pour signifier la fin de
l'ancienne Alliance. P.G.

5. L'auteur fait ici la synthèse de deux faits bien distincts : la tentative
de lapider Jésus dans le Temple de Jérusalem (*Jn* 8, 59) et celle de le
précipiter dans le vide à Nazareth (*Lc* 4, 30). P.G. – Cf. pour l'expression *Discours* 31, 1.

6. C'est la πικρὰ γεῦσις dont il a été question au chap. 12.

333A ἀλήθειαν · τέλος συσταυρώθητι[t], συννεκρώθητι[u], συντάφη-
θι[v] προθύμως, ἵνα καὶ συναναστῆς[w] καὶ συνδοξασθῆς[x] καὶ
συμβασιλεύσης[y], Θεὸν ὁρῶν ὅσον ἐστὶν ἐφικτὸν καὶ ὁρώ-
μενος, τὸν ἐν Τριάδι προσκυνούμενόν τε καὶ δοξαζόμενον,
25 ὃν καὶ νῦν τρανοῦσθαι ἡμῖν εὐχόμεθα, ὅσον ἐφικτὸν τοῖς
δεσμίοις τῆς σαρκός, ἐν Χριστῷ Ἰησοῦ τῷ Κυρίῳ ἡμῶν, ᾧ
ἡ δόξα καὶ τὸ κράτος εἰς τοὺς αἰῶνας τῶν αἰώνων. Ἀμήν.

18, 23 ἐφικτόν ἐστιν Pb ἐφικτόν (om. ἐστιν) E ἐστὶν (om. ἐφικτὸν)
VQTZ Ald. Maur. ‖ ὁρώμενον A Pb ‖ 24 συνδοξαζόμενον A PPd Vp Vb
corr. P[2] ‖ 26 δεσμοῖς P (ut uid.) Pd E Vb RO Ve corr. P[2] O[2] ‖ 27 καὶ τὸ
κράτος om. ATQV Vp Ald. ‖ τῶν αἰώνων om. ATQV Vp Ald.

Subscriptiones : εἰς τὰ γενέθλια · στίχοι ΥΝΕ P Pd Vp εἰς τὸ
γενέθλιον τοῦ χριστοῦ C εἰς τὸ γενέθλιον τοῦ σωτῆρος O εἰς τὸ γενέθλιον τοῦ
σωτῆρος · στίχοι ΥΝΕ R Ve εἰς τὸ γενέθλιον τοῦ κυρίου ἡμῶν ἰησοῦ
χριστοῦ · στίχοι ΥΝΕ D εἰς γενέθλια Vb εἰς τὰ θεοφάνια · εἴτουν γενέθλια
λόγος α’ στίχοι ΥΝΕ A εἰς τὰ θεοφάνια Q subscriptionem del. S[2] praeter
στίχοι ΥΝΕ omittunt TVZ E Pb perdiderunt BW

tions[s] de ceux qui se jouent de la vérité, enfin empresse-toi
avec le Christ d'être crucifié[t], de mourir[u], d'être enseveli[v],
pour ressusciter[w], être glorifié[x], régner avec lui[y], en
voyant Dieu et en étant vu par lui, qui est glorifié et adoré
dans la Trinité, lui que nous souhaitons même maintenant
pénétrer du regard, autant que c'est possible aux prison-
niers de la chair[1], dans le Christ Jésus notre Seigneur, à qui
est la gloire pour les siècles. Amen.

18. t. Cf. *Gal.* 2, 19.   u. Cf. II *Tim.* 2, 11.   v. Cf. *Rom.* 6, 4. *Col.*
2, 12.   w. Cf. *Col.* 3, 1. *Éphés.* 2, 6.   x. Cf. *Rom.* 8, 17.   y. Cf. II *Tim.*
2, 12.

1. Selon une conception philosophique d'origine platonicienne
(cf. *Phédon* 62 b; *Cratyle* 400 c) amplement répandue à l'époque
impériale (non seulement dans les écoles philosophiques, mais aussi
dans la culture païenne et chrétienne inspirée par le platonisme), le corps
est la prison de l'âme, et nous sommes «enchaînés» au corps. Sur ce
thème, lire l'importante étude de P. COURCELLE, *Connais-toi toi-même, de
Socrate à saint Bernard,* Paris 1974-1975, p. 345-380.

Εἰς τὰ Φῶτα

336A **1.** Πάλιν Ἰησοῦς ὁ ἐμὸς καὶ πάλιν μυστήριον, μυστήριον οὐκ ἀπατηλὸν οὐδ' ἄκοσμον οὐδὲ τῆς Ἑλληνικῆς
πλάνης καὶ μέθης — οὕτω γὰρ ἐγὼ καλῶ τὰ ἐκείνων
σεμνά, οἶμαι δὲ καὶ τῶν εὐφρονούντων ἕκαστος —, ἀλλὰ
5 μυστήριον ὑψηλόν τε καὶ θεῖον καὶ τῆς ἄνω λαμπρότητος
πρόξενον. Ἡ γὰρ ἁγία τῶν Φώτων ἡμέρα, εἰς ἣν ἀφίγμεθα
καὶ ἣν ἑορτάζειν ἠξιώμεθα σήμερον, ἀρχὴν μὲν τὸ τοῦ ἐμοῦ
Χριστοῦ βάπτισμα λαμβάνει, τοῦ ἀληθινοῦ φωτός, τοῦ
φωτίζοντος πάντα ἄνθρωπον ἐρχόμενον εἰς τὸν κόσμον[a],
10 ἐνεργεῖ δὲ τὴν ἐμὴν κάθαρσιν καὶ βοηθεῖ τῷ φωτί, ὃ παρ'
αὐτοῦ λαβόντες ἄνωθεν ἀπ' ἀρχῆς, ἐκ τῆς ἁμαρτίας ἐζοφώ-
σαμέν τε καὶ συνεχέαμεν.

B **2.** Τοιγαροῦν ἀκούσατε θείας φωνῆς, ἐμοὶ μὲν καὶ λίαν
σφοδρῶς ἐνηχούσης, τῷ μύστῃ καὶ μυσταγωγῷ τῶν
τοιούτων, εἴη δὲ καὶ ὑμῖν· «Ἐγώ εἰμι τὸ φῶς τοῦ
κόσμου[a].» Καὶ διὰ τοῦτο «προσέλθετε πρὸς αὐτὸν καὶ

Titulus εἰς τὰ ἅγια φῶτα ᾱ· καὶ οὗτος δογματικός· ἐρρέθη ἐν
κωνσταντινουπόλει S εἰς τὰ φῶτα· ἐρρέθη ἐν κωνσταντινουπόλει· καὶ
οὗτος δογματικὸς PPd εἰς τὰ ἅγια φῶτα· καὶ οὗτος (οὕτως D) δογματικός·
ἐρρέθη ἐν κωνσταντινουπόλει R Vp D (καὶ οὗτος δογματικὸς om. Vp) τοῦ
ἁγίου γρηγορίου τοῦ θεολόγου εἰς τὰ φῶτα O τοῦ αὐτοῦ εἰς τὰ φῶτα VbVe
C QV
εἰς τὰ φῶτα AB et W in subscriptione τοῦ αὐτοῦ εἰς τὰ ἅγια φῶτα T
τοῦ αὐτοῦ εἰς τὰ ἅγια θεοφάνια Z τοῦ ἐν ἁγίοις πατρὸς ἡμῶν γρηγορίου
τοῦ θεολόγου εἰς τὰ ἅγια φῶτα E

1, 4 δὲ n S²P² Ald. Maur. : δ' ὅτι m
2, 3 ἐγὼ — 4 προσέλθετε deperditum in A

DISCOURS 39

Sur les Lumières

1. Voici de nouveau[1] mon Jésus et de nouveau un mystère; mystère qui n'est point trompeur ni désordonné, qui ne tient point de l'erreur ni des orgies des Grecs[2] – car c'est le nom que leurs cultes reçoivent de moi et aussi, je le crois, de tout homme sensé –; c'est, au contraire, un mystère sublime, divin et qui mène à la splendeur d'en haut. Car la sainte journée des Lumières que nous avons atteinte et que nous avons obtenu de célébrer aujourd'hui prend son origine dans le baptême de mon Christ, «vraie lumière qui illumine tout homme venant dans le monde[a]»; elle opère aussi ma purification et elle renforce cette lumière que nous avons reçue de lui dès le début, et que nous avons obscurcie et troublée par le péché.

2. C'est pourquoi écoutez la voix divine qui retentit à pleine force en moi, l'initié et l'initiateur à de telles choses; et puisse-t-elle aussi retentir en vous : «Je suis la lumière du monde[a]»! Par conséquent, «approchez-vous de lui et

---

1. a. *Jn* 1, 9.
2. a. *Jn* 8, 12.

---

1. Ce discours se rattache ainsi au précédent. P.G.
2. Les «Grecs», ce sont les païens; et les «orgies», c'est une allusion aux cultes «orgiaques», tels que les Bacchanales. P.G.

5 φωτίσθητε καὶ τὰ πρόσωπα ὑμῶν οὐ μὴ καταισχυνθῇ[b]»,
τῷ ἀληθινῷ φωτὶ[c] σημειούμενα. Καιρὸς ἀναγεννήσεως·
γεννηθῶμεν ἄνωθεν. Καιρὸς ἀναπλάσεως· τὸν πρῶτον
Ἀδὰμ[d] ἀναλάβωμεν. Μὴ μείνωμεν ὅπερ ἐσμέν, ἀλλ᾽ ὅπερ
ἦμεν γενώμεθα. «Τὸ φῶς ἐν τῇ σκοτίᾳ φαίνει[e]», τῷ βίῳ
10 τούτῳ καὶ τῷ σαρκίῳ, καὶ ὑπὸ τῆς σκοτίας διώκεται μέν,
οὐ καταλαμβάνεται[f] δέ, τῆς ἀντικειμένης λέγω δυνάμεως,
τῷ φαινομένῳ μὲν Ἀδὰμ προσπηδώσης ἐξ ἀναιδείας, τῷ
Θεῷ δὲ περιπιπτούσης καὶ ἡττωμένης· ἵν᾽ ἡμεῖς τὸ σκότος
C ἀποθέμενοι[g] τῷ φωτὶ πλησιάσωμεν[h], εἶτα καὶ φῶς γενώ-
15 μεθα τέλειον, τελείου φωτὸς γεννήματα[i]. Ὁρᾶτε τῆς
ἡμέρας τὴν χάριν· ὁρᾶτε τοῦ μυστηρίου τὴν δύναμιν; οὐκ
ἀπὸ γῆς ἤρθητε; οὐκ ἄνω τέθεισθε σαφῶς ὑψωθέντες ὑπὸ
τῆς ἡμετέρας φωνῆς καὶ ἀναγωγῆς; Καὶ ἔτι μᾶλλον
τεθήσεσθε, ἐπειδὰν εὐοδώσῃ τὸν λόγον ὁ Λόγος.

3. Μή τις τοιαύτη κάθαρσις νομικὴ καὶ σκιώδης,
προσκαίροις ῥαντίσμασιν ὠφελοῦσα καὶ σποδῷ δαμάλεως
ῥαντίζουσα τοὺς κεκοινωμένους[a]; μή τι τοιοῦτο μυσταγω-
γοῦσιν Ἕλληνες; ὧν λῆρος ἐμοὶ πᾶσα τελετὴ καὶ μυστή-
337A 5 ριον, δαιμόνων εὕρημα σκοτεινὸν καὶ διανοίας ἀνάπλασμα

2, 10 τοῦτο P Pd corr. P² ‖ 14 πλησιάζωμεν Maur. ‖ 19 τεθείσεσθε Pd
mg. CR D
3, 3 τοιοῦτον S P² QT Ald. corr. T² ‖ 5 εὕρεμα QTVZ RO

2. b. *Ps.* 33, 6.   c. Cf. *Ps.* 4, 7 (LXX).   *Jn* 1, 9.   d. Cf. I *Cor.*
15, 45.   e. Cf. *Jn* 1, 5.   f. Cf. *ibid.*   g. Cf. *Rom.* 13, 12.   h. Cf. *Jn*
3, 21.   i. *Éphés.* 5, 8.
3. a. Cf. *Hébr.* 9, 13.

3, 5 εὕρημα — 6 κακοδαίμονος cf. IOH. DAMASC., *Dialectica, prooem.*,
p. 52, 47 Kotter; *Contra Jacob.* 10, p. 113, 10 Kotter

1. L'homme a été «modelé» par Dieu (*Genèse* 2, 7); après la dégradation due au péché, il est «remodelé» par la Rédemption du Christ.
Cf. *Discours* 38, 4. P.G.

soyez illuminés et que vos visages ne soient point couverts de honte[b]», étant marqués du signe de la vraie lumière[c]. C'est le moment de renaître : naissons d'en haut. C'est le moment d'être remodelés[1] : reprenons le premier Adam[d] ; ne restons pas ce que nous sommes, mais devenons ce que nous étions. «La lumière brille dans les ténèbres[e] dans cette vie et cette pauvre chair; elle est persécutée par les ténèbres, mais non pas arrêtée[f] par elles, je veux dire par la puissance adverse qui a impudemment assailli l'Adam visible, mais qui, s'attaquant à Dieu, a été vaincue[2]. Ainsi pourrons-nous rejeter les ténèbres[g], accéder à la lumière[h] et devenir lumière parfaite[3], «fils de la lumière[i]» parfaite. Voyez-vous la grâce de ce jour? Voyez-vous la puissance du mystère? N'êtes-vous pas soulevés de la terre? N'êtes-vous pas établis en haut, entraînés clairement par notre voix et notre élévation? Et vous le serez mieux encore lorsque le Verbe aura donné libre carrière à ce discours[4].

3. S'agit-il pour nous d'une sorte de purification légale et figurative, procurant un avantage par des aspersions passagères, quand on aspergeait avec de la cendre de génisse ceux qui étaient souillés[a]? Est-ce que les Grecs révèlent à leurs initiés quelque chose de semblable? Pour moi, leur initiation et leurs mystères ne sont que sornettes, inventions ténébreuses des démons et imaginations d'esprit

2. L'assaut des ténèbres contre la lumière signifie ici (comme dans l'image analogue rencontrée au chap. 13 et dans le *Discours* 30, 6) la lutte du Christ avec le démon qui attaque le Christ incarné, le prenant pour un homme, justement à cause de cette chair, et sort vaincu de cette lutte – qui est la lutte par excellence, celle de la crucifixion, dans laquelle le Christ vainc la nature humaine et l'emporte sur le démon, qui jusqu'alors en était le maître.

3. Le chrétien devient lumière à son tour parce qu'il se fait baptiser : le baptême, en effet, est illumination (φωτισμός).

4. Remarquer l'étroite corrélation (déjà observée dans les *Discours* 14, 33 et 38, 6, et que l'on retrouvera en 41, 1) entre le *logos* divin et le *logos* qui en est inspiré, le *logos* humain de Grégoire.

κακοδαίμονος, χρόνῳ βοηθούμενον καὶ μύθῳ κλεπτόμενον.
Ἃ γὰρ ὡς ἀληθῆ προσκυνοῦσιν, ὡς μυθικὰ συγκα-
λύπτουσιν · δέον, εἰ μὲν ἀληθῆ, μὴ μύθους ὀνομάζεσθαι,
ἀλλ᾽ ὅτι μὴ αἰσχρὰ δείκνυσθαι · εἰ δὲ ψευδῆ, μὴ θαυμά-
10 ζεσθαι, μηδ᾽ οὕτως ἰταμῶς ἐναντιωτάτας ἔχειν δόξας
περὶ τοῦ αὐτοῦ πράγματος, ὥσπερ ἐν ἀγορᾷ μειρακίων
παίζοντας ἢ ἀνδρῶν κακοδαιμόνων ὡς ἀληθῶς, ἀλλ᾽ οὐκ
ἀνδράσι διαλεγομένους νοῦν ἔχουσι καὶ Λόγου προσκυνη-
ταῖς, κἂν τὴν ἔντεχνον ταύτην καὶ ῥυπαρὰν πιθανότητα
15 διαπτύωσιν.

4. Οὐ Διὸς ταῦτα γοναὶ καὶ κλοπαί, τοῦ Κρητῶν
B τυράννου, κἂν Ἕλληνες ἀπαρέσκωνται · οὐδὲ Κουρήτων
ἦχοι καὶ κρότοι καὶ ὀρχήσεις ἔνοπλοι, θεοῦ κλαίοντος ἠχὴν
συγκαλύπτουσαι ἵνα πατέρα λάθῃ μισότεκνον · δεινὸν γὰρ
5 ἦν ὡς παιδίον κλαυθμυρίζεσθαι τὸν ὡς λίθον καταποθέντα ·
οὐδὲ Φρυγῶν ἐκτομαὶ καὶ αὐλοὶ καὶ Κορύβαντες καὶ ὅσα
περὶ τὴν Ῥέαν ἄνθρωποι μαίνονται, τελοῦντες τῇ μητρὶ
τῶν θεῶν καὶ τελούμενοι ὅσα τῇ μητρὶ τῶν τοιούτων
εἰκός · οὐδὲ κόρη τις ἡμῖν ἁρπάζεται καὶ Δημήτηρ πλα-
10 νᾶται καὶ Κελεούς τινας ἐπεισάγει καὶ Τριπτολέμους καὶ
δράκοντας καὶ τὰ μὲν ποιεῖ, τὰ δὲ πάσχει. Αἰσχύνομαι γὰρ
ἡμέρᾳ δοῦναι τὴν νυκτὸς τελετὴν καὶ ποιεῖν τὴν ἀσχημο-
σύνην μυστήριον. Οἶδεν Ἐλευσὶς ταῦτα καὶ οἱ τῶν σιωπω-
C μένων καὶ σιωπῆς ὄντως ἀξίων ἐπόπται. Οὐδὲ Διόνυσος

3, 12 παίζοντας n P²Pd²O² Ve² Ald. Maur. : παιζόντων m E ‖
15 διαπτύουσιν RO
4, 3 ἦχον Pd R Vp (ἠχὴν in rasura P²) ‖ 12 ποιεῖσαι Dmg. ‖ 13 ἐλευσὶς
ex ἐλευσὶν R²O² ‖ 14 ὄντων B

1. Ici commence une longue polémique contre les rites païens, qui
reprend une grande partie des thèmes déjà utilisés par l'apologétique des
siècles précédents.

égaré, tout cela avec l'aide du temps et la tromperie du mythe. Ce qu'ils adorent comme vrai, ils le cachent sous des mythes, alors qu'il faut, si les choses sont vraies, ne pas les appeler «mythes», mais montrer qu'elles n'ont rien de honteux, et, si elles sont fausses, ne pas les admirer et ne pas avoir si effrontément les opinions les plus opposées sur le même sujet; ils font comme s'ils jouaient dans une réunion d'enfants ou de véritables fous et ne discutaient pas avec des hommes sensés et des adorateurs du Verbe, même s'ils rejettent le charme artificieux et impur de ces mythes.

4. Il n'y a pas chez nous[1] la naissance ni le rapt de Zeus, le souverain de Crète – n'en déplaise aux Grecs –, ni des Curètes applaudissant, dansant avec leurs armes et couvrant le bruit que faisait le dieu quand il pleurait, afin de tromper un dieu ennemi de ses enfants; il eût été étrange, en effet, que l'on entendît gémir comme un enfant celui qui avait été avalé comme une pierre[2]. Il n'y a pas non plus des Phrygiens avec mutilations, flûtes, Corybantes et toutes les extravagances que des hommes occomplissent autour de Rhéa, initiant les autres au culte de la Mère des dieux, initiés eux-mêmes comme il convient de l'être pour la mère de tels dieux[3]. Il n'y a pas non plus chez nous de jeune fille enlevée; Déméter n'erre pas, n'introduit pas des Célées, des Triptolèmes, des serpents; elle n'agit pas et ne souffre pas. Et je me garde bien d'exposer au jour l'initiation qui a lieu dans la nuit et de considérer comme mystère ce qui n'est qu'inconvenance; tout cela est connu d'Éleusis et de

2. Le dieu Kronos, menacé par un oracle d'être détrôné par un de ses fils, dévorait ses enfants mâles. Rhéa, son épouse, voulant sauver celui qui devait devenir Zeus, donna à Kronos une pierre emmaillotée à dévorer et envoya l'enfant en Crète, aux bons soins des Curètes qui se chargèrent de l'élever et qui faisaient grand bruit lorsqu'il criait. P.G.

3. La Phrygie était le berceau du culte de Rhéa, qu'on appelait aussi «la Grande Mère», c'est-à-dire la mère des principaux dieux. P.G.

15 ταῦτα καὶ μηρός, ὠδίνων ἀτελὲς κύημα, ὥσπερ ἄλλο
τι κεφαλῇ πρότερον· καὶ θεὸς ἀνδρόγυνος καὶ χορὸς
μεθυόντων καὶ στρατὸς ἔκλυτος καὶ Θηβαίων ἄνοια τοῦτον
τιμῶσα καὶ Σεμέλης κεραυνὸς προσκυνούμενος. Οὐδὲ
Ἀφροδίτης πορνικὰ μυστήρια, τῆς αἰσχρῶς, ὡς αὐτοὶ
20 λέγουσι, καὶ γενομένης καὶ τιμωμένης. Οὐδὲ Φαλλοί τινες
καὶ Ἰθύφαλλοι, αἰσχροὶ καὶ τοῖς σχήμασι καὶ τοῖς
πράγμασιν· οὐδὲ Ταύρων ξενοκτονίαι καὶ Λακωνικῶν
340A ἐφήβων ἐπιβώμιον αἷμα, ξαινομένων ταῖς μάστιξι καὶ τοῦτο
μόνον κακῶς ἀνδριζομένων, οἷς τιμᾶται θεά, καὶ ταῦτα
25 παρθένος. Οἱ γὰρ αὐτοὶ καὶ μαλακίαν ἐτίμησαν καὶ θρασύτητα ἐσεβάσθησαν.

5. Ποῦ δὲ θήσεις τὴν Πέλοπος κρεουργίαν, πεινῶντας
θεοὺς ἑστιῶσαν, καὶ φιλοξενίαν πικρὰν καὶ ἀπάνθρωπον;
ποῦ δὲ Ἑκάτης τὰ φοβερὰ καὶ σκοτεινὰ φάσματα, καὶ
Τροφωνίου κατὰ γῆς παίγνια καὶ μαντεύματα, ἢ Δωδω-

4, 20 γεννωμένης T²V P² Ald. Maur. λεγομένης A ‖ 22 πράγμασι :
ὀνόμασι R Vp mg. πράγμασι ἐν ἄλλῳ R mg.
5, 3 σκοτεινὰ καὶ φοβηρὰ n

1. La jeune fille (en grec κόρη) n'est autre que Koré, fille de Déméter,
enlevée par Hadès. La mère chercha longtemps sa fille et arriva en
Attique, où elle fut reçue par le roi Célée. En reconnaissance, elle
enseigna la culture des céréales à Triptolème, le fils du roi. Les mystères
d'Éleusis se rapportaient à cette légende. Les initiés étaient tenus au
secret. Grégoire a reconnu ailleurs qu'il y avait une véritable grandeur
dans cette discipline du secret (Discours 27, 5 : SC 250, 82). P.G.
2. Allusion à la naissance de Dionysos et à celle d'Athéna. La mère de
Dionysos, Sémélè, étant morte avant la naissance de l'enfant, Zeus
l'enferma dans sa cuisse jusqu'à ce qu'il fût à terme. Quant à Athéna, elle
sortit tout armée de la tête de Zeus. P.G.
3. Il s'agit de Dionysos avec son escorte : les Ménades et les Satyres.
Thèbes était la patrie de la mère de Dionysos, Sémélè, qui était fille de
Cadmos, le fondateur de la cité. La foudre de Zeus frappa Sémélè en
punition d'une infidélité. P.G.
4. Aphrodite est née de l'écume de la mer produite par la mutilation

ceux qui ont contemplé les choses qu'on ne dit pas et qui
méritent réellement le silence[1]. Il n'y a pas non plus ici
Dionysos, ni une cuisse donnant naissance à un rejeton
recueilli avant terme, comme une tête donna précédemment naissance à un autre rejeton[2]. Il n'y a pas de
dieu androgyne avec cette troupe en ivresse, cette armée
débridée et cette démence des Thébains qui honorent ce
dieu, ni la foudre de Sémélè que l'on adore[3]; point non
plus d'Aphrodite aux mystères impurs, avec la honte – ils
le disent eux-mêmes – qui marque sa naissance et son
culte[4]; point non plus de *phalloi* et d'*ithyphalloi*[5], images et
choses honteuses; point non plus de Tauriens immolant
des étrangers[6], ni d'autel marqué du sang des jeunes
Lacédémoniens lacérés par les fouets et faisant des
hommes, bien mal à propos, par ces pratiques qui honorent
une déesse, et une déesse vierge[7] : ils ont, en effet, tout à la
fois honoré sa délicatesse et vénéré sa hardiesse[8].

5. Où placeras-tu le dépècement de Pélops servi en
festin aux dieux affamés, cruelle et inhumaine hospitalité[9]?
Où, les fantômes effrayants envoyés par Hécate pendant la
nuit[10], les bouffonneries et les oracles souterrains de

d'Ouranos par Kronos. Déesse de la fécondité, Aphrodite était la
protectrice de l'amour; mais son culte était entaché de libertinage. P.G.

5. Symboles de la fécondité. P.G.

6. En Tauride (Crimée) se trouvait un temple d'Artémis où l'on
immolait les étrangers de passage (cf. *Iphigénie en Tauride* d'Euripide).
P.G.

7. Il s'agit d'Artémis. Pour la fête d'Artémis Orthia, les jeunes
Lacédémoniens se lacéraient mutuellement le corps avec les lanières et
leur sang marquait l'autel de la déesse. P.G.

8. «Délicatesse» : Artémis est une jeune fille; «hardiesse» : elle est la
déesse de la chasse. P.G.

9. Tantale, recevant les dieux, leur offrit dans un festin les membres
de son fils Pélops. P.G.

10. Hécate, déesse nocturne, était censée causer les apparitions
effrayantes, qu'on appelait «les fantômes d'Hécate». P.G.

5 ναίας δρυὸς ληρήματα ἢ τρίποδος Δελφικοῦ σοφίσματα ἢ
Κασταλίας μαντικὸν πόμα; Τοῦτο μόνον οὐ μαντευσάμενα,
τὴν ἑαυτῶν σιωπήν. Οὐδὲ Μάγων θυτικὴ καὶ πρόγνωσις
ἔντομος, καὶ Χαλδαίων ἀστρονομία καὶ γενεθλιαλογία, τῇ
B τῶν οὐρανίων κινήσει συμφέρουσα τὰ ἡμέτερα, τῶν μηδὲ
10 ἑαυτοὺς ὅ τί ποτέ εἰσιν ἢ ἔσονται, γνῶναι δυναμένων · οὐδὲ
Θρακῶν ὄργια ταῦτα, παρ' ὧν καὶ τὸ θρησκεύειν, ὡς
λόγος · οὐδὲ Ὀρφέως τελεταὶ καὶ μυστήρια, ὃν τοσοῦτον
Ἕλληνες ἐπὶ σοφίᾳ ἐθαύμασαν ὥστε καὶ λύραν αὐτῷ
ποιοῦσι, πάντα τοῖς κρούσμασιν ἕλκουσαν · οὐδὲ Μίθρου
15 κόλασις ἔνδικος, κατὰ τῶν μυεῖσθαι τὰ τοιαῦτα ἀνεχο-
μένων · οὐδὲ Ὀσίριδος σπαραγμοί, ἄλλη συμφορὰ τιμωμένη
παρ' Αἰγυπτίοις · οὐδὲ Ἴσιδος ἀτυχήματα καὶ τράγοι
Μενδησίων αἰδεσιμώτεροι καὶ Ἄπιδος φάτνη, μόσχου
κατατρυφῶντος τῆς Μεμφιτῶν εὐηθείας · οὐδ' ὅσα τὸν
20 Νεῖλον ταῖς τιμαῖς καθυβρίζουσι, τὸν καρποδότην, ὡς

5, 10 οὐδὲ Θρακῶν AB Z D ex emend. Ald. Maur. : οὐ Θρακῶν m
QTV Rufinus || 14 κρούμασιν BQTVZ S²P²Ve² Ald.

1. L'oracle de Trophonios était dans une caverne souterraine, en
Béotie. On n'y accédait qu'après avoir accompli certains rites; on voyait
dans l'antre des choses effrayantes. P.G.

2. Les chênes de Dodone, en Épire, étaient consacrés à Zeus. Le bruit
du vent dans leurs branches était regardé comme une manifestation du
dieu, et les prêtres en tiraient des oracles. P.G.

3. Le trépied de la Pythie, interprète d'Apollon dans l'oracle de
Delphes. P.G.

4. Fontaine située au pied du Parnasse; l'eau de Castalie passait pour
donner l'inspiration poétique. Le poète, comme le prophète, est inspiré
par les dieux. P.G.

5. Les Mages, prêtres de l'ancienne Perse, tiraient leurs prédictions
de l'étude des viscères de la victime. P.G.

6. Allusion polémique à l'astrologie, discipline particulièrement
enseignée par les païens pendant toute l'époque impériale. Les chrétiens
ont toujours fortement critiqué cette pseudo-science que Grégoire
attaque encore dans le *Discours* 14, 32 et le *Poème* I, 1, 5, 45 s.

7. Les Thraces passaient pour être les premiers à avoir rendu un culte
aux dieux. Le mot θρησκεία (culte, religion) était rattaché par les
Anciens au nom des Thraces (Θρᾷκες). Cette étymologie est fantaisiste

Trophonios[1], les sornettes du chêne de Dodone[2], les charlataneries du trépied de Delphes[3] et le breuvage prophétique de Castalie[4]? La seule chose que ces oracles n'aient pas prévue, c'est qu'un jour ils se tairaient. Il n'y a pas l'art sacrificiel des Mages et leurs prédictions d'après l'incision des victimes[5], ni l'astronomie des Chaldéens, ni leurs horoscopes qui rapportent notre sort au mouvement des corps célestes, tandis qu'eux-mêmes ne peuvent discerner ce qu'ils sont ni ce qu'ils seront[6]. Il n'y a pas non plus ces orgies des Thraces d'où vient, dit-on, la religion[7]; ni les initiations et les mystères d'Orphée, lui que les Grecs admirèrent tant pour son talent : ils lui attribuent l'invention de la lyre qui attirait toute chose par ses accents[8]. On ne trouve pas non plus le juste châtiment infligé par Mithra à ceux qui acceptent de se faire initier à de pareils mystères[9], non plus que les lacérations d'Osiris, autre malheur honoré chez les Égyptiens, non plus que les infortunes d'Isis[10] ou les boucs plus respectables que les gens de Mendès[11], ou la mangeoire d'Apis, le veau que la sottise des habitants de Memphis nourrit dans la mollesse[12], et tous les honneurs rendus au Nil et qui ne sont que des outrages envers ce donateur des moissons, comme

(cf. P. CHANTRAINE, *Dictionnaire étymologique de la langue grecque* II, Paris 1970, p. 440). P.G.

8. On célébrait chez les Thraces des mystères en l'honneur d'Orphée. La légende fait de lui un musicien qui aurait inventé la lyre et qui charmait jusqu'aux bêtes sauvages lorsqu'il jouait. P.G.

9. Mithra, dieu-soleil dont le culte vint de Perse jusqu'à Rome par l'intermédiaire des soldats. Les mystères de ce culte comportaient des épreuves si pénibles que les initiés, dit-on, en mouraient parfois. P.G.

10. Le dieu égyptien Osiris fut coupé en morceaux par son frère Typhon. L'épouse d'Osiris, Isis, chercha les lambeaux épars. P.G.

11. A Mendès, en Égypte, on adorait un dieu-bouc. Osiris et Mendès sont évoqués aussi dans le *Discours* 34, 5. P.G.

12. Le taureau sacré Apis avait un temple célèbre à Memphis, et son culte était répandu dans toute l'Égypte (cf. *D.* 34, 5). P.G.

C ἀνυμνοῦσιν αὐτοί, καὶ εὔσταχυν καὶ μετροῦντα τὴν εὐδαι-
μονίαν τοῖς πήχεσιν.

6. Ἐῶ γὰρ λέγειν ἑρπετῶν καὶ κνωδάλων τιμὰς καὶ τὸ
τῆς ἀσχημοσύνης φιλότιμον, ὧν καθ' ἕκαστον ἰδία τις
341A τελετὴ καὶ πανήγυρις καὶ κοινὸν τὸ τῆς κακοδαιμονίας ἐφ'
ἅπασιν, ὡς εἴπερ ἀσεβεῖν αὐτοὺς ἔδει πάντως καὶ τῆς τοῦ
5 Θεοῦ δόξης ἀποπεσεῖν[a], εἰς εἴδωλα κατενεχθέντας καὶ
τέχνης ἔργα καὶ χειρῶν πλάσματα, μὴ ἂν ἄλλο τι κατ'
αὐτῶν εὔξασθαι τούς γε νοῦν ἔχοντας ἢ τοιαῦτα σεβασθῆναι
καὶ οὕτω τιμῆσαι, «ἵνα τὴν ἀντιμισθίαν, ἣν ἔδει τῆς
πλάνης, ὡς φησι Παῦλος[b], ἀπολαμβάνωσιν» ἐν οἷς
10 σέβονται· οὐ μᾶλλον τιμῶντες δι' ἑαυτῶν τὰ σεβάσματα ἢ
δι' ἐκείνων ἀτιμαζόμενοι. Βδελυκτοὶ τῆς πλάνης, βδε-
λυκτότεροι τῆς εὐτελείας τῶν προσκυνουμένων καὶ σεβο-
μένων, ἵνα καὶ αὐτῶν τῶν τιμωμένων ὦσιν ἀναισθητότεροι,
τοσοῦτον ὑπερβάλλοντες ἀνοίᾳ ὅσον εὐτελείᾳ τὰ προσκυ-
15 νούμενα.

B   7. Ταῦτα μὲν οὖν παιζέτωσαν Ἑλλήνων παῖδες καὶ
δαίμονες, παρ' ὧν ἐκείνοις ἡ ἄνοια, τὴν τοῦ Θεοῦ τιμὴν εἰς
ἑαυτοὺς μεθελκόντων καὶ ἄλλους ἄλλως κατατεμνόντων εἰς
αἰσχρὰς δόξας καὶ φαντασίας, ἀφ' οὗ τοῦ ξύλου τῆς ζωῆς[a]
5 ἐκβαλόντες ἡμᾶς, τῷ ξύλῳ τῆς γνώσεως[b] οὐ κατὰ καιρὸν
οὐδ' ἐπιτηδείως μεταληφθείσης, ὡς ἀσθενεστέρους ἤδη
κατέδραμον, τὸν ἡγεμόνα νοῦν συναρπάσαντες καὶ τοῖς
πάθεσι θύραν ἀνοίξαντες. Οὐ γὰρ ἔφερον, φύσις ὄντες

6, 3 πανήγυρις : μυστήριον S P Pd Dmg. Vb Vp mg. E Ald. ‖ 6 ἂν
om. Maximus habet in mg. D ‖ 7 γε om. n Maximus ‖ 9 παῦλος : ὁ
ἀπόστολος A ‖ 10 δι' ἑαυτῶν τὰ σεβάσματα om. Maur.

6. a. Cf. Rom. 3, 23.   b. Rom. 1, 27. Cf. Rom. 6, 23.
7. a. Cf. Gen. 3, 22.24.   b. Cf. Gen. 2, 9.17.

le chantent les Égyptiens, ce producteur d'épis qui mesure la prospérité au nombre de ses coudées[11].

6. Je ne parle pas des honneurs rendus à des reptiles et à des bêtes, et de l'émulation dans l'inconvenance : ces cultes ont chacun initiation et solennité propres, et ils ont en commun la démence à tous égards. C'est à tel point que, s'ils devaient en venir à une impiété totale et à être déchus de la gloire de Dieu[a] en s'abaissant vers des idoles, des œuvres de l'art et des ouvrages faits de main d'homme, les gens sensés n'auraient qu'à leur souhaiter de continuer à adorer de tels êtres et à les honorer ainsi «pour recevoir le salaire dû à leur égarement», comme dit Paul[b]. Ils honorent moins par eux-mêmes les objets de leur vénération qu'ils ne sont déshonorés par eux; détestables par leur égarement, plus détestables encore à cause de la bassesse de ce qu'ils adorent et vénèrent, ils sont ainsi plus insensibles que les objets mêmes de leurs honneurs et ils les dépassent en sottise, autant que les êtres adorés par eux l'emportent en bassesse.

7. Qu'ils se livrent donc à ces bouffonneries, les enfants des Grecs[2] et les démons d'où leur vient la folie, ces démons qui attirent à eux-mêmes l'honneur dû à Dieu et qui divisent les hommes de mille manières en des opinions et des illusions honteuses, depuis qu'ils nous ont écartés de l'arbre de vie[a], parce que nous avions touché à l'arbre de la connaissance[b] hors du moment voulu et sans égard à ce qui convenait; ils ont alors attaqué notre faiblesse en nous privant de notre guide[3], la raison, et en ouvrant la porte aux passions. En effet, parce qu'ils étaient d'une nature

---

1. Il s'agit de la hauteur des crues du Nil, dont dépend la fertilité du sol égyptien. P.G.

2. C'est-à-dire : les Grecs; locution imitée de l'expression hébraïque : «les enfants des hommes», pour dire : les hommes. P.G.

3. Terme stoïcien déjà employé dans les *Discours* 37, 14 et 38, 7.

φθονερὰ καὶ μισάνθρωπος, μᾶλλον δὲ διὰ τὴν ἑαυτῶν
10 κακίαν γενόμενοι, τοὺς κάτω τῶν ἄνω τυχεῖν, αὐτοὶ
πεσόντες ἐπὶ γῆς ἄνωθεν, οὐδὲ τοσαύτην μετάστασιν
γενέσθαι τῆς δόξης καὶ τῶν πρώτων φύσεων. Τοῦτό ἐστιν
ὁ διωγμὸς τοῦ πλάσματος[c], διὰ τοῦτο ἡ εἰκὼν τοῦ Θεοῦ[d]
C καθυβρίσθη καὶ καθὼς οὐκ ἐδοκιμάσαμεν φυλάξαι τὴν
15 ἐντολὴν[e] παρεδόθημεν τῇ αὐτονομίᾳ τῆς πλάνης · καὶ
καθὼς ἐπλανήθημεν, ἠτιμάσθημεν ἐν οἷς ἐσεβάσθημεν. Οὐ
γὰρ τοῦτο μόνον δεινόν, τὸ πεποιημένους ἐπ' ἀγαθοῖς
ἔργοις εἰς δόξαν καὶ ἔπαινον τοῦ πεποιηκότος καὶ Θεοῦ
μίμησιν, ὅσον ἐφικτόν, ὁρμητήριον γενέσθαι παντοίων
20 παθῶν[f], βοσκομένων κακῶς καὶ δαπανώντων τὸν ἐντὸς
ἄνθρωπον[g], ἀλλὰ καὶ τὸ θεοὺς στήσασθαι συνηγόρους τοῖς
πάθεσιν, ἵνα μὴ μόνον ἀνεύθυνον τὸ ἁμαρτάνειν, ἀλλὰ καὶ
θεῖον νομίζηται, εἰς τοιαύτην καταφεῦγον ἀπολογίαν, τὰ
προσκυνούμενα.

D 8. Ἡμῖν δὲ ὥσπερ ἐχαρίσθη τὸ φυγοῦσι τὴν δεισιδαί-
μονα πλάνην μετὰ τῆς ἀληθείας γενέσθαι καὶ «δουλεύειν
Θεῷ ζῶντι[a]» καὶ ἀληθινῷ, καὶ τὴν κτίσιν ὑπεραναβῆναι,
πάντα περάσασιν ὅσα ὑπὸ χρόνον καὶ πρώτην κίνησιν,
5 οὕτω καὶ εἰδῶμεν καὶ φιλοσοφήσωμεν τὰ περὶ Θεοῦ καὶ τὰ

7, 11 ἐπὶ τῆς γῆς P Pd O Ve ‖ 17 ἐπ' ἀγαθοῖς ἔργοις n Vb E Ald.
Maur. : ἐπ' ἔργοις ἀγαθοῖς m (ἐν P) ‖ 21 καὶ τὸ θεοὺς S PPd Vp D : τὸ καὶ
θεοὺς n E Vb RO² Ve Ald. Maur. καὶ θεοὺς O ‖ 22 ἀνεύθυνον ἦ TVZ ἦ
eras. T²
8, 5 εἰδῶμεν PPd RO Ve Vp QTVZ : εἴδωμεν SD Ald. Maur. ἴδωμεν
AB E Vb

7. c. Cf. *Gen.* 2, 7. d. Cf. *Gen.* 1, 26.27. e. Cf. *Gen.* 2, 16-17.
f. Cf. *Rom.* 1, 23-24. g. Cf. *Éphés.* 3, 16.
8. a. *Hébr.* 9, 14.

1. Les démons sont jaloux de l'homme, comme l'avait été le premier
d'entre eux qui, en raison de sa jalousie envers l'homme, fit tomber nos
premiers parents, ainsi qu'on le voit déjà dans le *Discours* 38, 12.
2. L'homme, fait à l'image (κατ'εἰκόνα) de Dieu, devient aussi
ressemblance (ὁμοίωσις) de Dieu.

jalouse et ennemie de l'homme — ou plutôt parce qu'ils étaient devenus tels à cause de leur méchanceté —, ils ne supportaient pas de voir des êtres d'ici-bas obtenir les biens d'en haut, alors qu'ils étaient tombés eux-mêmes d'en haut sur terre, et ils n'acceptaient pas de voir se réaliser une telle métamorphose de leur gloire et de leur première nature[1]. C'est la cause de la persécution contre l'être façonné par Dieu[c]; c'est de là que viennent les outrages faits à l'image divine[d][2]. Et aussi vrai que nous n'avons pas jugé bon de garder le commandement divin[e], nous avons été livrés à la pleine liberté de l'égarement; aussi vrai que nous nous sommes égarés, nous avons été déshonorés par les êtres que nous avons vénérés. Car il est déjà terrible que, faits pour accomplir le bien, pour glorifier et louer notre auteur et imiter Dieu autant qu'il est possible, nous sommes devenus la citadelle des diverses passions[f] qui dévorent perfidement et consument l'homme intérieur[g]; mais il y a plus : nous avons érigé des dieux comme protecteurs des passions. Ainsi le péché, loin d'être blâmable, est tenu pour divin, puisqu'il trouve asile auprès de tels défenseurs : les êtres que l'on adore.

8. Quant à nous, nous avons reçu la grâce de fuir l'erreur de la superstition, d'être avec la vérité, de «servir le Dieu vivant[a]» et vrai, de nous élever au-dessus de la création en dépassant tout ce qui est soumis au temps et au mouvement premier[3]; dès lors, nous devons connaître et étudier[4] ce qui concerne Dieu et les choses divines.

---

3. La notion qui désigne ici la nature de Dieu (πρώτη κίνησις) est de type aristotélicien (cf. H. BONITZ, *Index Aristotelicus* 392, cf. aussi *Discours* 40, 7, n. 2). Du reste, déjà dans les *Discours* 38, 9 et 40, 5 il était dit que la contemplation de soi-même (ἑαυτῆς) constituait d'elle-même le premier mouvement (κινεῖσθαι) de la nature divine.

4. Le terme utilisé ici (φιλοσοφία) est typique des Cappadociens pour désigner la vie chrétienne ou la façon chrétienne de raisonner; et c'est cette seconde acception que l'on trouve dans ce passage. Nous ren-

θεῖα. Φιλοσοφήσωμεν δὲ ἀρχόμενοι ὅθεν ἄρχεσθαι ἄμεινον ·
344A ἄμεινον δὲ ὅθεν Σολομὼν ἡμῖν ἐνομοθέτησεν · « Ἀρχὴ»,
φησί[b], «σοφίας, κτῆσαι σοφίαν» · τί τοῦτο λέγων «ἀρχὴ
σοφίας»; Τὸν φόβον[c]. Οὐ γὰρ ἀπὸ θεωρίας ἀρξαμένους εἰς
10 φόβον χρὴ καταλήγειν — θεωρία γὰρ ἀχαλίνωτος τάχα ἂν
καὶ κατὰ κρημνῶν ὤσειεν —, ἀλλὰ φόβῳ στοιχειουμένους
καὶ καθαιρομένους καί, ἵν᾽ οὕτως εἴπω, λεπτυνομένους, εἰς
ὕψος αἴρεσθαι. Οὗ γὰρ φόβος, ἐντολῶν τήρησις, οὗ δὲ
ἐντολῶν τήρησις, σαρκὸς κάθαρσις, τοῦ ἐπιπροσθοῦντος τῇ
15 ψυχῇ νέφους καὶ οὐκ ἐῶντος καθαρῶς ἰδεῖν τὴν θείαν
ἀκτῖνα, οὗ δὲ κάθαρσις, ἔλλαμψις · ἔλλαμψις δὲ πόθου
πλήρωσις, τοῖς τῶν μεγίστων ἢ τοῦ μεγίστου ἢ ὑπὲρ τὸ
μέγα ἐφιεμένοις.

B   9. Διὰ τοῦτο καθαρτέον ἑαυτὸν πρῶτον, εἶτα τῷ καθαρῷ
προσομιλητέον, εἴπερ μὴ μέλλοιμεν τὸ τοῦ Ἰσραὴλ πείσεσθαι, μὴ φέροντος τὴν δόξαν τοῦ προσώπου Μωϋσέως
καὶ διὰ τοῦτο δεομένου καλύμματος[a], ἢ τὸ τοῦ Μανωὲ καὶ
5 πείσεσθαι καὶ λέξειν · «Ἀπολώλαμεν, ὦ γῦναι, Θεὸν ἑωρά-

8, 6 φιλοσοφῶμεν n ‖ ἀρχόμενοι om. AB QV, del. S²T² ‖ 7 ἡμῖν : ἡμᾶς
Pd mg. Rmg. Ve mg. ἡμῖν in rasura D ‖ 8 σοφίας φησιν Maur. ‖ ἀρχὴ
AS : ἀρχὴν cett. Ald. Maur.
9, 1 ἑαυτὸν om. E n praeter B eras. P² ‖ 3 μωϋσέως S PPd RO Ve Vp
D Ald. : μωσέως n Vb P²D² Maur.

8. b. *Prov.* 4, 7.   c. Cf. *Sir.* 1, 16.
9. a. Cf. *Ex.* 34, 30-35.

8, 1 ἡμεῖς δὲ — 2 μετὰ θεοῦ γενέσθαι cf. IOH. DAMASC., *De imag.* p. 81,
2 Kotter
16 οὗ δὲ κάθαρσις — 18 ἐφιεμένοις MAXIMUS, *Ambigua*, PG 91,
1301 D

voyons, comme ailleurs, à l'étude fondamentale d'A.-M. MALINGREY,
*Philosophia. Étude d'un groupe de mots dans la littérature grecque, des
Présocratiques au IVᵉ siècle ap. J.-C.*, Paris 1961, p. 207-261.

Étudions donc, en commençant par où il est préférable de le faire ; et ce qui est préférable, c'est de partir du précepte que Salomon nous a donné : «Le commencement de la sagesse, dit-il, le voici : acquiers la sagesse[b].» Qu'entend-il par là ? La crainte[c][1]. Il ne faut pas commencer par la contemplation et finir par la crainte – car la contemplation sans frein pousserait peut-être dans des précipices – ; mais c'est en prenant comme élément la crainte, en nous purifiant et, pour ainsi dire, en nous affinant, que nous nous éléverons vers les hauteurs. En effet, là où il y a crainte, il y a observation des commandements ; là où il y a observation des commandements, il y a purification de la chair, ce nuage qui fait écran devant l'âme et ne laisse pas voir dans sa pureté le rayon divin ; là où il y a purification, il y a illumination ; et l'illumination, c'est le rassasiement du désir chez ceux qui tendent vers les réalités les plus grandes, ou la réalité la plus grande, ou celle qui surpasse toute grandeur.

9. C'est pourquoi il faut d'abord se purifier soi-même et n'avoir contact qu'après cela avec la Pureté[2], si nous ne voulons pas être dans la même situation qu'Israël qui ne supportait pas la gloire du visage de Moïse et, pour cette raison, avait besoin d'un voile[a][3] ; ou encore, nous serions comme Manué et nous dirions : «Nous sommes perdus,

---

1. Allusion au texte : «Le commencement de la sagesse, c'est la crainte du Seigneur» (*Sir.* 1, 16). P.G.

2. Ici est développé, conjointement avec le thème éthique de la purification comme condition préliminaire à toute connaissance (voir à ce sujet Introduction, p. 62 s.), celui de «la connaissance du semblable par le semblable» largement répandu dans tout le platonisme de l'époque impériale (cf. en particulier PLOTIN, *Ennéade* I, 6, 9 ; V, 3, 8 ; VI, 9, 11). Cette doctrine apparaîtra aussi chez GRÉGOIRE DE NYSSE ; cf. *Traité de la virginité* 11, 4-5, *SC* 119, p. 38 s. ; *Orat. cat.* 5, 4, *PG* 45, 21 ; *Hom. Cant.* III, p. 90, 3 s. Langerbeck ; *Hom. Beat.* VI, *PG* 44, 1272 AC.

3. Après s'être entretenu avec Dieu, Moïse avait le visage brillant ; il mettait un voile pour dissimuler cet éclat. P.G.

καμεν»[b], ἐν φαντασίᾳ Θεοῦ γενομένου · ἤ, ὡς Πέτρος, τοῦ
πλοίου τὸν Ἰησοῦν ἀποπέμψασθαι[c], ὡς οὐκ ἄξιοι τοιαύτης
ἐπιδημίας. Πέτρον δὲ ὅταν εἴπω, τίνα λέγω; Τὸν κατὰ
κυμάτων πεζεύσαντα[d] · ἤ, ὡς Παῦλος, τὴν ὄψιν πληγή-
10 σεσθαι[e], πρὶν καθαρθῆναι τῶν διωγμῶν τῷ διωκομένῳ
προσομιλήσας, μᾶλλον δὲ βραχείᾳ τοῦ μεγάλου φωτὸς
λαμπηδόνι · ἤ, ὡς ὁ ἑκατόνταρχος[f], τὴν μὲν θεραπείαν
ἐπιζητήσειν, τῇ οἰκίᾳ δὲ τὸν θεραπευτὴν οὐκ εἰσδέξασθαι
διὰ δειλίαν ἐπαινουμένην[g]. Λεγέτω τις καὶ ἡμῶν, ἕως
C 15 οὔπω καθαίρεται, ἀλλ᾽ ἔστιν ἑκατόνταρχος ἔτι, πλειόνων ἐν
κακίᾳ κρατῶν, καὶ στρατεύεται Καίσαρι, τῷ κοσμοκράτορι
τῶν κάτω συρομένων · «Οὐκ εἰμὶ ἱκανὸς ἵνα μου ὑπὸ τὴν
στέγην εἰσέλθῃς[h].» Ὅταν δὲ Ἰησοῦν θεάσηται, καίτοι
μικρὸς ὢν τὴν πνευματικὴν ἡλικίαν, ὡς ὁ Ζακχαῖος ἐκεῖ-
20 νος[i], καὶ ὑπὲρ τὴν συκομωραίαν ἀρθῇ, νεκρώσας τὰ μέλη
τὰ ἐπὶ τῆς γῆς[j] καὶ ὑπεραναβὰς τὸ σῶμα τῆς ταπεινώσεως[k], τότε καὶ εἰσδεχέσθω τὸν Λόγον καὶ ἀκουέτω ·
«Σήμερον σωτηρία τῷ οἴκῳ τούτῳ[l]», καὶ λαμβανέτω τὴν
σωτηρίαν καὶ καρποφορείτω τὰ τελεώτερα, σκορπίζων καὶ
25 διαχέων καλῶς ἃ κακῶς ἐτελώνησεν[m].

9, 7 fortasse ἀποπέμψεσθαι ‖ τῆς τοιαύτης S Pd mg. ‖ 10 τὸν διωγμὸν S
P²Pd ‖ 13 fortasse εἰσδέξεσθαι ‖ 14 ἡμῶν : ὑμῶν RO ‖ 17 κάτω καὶ RO²
‖ 20 ὑπὲρ ABVQT Vb Ald. Maur. : ὑπὸ S PPd RO Ve Vp D E Z

9. b. Jug. 13, 22.   c. Cf. Lc 5, 8.   d. Cf. Matth. 14, 28-29.
e. Cf. Act. 9, 1-18.   f. Cf. Matth. 8, 5-10.   g. Cf. Matth. 8, 10.
h. Matth. 8, 8.   i. Cf. Lc 19, 2-10.   j. Col. 3, 5.   k. Phil. 3, 21.
l. Lc 19, 9.   m. Cf. Lc 19, 8.

1. Manué est le père de Samson. P.G.
2. Jésus fait l'éloge de l'humilité du centurion (Matth. 5, 10). P.G.
3. «L'âge spirituel» est un thème ascétique du christianisme ancien,
selon lequel la connaissance spirituelle d'une personne est quelquefois
indépendante de la croissance de son corps; d'où le cas du puer senex :
enfant sur le plan physique, mais adulte sur le plan spirituel. Tels ont
été, par exemple, Moïse, Daniel, David, et d'autres. Le même Grégoire

femme, nous avons vu Dieu[b][1]», car Dieu lui était apparu;
ou bien, comme Pierre, nous renverrions Jésus de notre
barque[c], n'étant pas dignes d'une telle présence – et quand
je dis Pierre, de qui veux-je parler? de celui qui marcha sur
les flots[d] –; ou, comme Paul, nous perdrions la vue – ce
qui lui arriva avant qu'il se fût purifié d'avoir été persécuteur, lorsqu'il fut en contact avec celui qu'il persécutait,
ou plutôt lorsqu'il vit une brève lueur de la grande
lumière[e] –; ou, comme le centurion[f], nous rechercherions
la guérison, mais, à cause d'une timidité qui attire des
éloges[g][2], nous ne recevrions pas dans notre maison celui
qui guérit. Et que tel ou tel d'entre nous dise, tant qu'il
n'est pas encore purifié, tant qu'il est toujours «centurion»,
c'est-à-dire chef d'un grand nombre dans le vice et tant
qu'il sert dans l'armée de César, le maître du monde de
ceux qui roulent dans les bas-fonds, – qu'il dise : « Je ne
suis pas digne que tu entres sous mon toit[h].» Mais lorsqu'il
verra Jésus, même s'il est de petite taille au point de vue
spirituel, comme le fameux Zachée[i], et lorsqu'il se sera
élevé sur le sycomore en «mortifiant ses membres terrestres[j]» et en montant au-dessus de «son corps de bassesse[k]», alors seulement qu'il reçoive chez lui le Verbe, et
qu'il entende : «Aujourd'hui, c'est le salut pour cette
maison[l]», qu'il obtienne le salut et qu'il porte des fruits
plus parfaits en répandant et en dispersant pour le bien ce
qu'il a mal acquis comme publicain[m][3].

voit sa sœur Gorgonie parfaitement arrivée à l'*aetas spiritalis,* malgré sa
fin prématurée (*Discours* 8, 9 s.). Dans ce passage, Grégoire joue sur la
caractéristique physique de Zachée qui, à cause de sa petite taille, avait
grimpé sur un sycomore pour voir Jésus, et sur son bas âge spirituel au
moment de rencontrer le Maître et de se repentir de sa vie passée. Sur le
thème de l'*aetas spiritalis,* voir CH. GNILKA, *Aetas spiritalis. Die
Überwindung der natürlichen Altersstufen als Ideal des frühchristlichen Lebens,*
Bonn 1972. Chez Grégoire on trouve également cette idée dans les
Discours 26, 11; 40, 31 et 43, 23.

D   10. Ὁ γὰρ αὐτὸς Λόγος, καὶ φοβερὸς διὰ τὴν φύσιν
τοῖς οὐκ ἀξίοις καὶ χωρητὸς διὰ φιλανθρωπίαν τοῖς οὕτως
ηὐτρεπισμένοις, ὅσοι τὸ ἀκάθαρτον καὶ ὑλικὸν πνεῦμα τῶν
ψυχῶν ἀπελάσαντες καὶ τὰς ἑαυτῶν ψυχὰς τῇ ἐπιγνώσει
345 A5 σαρώσαντες καὶ κοσμήσαντες[a], μὴ ἀργὴν μηδὲ ἄπρακτον
εἴασαν, ὥστε μετὰ πλείονος τῆς παρασκευῆς αὖθις κατα-
ληφθῆναι ὑπὸ τῶν ἑπτὰ τῆς κακίας πνευμάτων[b], ὅσα
καὶ τῆς ἀρετῆς ἀπηρίθμηται[c] – τὸ γὰρ δυσμαχώτερον,
περισπουδαστότερον – · ἀλλὰ πρὸς τὸ φεύγειν τὴν κακίαν
10 καὶ τὴν ἀρετὴν ἐργάζονται, ὅλον Χριστὸν ἢ ὅτι μάλιστα
ἑαυτοῖς εἰσοικίσαντες, ὥστε μηδενὶ κενῷ τὴν πονηρὰν
δύναμιν ὁμιλήσασαν ἑαυτῆς πάλιν πληρῶσαι καὶ γενέσθαι
τὰ ἔσχατα χείρονα τῶν πρώτων[d] διὰ τὸ τῆς καταδρομῆς
σφοδρότερον καὶ τὸ τῆς φρουρᾶς ἀσφαλέστερον καὶ δυσα-
15 λωτότερον. Ὅταν δὲ πάσῃ φυλακῇ τηρήσαντες τὴν ἑαυτῶν
ψυχὴν[e] καὶ ἀναβάσεις ἐν τῇ καρδίᾳ διαθέμενοι[f] καὶ νεώ-
σαντες ἑαυτοῖς νεώματα[g] καὶ σπείραντες εἰς δικαιοσύνην[h],
B   ὡς Σολομῶντι καὶ Δαβὶδ καὶ Ἱερεμίᾳ δοκεῖ, φωτίσωμεν
ἑαυτοῖς φῶς γνώσεως · τηνικαῦτα λαλῶμεν Θεοῦ σοφίαν ἐν
20 μυστηρίῳ τὴν ἀποκεκρυμμένην[i] καὶ τοῖς ἄλλοις ἐκλάμπω-
μεν. Τέως δὲ καθαιρώμεθα καὶ προτελώμεθα τῷ Λόγῳ, ἵν'
ὅτι μάλιστα ἡμᾶς αὐτοὺς εὐεργετῶμεν, θεοειδεῖς ἐργαζό-

10, 1-2 τοῖς οὐκ ἀξίοις διὰ τὴν φύσιν n Ald. Maur. ‖ 2 τὴν φιλανθρωπίαν
S D² ‖ 3 εὐτρεπισμένοις n Vb RO² corr. R² mg. ‖ ὅσοι : ὡς οἱ QT Vb R
corr. Vb² ‖ 5 μὴ : μηδὲ Ald. Maur. ‖ 9 πρὸς τῷ QTV P² ‖ φεύγειν ABTV
E P² Ald. Maur. : φυγεῖν m QZ φυγῆν R corr. R² ‖ 10 Χριστὸν n E : τὸν
Χριστὸν m T² Ald. Maur. ‖ 12 ἑαυτῆς : αὑτῆς P² T² αὐτοῖς Pd ROVe Vb
D mg. (P eras.) ‖ 16 ψυχὴν : καρδίαν Pd mg. R mg. ‖ διαθέμενοι : θέμενοι
A ‖ 22 αὐτοὺς ἡμᾶς Maur.

10. a. Cf. Matth. 12, 44. Lc 11, 25. Rom. 10, 2.   b. Cf. Matth. 12, 45.
Lc 11, 26.   c. Cf. Is. 11, 2.   d. Matth. 12, 45. Lc 11, 26.   e. Prov.
4, 23.   f. Ps. 83, 6.   g. Jér. 4, 3.   h. Os. 10, 12 (LXX).   i. I Cor.
2, 7.

10. En effet, le Verbe est à la fois redoutable pour les indignes, à cause de sa nature, et saisissable, à cause de son amour pour les hommes, par ceux qui se sont ainsi préparés. Ce sont tous ceux qui ont chassé de leurs âmes l'esprit impur et matériel, puis, ces âmes qui sont les leurs, ils les ont «nettoyées et mises en ordre» par «la connaissance[a1]», et ils ne les ont laissées ni oisives, ni inactives, pour qu'elles ne soient pas de nouveau occupées, avec un plus grand déploiement de force, par les sept esprits du mal[b], dont le nombre est le même que lorsqu'il s'agit de la vertu[c2], car ce qui est plus difficile à vaincre provoque plus d'ardeur; mais, à la fuite du vice, ces hommes ajoutent la pratique de la vertu et ils établissent en eux-mêmes le Christ tout entier, ou du moins le plus possible, de façon que la puissance perverse ne rencontre en eux aucun vide et ne vienne pas de nouveau le remplir, et que «le dernier état ne devienne pas pire que le premier[d]», par suite d'un assaut plus violent contre une citadelle plus sûre et plus difficile à prendre. Quand nous aurons «gardé notre âme avec toute vigilance[e]», «disposé des montées dans notre cœur[f]», «défriché en nous de nouvelles jachères[g]» et «semé en vue de la justice[h]», suivant les avis de Salomon, de David et de Jérémie, allumons en nous-mêmes la lumière de la connaissance, et alors «parlons d'une sagesse de Dieu mystérieux, celle qui est demeurée cachée[i]», et brillons devant les autres. Mais jusque-là purifions-nous et initions-nous préalablement au Verbe, afin de nous faire le plus de bien possible à nous-mêmes en nous rendant semblables à Dieu[3]

---

1. Le mot employé ici, ἐπίγνωσις, est celui du vocabulaire de S. Paul. P.G.

2. Allusion aux sept «esprits» dont parle *Isaïe* (2, 11) et qui ont donné leurs noms aux sept dons du Saint-Esprit. P.G.

3. La purification nous rend semblables à Dieu, nous rend «divins». Cf. *Discours* 38, 11; Introduction, p. 69.

μενοι καὶ ἥκοντα τὸν Λόγον ὑποδεχόμενοι · οὐ μόνον δέ,
ἀλλὰ καὶ κρατοῦντες καὶ τοῖς ἄλλοις προφαίνοντες.

11. Ἐπεὶ δὲ ἀνεκαθήραμεν τῷ λόγῳ τὸ θέατρον, φέρε
τι περὶ τῆς ἑορτῆς ἤδη φιλοσοφήσωμεν, καὶ συνεορτάσωμεν
ταῖς φιλεόρτοις καὶ φιλοθέοις ψυχαῖς. Ἐπεὶ δὲ κεφάλαιον
ἑορτῆς μνήμη Θεοῦ, Θεοῦ μνημονεύσωμεν. Καὶ γὰρ τὸν
C 5 ἐκεῖθεν τῶν ἑορταζόντων ἦχον, ἔνθα εὐφραινομένων πάντων
ἡ κατοικία[a], οὐκ ἄλλο τι ἢ τοῦτο εἶναι νομίζω, Θεὸν
ὑμνούμενόν τε καὶ δοξαζόμενον τοῖς τῆς ἐκεῖσε πολιτείας
ἠξιωμένοις. Εἰ δέ τι τῶν ἤδη προειρημένων ὁ νῦν ἕξει
λόγος, θαυμαζέτω μηδείς. Οὐ γὰρ τὰ αὐτὰ φθέγξομαι
10 μόνον, ἀλλὰ καὶ περὶ τῶν αὐτῶν, φρίττων καὶ γλῶσσαν καὶ
διάνοιαν, ὅταν περὶ Θεοῦ φθέγγωμαι, καὶ ὑμῖν ταὐτὸ τοῦτο
συνευχόμενος τὸ ἐπαινετὸν πάθος καὶ μακάριον. Θεοῦ δὲ
ὅταν εἴπω, ἑνὶ φωτὶ περιαστράφθητε καὶ τρισί · τρισὶ μὲν
κατὰ τὰς ἰδιότητας, ἢ γ' οὖν ὑποστάσεις, εἴ τινι φίλον
15 καλεῖν, εἴτε πρόσωπα — οὐδὲν γὰρ περὶ τῶν ὀνομάτων
ζυγομαχήσομεν, ἕως ἂν πρὸς τὴν αὐτὴν ἔννοιαν αἱ συλ-

11, 9 καὶ φθέγξομαι Ald. Maur. ‖ 10 καὶ νοῦν καὶ διάνοιαν A Ald.
Maur. ‖ 11 ταὐτὸ : τὸ αὐτὸ S αὐτὸ P Pd RO Ve D Vb E corr. P² ‖ 14 ἤ γ'
AB S Pd Rmg. O D Vb : εἴτ' E QTVZ Ald. Maur. εἴ γ' Vp ἤ τ' Pdmg. R
Ve Doctr. Patrum P erasum ‖ 16 ζυγομαχήσομεν n Vp P²Pd O : -ωμεν
cett. codd. Ald. Maur.

11. a. Ps. 86, 7 (LXX).

11, 12 θεοῦ δὲ ὅταν — 12, 28 ὥσπερ ἔφαμεν Doctrina Patrum, p. 2
Diekamp; 11, 12 θεοῦ δὲ ὅταν — 18 θεότητος Doctrina Patrum, p. 38
Diekamp

1. Par ces mots, Grégoire se justifie du fait qu'il est en train de
répéter les doctrines du Discours 38, prononcé peu de jours auparavant.
2. Les «propriétés» (ἰδιότητες) au sens technique de la théologie

et en accueillant le Verbe qui vient, et non seulement en l'accueillant, mais en le retenant et en le manifestant aux autres.

11. Puisque nous avons purifié par la parole le lieu de cette assemblée, allons, traitons maintenant un peu de cette fête et célébrons-la avec les âmes qui aiment les fêtes et qui aiment Dieu. Comme l'essentiel de cette fête est le souvenir de Dieu, rappelons Dieu à notre souvenir. En effet, les acclamations de ceux qui sont en fête là où se trouve «la demeure de ceux qui sont dans la joie[a]» n'ont pas d'autre objet, je pense, que Dieu chanté et glorifié par ceux qui ont été jugés dignes de faire partie de la cité d'en haut. Si le présent discours contient quelques-unes de choses que j'ai dites précédemment, que nul ne s'en étonne : je ne vais pas seulement prononcer les mêmes mots, mais exposer les mêmes idées[1]. Ma langue et ma pensée frissonnent lorsque je parle de Dieu; et puissiez-vous éprouver ces mêmes sentiments louables et heureux! Quand je dis : Dieu, soyez frappés par l'éclair d'une lumière unique et de trois lumières : trois en ce qui concerne les «propriétés[2]» ou encore les «hypostases[3]» – si l'on veut les appeler ainsi –, ou les «personnes[4]», car nous n'engagerons aucune lutte entre nous pour des noms, tant que les syllabes différentes

trinitaire, ce sont les caractères distinctifs de chaque Personne : la propriété du Père est d'être inengendré, celle du Fils est d'être engendré, celle du Saint-Esprit est de «procéder» (cf. D. 29, 2 : SC 250, p. 180, l. 25-27). P.G.

3. «Hypostase» est la transcription du mot grec ὑπόστασις qui signifie «personne». Nous réservons le mot français «personne» pour traduire πρόσωπον. P.G. – Grégoire emploie indifféremment ἰδιότης et ὑπόστασις avec la même signification; cf. Discours 20, 6; 34, 13 etc.; K. HOLL, Amphilochius von Ikonium..., Tübingen-Leipzig 1904, p. 170-172.

4. Πρόσωπον signifie «personne», comme ὑπόστασις; mais Grégoire emploie ce dernier mot plus fréquemment que l'autre. P.G.

λαβαὶ φέρωσιν — · ἑνὶ δὲ κατὰ τὸν τῆς οὐσίας λόγον, εἴτουν
D θεότητος. Διαιρεῖται γὰρ ἀδιαιρέτως, ἵν' οὕτως εἴπω, καὶ
συνάπτεται διῃρημένως. Ἔν γὰρ ἐν τρισὶν ἡ θεότης, καὶ τὰ
20 τρία ἕν · τὰ ἐν οἷς ἡ θεότης, ἤ, τό γε ἀκριβέστερον εἰπεῖν,
ἃ ἡ θεότης. Τὰς δὲ ὑπερβολὰς καὶ ἐλλείψεις ἐλλείψωμεν,
348A οὔτε τὴν ἕνωσιν σύγχυσιν ἐργαζόμενοι, οὔτε τὴν διαίρεσιν
ἀλλοτρίωσιν. Ἀπέστω γὰρ ἡμῶν ἐξ ἴσου καὶ ἡ Σαβελλίου
συναίρεσις καὶ ἡ Ἀρείου διαίρεσις, τὰ ἐκ διαμέτρου κακὰ
25 καὶ ὁμότιμα τὴν ἀσέβειαν · τί γὰρ δεῖ Θεὸν ἢ συναλείφειν
κακῶς ἢ κατατέμνειν εἰς ἀνισότητα;

12. «Ἡμῖν δὲ εἷς Θεὸς ὁ Πατήρ, ἐξ οὗ τὰ πάντα, καὶ
εἷς Κύριος Ἰησοῦς Χριστός, δι' οὗ τὰ πάντα[a]», καὶ ἐν
Πνεῦμα ἅγιον, ἐν ᾧ τὰ πάντα · τοῦ «ἐξ οὗ» καὶ «δι' οὗ»
καὶ «ἐν ᾧ» μὴ φύσεις τεμνόντων — οὐδὲ γὰρ ἂν μετέ-

11, 20 ἀκριβέστερον : ἀληθέστερον PPd RO Ve D corr. Ve² ‖ 21 ἐλλεί-
ψομεν QVP² ‖ 23 ἀπέσθω A ‖ ἡμῶν AB VZ Pd ex emend. P² RO Ve : ἡμῖν S
Vb Vp D Q (P erasum) E Ald. Maur. ‖ 25 δεῖ : δὴ S PPd Vb Vp corr.
Vb²Vp²
12, 3 τοῦ ἐξ : τὸ ἐξ Vb O D² T γρ. mg. E

12. a. I Cor. 8, 6.

12, 1 ἡμῖν δὲ — 10 ἀμὴν IOH. DAMASC., Expos. fidei 54, p. 129, 19
Kotter; cf. Contra Jacobitas 86; Sacra Parall., PG 95, 1074 C

1. Selon DÖRRIE, «Die Epiphanias-Predigt des Gregor von Nazianz
(Hom. 39) und ihre Geistesgeschichtliche Bedeutung», dans Kyriakon.
Festschrift J. Quasten, Münster 1970, p. 409-423, repris dans Platonica
minora, München 1976, p. 137-153, la polémique sur les noms est dirigée
contre Aèce, qui faisait correspondre une diversité de substance des
personnes à la diversité des noms. Mais ce pourrait être aussi une
allusion à un état d'ambiguïté linguistique qui affectait les rapports entre
l'Orient et l'Occident dans le domaine des doctrines trinitaires, c'est-à-
dire le sens à donner aux termes prosôpon et hypostasis : un problème que
Grégoire affronte dans le Discours 21, 35 (SC 270, 185-186). En effet, on
sait qu'en Orient prosôpon (latin persona) paraissait suspect de modalisme,

nous porteront vers une même pensée[1] ; mais cette lumière
est une, si l'on parle de la substance ou de la divinité. Car il
y a division sans division, pour ainsi dire, et réunion en
gardant la division[2], c'est-à-dire : une est la divinité dans
les Trois, et l'Un ce sont les Trois, eux en qui est la divinité
ou, pour m'exprimer avec plus de précision, eux qui sont la
divinité. Quant aux excès et aux ommissions[3], omettons-
les ; ne faisons ni de l'unité[4] un mélange, ni de la division
une séparation. Que soient également éloignées de nous la
contraction de Sabellius et la division d'Arius, ces maux
qui s'opposent diamétralement et qui ont même valeur
pour l'impiété. Pourquoi en effet faut-il contracter Dieu
indûment ou le scinder[5] en parties inégales ?

12. « Pour nous, il y a un seul Dieu : le Père, de qui
viennent toutes les choses, et un seul Seigneur Jésus-
Christ, par qui sont toutes les choses, et un seul Esprit-
Saint, en qui sont toutes les choses[a][6]. » Les expressions « de
qui », « par qui » et « en qui »[7] ne marquent pas une coupure
entre des natures – sinon, les prépositions ne changeraient

car un des sens courants du mot était : « masque de théâtre, rôle joué par
un acteur », tandis qu'en Occident *hypostasis* se confondait avec le latin
substantia.

2. Avec un élégant jeu de mots, le rhéteur expérimenté met son
expérience consommée au service de la foi : les instruments techniques
de l'art (antithèse et parallélisme) servent à exprimer avec la plus grande
clarté possible un problème théologique controversé (unité de nature et
distinction des personnes).

3. Les expressions désignent, selon la position intermédiaire typique
de Grégoire, le polythéisme et le judaïsme.

4. Expression assez rare pour désigner la Monade divine.

5. « Contracter » et « scinder », autres termes techniques qui désignent
chez Grégoire le sabellianisme et l'arianisme.

6. Dans les éditions critiques du *Nouveau Testament,* le texte de
I Cor. 8, 6 ne comporte pas la mention de l'Esprit-Saint. Le texte tel
qu'il se présente ici n'est attesté que dans un petit nombre de manuscrits
grecs. P.G.

7. Sur ce paragraphe, voir DÖRRIE, *ibid.,* et Introduction, p. 39 s.

5 πιπτον αἱ προθέσεις ἢ αἱ τάξεις τῶν ὀνομάτων –, ἀλλὰ
χαρακτηριζόντων μιᾶς καὶ ἀσυγχύτου φύσεως ἰδιότητας.
B Καὶ τοῦτο δῆλον ἐξ ὧν εἰς ἓν συνάγονται πάλιν, εἴ τῳ μὴ
παρέργως ἐκεῖνο ἀναγινώσκεται παρὰ τῷ αὐτῷ ἀποστόλῳ
τὸ «Ἐξ αὐτοῦ καὶ δι᾿ αὐτοῦ καὶ εἰς αὐτὸν τὰ πάντα·
10 αὐτῷ ἡ δόξα εἰς τοὺς αἰῶνας. Ἀμήν[b].» Πατὴρ ὁ πατὴρ
καὶ ἄναρχος· οὐ γὰρ ἔκ τινος. Υἱὸς ὁ υἱὸς καὶ οὐκ
ἄναρχος· ἐκ τοῦ Πατρὸς γάρ. Εἰ δὲ τὴν ἀπὸ χρόνου
λαμβάνεις ἀρχήν, καὶ ἄναρχος· ποιητὴς γὰρ χρόνων[c], οὐχ
ὑπὸ χρόνον. Πνεῦμα ἅγιον ἀληθῶς τὸ πνεῦμα, προϊὸν μὲν
15 ἐκ τοῦ Πατρός, οὐχ υἱικῶς δέ, οὐδὲ γὰρ γεννητῶς, ἀλλ᾿
ἐκπορευτῶς, εἰ δεῖ τι καὶ καινοτομῆσαι περὶ τὰ ὀνόματα
σαφηνείας ἕνεκεν, οὔτε τοῦ Πατρὸς ἐκστάντος τῆς ἀγεννησίας, διότι γεγέννηκεν, οὔτε τοῦ Υἱοῦ τῆς γεννήσεως, ὅτι
C ἐκ τοῦ ἀγεννήτου – πῶς γάρ; –, οὔτε τοῦ Πνεύματος ἢ
20 εἰς Πατέρα μεταπίπτοντος ἢ εἰς Υἱόν, ὅτι ἐκπεπόρευται
καὶ ὅτι Θεός, κἂν μὴ δοκῇ τοῖς ἀθέοις· ἡ γὰρ ἰδιότης
ἀκίνητος. Ἢ πῶς ἂν ἰδιότης μένοι, κινουμένη καὶ μετα-

12, 8 ἀναγινώσκηται Α S² corr. Amg. ‖ αὐτῷ om. Ioh. ‖ 13 λαμβάνοις
BQVT Vb Dmg. Ald. Maur. λάβοις Ioh. Damasc. ‖ 16 εἰ δεῖ : εἰ δὲ S εἰ
δὲ δεῖ Α D² εἰ δεῖ δὲ Ε ‖ τι om. Α Ε ‖ 21 δοκεῖ P Pd (ut uid.) Vb Vp D
corr. P²Pd²

12. b. *Rom.* 11, 36.   c. Cf. *Hébr.* 1, 2.

12, 10 Πατὴρ ὁ Πατὴρ — 12 ἐκ τοῦ Πατρός; 12 εἰ δὲ τὴν — 14 ὑπὸ
χρόνον; 14 Πνεῦμα — 16 ἐκπορευτῶς cf. IOH. DAMASC., *Expos. fidei* 8,
p. 30, 274 s Kotter; *Contra Jacob.* 78, p. 135, 28 Kotter
17 οὔτε τοῦ Πατρὸς — 22 μεταπίπτουσα cf. IOH. DAMASC., *Expos.
fidei* 8, p. 30, 279 Kotter

1. DÖRRIE (*ibid.*, p. 419) voit dans ces mots une allusion polémique à
Basile qui aurait voulu changer, avec la doxologie qu'il présente dans le
Traité sur le Saint-Esprit, l'ordre des prépositions, alors que, remarque
Grégoire, si les prépositions sont comprises correctement, il n'y a pas
lieu de modifier l'ordre traditionnel. Cependant cette prise de position
me paraît quelque peu difficile chez Grégoire.

jamais, ni non plus l'ordre des mots[1] –, mais elles caractérisent les «propriétés» d'une nature une et sans mélange; et
cela se voit au fait qu'inversement ces prépositions s'appli-
quent ensemble à un seul objet, si on lit avec quelque
attention le texte suivant chez le même Apôtre : «De lui,
par lui et pour lui sont toutes les choses; à lui la gloire pour
les siècles. Amen[b].» Le Père est père et sans principe, car il
ne vient de personne; le Fils est fils et il n'est pas sans
principe, car il vient du Père, mais, s'il s'agissait pour toi
d'un principe temporel, le Fils est sans principe, car celui
qui a fait les temps[c] n'est pas soumis au temps; l'Esprit-
Saint est vraiment l'Esprit provenant du Père, non pas par
filiation, car ce n'est pas par génération, mais par procession – s'il faut faire quelque innovation dans les mots pour
la clarté[2]. Le Père ne cesse pas d'être inengendré parce qu'il
a engendré, et le Fils ne cesse pas d'être engendré parce
qu'il vient de l'inengendré; comment y aurait-il cessation?
L'Esprit ne se change pas non plus en Père ou en Fils parce
qu'il procède et parce qu'il est Dieu[3], même si cela ne plaît
pas aux athées, car la «propriété» ne peut se déplacer;
comment resterait-elle «propriété», si elle se déplaçait et

---

2. Grégoire emploie ici l'adverbe ἐκπορευτῶς qu'il présente comme
un néologisme; il est formé sur l'adjectif ἐκπόρευτος, tiré lui-même du
verbe ἐκπορεύομαι «procéder», terme employé par S. JEAN dans son
Évangile (15, 26). Pour traduire littéralement ἐκπορευτῶς, il faudrait
pouvoir dire : «processionnellement»; mais cela aurait un autre sens en
français. P.G. – Remarquer que Grégoire trace ici rapidement les
principales lignes de sa théologie. Le Père est ἄναρχος dans tous les sens
du mot, alors que le Fils l'est seulement en ce qui concerne le temps (il
n'est pas en effet ὑπὸ χρόνον : cf. *Discours* 37, 2; 38, 2 et 13), et
l'Esprit-Saint est προϊόν, dans le sens qu'il tient son origine du Père,
mais non à la manière du Fils; cela revient à dire qu'il n'est pas engendré
mais qu'il «procède» (ἐκπορεύεται, cf. *Jn* 15, 26); il faut remarquer aussi
avec quelle circonspection Grégoire présente le terme ἐκπορευτῶς par
lequel il caractérise sa pneumatologie.

3. Observation qui pourrait être dirigée contre les pneumatomaques.

πίπτουσα; Οἱ δὲ τὴν ἀγεννησίαν καὶ τὴν γέννησιν φύσεις
Θεῶν ὁμωνύμων τιθέμενοι, τάχα ἂν καὶ τὸν Ἀδὰμ καὶ τὸν
25 Σήθ – ὅτι ὁ μὲν οὐκ ἀπὸ σαρκός, πλάσμα γάρ · ὁ δὲ ἀπὸ
τοῦ Ἀδὰμ καὶ τῆς Εὔας – ἀλλήλων κατὰ τὴν φύσιν
ἀλλοτριώσουσιν. Εἷς οὖν Θεὸς ἐν τρισὶ καὶ τὰ τρία ἕν,
ὥσπερ ἔφαμεν.

D   13. Ἐπεὶ δὲ οὕτω ταῦτα, ἢ τοῦτο, ἔδει δὲ μὴ τοῖς ἄνω
μόνον τὴν προσκύνησιν περιγράφεσθαι, ἀλλ' εἶναί τινας καὶ
κάτω προσκυνητὰς ἵνα πληρωθῇ τὰ πάντα δόξης Θεοῦ,
ἐπεὶ καὶ Θεοῦ, διὰ τοῦτο κτίζεται ἄνθρωπος, χειρὶ Θεοῦ
5 τιμηθεὶς καὶ εἰκόνι[a]. Τοῦτον δὲ φθόνῳ διαβόλου καὶ πικρᾷ
γεύσει[b] τῆς ἁμαρτίας Θεοῦ τοῦ πεποιηκότος ἐλεεινῶς
χωριζόμενον παριδεῖν, οὐ Θεοῦ. Τί γίνεται; καὶ τί τὸ μέγα
περὶ ἡμᾶς μυστήριον; Καινοτομοῦνται φύσεις, καὶ Θεὸς
ἄνθρωπος γίνεται, καὶ ὁ ἐπιβεβηκὼς ἐπὶ τὸν οὐρανὸν τοῦ
10 οὐρανοῦ κατὰ ἀνατολὰς τῆς ἰδίας δόξης τε καὶ λαμπρό-
349A τητος[c], ἐπὶ δυσμῶν δοξάζεται τῆς ἡμετέρας εὐτελείας καὶ
ταπεινότητος, καὶ ὁ Υἱὸς τοῦ Θεοῦ δέχεται καὶ υἱὸς
ἀνθρώπου γενέσθαι τε καὶ κληθῆναι · οὐχ ὃ ἦν μετα-
βαλών – ἄτρεπτος γάρ – ἀλλ' ὃ οὐκ ἦν προσλαβών
15 – φιλάνθρωπος γάρ – ἵνα χωρηθῇ ὁ ἀχώρητος, διὰ
μέσης σαρκὸς ὁμιλήσας ἡμῖν, ὡς παραπετάσματος, ἐπειδὴ
καθαρὰν αὐτοῦ τὴν θεότητα φέρειν οὐ τῆς ἐν γενέσει καὶ

13, 4 καὶ διὰ τοῦτο ABQTZ Vb² Vp P² Ald. Maur. ‖ κτίζεται om.
ABQTZ ‖ 6 Θεοῦ : ἐν ἄλλῳ οὐχ εὗρον τὸ Θεοῦ Pd mg. ‖ 14 ἄτρεπτον
Maur. ‖ 16 ὡς ἐκ m Ald. corr. P² ‖ 17 τῆς : τοῖς Pd mg.

13. a. Cf. *Gen.* 1, 26-27.   b. Cf. *Gen.* 3, 6.   c. *Ps.* 67, 34.

13, 8 καινοτομοῦνται — 9 ἄνθρωπος γίνεται MAXIMUS, *Ambigua*,
PG 91, 1304 D

1. D'après les ariens, le Fils, qui est une créature, reçoit dans
l'Écriture le titre de Dieu dans un sens impropre, «équivoque» : le Père
et le Fils sont dits «Dieu» avec des valeurs différentes. Longue

changeait ? Ceux qui admettent qu'«être inengendré» et
«être engendré» désignent les natures d'êtres qui sont
dieux dans un sens équivoque[1] prétendront sans doute
qu'Adam et Seth sont de nature différente, parce que l'un
n'est pas né de la chair, mais a été façonné par Dieu, tandis
que l'autre est né d'Adam et d'Ève[2]! Il y a donc un seul
Dieu en Trois, et les Trois sont Un, comme nous le
disions.

13. Puisqu'il en est ainsi de ces réalités ou de cette
réalité, il fallait que l'adoration ne fût pas limitée aux êtres
célestes[3] seulement, mais qu'il y eût ici-bas aussi des
adorateurs, afin que tout fût rempli de la gloire de Dieu,
puisque tout est à Dieu ; pour cette raison est créé
l'homme, qui a l'honneur d'être formé par la main de Dieu
et à son image[a]. Mais si la jalousie du diable et le goût amer
du péché[b] amenèrent l'homme à se séparer misérablement
de son créateur et à le mépriser, cela n'est pas imputable à
Dieu. Qu'arrive-t-il et quel est le grand mystère qui nous
concerne ? Les natures subissent une innovation : Dieu
devient homme ; celui «qui est monté sur le ciel du ciel au
levant[c]» de sa propre gloire et de sa propre splendeur est
glorifié au couchant de notre indignité et de notre bassesse ;
le Fils de Dieu accepte de devenir aussi Fils d'homme et
d'en recevoir le nom, il ne change pas ce qu'il était – car il
est immuable –, mais il assume ce qu'il n'était pas – car il
est ami de l'homme –, afin que celui qui est insaisissable
devienne saisissable par l'intermédiaire de la chair, séjour-
nant parmi nous comme enveloppé d'un voile, car supporter sa divinité à l'état pur n'est pas possible à la nature

discussion à ce sujet dans *Discours* 29, 14 : *SC* 250, 204-206. P.G.

2. Cf. *Discours* 31, 11.

3. C'est-à-dire les créatures angéliques ; tout ce paragraphe reprend
rapidement la cosmologie et l'histoire de la chute de l'humanité,
évoquées dans le *Discours* 38, 11 s.

φθορᾷ φύσεως. Διὰ τοῦτο τὰ ἄμικτα μίγνυται · οὐ γενέσει
μόνον Θεὸς οὐδὲ σαρκὶ νοῦς οὐδὲ χρόνῳ τὸ ἄχρονον οὐδὲ
20 μέτρῳ τὸ ἀπερίγραπτον, ἀλλὰ καὶ παρθενίᾳ γέννησις καὶ
ἀτιμίᾳ τῷ καὶ τιμῆς ἁπάσης ὑψηλοτέρῳ, καὶ πάθει τὸ
ἀπαθὲς καὶ τῷ φθαρτῷ τὸ ἀθάνατον. Ἐπειδὴ γὰρ ᾤετο
ἀήττητος εἶναι τῆς κακίας ὁ σοφιστής, θεότητος ἐλπίδι[d]
B δελεάσας ἡμᾶς, σαρκὸς προβλήματι δελεάζεται, ἵν', ὡς τῷ
25 Ἀδὰμ προσβαλὼν τῷ Θεῷ περιπέσῃ, καὶ οὕτως ὁ νέος
Ἀδὰμ τὸν παλαιὸν[e] ἀνασώσηται καὶ λυθῇ τὸ κατάκριμα
τῆς σαρκός[f], σαρκὶ τοῦ θανάτου θανατωθέντος.

14. Τῇ μὲν οὖν γεννήσει τὰ εἰκότα προεορτάσαμεν, ἐγώ
τε, ὁ τῆς ἑορτῆς ἔξαρχος, καὶ ὑμεῖς καὶ πᾶν ὅσον
C ἐγκόσμιόν τε καὶ ὑπερκόσμιον. Μετὰ ἀστέρος ἐδράμομεν[a]
καὶ μετὰ Μάγων προσεκυνήσαμεν[b] καὶ μετὰ ποιμένων
5 περιελάμφθημεν[c] καὶ μετὰ ἀγγέλων ἐδοξάσαμεν[d]. Μετὰ
Συμεὼν ἐνηγκαλισάμεθα[e] καὶ μετὰ Ἄννης ἀνθωμολογησά-
μεθα[f], τῆς γεραιᾶς καὶ σώφρονος · καὶ χάρις τῷ εἰς τὰ ἴδια
ἐλθόντι[g] ἀλλοτρίως, ὅτι τὸν ξένον ἐδόξασεν. Νυνὶ δὲ πρᾶξις
ἄλλη Χριστοῦ καὶ ἄλλο μυστήριον. Οὐ δύναμαι κατέχειν
10 τὴν ἡδονήν, ἔνθους γίνομαι, μικροῦ καί, ὡς Ἰωάννης,
εὐαγγελίζομαι[h], εἰ καὶ μὴ πρόδρομος, ἀλλ' ἀπὸ τῆς ἐρη-

13, 25 οὕτως : οὗτος RO Ve Vp
14, 4 καὶ μετὰ : μετὰ A P²O² Vp D² E Ald. Maur. ‖ 5 περιελ-
λάμφθημεν B Ald. Maur. ‖ 9 post οὐ δύναμαι deficit A ‖ 10 ἔνθεος Maur.

13. d. Cf. *Gen.* 3, 5.   e. Cf. I *Cor.* 15, 45.   f. Cf. *Rom.* 5, 16.18.
14. a. Cf. *Matth.* 2, 8.10.   b. Cf. *Matth.* 2, 11.   c. Cf. *Lc* 2, 9.
d. Cf. *Lc* 2, 13-14.   e. Cf. *Lc* 2, 28.   f. Cf. *Lc* 2, 38.   g. Cf. *Jn* 1, 11.
h. Cf. *Matth.* 3, 1. *Mc* 1, 4 *Lc* 3, 3.

1. Ici νοῦς est le νοῦς divin (le terme est typique chez Grégoire pour
désigner Dieu : cf. *Discours* 18, 4; 30, 20; 38, 11; J. BARBEL, *Gregor von
Nazianz, Die fünf theologischen Reden,* Düsseldorf 1963, p. 283-286;
MORESCHINI, «Il Platonismo cristiano», p. 1382-1383; ALTHAUS, *Die
Heilslehre,* p. 130-131) qui s'unit inséparablement non à la chair de
l'homme seulement, comme le voulait Apollinaire, mais avec l'homme

soumise à la génération et à la corruption. C'est pourquoi
les réalités exemptes de mélange se mêlent : non seulement
Dieu se mêle à la génération, non seulement l'esprit[1] se
mêle à la chair, non seulement l'intemporel se mêle au
temps, non seulement l'illimité se mêle à la mesure, mais
encore la procréation se mêle à la virginité, la honte se mêle
à ce qui est au-dessus de tout honneur, la souffrance se mêle
à ce qui est impassible, l'immortel se mêle à ce qui est
corruptible. Comme le spécieux avocat du mal se croyait
invincible parce qu'il nous avait trompés par l'espoir de
devenir des dieux[d], il est trompé lui-même par l'obstacle[2]
de la chair : il croyait s'élancer sur Adam, il s'est heurté à
Dieu ; et ainsi le nouvel Adam a sauvé l'ancien[e], et la
condamnation portée contre la chair a été abolie[f] parce que
la mort a été mise à mort par la chair.

14. Nous avons célébré dignement la Nativité, aussi
bien moi qui dirigeais la fête que vous et tout ce qui est
dans le monde et au-dessus du monde. Avec l'étoile nous
avons couru[a], avec les Mages nous avons adoré[b], avec les
bergers nous avons été entourés de lumière[c], et avec les
anges nous avons glorifié[d]. Avec Siméon nous avons tenu
dans les bras[e], avec Anne, âgée et chaste, nous avons rendu
grâces[f] ; et que notre reconnaissance aille à celui qui, venu
dans son propre domaine comme un étranger[g], a glorifié
son hôte. Maintenant c'est une autre action du Christ et un
autre mystère. Je ne puis contenir ma joie, je me sens
inspiré ; et, presque comme Jean, j'annonce la bonne
nouvelle[h], sinon en précurseur, du moins comme venant

---

tout entier. Grégoire ne donne pas ici cette toute dernière précision,
mais sa position sur ce point est bien connue (cf. ses *Lettres théologiques* :
SC 208).

2. Le terme πρόβλημα désigne la chair dont le Christ s'était revêtu et
qui avait trompé le démon, convaincu de pouvoir prendre possession de
lui comme des autres hommes. Cf. Introd., p. 59.

μίας. Χριστὸς φωτίζεται, συναστράψωμεν. Χριστὸς βαπτίζεται[i], συγκατέλθωμεν, ἵνα καὶ συνανέλθωμεν. Βαπτίζεται
Ἰησοῦς· τοῦτο μόνον; ἢ καὶ τὰ ἄλλα τηρεῖν ἐπιμελῶς
D 15 ἀναγκαῖον; Τίς ὤν; καὶ παρὰ τίνος; καὶ πηνίκα; Ὁ
καθαρὸς καὶ παρὰ Ἰωάννου καὶ τῶν σημείων[j] ἀρχόμενος.
Ἵνα τί μάθωμεν καὶ τί παιδευθῶμεν; Προκαθαίρεσθαι καὶ
ταπεινοφρονεῖν καὶ κηρύσσειν ἐν τελειότητι καὶ τῆς πνευ-
ματικῆς καὶ τῆς σωματικῆς ἡλικίας. Ἐκεῖνο πρὸς τοὺς τὸ
20 βάπτισμα σχεδιάζοντας καὶ μὴ προευτρεπιζομένους μηδὲ τὸ
352A ἀσφαλὲς τῇ λυτρώσει χαριζομένους διὰ τῆς εἰς τὸ καλὸν
ἕξεως. Καὶ γὰρ εἰ ἄφεσιν ἔχει τῶν παρελθόντων τὸ
χάρισμα — χάρισμα γάρ —, ἀλλὰ τότε μᾶλλον εὐλαβείας
ἄξιον, μὴ πρὸς τὸν αὐτὸν ἔμετον ἐπανέλθωμεν[k]. Τοῦτο
25 πρὸς τοὺς ἐπαιρομένους κατὰ τῶν οἰκονόμων τοῦ μυστηρίου, ἂν ἀξίᾳ τινὶ προέχωσιν. Τὸ τρίτον πρὸς τοὺς θαρ-
ροῦντας νεότητι καὶ πάντα καιρὸν οἰομένους εἶναι διδασκαλίας ἢ προεδρίας. Ἰησοῦς καθαίρεται, καὶ σὺ καταφρονεῖς
τῆς καθάρσεως; Ὑπὸ Ἰωάννου, καὶ σὺ κατεξανίστασαι τοῦ
30 σοῦ κήρυκος; Τριακονταέτης[l] ὤν, καὶ σὺ πρὸ τῆς γενειάδος
διδάσκεις τοὺς γέροντας ἢ τὸ διδάσκειν πιστεύεις, οὔτε
παρὰ τῆς ἡλικίας οὔτε παρὰ τοῦ τρόπου τυχὸν ἔχων τὸ
αἰδέσιμον; Εἶτα ὁ Δανιὴλ[m] ἐνταῦθα καὶ ὁ δεῖνα καὶ ὁ
δεῖνα, νέοι κριταί, καὶ τὰ παραδείγματα ἐπὶ γλώσσης. Πᾶς

14, 12 συναναστράψωμεν Maur. ‖ 15 κατὰ πηνίκα Maur. ‖ 18 κηρύτ-
τειν m' (-σσ- SE) ‖ 32 τυχὸν ex -ὼν Pd² D² ‖ 33-34 καὶ ὁ δεῖνα semel
habent S PPd O Ve Vb Vp Ald.

14. i. Cf. *Matth.* 3, 16. *Mc* 1, 9. *Lc* 3, 21.   j. Cf. *Jn* 2, 11.
k. Cf. *Prov.* 26, 11. II *Pierre* 2, 22.   l. *Lc* 3, 23.   m. Cf. *Dan.* 13, 45-
50.

1. Allusion à la retraite de Séleucie en Isaurie, où Grégoire était
lorsque, deux ans auparavant, il avait été appelé par la communauté
nicéenne de Constantinople.
2. Illuminé par le baptême. P.G.

du désert[1]. Le Christ est illuminé[2]; brillons avec lui. Le
Christ est baptisé[i]; descendons avec lui pour remonter
avec lui. Jésus est baptisé; est-ce tout, ou bien est-il
nécessaire d'observer soigneusement aussi le reste? Qui
est-il? Par qui est-il baptisé? Et à quel moment? Il est Celui
qui est Pur, il est baptisé par Jean, et au moment où il
commence d'accomplir des «signes[j3]». Que veut-il nous
apprendre et quelle leçon nous donner? Celle de nous
purifier préalablement , de nous humilier et de prêcher
quand nous avons atteint la perfection de l'âge, aussi bien
spirituellement[4] que corporellement. Cette leçon s'adresse
à ceux qui se précipitent vers le baptême sans se préparer
d'abord avec soin et sans assurer la stabilité de leur
rédemption par une ferme disposition au bien. En effet, si
la grâce – car c'est une grâce – comporte la rémission des
fautes passées, il convient que désormais nous prenions
garde plus encore à ne pas retourner au même vomisse-
ment[k]. Cette leçon s'adresse encore à ceux qui s'élèvent
contre les dispensateurs du mystère, s'ils l'emportent par
une dignité quelconque. Elle s'adresse troisièmement à
ceux qui se confient en leur jeunesse et qui croient que
n'importe quel moment convient pour enseigner ou pré-
sider. Jésus est purifié; et toi, tu dédaignes la purification?
Il est purifié par Jean; et toi, tu t'indignes contre celui qui
te prêche? Il est âgé de trente ans[l]; et toi, avant d'avoir de
la barbe, tu enseignes les vieillards, ou tu crois pouvoir
enseigner sans avoir peut-être l'autorité que confèrent l'âge
et les mœurs? Ensuite on allègue ici Daniel[m] et tel ou tel
qui furent juges malgré leur jeunesse[5], et on a ces exemples

3. C'est-à-dire des miracles. Le mot «signe» est employé par S. Jean
aussitôt après le premier miracle de Jésus (*Jn* 2, 11). P.G.
4. Sur le sens de l'*aetas spiritalis* (πνευματικὴ ἡλικία) cf. *supra,* chap. 9.
5. Daniel, malgré sa jeunesse, se révèle meilleur juge que les vieillards
coupables (*Dan.* 15, 45 s.). P.G.

B 35 γὰρ ἀδικῶν εἰς ἀπολογίαν ἕτοιμος. Ἀλλ' οὐ νόμος Ἐκκλησίας τὸ σπάνιον, εἴπερ μηδὲ μία χελιδὼν ἔαρ ποιεῖ μηδὲ
γραμμὴ μία τὸν γεωμέτρην ἢ πλοῦς εἷς τὸν θαλάττιον.

15. Πλὴν Ἰωάννης βαπτίζει, πρόσεισιν Ἰησοῦς, ἁγιά-
σων τυχὸν μὲν καὶ τὸν βαπτιστήν, τὸ δὲ πρόδηλον, πάντα
τὸν παλαιὸν Ἀδὰμ[a] ἵν' ἐνθάψῃ τῷ ὕδατι · πρὸ δὲ τούτων
καὶ διὰ τούτους, τὸν Ἰορδάνην · ὥσπερ ἦν πνεῦμα καὶ
5 σάρξ, οὕτω Πνεύματι τελειῶν καὶ ὕδατι. Οὐ δέχεται ὁ
C Βαπτιστής, ὁ Ἰησοῦς ἀγωνίζεται · «Ἐγὼ χρείαν ἔχω ὑπὸ
σοῦ βαπτισθῆναι[b]», ὁ λύχνος[c] τῷ Ἡλίῳ[d] φησίν, ἡ
φωνή[e] τῷ Λόγῳ, ὁ φίλος[f] τῷ Νυμφίῳ, ὁ ἐν γεννητοῖς
γυναικῶν[g] ὑπὲρ ἅπαντας τῷ Πρωτοτόκῳ πάσης κτίσεως[h],
10 ὁ προσκιρτήσας ἀπὸ γαστρὸς[i] τῷ ἐν γαστρὶ προσκυνηθέντι,
ὁ προδραμὼν[j] καὶ προδραμούμενος τῷ φανέντι καὶ φανη-
σομένῳ. «Ἐγὼ χρείαν ἔχω ὑπὸ σοῦ βαπτισθῆναι[k]» ·
πρόσθες καὶ τὸ «ὑπὲρ σοῦ». Ἤδει γὰρ τῷ μαρτυρίῳ
βαπτισθησόμενος ἤ, ὡς Πέτρος, μὴ τοὺς πόδας μόνον
15 καθαρθησόμενος[l]. «Καὶ σὺ ἔρχῃ πρὸς μέ[m];» Καὶ τοῦτο
προφητικόν. Ἤδει γὰρ ὡς μετὰ Ἡρώδην Πιλᾶτον μανη-
σόμενον[n], οὕτως αὐτῷ προαπελθόντι Χριστὸν ἐψόμενον. Τί
δὲ Ἰησοῦς; «Ἄφες ἄρτι[o]» · τοῦτο γὰρ ἡ οἰκονομία. Ἤδει
D γὰρ μετ' ὀλίγον αὐτὸς βαπτίσων τὸν Βαπτιστήν. Τί δὲ τὸ
20 πτύον[p]; Ἡ κάθαρσις. Τί δὲ τὸ πῦρ[q]; Ἡ τοῦ κούφου

15, 13 post γὰρ add. ὡς D mg. ‖ 18 ὁ Ἰησοῦς S R Ve

15. a. Cf. I *Cor.* 15, 45.   b. *Matth.* 3, 14.   c. *Jn* 5, 35.   d. Cf. *Mal.*
3, 20.   e. *Matth.* 3, 3.   *Mc* 1, 3.   *Lc* 3, 4.   f. *Jn* 3, 29. Cf. *Matth.* 9, 15.
g. *Matth.* 11, 11. *Lc* 7, 28.   h. *Col.* 1, 15.   i. *Lc* 1, 41.   j. Cf. *Matth.*
11, 10. *Mc* 1, 2. *Lc* 7, 27.   k. *Matth.* 3, 14.   l. Cf. *Jn* 13, 6-8.
m. *Matth.* 3, 14.   n. Cf. *Matth.* 14, 3-5. *Mc* 6, 17. *Lc* 3, 19-20. *Matth.*
27, 26. *Mc* 15, 15. *Lc* 23, 24-25. *Jn* 19, 16.   o. *Matth.* 3, 15.
p. Cf. *Matth.* 3, 12.   q. Cf. *Matth.* 3, 10.11.12. *Lc* 3, 9.17.

14, 35 οὐ νόμος — 36 χελιδὼν ἔαρ ποιεῖ IOH. DAMASC., *De imag.* I, 25,
p. 117, 3 Kotter

1. Jean-Baptiste précède Jésus dans sa venue sur terre; il le précède
aussi dans la mort. P.G.

sur la langue, car le coupable est toujours prêt à se
défendre. Mais ce n'est pas l'exception qui est la loi
de l'Église, aussi vrai qu'une hirondelle ne fait pas le
printemps, ni une ligne le géomètre, ni une navigation
l'homme de la mer.

15. En tout cas, Jean est en train de baptiser, Jésus
s'approche; c'est peut-être pour sanctifier le Baptiste, c'est
certainement pour ensevelir tout entier dans l'eau le vieil
Adam[a], mais avant eux et grâce à eux il sanctifie le
Jourdain; de même qu'il était esprit et chair, de même il
initie par l'Esprit et l'eau. Le Baptiste n'accepte pas; Jésus
insiste. «C'est moi qui ai besoin d'être baptisé par toi[b]»;
c'est en ces termes que la lampe[c] s'adresse au Soleil[d], la
voix[e] au Verbe, l'ami[f] à l'Époux, celui qui est au-dessus de
tous parmi les enfants des femmes[g] «au Premier-né de
toute créature[h]», celui qui a bondi dès le sein de sa mère[i] à
celui qui est adoré dans le sein de la sienne[j], le Précurseur
présent et futur[1] à celui qui est apparu et qui apparaîtra[2].
«C'est moi qui ai besoin d'être baptisé par toi[k]», ajoute : et
pour toi, car il savait qu'il recevrait le baptême du martyre
ou, comme Pierre, qu'il n'aurait pas seulement les pieds
purifiés[l][3]. «Et c'est toi qui viens à moi[m]?» Voilà encore
une parole prophétique : il savait qu'à la fureur d'Hérode[4]
succéderait celle de Pilate[n] et qu'ainsi le Christ suivrait son
Précurseur dans la mort. Et que dit Jésus? «Laisse faire
maintenant[o]»; c'est en effet l'«économie[5]» divine : il savait
que bientôt il baptiserait lui-même le Baptiste[6]. Et que
signifie le van[p]? La purification. Et le feu[q]? La destruction

---

2. Jésus est apparu ici-bas au temps de l'empereur Auguste; il
apparaîtra de nouveau à la fin des temps. P.G.

3. Allusion au lavement des pieds, lors de la Cène. P.G.

4. Hérode a fait arrêter Jean-Baptiste, l'a maintenu en prison et l'a
fait décapiter. P.G.

5. Voir *supra, Discours* 38, 8, note. P.G.

6. Lorsque Jean-Baptiste sera mis à mort. P.G.

δαπάνη καὶ ἡ ζέσις τοῦ Πνεύματος. Τί δὲ ἡ ἀξίνη[r]; Τῆς
ἀθεραπεύτου ψυχῆς ἡ ἐκτομή, καὶ μετὰ τὴν κόπρον[s]. Τί δὲ
ἡ μάχαιρα[t]; Ἡ τομὴ τοῦ Λόγου, ἡ διαιροῦσα τὸ χεῖρον
ἀπὸ τοῦ κρείττονος καὶ διχοτομοῦσα τὸν πιστὸν καὶ τὸν
25 ἄπιστον καὶ ἐπεγείρουσα τὸν υἱὸν καὶ τὴν θυγατέρα καὶ
353A τὴν νύμφην τῷ πατρὶ καὶ τῇ μητρὶ καὶ τῇ πενθερᾷ[u], τὰ
νέα καὶ πρόσφατα τοῖς παλαιοῖς καὶ σκιώδεσι. Τί δὲ ὁ
σφαιρωτὴρ τοῦ ὑποδήματος, ὃν οὐ λύεις ὁ βαπτίζων[v]
Ἰησοῦν, ὁ τῆς ἐρημίας καὶ ἄτροφος[w], ὁ νέος Ἡλίας[x], ὁ
30 προφήτου περισσότερος[y], ὅσῳ καὶ τὸν προφητευόμενον
εἶδες, ὁ Παλαιᾶς καὶ Νέας μεσίτης; Τί τοῦτο; Τυχὸν ὁ
τῆς ἐπιδημίας λόγος καὶ τῆς σαρκός, οὗ μηδὲ τὸ ἀκρότατον
εὐδιάλυτον, μὴ ὅτι τοῖς σαρκικοῖς ἔτι καὶ νηπίοις ἐν
Χριστῷ, ἀλλ' οὐδὲ τοῖς κατὰ Ἰωάννην τῷ Πνεύματι.

16. Ἀλλὰ καὶ ἄνεισιν Ἰησοῦς ἐκ τοῦ ὕδατος[a]. Συνανα-
φέρει γὰρ ἑαυτῷ τὸν κόσμον καὶ ὁρᾷ σχιζομένους τοὺς
B οὐρανούς[b], οὓς ὁ Ἀδὰμ ἔκλεισεν ἑαυτῷ τε καὶ τοῖς μετ'
αὐτόν, ὥσπερ καὶ τῇ φλογίνῃ ρομφαίᾳ τὸν παράδεισον[c].
5 Καὶ τὸ Πνεῦμα μαρτυρεῖ τὴν θεότητα[d] · τῷ γὰρ ὁμοίῳ
προστρέχει · καὶ ἡ ἐξ οὐρανῶν φωνή[e] · ἐκεῖθεν γὰρ ὁ
μαρτυρούμενος · καὶ ὡς περιστερά[f] · τιμᾷ γὰρ τὸ σῶμα,
ἐπεὶ καὶ τοῦτο τῇ θεώσει Θεός, «σωματικῶς[g]» ὁρωμένη.

15, 21-22 ἡ τῆς ἀθεραπεύτου (omisso ἡ l. 22) P Pd O Ve corr. Ve²
16, 6 ἡ ἐξ : ἐξ m' corr. Ve²

---

15. r. Cf. *Matth.* 3, 10.   s. Cf. *Lc* 13, 8.   t. Cf. *Matth.* 10, 34.
u. Cf. *Matth.* 10, 35. *Lc* 12, 53.   v. *Mc* 1, 7. *Lc* 3, 16. *Jn* 1, 27.
w. Cf. *Matth.* 3, 4. *Mc* 1, 6.   x. Cf. *Matth.* 11, 14.   y. Cf. *Matth.* 11, 9.
16. a. Cf. *Matth.* 3, 16. *Mc* 1, 10.   b. *Mc* 1, 10.   c. Cf. *Gen.* 3, 24.
d. Cf. *Matth.* 3, 16. *Mc* 1, 10. *Lc* 3, 22.   e . *Matth.* 3, 17. *Mc* 1, 11. *Lc*
3, 22.   f . *Mc* 1, 10. *Lc* 3, 22. Cf. *Matth.* 3, 16.   g . *Lc* 3, 22.

---

1. Allusion à la parabole du figuier stérile, au pied duquel le vigneron
met du fumier pour essayer, une dernière fois, de lui faire produire des
fruits (*Lc* 13, 6-9). P.G.

de ce qui est léger et l'ardeur de l'esprit. Et la hache[r]?
Le retranchement de l'âme inguérissable, même après
la fumure[s][1]. Et l'épée[t]? La coupure faite par le Verbe, qui
opère la division[2] entre le mal et le bien, qui sépare le
croyant de l'incroyant et qui excite le fils, la fille et la bru
contre le père, la mère et la belle-mère[u], c'est-à-dire ce qui
est nouveau et récent contre ce qui est ancien et figuratif.
Et la courroie de la sandale que tu ne délies pas[v], toi qui
baptises Jésus, toi qui vis au désert même sans nourriture[w], toi le nouvel Élie[x], toi qui es plus qu'un prophète[y],
d'autant plus que tu as vu celui dont tu prophétisais la
venue, toi, l'intermédiaire entre l'Ancienne et la Nouvelle
Alliance? Il s'agit peut-être de la venue du Christ parmi
nous et dans la chair, question peu facile à résoudre, même
sans aller jusqu'au bout, non seulement pour ceux qui sont
encore charnels et qui sont des enfants dans le Christ, mais
ausi pour ceux qui ressemblent à Jean par l'Esprit[3].

16. Mais ensuite Jésus remonte de l'eau[a]. Il fait
remonter avec lui le monde qu'il porte et «il voit se fendre
les cieux[b]» qu'Adam avait fermés pour lui-même et pour
ses descendants, comme il avait aussi fermé le paradis par
l'épée flamboyante[c]. Et l'Esprit témoigne de la divinité,
car il accourt vers celui qui lui est semblable[d]. Et «des
cieux vient la voix[e]», car c'est des cieux que vient celui à
qui est rendu témoignage; et l'on voit «comme une
colombe[f]»; elle donne du prix au corps en se montrant
«corporellement[g]», puisque le corps, lui aussi, est Dieu par

2. La parole de Dieu est représentée, dans l'*Épître aux Hébreux* et
dans l'*Apocalypse,* comme une épée à deux tranchants (*Hébr.* 4, 12;
Apoc. 2, 12). P.G.

3. Grégoire envisage uniquement, comme élément d'allégorie, l'incapacité à délier la courroie, et il trouve comme terme correspondant
l'impossibilité où sont les théologiens de «délier» le mystère de
l'Incarnation. P.G.

Καὶ ἅμα πόρρωθεν εἴθισται περιστερὰ κατακλυσμοῦ λύσιν
10 εὐαγγελίζεσθαι[h]. Εἰ δὲ ὄγκοις καὶ σταθμοῖς κρίνεις θεότητα, καὶ διὰ τοῦτο μικρόν σοι τὸ Πνεῦμα ὅτι ἐν εἴδει
περιστερᾶς, ὦ μικρόλογε περὶ τὰ μέγιστα, ὥρα σοι καὶ
βασιλείαν οὐρανῶν ἀτιμάζειν, ὅτι κόκκῳ σινάπεως ἀπεικά-
ζεται[i], καὶ τῆς Ἰησοῦ μεγαλειότητος ὑπεραίρειν τὸν ἀντι-
15 κείμενον[j], ὅτι ὁ μὲν ὄρος μέγα καλεῖται[k] καὶ λευΐαθὰν[l] καὶ
βασιλεὺς τῶν ἐν τοῖς ὕδασιν, ὁ δὲ ἀμνὸς[m] καὶ μαργαρίτης[n]
C καὶ σταγὼν[o] καὶ τὰ τοιαῦτα προσαγορεύεται.

17. Ἐπεὶ δὲ βαπτίσματος ἡ πανήγυρις καὶ δεῖ μικρόν τι
προσκακοπαθῆσαι τῷ δι' ἡμᾶς μορφωθέντι καὶ βαπτισθέντι
καὶ σταυρωθέντι, φέρε τι περὶ διαφορᾶς βαπτισμάτων
φιλοσοφήσωμεν, ἵν' ἀπέλθωμεν ἐντεῦθεν κεκαθαρμένοι.
5 Ἐβάπτισε Μωϋσῆς, ἀλλ' ἐν ὕδατι[a] · καὶ πρὸ τούτου, ἐν
νεφέλῃ καὶ ἐν θαλάσσῃ[b]. Τυπικῶς δὲ τοῦτο ἦν, ὡς καὶ
Παύλῳ δοκεῖ[c] · ἡ θάλασσα, τοῦ ὕδατος · ἡ νεφέλη, τοῦ
Πνεύματος · τὸ μάννα[c], τοῦ τῆς ζωῆς ἄρτου[d] · τὸ πόμα[e],
τοῦ θείου πόματος[f]. Ἐβάπτισε καὶ Ἰωάννης, οὐκέτι μὲν
10 Ἰουδαϊκῶς · οὐ γὰρ ἐν ὕδατι μόνον, ἀλλὰ καὶ εἰς μετάνοιαν[g] · οὔπω δὲ ὅλον πνευματικῶς · οὐ γὰρ προστίθησι τὸ
«ἐν Πνεύματι». Βαπτίζει καὶ Ἰησοῦς, ἀλλ' ἐν Πνεύματι[h].
D Τοῦτο ἡ τελειότης. Καὶ πῶς οὐ Θεός, ἵνα τι παραθεωρήσω
μικρόν, ἐξ οὗ καὶ σὺ γίνῃ Θεός; Οἶδα καὶ τέταρτον

16, 10 post εὐαγγελίζεσθαι add. καὶ παλιγγενεσία τοῦ κάτω κόσμου
συναγωνίζεσθαι E RO Ve; duarum linearum rasura in P Pd; rasura in
textu et in calce in D ‖ 12 ὅρα S E B² ‖ 13 σινάπυος B W Pdmg. Rmg.
σινάπεος Ve mg.
17, 6 ἐν om. n ἐν τῇ Pd mg. ‖ 11 πνευματικῶς : -ὸν P Pd RO Ve corr.
P² Ve² ‖ προστίθησι τῷ B ‖ 13 παραθαρρήσω Maur. ‖ 14 καὶ om. n E ‖
γίνῃ om. n eras. P² rescripsit P³

16. h. Cf. Gen. 8, 11.   i. Matth. 13, 31.   j. Zach. 4, 7 (LXX).
k. Cf. Dan. 2, 45.   l. Job 3, 8.   m. Jn 1, 29.   n. Matth. 13, 46.
o. Cf. Ps. 71, 6 (LXX).
17. a. Cf. Ex. 17, 6.   b. I Cor. 10, 1-2. Cf. Ex. 14, 21-22.
c. Cf. I Cor. 10, 3.   d. Jn 6, 35.   e. I Cor. 10, 4.   f. Cf. Jn 6, 56.

la divinisation; et en même temps la colombe a coutume
depuis longtemps d'annoncer la bonne nouvelle de la fin
du déluge[h]. Si tu juges la divinité à la masse et au poids, et
si pour cette raison l'Esprit est petit, à ton avis parce qu'il
apparaît sous la forme d'une colombe, ô toi qui as petit
esprit quand il s'agit des plus grandes choses, c'est le
moment pour toi de déprécier le royaume des cieux parce
qu'il est comparé à une graine de moutarde[i], de préférer à
la grandeur de Jésus «l'adversaire[j]» parce que ce dernier
est appelé «grande montagne[k]», «Léviathan[l]» et roi de ce
qui est dans les eaux, tandis que l'autre a pour noms :
«Agneau[m]», perle[n], «goutte[o]» et d'autres semblables.

17. Puisque la solennité présente a pour objet le baptême, et puisqu'il nous faut souffrir un peu pour celui qui, à
cause de nous, a pris notre forme, a été baptisé et crucifié,
allons, traitons brièvement de la différence des baptêmes,
pour que nous partions d'ici purifiés. Moïse a baptisé, mais
dans l'eau[a] et, auparavant, «dans la nuée et dans la mer[b]».
Cela se produisait d'une manière figurative, comme c'est
aussi le sentiment de Paul : la mer figurait l'eau; la nuée,
l'Esprit; la manne[c], «le pain de vie[d]»; la boisson[e], la
boisson divine[f]. Jean a baptisé aussi, non plus à la manière
judaïque, car il ne baptisa pas seulement dans l'eau, mais en
vue du repentir[g]; cependant il ne baptise pas encore de
manière entièrement spirituelle, car il n'ajoute pas la
mention «dans l'Esprit». Jésus baptise aussi, mais dans
l'Esprit[h]. Et cela, c'est la perfection. Et comment n'est-il
pas Dieu – pour faire une petite observation en passant –,
celui par qui toi, tu deviens Dieu[1]? Je connais aussi un

g. *Mc* 1, 4. Cf. *Matth.* 3, 2.   h. Cf. *Matth.* 3, 11; 28, 19. *Mc* 1, 8. *Lc*
3, 16.

1. Comme on le voit par cette affirmation qui est presque teintée
d'excuse, Grégoire lui aussi, bien qu'il soit nettement plus assuré que

356A 15 βάπτισμα, τὸ διὰ μαρτυρίου καὶ αἵματος, ὃ καὶ αὐτὸς
Χριστὸς ἐβαπτίσατο, καὶ πολύ γε τῶν ἄλλων αἰδεσιμώ-
τερον, ὅσῳ δευτέροις ῥύποις οὐ μολύνεται. Οἶδα καὶ
πέμπτον ἔτι, τὸ τῶν δακρύων · ἀλλ' ἐπιπονώτερον, ὡς ὁ
λούων καθ' ἑκάστην νύκτα τὴν κλίνην αὐτοῦ καὶ τὴν
20 στρωμνὴν τοῖς δάκρυσιν[i], ᾧ τῆς κακίας προσώζεσαν καὶ οἱ
μώλωπες[j], ὃς πενθῶν καὶ σκυθρωπάζων πορεύεται[k], ὃς
μιμεῖται τὴν ἐπιστροφὴν Μανασσῆ[l] καὶ τὴν Νινευϊτῶν
ἠλεημένην ταπείνωσιν[m], ὃς φθέγγεται τὰς τοῦ τελώνου
φωνὰς ἐν τῷ ἱερῷ καὶ δικαιοῦται παρὰ τὸν μεγάλαυχον
25 Φαρισαῖον[n], ὃς συγκύπτει κατὰ τὴν Χαναναίαν καὶ ζητεῖ
φιλανθρωπίαν καὶ ψίχας, κυνὸς τροφὴν ἄγαν λιμώττοντος[o].

B   18. Ἐγὼ μὲν οὖν ἄνθρωπος εἶναι ὁμολογῶ, ζῷον
τρεπτὸν καὶ ῥευστῆς φύσεως, καὶ δέχομαι τοῦτο προθύμως

17, 15 μαρτυρίας S Dmg. ‖ αὐτὸ n corr. B[2] ‖ 18 ἐπιπονώτερον καὶ
μακρότερον P Pd RO Ve eras. P[2]Pd[2] ‖ 19 αὐτοῦ om. P RO Ve punctis
notat Pd add. Ve[2] ‖ 20 προσώζεσαν S P[2] Pd RO Ve Vb D Ald. Maur. :
-όζουσι n E Dmg. O[2] -όζεσαν P Vp ‖ καὶ οἱ : οἱ m E corr. P[2] Vb[2] O[2] ‖
21 ὃς[2] : ὡς E Ald. καὶ BWQTZ (ὃς Tmg. γρ.) καὶ ὃς Maur. ‖ 22 τὴν τῶν
Ald. Maur. ‖ 23 ἠλεημένων Vb PPd
18, 1 εἶναι S P Pd RO Ve E B Ald. : γὰρ εἶναι QTVZ Vb Vp D P[3] W
euanidus εἶναι γὰρ Maur.

17. i. Cf. Ps. 6, 7.   j. Cf. Ps. 37, 6.   k. Cf. Ps. 37, 7.   l. Cf. II Chr.
33, 12-16.   m. Cf. Jon. 3, 5-10.   n. Cf. Lc 18, 13-14.   o. Cf. Matth.
15, 22-27. Mc 7, 25-28. Lc 15, 17.

Basile dans l'affirmation de la divinité de l'Esprit-Saint, est toujours
quelque peu hésitant à ce sujet (ἵνα τι παραθεωρήσω μικρόν). Il est
vraisemblable que Grégoire aussi, en l'absence d'une définition conci-
liaire explicite (et justement cette définition sera donnée au concile de
Constantinople, peu de mois après) ne se sentait pas plus sûr en suivant
l'oikonomia de Basile.
    1. C'est-à-dire des fautes commises après le baptême. P.G.
    2. A partir de là commence une ample discussion sur la pénitence
considérée, comme c'était habituel dans le christianisme ancien, comme
un autre type de baptême : cela est naturel, étant donné que le baptême
comporte, entre autres effets, l'annulation des péchés commis précédem-

quatrième baptême, celui du martyre et du sang, celui dont
le Christ lui-même a été baptisé ; et il est même plus
vénérable que les autres, d'autant plus qu'il n'est pas sali
par des secondes souillures[1]. J'en connais enfin un cinquième, celui des larmes[2] ; mais il est plus ardu : ainsi, par
exemple, celui qui s'y soumet lave chaque nuit de ses
larmes son lit et sa couche[i], il sent les cicatrices de sa
méchanceté exhaler leur puanteur[j], il s'avance dans le deuil
et la tristesse[k], il imite la conversion de Manassé[13] et
l'humiliation des habitants de Ninive, qui leur obtient le
pardon[m], il prononce les paroles du publicain dans le
Temple et il est purifié à l'encontre du pharisien arrogant[n],
il se prosterne comme la Chananéenne, sollicite la Bonté et
cherche les miettes comme nourriture du chien qui souffre
d'une faim excessive[o][4].

18. Pour moi – car je suis homme, je l'avoue, c'est-à-
dire un être mobile et d'une nature inconstante –, j'accepte

---

ment (cf. *Discours* 40, 11 s.; voir, à cet égard, B. POSCHMANN, art.
«Büsse», *RAC* 2, 805-812; É. AMANN, art. «Pénitence», *DTC,* 722-
845). La position de Grégoire sur ce sujet est typique de son éducation
et se manifeste dans toutes les occasions de son activité pastorale : c'est
une attitude de parfait équilibre (cf. les observations de PLAGNIEUX,
p. 213-215; ALTHAUS, *Die Heilslehre,* p. 193-197). Selon Grégoire, il
n'existe pas de péchés vraiment impardonnables; les trois péchés les plus
graves (homicide, adultère et apostasie) énumérés au chap. 19 ne le sont
pas non plus; il se distinguent quand même des autres justement parce
qu'ils sont capitaux. Et de toute façon, observe Althaus, Grégoire, dans
le sillage d'Origène, considère la pénitence comme un pur et simple
traitement des péchés, et il ne connaît pas le pouvoir de lier et de
remettre les péchés, qui revient à l'Église (p. 197).

3. Le roi Manassé (1re moitié du VIIe siècle av. J.-C.) fut d'abord
impie (cf. *II Chron.* 33, 1-11), puis, après avoir été emmené en captivité
par les Assyriens, il se convertit, et, de retour, il répara ses fautes (*Ibid.*
12-16). P.G.

4. Il semble que, sur l'épisode de la Chananéenne, vienne se greffer
une réminiscence de la parabole de l'enfant prodigue, qui «meurt de
faim» (*Lc* 15, 17). P.G.

καὶ προσκυνῶ τὸν δεδωκότα καὶ τοῖς ἄλλοις μεταδίδωμι,
καὶ προεισφέρω τοῦ ἐλέου τὸν ἔλεον. Οἶδα γὰρ καὶ αὐτὸς
5 «ἀσθένειαν περικείμενος[a]», καὶ ὡς ἂν μετρήσω μετρηθησό-
μενος[b]. Σὺ δὲ τί λέγεις; τί νομοθετεῖς, ὦ νέε Φαρισαῖε καὶ
καθαρὲ τὴν προσηγορίαν, οὐ τὴν προαίρεσιν, καὶ φυσῶν
ἡμῖν τὰ Ναυάτου μετὰ τῆς αὐτῆς ἀσθενείας; Οὐ δέχῃ
μετάνοιαν; οὐ δίδως ὀδυρμοῖς χώραν; οὐ δακρύεις δάκρυον;
10 Μὴ σύ γε τοιούτου κριτοῦ τύχοις. Οὐκ αἰδῇ τὸ Ἰησοῦ
φιλάνθρωπον, τοῦ τὰς ἀσθενείας ἡμῶν λαβόντος καὶ τὰς
νόσους βαστάσαντος[c], τοῦ μὴ δικαίοις ἐλθόντος ἀλλ'
ἁμαρτωλοῖς[d] εἰς μετάνοιαν, τοῦ «ἔλεον θέλοντος μᾶλλον
C ἢ θυσίαν[e]», τοῦ ἑβδομηκοντάκις ἑπτὰ συγχωροῦντος τὰ
15 ἁμαρτήματα[f]; Ὡς μακάριόν σου τὸ ὑψηλόν, εἰ καθαρότης
ἦν, ἀλλὰ μὴ τῦφος, νομοθετῶν ὑπὲρ ἄνθρωπον καὶ λύων τῇ
ἀπογνώσει τὴν ἐπανόρθωσιν. Ὁμοίως γάρ ἐστι κακὸν
καὶ ἄνεσις ἀσωφρόνιστος καὶ κατάγνωσις ἀσυγχώρητος ·
ἡ μὲν ὅλην ἐφιεῖσα τὴν ἡνίαν, ἡ δὲ τῷ σφοδρῷ
20 κατάγχουσα. Δεῖξόν μοι τὴν καθαρότητα καὶ δέχομαί
σου τὴν θρασύτητα. Νῦν δὲ δέδοικα μὴ βρύων ἕλκεσιν
εἰσάγῃς τὸ ἀνιάτρευτον. Οὐδὲ τὸν Δαβὶδ δέχῃ μετανοοῦντα,
ᾧ καὶ τὸ προφητικὸν χάρισμα ἡ μετάνοια συνετήρησεν[g];
Οὐδὲ Πέτρον τὸν μέγαν παθόντα τι ἀνθρώπινον περὶ τὸ
25 σωτήριον πάθος[h]; Ἰησοῦς δὲ ἐδέξατο καὶ τῷ τρισσῷ τῆς

18, 10 μή γε καὶ σὺ Vb D E μὴ καὶ σύ γε D² ‖ 10-11 τοῦ Ἰησοῦ τὸ
φιλάνθρωπον P Pd R Ve² D² τοῦ Ἰησοῦ φιλάνθρωπον Ve corr. P² ‖
11 ἀναλαβόντος Pd mg. RO Ve ‖ 19 ἀφιεῖσα S P Pd RO Vb E corr.
P²Pd² ‖ 21 νῦν δὲ n Pd Vb Vp Rufinus Ald. Maur. : νῦν SP RO Ve D E
Pd² ‖ 22 εἰσαγάγῃς Vb D -άγεις n E RO ‖ τὸν ἀνιάτρευτον B E ‖ 24 μέγα
S D²

18. a. *Hébr.* 5, 2.   b. Cf. *Matth.* 7, 2. *Mc* 4, 24. *Lc* 6, 38.   c. *Is.*
53, 4.   d. *Lc* 5, 32.   e. *Os.* 6, 6.   f. *Matth.* 18, 22.   g. Cf. II *Sam.*
12, 13.   h. Cf. *Matth.* 26, 70.72.74. *Mc* 14, 68.70.71. *Lc* 22, 57.58.60. *Jn*
18, 17.25.27.

1. Les novatiens, qui sont ici visés, se donnaient le titre de «purs».
P.G.

de grand cœur ce baptême (de la pénitence), j'adore celui
qui me l'a donné, je le transmets aux autres et je leur fais
l'avance de la miséricorde pour obtenir miséricorde. Car je
sais que je suis moi-même «enveloppé de faiblesse[a]» et que
je serai mesuré avec la mesure dont je me serai servi[b]. Mais
que dis-tu? Quelle loi établis-tu, nouveau pharisien qui es
pur de nom[1], mais nullement de conduite, et qui fais
parade devant nous des principes de Novat[2], avec la même
faiblesse? Tu n'admets pas la pénitence? Tu ne donnes pas
de place aux gémissements? Tu ne pleures pas sur les
larmes? Puisses-tu ne pas trouver un juge tel que toi! Tu
ne respectes pas la bonté de Jésus qui a pris nos faiblesses
et qui a porté nos maladies[c], qui est venu non pour les
justes, mais pour les pécheurs, afin de les appeler à la
pénitence[d], qui veut la miséricorde plutôt que le sacrifice[e],
qui pardonne les péchés soixante-dix fois sept fois[f]?
Qu'elle serait bienheureuse ta hauteur, si elle était pureté et
non pas orgueil, établissant des lois au-dessus de l'homme
et empêchant la conversion par le désespoir! Ce sont des
maux semblables, l'indulgence qui ne rend pas vertueux et
la sévérité qui ne pardonne rien; la première lâche complètement la bride, la seconde étrangle par sa violence.
Montre-moi ta pureté, et j'accepte ton audace. Mais en fait
je crains que ce soit parce que tu es couvert d'ulcères que
tu proposes l'impossibilité de guérir. Tu n'acceptes même
pas David qui fait pénitence, lui à qui la pénitence conserve
la grâce prophétique[g]? Même pas Pierre, le grand Apôtre
qui éprouva une faiblesse humaine à propos de la Passion
du Sauveur[h]? Mais Jésus l'accepta et, par la triple question

2. Novat, diacre de Carthage au IIIe siècle, eut d'abord une attitude
laxiste : il prétendait que les chrétiens qui avaient renié leur foi pendant
la persécution pouvaient être réconciliés avec l'Église sans pénitence.
Excommunié en 251, il vint à Rome et, avec le prêtre Novatien, il
professa une doctrine rigoriste : refus de pardon aux apostats et aux
coupables de péchés très graves, comme l'adultère et le meurtre. P.G.

ἐρωτήσεως καὶ τῆς ὁμολογίας τὸ τρισσὸν τῆς ἀρνήσεως
D ἐθεράπευσεν[i] · Ἡ οὐδὲ τελειωθέντα δέχῃ δι' αἵματος;
357A Ἔστι γὰρ καὶ τοῦτο τῆς σῆς ἀπονοίας. Οὐδὲ τὸν ἐν
Κορίνθῳ παρανομήσαντα[j]; Παῦλος δὲ καὶ ἀγάπην ἐκύ-
30 ρωσεν, ἐπειδὴ τὴν διόρθωσιν εἶδε · καὶ τὸ αἴτιον · « Ἵνα μὴ
τῇ περισσοτέρᾳ λύπῃ καταποθῇ ὁ τοιοῦτος[k] », βαρηθεὶς τῇ
ἀμετρίᾳ τῆς ἐπιπλήξεως. Οὐδὲ τὰς νέας γαμίζεις χήρας,
διὰ τὸ τῆς ἡλικίας εὐάλωτον; Παῦλος δὲ τοῦτο ἐτόλμησεν[l],
οὗ σὺ δηλαδὴ διδάσκαλος, ὡς ἐπὶ τέταρτον οὐρανὸν φθάσας
35 καὶ ἄλλον παράδεισον καὶ ἀπορρητοτέρων ἀκούσας[m] καὶ
μείζονα κύκλον τῷ Εὐαγγελίῳ περιλαβών.

B   19. Ἀλλ' οὐ μετὰ τὸ βάπτισμα ταῦτά φησι. Τίς ἡ
ἀπόδειξις; ἢ δεῖξον ἢ μὴ κατάκρινε. Εἰ δὲ ἀμφίβολον,
νικάτω τὸ φιλάνθρωπον. Ἀλλὰ Ναυάτος οὐκ ἐδέξατο,
φησίν, τοὺς ἐν τῷ διωγμῷ παραπεσόντας. Τί τοῦτο; Εἰ
5 μὲν οὐ μεταγνόντας, δικαίως · οὐδὲ ἐγὼ δέχομαι τοὺς ἢ μὴ
καμπτομένους[a] ἢ μὴ ἀξίως μηδὲ ἀντισηκοῦντας τῷ κακῷ
τὴν διόρθωσιν · καὶ ὅταν δέξωμαι, τὴν προσήκουσαν αὐτοῖς
ἀπονέμω χώραν. Εἰ δὲ τοὺς ἐκτακέντας τοῖς δάκρυσιν, οὐ
μιμήσομαι. Καὶ τίς μοι νόμος ἡ Ναυάτου μισανθρωπία,
10 ὃς πλεονεξίαν μὲν οὐκ ἐκόλασε, τὴν δευτέραν εἰδωλο-
λατρείαν[b], πορνείαν δὲ οὕτω πικρῶς κατεδίκασεν, ὡς

18, 29 παρανομήσαντα n Dmg. P² in ras. Ald. Maur. : πεπορνευκότα m
‖ 31 ὁ τοιοῦτος om. n add. Q² eras. P² ‖ 35 ἀκούσας ῥημάτων E Ald.
Maur.
19, 1 φησι om. n E Ve² Maur. ‖ 3-4 φησιν οὐκ ἐδέξατο E B Ald. Maur.
‖ 5 ἢ om. n Vb²

18. i. Cf. *Jn* 21, 15-17. j. Cf. I *Cor.* 5, 1. k. II *Cor.* 2, 7-8.
l. Cf. I *Tim.* 5, 14. m. Cf. II *Cor.* 12, 2-4.
19. a. Cf. *Is.* 58, 5.

1. S. Paul atteste qu'il a été élevé au troisième ciel et au paradis, et
qu'il y a entendu des paroles secrètes (*II Cor.* 12, 2-4). P.G.

et la triple confession, remédia au triple reniement[i]. Est-ce que tu ne l'acceptes même pas quand il a été rendu parfait par l'effusion du sang? Voilà bien l'effet de ta déraison. Tu n'acceptes pas non plus le coupable de Corinthe[j]? Mais même envers lui Paul fit prévaloir la charité, lorsqu'il vit qu'il s'était amendé. Et en voici la raison : «afin qu'un tel homme ne soit pas submergé par un chagrin excessif[k]», écrasé par l'absence de mesure de la réprobation. Tu ne permets pas non plus aux jeunes veuves de se remarier à cause des risques de leur âge? Paul a osé le permettre[l], Paul à qui évidemment tu en remontres, toi qui as, paraît-il, pénétré jusqu'à un quatrième ciel et jusqu'à un autre paradis, qui as entendu des choses plus secrètes[m1] et qui as embrassé un plus vaste cercle pour l'Évangile!

19. Mais que cette pénitence ne soit pas possible après le baptême! dit-il – Quelle preuve donnes-tu? Démontre-le, ou bien ne condamne pas! Et s'il y a doute, que la victoire soit à la bonté! – Mais Novat, dit-il, n'a pas reçu ceux qui étaient tombés pendant la persécution[2]. – Que dis-tu là? S'ils ne se sont pas repentis, il a eu raison; moi non plus, je ne reçois pas ceux qui ne se courbent pas[a], ou pas assez, ou qui ne compensent pas le mal par le redressement de leur conduite, et lorsque je les reçois, je leur assigne la place qui convient[3]; mais à l'égard de ceux qui se sont consumés de larmes, je ne l'imiterai pas. Quelle loi est pour moi l'inhumanité de Novat qui n'a pas châtié la cupidité – cette seconde idolâtrie[b] –, mais a condamné l'impudicité d'une

2. Allusion à la persécution de Dèce (250-251).
3. Il semblerait donc, selon Grégoire, qu'il existe divers degrés de pénitence. Cette discussion par degrés ne paraît pas être une habitude de l'Église de Constantinople, remarque ALTHAUS (p. 196), mais plutôt une habitude de la patrie d'origine de Grégoire, la Cappadoce; elle se trouve, en effet, bien attestée dans la 4e lettre canonique de BASILE à Amphiloque d'Iconium (*Lettre* 217).

ἄσαρκος καὶ ἀσώματος; Τί φατε; Πείθομεν ὑμᾶς τοῖς
λόγοις τούτοις; Δεῦρο, στῆτε μεθ' ἡμῶν τῶν ἀνθρώπων.
C Μεγαλύνωμεν ἅμα τὸν Κύριον[c]. Μή τις ὑμῶν εἰπεῖν
15 τολμήσῃ, μηδὲ εἰ λίαν ἑαυτῷ τεθάρρηκε · «Μή μου ἅπτου,
καθαρὸς γάρ εἰμι[d]», καὶ τίς οὕτως ὥσπερ ἐγώ; μετάδοτε
καὶ ἡμῖν τῆς λαμπρότητος. 'Αλλ' οὐ πείθομεν; καὶ ὑπὲρ
ὑμῶν δακρύσομεν. Οὗτοι μὲν οὖν, εἰ μὲν βούλονται, τὴν
ἡμετέραν ὁδὸν καὶ Χριστοῦ, εἰ δὲ μή, τὴν ἑαυτῶν
20 πορευέσθωσαν. Τυχὸν ἐκεῖ τῷ πυρὶ βαπτισθήσονται, τῷ
τελευταίῳ βαπτίσματι, τῷ ἐπιπονωτέρῳ τε καὶ μακροτέρῳ,
ὃ ἐσθίει ὡς χόρτον[e] τὴν ὕλην καὶ δαπανᾷ πάσης κακίας
κουφότητα.

D   20. Ἡμεῖς δὲ τιμήσωμεν τὸ Χριστοῦ βάπτισμα σήμερον
καὶ καλῶς ἑορτάσωμεν, μὴ γαστρὶ τρυφῶντες, ἀλλὰ πνευματικῶς εὐφραινόμενοι. Τρυφήσωμεν δὲ πῶς; «Λούσασθε,
καθαροὶ γένεσθε[a].» Εἰ μὲν φοινι < κι > κοὶ τὴν ἁμαρτίαν ἐστὲ
5 καὶ ἧττον αἱματώδεις, λευκάνθητε ὡς χιών[b] · εἰ δὲ κόκκι-
νοι[c] καὶ ἄνδρες αἱμάτων[d] τέλειοι, κἂν εἰς ἐρίου λευκότητα[e]
φθάσατε. Πάντως δὲ καθάρθητε καὶ καθαίρεσθε, ὡς οὐδενὶ
360A τοσοῦτον χαίρει Θεὸς ὅσον ἀνθρώπου διορθώσει καὶ
σωτηρίᾳ, ὑπὲρ οὗ λόγος ἅπας καὶ ἅπαν μυστήριον ·
10 ἵνα γένησθε ὡς φωστῆρες ἐν κόσμῳ[f], ζωτικὴ τοῖς
ἄλλοις ἀνθρώποις δύναμις, ἵνα φῶτα τέλεια τῷ μεγάλῳ

19, 18 ὑμῶν : ἡμῶν B ‖ δακρύσομεν SD E BW ‖ βούλοιντο Maur. ‖
21 τε καὶ : καὶ RO Ve

20, 3 τρυφήσομεν BWQ²Z corr. W² ut uid. ‖ 4 γίνεσθε S Pdmg. Rmg.
D Maur. corr. D² ‖ φοινικοὶ codd. Ald. corr. Maur. tacite ‖ εἰ μὲν : οἱ
Pdmg. Rmg. Ve corr. Ve² ‖ 5 εἰ δὲ : οἱ δὲ Pd R Ve εἰ Pd² Rmg. Ve² (εἰ P
in ras., ut uid.)

19. b. Cf. Éphés. 5, 5.   c. Cf. Ps. 33, 4.   d. Is. 65, 5.   e. Cf. I Cor.
3, 12-13.
20. a. Is. 1, 16.   b. Is. 1, 18.   c. Ibid.   d. Ps. 5, 7; 54, 24; 58, 3;
138, 19.   e. Is. 1, 18.   f. Phil. 2, 15.

manière si aiguë, comme s'il n'avait ni chair ni corps? Que
dites-vous? Nous vous persuadons par ces paroles? Venez
ici, placez-vous avec les êtres humains que nous sommes.
«Magnifions ensemble le Seigneur[c1]». Qu'aucun de vous
n'ose dire, même s'il est tout à fait sûr de lui : «Ne me
touche pas, car je suis pur[d]», et : «Qui l'est autant que
moi?». Donnez-nous aussi part à votre splendeur! Mais
nous ne vous persuadons pas? Alors pleurons sur vous!
Donc, que ces gens-là suivent, s'ils le veulent, notre
chemin et celui du Christ; sinon, qu'ils suivent le leur!
Peut-être y seront-ils baptisés par le feu[2], le dernier
baptême, le plus ardu aussi et le plus long, qui dévore la
matière comme du foin[e] et détruit tous les vices comme
une chose légère.

20. Quand à nous, honorons aujourd'hui le baptême du
Christ et célébrons la fête avec dignité, sans nous délecter
dans la bonne chère, mais en nous réjouissant spirituellement. Et comment nous délecter? «Lavez-vous, devenez
purs[a]»; si vous êtes «couleur de pourpre» par le péché,
sans aller jusqu'à être couleur de sang, «devenez blancs
comme la neige[b]»; et si vous êtes «couleur d'écarlate[c]» et
«hommes de sang[d]» accomplis, parvenez à «la blancheur
de la laine[e]». Soyez entièrement purifiés et purifiez-vous
encore, car rien ne donne autant de joie à Dieu que le
redressement et le salut de l'homme; c'est le but de tout ce
discours et de tout ce mystère, afin que vous deveniez
«comme des flambeaux dans le monde[f]», comme une force
vitale parmi les autres hommes; afin que, comme des

---

1. Citation libre du *Psaume* 33, 4 : «*Magnifiez le Seigneur* avec moi et
exaltons *ensemble* son nom.» P.G.

2. Le thème du feu purificateur des péchés se trouve aussi chez
Grégoire de Nysse : cf. *De an. et res.*, PG 46, 89 B, 100 A, 105 D,
152 A; *De mortuis*, PG 64. 524 B, 525 A-C; *Or. catech.* 8, 9 et 12; 26, 8
PG 45, 36, 37; 69.

φωτὶ παραστάντες καὶ τὴν ἐκεῖσε μυηθῆτε φωταγωγίαν,
ἐλλαμπόμενοι τῇ Τριάδι καθαρώτερον καὶ τρανότερον, ἧς
νῦν μετρίως ὑποδέδεχθε τὴν μίαν αὐγὴν ἐκ μιᾶς τῆς
15 θεότητος, ἐν Χριστῷ Ἰησοῦ τῷ Κυρίῳ ἡμῶν, ᾧ ἡ δόξα εἰς
τοὺς αἰῶνας τῶν αἰώνων. Ἀμήν.

20, 13 τε καὶ VQ Vp ‖ 14 ὑποδέδεχθε : ὑποδέχεσθαι E -δεχόμεθα Vb
Vp ‖ 15 post ἡ δόξα add. καὶ τὸ κράτος W V Maur. ‖ 16 τῶν αἰώνων om.
n Maur.

Subscriptiones : εἰς τὰ φῶτα · στίχοι $\overline{ΦΝ}$ (uel $\overline{ΦΗ}$) Pd Ve Vp εἰς τὰ
ἅγια φῶτα · στίχοι $\overline{ΦΝ}$ R D εἰς τὰ φῶτα Vb O εἰς τὰ φῶτα · ἐρρήθη δὲ καὶ
οὗτος ἐν κωνσταντινουπόλει Q subscriptionem omittunt BTVZ E, erasit
S², subscriptio euanuit in P praeter στίχοι $\overline{ΦΝ}$; desunt A C.

lumières parfaites assistant la grande Lumière, vous soyez initiés de l'initiation d'en haut, illuminés avec plus de pureté et de clarté par la Trinité, dont vous avez reçu maintenant de façon mesurée l'unique rayon venant d'une unique divinité, dans le Christ Jésus notre Seigneur, à qui est la gloire pour les siècles des siècles. Amen.

Εἰς τὸ βάπτισμα

360B   1. Χθὲς τῇ λαμπρᾷ τῶν Φώτων ἡμέρᾳ πανηγυρίσαντες
— καὶ γὰρ ἔπρεπε χαρμόσυνα θέσθαι τῆς σωτηρίας τῆς
ἡμετέρας, καὶ πολὺ μᾶλλον ἢ γαμήλια καὶ γενέθλια καὶ
ὀνομαστήρια τοῖς σαρκὸς φίλοις, κουρόσυνά τε καὶ κατοι-
5 κέσια καὶ ἐτήσια, ὅσα τε ἄλλα πανηγυρίζουσιν ἄνθρωποι —
σήμερον περὶ τοῦ βαπτίσματος βραχέα διαλεξόμεθα καὶ τῆς
ἐντεῦθεν ἡμῖν ὑπαρχούσης εὐεργεσίας · εἰ καὶ χθὲς ἡμᾶς ὁ
λόγος παρέδραμε, τῆς ὥρας κατεπειγούσης καὶ ἅμα τοῦ
λόγου τὸν κόρον φεύγοντος. Κόρος δὲ λόγου πολέμιος
10 ἀκοαῖς, ὡς ὑπερβάλλουσα τροφὴ σώμασι. Προσέχειν δὲ
ἄξιον τοῖς λεγομένοις, καὶ μὴ παρέργως, ἀλλὰ προθύμως
τὸν περὶ τηλικούτων δέξασθαι λόγον · ἐπειδὴ καὶ τοῦτό
ἐστι φωτισμός, τὸ γνῶναι τοῦ μυστηρίου τὴν δύναμιν.

2. Τρισσὴν γέννησιν ἡμῖν οἶδεν ὁ λόγος · τὴν ἐκ
σωμάτων, τὴν ἐκ βαπτίσματος, τὴν ἐξ ἀναστάσεως.

Titulus εἰς τὸ βάπτισμα λόγος $\overline{β}$ S Q (τὸ *om.* Q), τοῦ αὐτοῦ εἰς τὸ
βάπτισμα · λόγος β R τοῦ αὐτοῦ εἰς τὸ ἅγιον βάπτισμα O TZ τοῦ αὐτοῦ
εἰς τὸ βάπτισμα VbVe V εἰς τὸ βάπτισμα PPd Vp D BW, desunt AC
1, 3 πολύ : πολλῷ Maur. || μᾶλλον m : πλεῖον n S²P² Ve in ras. ||
5 ἄνθρωποι codd. || 6 διαλεξόμεθα B P Ve || 8 κατεπηγούσης S P Vb D
corr. P² Vb² || 9 φεύγοντες Pdmg. Vemg. Dmg. || 13 τοῦ γνῶναι Pd C R
Ve Vp D corr. Pd² C² R² Ve² D²
2, 2 καὶ τὴν ἐξ Maur.

2, 1 τρισσὴν γέννησιν — 2 ἐξ ἀναστάσεως MAXIMUS, *Ambigua*, PG 91,
1316 A; 1317 D

DISCOURS 40

Sur le baptême

1. Hier, nous avons fait la solennité du jour splendide des Lumières, car il convenait de célébrer la joie de notre salut, et cela beaucoup plus que de fêter les anniversaires du mariage, de la naissance et de la prise de nom, comme le font les amis de la chair, ou encore l'entrée dans la jeunesse, l'inauguration d'une maison, et toutes les autres fêtes annuelles dont les hommes font la solennité. Aujourd'hui, nous parlerons brièvement du baptême et des bienfaits qui nous viennent de lui. Hier, notre discours nous l'a fait rapidement effleurer, car l'heure nous pressait, et en même temps ce discours devait éviter de provoquer la satiété ; la satiété en matière de discours est insupportable aux oreilles comme l'excès de nourriture l'est aux corps. Il vaut la peine que vous prêtiez attention à ce qui est dit et que vous receviez le discours consacré à un si grand sujet non pas avec indifférence, mais avec empressement, car c'est encore une illumination que de comprendre la puissance du mystère.

2. L'Écriture connaît, nous le savons, une triple naissance : celle qui vient des corps, celle qui vient du baptême[1] et celle qui vient de la résurrection. La première

1. C'est l'ancien thème du baptême compris comme « renaissance » (ἀναγέννησις) du chrétien, fondé essentiellement sur l'interprétation de *Jn* 3, 5-6 ; il paraît ici au second plan par rapport à celui de l'identifica-

Τούτων δὲ ἡ μὲν νυκτερινή τέ ἐστι καὶ δούλη καὶ
ἐμπαθής · ἡ δὲ ἡμερινὴ καὶ ἐλευθέρα καὶ λυτικὴ παθῶν,
361A₅ πᾶν τὸ ἀπὸ γενέσεως κάλυμμα περιτέμνουσα καὶ πρὸς τὴν
ἄνω ζωὴν ἐπανάγουσα · ἡ δὲ φοβερωτέρα καὶ συντομωτέρα,
πᾶν τὸ πλάσμα συνάγουσα ἐν βραχεῖ τῷ πλάστη παραστη-
σόμενον καὶ λόγον ὑφέξον τῆς ἐνταῦθα δουλείας καὶ πολιτείας, εἴτε τῇ σαρκὶ μόνον ἐπηκολούθησεν εἴτε τῷ Πνεύ-
10 ματι συνανῆλθε καὶ τὴν χάριν ἠδέσθη τῆς ἀναπλάσεως.
Ταύτας δὴ τὰς γεννήσεις ἁπάσας παρ' ἑαυτοῦ τιμήσας ὁ
ἐμὸς Χριστὸς φαίνεται · τὴν μέν, τῷ ἐμφυσήματι[a] τῷ
πρώτῳ καὶ ζωτικῷ · τὴν δέ, τῇ σαρκώσει[b] καὶ τῷ
βαπτίσματι, ὅπερ αὐτὸς ἐβαπτίσατο[c] · τὴν δέ, τῇ ἀναστάσει
15 ἧς αὐτὸς ἀπήρξατο[d] · ὡς ἐγένετο πρωτότοκος ἐν πολλοῖς
ἀδελφοῖς[c], οὕτω καὶ πρωτότοκος ἐκ νεκρῶν[f] γενέσθαι
καταξιώσας.

B 3. Περὶ μὲν δὴ τῶν δύο γεννήσεων, τῆς πρώτης τέ φημι
καὶ τῆς τελευταίας, φιλοσοφεῖν οὐ τοῦ παρόντος καιροῦ ·
περὶ δὲ τῆς μέσης καὶ τῆς νῦν ἡμῖν ἀναγκαίας, ἧς
ἐπώνυμος ἡ τῶν φώτων ἡμέρα, φιλοσοφήσωμεν. Τὸ
5 φώτισμα λαμπρότης ἐστὶ ψυχῶν, βίου μετάθεσις, ἐπερώ-
τημα τῆς εἰς Θεὸν συνειδήσεως[a] · τὸ φώτισμα βοήθεια τῆς
ἀσθενείας τῆς ἡμετέρας · τὸ φώτισμα σαρκὸς ἀπόθεσις[b],

2, 3 δὲ om. n eras. S² P² (ut uid.) Ve² ‖ 6 φοβερωτέρα τε Vb Vp D ‖
10 συνανέλθη n Ve² Dmg. Maur. : συναπέλθη m Ald. ‖ 14 ᾧπερ S Vp D
Q
3, 1 γενέσεων B W

2. a. Cf. *Gen.* 2, 7.   b. Cf. *Jn* 1, 14.   c. Cf. *Matth.* 3, 13.16. *Mc* 1, 9.
Lc 3, 21.   d. Cf. I *Cor.* 15, 20-23.   e. *Rom.* 8, 29.   f. *Col.* 1, 18.
3. a. I *Pierre* 3, 21.   b. Cf. I *Pierre* 3, 21.

2, 11 ταύτας — 17 καταξιώσας MAXIMUS, *Ambigua,* PG 91, 1316 B

tion entre baptême et illumination, qui, comme on l'a dit dans
l'Introduction (p. 62-63), est plus proche de la spiritualité de Grégoire,

est liée à la nuit, à l'esclavage et aux passions; la seconde a
lieu au jour, elle est libre et elle dégage des passions en
ôtant le voile qui nous enveloppe depuis que nous sommes
engendrés, et en nous ramenant vers la vie d'en haut; la
troisième est plus redoutable et plus rapide, elle réunit en
un instant tout le créé pour le présenter au Créateur et
rendre compte de son esclavage d'ici-bas, et de sa conduite,
que l'on ait suivi seulement la chair, ou que l'on se soit
élevé avec l'Esprit et que l'on ait respecté la grâce qui nous
remodèle[1]. Toutes ces naissances, il est clair que mon
Christ les a honorées par lui-même : la première en
insufflant le premier souffle de vie[a], la deuxième par
l'insufflation[b] et le baptême[c] dont il se baptisa lui-même, la
troisième par la résurrection dont il offrit lui-même les
prémices[d] : de même qu'il est devenu «le premier-né d'une
multitude de frères[e]», de même il a daigné devenir «le
premier-né d'entre les morts[f]».

3. Deux de ces naissances, je veux dire la première et la
dernière, ne sont pas en question présentement : mais la
deuxième, celle que notre sujet nous impose maintenant et
qui donne son nom au jour des Lumières[2], c'est de celle-là
que nous devons traiter. Cette illumination[3], c'est la
splendeur des âmes, le changement de vie, «l'engagement
de la conscience envers Dieu[a]»; cette illumination, c'est le
secours de notre faiblesse; cette illumination, c'est le
renoncement à la chair[b], la docilité à l'Esprit, la participa-

en liaison avec le thème de la lumière et de la purification. A ce sujet
cf. A. BENOÎT, *Le baptême chrétien au second siècle,* Paris 1953.
1. Voir *supra, Discours* 38, 4, note 2. P.G.
2. En cette fête des Saintes Lumières (cf. le discours précédent), on
célébrait l'Épiphanie et le baptême du Christ. Ce rappel prépare le
développement qui suit, où le baptême est appelé «illumination». P.G.
3. Autrement dit : le baptême. Pour rendre plus saisissante l'équiva-
lence entre «baptême» et «illumination», Grégoire emploie, au lieu du
mot ordinaire φωτισμός, la forme φώτισμα dont la terminaison évoque
βάπτισμα. Le terme φώτισμα figure cinq fois dans ce chapitre. P.G.

Πνεύματος ἀκολούθησις, Λόγου κοινωνία, πλάσματος ἐπανόρθωσις, κατακλυσμὸς ἁμαρτίας, φωτὸς μετουσία, σκότους
10 κατάλυσις· τὸ φώτισμα ὄχημα[c] πρὸς Θεόν, συνεκδημία
Χριστοῦ, ἔρεισμα πίστεως, νοῦ τελείωσις, κλεὶς οὐρανῶν
βασιλείας[d], ζωῆς ἄμειψις, δουλείας ἀναίρεσις, δεσμῶν
ἔκλυσις, συνθέσεως μεταποίησις· τὸ φώτισμα — τί δεῖ
πλείω καταριθμεῖν; — τῶν τοῦ Θεοῦ δωρεῶν τὸ κάλλιστον
15 καὶ μεγαλοπρεπέστατον. Ὥσπερ Ἅγια ἁγίων καλεῖταί τινα
καὶ Ἄισματα ᾀσμάτων — ἐμπεριεκτικώτερα γάρ ἐστι καὶ
κυριώτερα —, οὕτω καὶ αὐτὸ παντὸς ἄλλου τῶν παρ' ἡμῖν
φωτισμῶν ὂν ἁγιώτερον.

4 Καλεῖται δέ, ὥσπερ Χριστὸς ὁ τούτου δοτήρ, πολλοῖς
καὶ διαφόροις ὀνόμασιν, οὕτω δὲ καὶ τὸ δώρημα· εἴτε
διὰ τὸ περιχαρὲς τοῦ πράγματος τοῦτο παθόντων ἡμῶν
— φιλοῦσι γὰρ οἱ σφόδρα περί τι ἐρωτικῶς διακείμενοι
5 ἡδέως συνεῖναι καὶ τοῖς ὀνόμασιν —, εἴτε τοῦ πολυειδοῦς
τῆς εὐεργεσίας πολλὰς καὶ τὰς κλήσεις ἡμῖν δημιουργή-
σαντος. Δῶρον καλοῦμεν, χάρισμα, βάπτισμα, φώτισμα,
D χρῖσμα, ἀφθαρσίας ἔνδυμα, λουτρὸν παλιγγενεσίας, σφραγῖδα, πᾶν ὅ τι τίμιον· δῶρον μέν, ὡς καὶ μηδὲν προεις-
364A 10 ενεγκοῦσι διδόμενον· χάρισμα δέ, ὡς καὶ ὀφείλουσι[a]·

3, 13 τί γὰρ δεῖ W ‖ 14 δωρεῶν n D² : δώρων m Ald. Maur. ‖ 15 καὶ :
τε καὶ PPd CRO Ve ‖ ὥσπερ γὰρ B Maur. ‖ 16 ᾆσμα WQTVZ
4, 6 δημιουργοῦντος S Vb Vp D Ald. corr. Dmg. ‖ 7-8 φώτισμα
χρῖσμα S PPd Vb D : χρῖσμα φώτισμα n RO Ve D² Ald. Maur. φώτισμα
post ἀφθαρσίας ἔνδυμα trai. C corr. C² ‖ 10 ὄφλουσιν n C

3. c. Cf. IV Rois 2, 11.   d. Cf. Matth. 16, 19.
4. a. Cf. Matth. 6, 12. Lc 11, 4

1. Allusion au prophète Élie montant au ciel dans un char de feu.
2. Le mot «départ» désigne ici la mort. Grégoire emploie volontiers
le mot ἐκδημία dans ce sens (cf. Lettres 63, 2 ; 76, 1 ; 163, 1 ; 242. Poème
Sur sa vie, v. 1747 : PG 37, 1151 A). P.G.

tion au Verbe, le redressement de la créature, le déluge
engloutissant le péché, la communication de la lumière, la
disparition des ténèbres; cette illumination, c'est le char
qui mène à Dieu[c][1], le départ[2] avec le Christ, le soutien de
la foi, la perfection de l'esprit, la clef du royaume des
cieux[d], la modification de l'existence, la suppression de
l'esclavage, le dénouement des liens, le renouvellement de
l'être complexe (que nous sommes); cette illumination
– est-il besoin d'une énumération plus longue? –, c'est le
plus beau et le plus magnifique des dons de Dieu. De même
qu'il y a des *Saints des Saints* et des *Cantiques des Cantiques,*
parce qu'ils ont plus d'extension et plus d'excellence, de
même aussi ce dont nous parlons est plus saint que toute
autre illumination[3] qui existe chez nous.

4. Or, de même que le Christ, qui en est le donateur, est
appelé de noms multiples et variés[4], de même en est-il pour
ce don[5]. C'est peut-être parce que nous en éprouvons une
grande joie que nous sommes dans cette disposition, car
ceux qui sont fortement épris ont coutume de répéter avec
plaisir le nom de l'objet aimé; ou bien c'est parce que les
multiples aspects du bienfait nous ont fourni de multiples
appellations. Nous l'appelons don, grâce, baptême, onction, illumination[6], vêtement d'incorruptibilité, bain de la
nouvelle naissance, sceau – bref, tout ce qui est excellent. Il
est appelé don, parce qu'il est donné même sans aucune
contribution préalable; grâce, parce qu'il est donné même
à des débiteurs[a][7]; baptême, parce que le péché a été

---

3. L'auteur revient ici au mot ordinaire φωτισμός. P.G.

4. Voir le *Discours* 30, 20-21 (*SC* 250, 266-274). P.G.

5. On trouvera dans une note additionnelle (p. 357) la liste des noms
désignant le baptême. P.G.

6. Reprise du mot φώτισμα employé au chapitre précédent. P.G.

7. Cette dette envers Dieu désigne les péchés; que l'on songe à la
formule de l'oraison dominicale (*Matth.* 6, 12; *Lc* 11, 4). Le texte de Luc
surtout identifie nettement les péchés avec une dette. P.G.

βάπτισμα δέ, ὡς συνθαπτομένης[b] τῷ ὕδατι τῆς ἁμαρτίας ·
χρῖσμα δέ, ὡς ἱερὸν καὶ βασιλικόν[c] — ταῦτα γὰρ ἦν τὰ
χριόμενα — · φώτισμα δέ, ὡς λαμπρότητα · ἔνδυμα δέ, ὡς
αἰσχύνης συγκάλυμμα · λουτρὸν δέ, ὡς ἔκπλυσιν · σφραγῖδα
15 δέ, ὡς συντήρησιν καὶ τῆς δεσποτείας σημείωσιν. Τούτῳ
συγχαίρουσιν οὐρανοί, τοῦτο δοξάζουσιν ἄγγελοι διὰ τὸ
συγγενὲς τῆς λαμπρότητος · τοῦτο εἰκὼν τῆς ἐκεῖθεν μακαριότητος, τοῦτο ἡμεῖς ἐξυμνεῖν βουλόμεθα μέν, οὐ δυνάμεθα
δὲ ὅσον ἄξιον.

B   5. Θεὸς μέν ἐστι φῶς τὸ ἀκρότατον καὶ ἀπρόσιτον καὶ
ἄρρητον, οὔτε νῷ καταληπτὸν οὔτε λόγῳ ῥητόν, πάσης
φωτιστικὸν λογικῆς φύσεως. Τοῦτο ἐν νοητοῖς ὅπερ ἐν
αἰσθητοῖς ἥλιος · ὅσον ἂν καθαιρώμεθα, φανταζόμενον καὶ
5 ὅσον ἂν φαντασθῶμεν, ἀγαπώμενον καὶ ὅσον ἂν ἀγαπή-
σωμεν, αὖθις νοούμενον · αὐτὸ ἑαυτοῦ θεωρητικόν τε καὶ
καταληπτικόν, ὀλίγα τοῖς ἔξω χεόμενον. Φῶς δὲ λέγω τὸ
ἐν Πατρὶ καὶ Υἱῷ καὶ ἁγίῳ Πνεύματι θεωρούμενον, ὧν
πλοῦτός ἐστιν ἡ συμφυΐα καὶ τὸ ἓν ἔξαλμα τῆς λαμπρό-
10 τητος. Δεύτερον δὲ φῶς ἄγγελος, τοῦ πρώτου φωτὸς
ἀπορροή τις ἢ μετουσία, τῇ πρὸς αὐτὸ νεύσει καὶ ὑπουργίᾳ
τὸν φωτισμὸν ἔχουσα · οὐκ οἶδα εἴτε τῇ τάξει τῆς στάσεως
μεριζομένη τὸν φωτισμὸν εἴτε τοῖς μέτροις τοῦ φωτισμοῦ

4, 11 ἐνθαπτομένης TVZ ‖ 13 ἔνδυμα — 14 συγκάλυμμα om. B ‖
14 κάλυμμα Ald. Maur.
5, 1-2 καὶ ἄρρητον om. n ‖ 9 ἐστιν om. V eras. T ‖ 12 τῇ στάσει τῆς
τάξεως S Vb Vp D Ald.

4. b. Cf. Rom. 6, 4. Col. 2, 12.   c. Cf. I Pierre 2, 9.

1. Allusion à Rom. 6, 4 et Col. 2, 12 : l'immersion identifie le baptisé à
la mort du Christ et signifie la mort au péché.P.G.
2. Pour l'interprétation des doctrines exposées dans ce paragraphe
très important, voir l'Introduction, p. 64-65.
3. Idée platonicienne, exprimée dans la République VI, 508 c. Grégoire cite également ce texte dans le Discours 28, 30 (SC 250, 168), mais
en ajoutant : «comme l'a dit quelqu'un qui n'est pas des nôtres». P.G.
4. Ὀλίγα τοῖς ἔξω χεόμενον, dit Grégoire. Ici le terme χέομαι

enseveli en même temps dans l'eau[b1]; onction, parce qu'il
est sacré et royal[c], car les êtres qui avaient ces caractères
recevaient une onction; illumination, parce qu'il est splendeur; vêtement, parce qu'il couvre notre honte; bain,
parce qu'il lave; sceau parce qu'il est une sauvegarde et une
marque de l'appartenance au Maître. Les cieux lui font
fête; les Anges le célèbrent parce qu'il est apparenté à leur
splendeur; il est l'image de la béatitude de l'au-delà; nous,
nous désirons le chanter, mais nous ne le pouvons pas
autant qu'il le mérite.

5. Dieu est la lumière suprême[2], inaccessible et inexprimable; elle n'est ni comprise par l'esprit, ni exprimée par la
parole; et elle illumine toute nature douée de raison. Cette
lumière est dans le monde intelligible ce que le soleil est
dans le monde sensible[3]; dans la mesure où nous sommes
purifiés, elle nous apparaît; dans la mesure où elle nous
apparaît, elle est aimée de nous; et dans la mesure où nous
l'aimons, en retour nous la connaissons; elle se contemple
et se comprend elle-même et se répand peu dans ce qui est
extérieur à elle[4]. Je parle de la lumière qui est contemplée
dans le Père, le Fils et le Saint-Esprit; leur richesse, c'est
l'identité de nature et le jaillissement unique de leur
splendeur. La deuxième lumière, c'est l'ange qui est une
sorte d'écoulement de la première Lumière ou de participation à elle[5]; parce qu'il a une propension vers elle, et
qu'elle le soutient, il tient d'elle son illumination. Je ne sais
pas si c'est le rang occupé par chacun qui mesure son
illumination, ou bien si chacun reçoit son rang à la mesure

s'applique à la connaissance intellectuelle, mais n'a rien à faire avec le
contexte ontologique dont il est question dans l'Introduction, p. 77 s.
   5. Le terme ἀπορροή correspond à ἐπιρροαί du *Discours* 28, 31, passage
qui fait, lui aussi, référence au rapport entre la nature angélique et la
nature divine. Μετουσία rappelle la doctrine platonicienne selon laquelle
l'essence inférieure participe (μετέχει) à la supérieure.

τὴν τάξιν λαμβάνουσα. Τρίτον φῶς ἄνθρωπος, ὃ καὶ τοῖς
C 15 ἔξω δῆλόν ἐστι. Φῶς γὰρ τὸν ἄνθρωπον ὀνομάζουσι διὰ
τὴν τοῦ ἐν ἡμῖν λόγου δύναμιν, καὶ ἡμῶν αὐτῶν πάλιν οἱ
θεοειδέστεροι καὶ μᾶλλον Θεῷ[a] πλησιάζοντες. Οἶδα καὶ ἄλλο
φῶς, ᾧ τὸ ἀρχέγονον ἠλάθη σκότος ἢ διεκόπη, πρῶτον
ὑποστὰν τῆς ὁρατῆς κτίσεως[b], τήν τε κυκλικὴν τῶν ἀστέρων
20 περίοδον καὶ τὴν ἄνωθεν[c] φρυκτωρίαν, κόσμον ὅλον αὐγά-
ζουσαν.

6. Φῶς μὲν ἦν καὶ ἡ τῷ πρωτογόνῳ δοθεῖσα πρωτό-
γονος ἐντολή[a] – ἐπειδὴ «Λύχνος ἐντολὴ νόμου καὶ φῶς[b]»
καὶ διότι «Φῶς τὰ προστάγματά σου ἐπὶ τῆς γῆς[c]» –,
εἰ καὶ τὸ φθονερὸν σκότος ἐπεισελθὸν τὴν κακίαν ἐδη-
5 μιούργησεν· φῶς δὲ τυπικὸν καὶ σύμμετρον τοῖς ὑποδεχο-
μένοις ὁ γραπτὸς νόμος, σκιαγραφῶν τὴν ἀλήθειαν καὶ τὸ
τοῦ μεγάλου φωτὸς μυστήριον, εἴπερ καὶ τὸ Μωϋσέως
365 A πρόσωπον τούτῳ δοξάζεται[d]. Καὶ ἵνα πλείονα φῶτα δῶμεν
τῷ λόγῳ, φῶς μὲν ἦν ἐκ πυρὸς τῷ Μωϋσεῖ φανταζόμενον,
10 ἡνίκα τὴν βάτον ἔκαιε μέν, οὐ κατέκαιε δέ[e], ἵνα καὶ τὴν
φύσιν παραδείξῃ καὶ γνωρίσῃ τὴν δύναμιν· φῶς δέ, τὸ ἐν
στύλῳ πυρὸς ὁδηγῆσαν τὸν Ἰσραὴλ καὶ ἡμερῶσαν τὴν
ἔρημον[f]· φῶς τὸ Ἡλίαν ἁρπάσαν ἐν τῷ τοῦ πυρὸς ἅρματι

5, 19 ἄστρων PPd Vb D
6, 1 καὶ om. m ‖ 7 μωϋσέως m Ald. Maur. : μωσέως n D² ‖ 9 μωϋσεῖ
PPd O² Ve Vb Vp D W Ald. Maur. : μωσεῖ C BQTVZ μωϋσῇ S P² W²
(τῷ om. S)

5. a. Cf. *Matth.* 5, 14. *Phil.* 2, 15.   b. Cf. *Gen.* 1, 2-5.   c. Cf. *Gen.*
1, 14-17.
6. a. Cf. *Gen.* 2, 16-17.   b. *Ps.* 118, 105.   c. *Prov.* 6, 23.
d. Cf. *Ex.* 34, 29.30.35.   e. Cf. *Ex.* 3, 2.   f. Cf.*Ex.* 13, 21.

1. C'est-à-dire les païens. P.G.
2. Allusion à l'explication étymologique de φῶς («homme») par φῶς
(«lumière»); on la rencontre chez CLÉMENT D'ALEXANDRIE, *Pédagogue*
I, 6, 28, 2, *SC* 70, p. 163.

de son illumination. La troisième lumière c'est l'homme, et cela est manifeste même aux gens du dehors[1] : en effet, ils donnent à l'homme le nom de *phôs (lumière)* à cause de la puissance de l'intelligence qui est en nous[2]; et, inversement, ce nom est donné à ceux d'entre nous-mêmes qui sont plus semblables à Dieu et qui s'approchent plus de Dieu[a3]. Je connais encore une autre lumière : celle qui a chassé les ténèbres primitives ou les a déchirées, elle qui fut produite en premier dans la création visible[b], et celle qui éclaire la révolution circulaire des astres et le luminaire d'en haut[c4], bref, le monde entier.

6. Il était lumière aussi, le premier précepte donné au premier homme[a], puisque «le précepte de la loi est lampe et lumière[b]» et «tes préceptes sont lumière sur la terre[c]», bien que les ténèbres envieuses, en faisant irruption, aient produit le péché; c'était aussi une lumière figurative et à la mesure de ceux qui la recevaient[5], la loi écrite donnant une esquisse de la vérité et du mystère de la grande Lumière, s'il est vrai que même le visage de Moïse en reflète la gloire[d]. Et, pour donner de plus nombreuses lumières à notre discours, c'était une lumière, celle qui apparut à Moïse en venant du feu, lorsque le feu brûlait le buisson sans le consumer[e], afin de montrer aussi sa nature et de faire connaître sa puissance; c'était aussi une lumière, celle qui, dans la colonne de feu, guidait la marche d'Israël et adoucissait la rigueur du désert[f]; c'était une lumière, celle qui enleva Élie dans un char de feu[g], sans brûler celui qui

3. Jésus a dit lui-même a ses disciples : «Vous êtes la lumière (φῶς) du monde» (*Matth.* 5, 14); de même S. Paul : «Vous brillez comme des flambeaux (φωστῆρες) dans le monde» (*Phil.* 2, 16). P.G.

4. Grégoire suit exactement le texte de la *Genèse* qui considère la lumière comme créée avant le soleil et distincte de lui. P.G.

5. Φῶς τυπικόν, puisque la Loi était τύπος de l'Évangile; σύμμετρον, puisqu'elle était limitée au seul peuple hébreu.

καὶ μὴ συμφλέξαν τὸν ἁρπαζόμενον[g] · φῶς τὸ τοὺς ποι-
15 μένας περιαστράψαν[h], ἡνίκα τὸ ἄχρονον φῶς τῷ χρονικῷ
ἐμίγνυτο · φῶς τὸ τοῦ δραμόντος ἀστέρος ἐπὶ Βηθλεὲμ καὶ
ἄλλως, ἵνα καὶ Μάγους ὁδηγήσῃ[i] καὶ δορυφορήσῃ τὸ ὑπὲρ
ἡμᾶς φῶς, μεθ' ἡμῶν γενόμενον · φῶς ἡ παραδειχθεῖσα
θεότης ἐπὶ τοῦ ὄρους τοῖς μαθηταῖς[j], μικροῦ στερροτέρα
20 καὶ ὄψεως · φῶς ἡ Παῦλον περιαστράψασα φαντασία καὶ ἡ
πληγὴ τῶν ὄψεων[k], τὸν σκότον τῆς ψυχῆς θεραπεύσασα ·
B   φῶς καὶ ἡ ἐκεῖθεν λαμπρότης τοῖς ἐνταῦθα κεκαθαρμένοις,
ἡνίκα ἐκλάμψουσιν οἱ δίκαιοι ὡς ὁ ἥλιος[l], ὧν ἵσταται ὁ
Θεὸς ἐν μέσῳ, θεῶν ὄντων καὶ βασιλέων[m], διαστέλλων καὶ
25 διαιρῶν τὰς ἀξίας τῆς ἐκεῖθεν μακαριότητος · φῶς παρὰ
ταῦτα ἰδιοτρόπως ὁ τοῦ βαπτίσματος φωτισμός, περὶ οὗ
νῦν ἡμῖν ὁ λόγος, μέγα καὶ θαυμαστὸν τὸ τῆς σωτηρίας
ἡμῶν περιέχων μυστήριον.

7. Ἐπειδὴ γὰρ τὸ μὲν μηδὲν ἁμαρτεῖν ἐστι Θεοῦ καὶ
τῆς πρώτης καὶ ἀσυνθέτου φύσεως — ἁπλότης γὰρ εἰρηναία
C   καὶ ἀστασίαστος — θαρρῶ δὲ εἰπεῖν ὅτι καὶ τῆς ἀγγελικῆς,

6, 16 μίγνυται n ‖ προδραμόντος Maur. ‖ 16-17 καὶ ἄλλως S PPd CRO
Ve Vb Vp B : κάλλος n praeter B, P² R² O² D Ald. Maur. ‖
17 δωρυφορήσῃ S δωροφορήσῃ m' Z Ald. ‖ 20 καὶ¹ : δὲ Maur. ‖ καὶ ἡ :
καὶ τῇ P² Z², καὶ n Ald. Maur. ‖ 21 πληγῇ VZ P² ‖ θεραπεύουσα n ‖
23 ἐκλάμψουσιν PPd CRO Ve Vb Vp n praeter Q, Ald. Maur. : -ωσιν S
Pdmg. Rmg. O ras. Ve² D Q ‖ 28 περιέχων S PPd Vp Ve Maur. : -έχον
CRO Vb D n Ald. -έχει Pdmg. Rmg. Vemg. -εχόμενον V
7, 1 τὸ μὲν : τὸ C Vp

6. g. Cf. IV *Rois* 2, 11.   h. Cf. *Lc* 2, 9.   i. Cf. *Matth.* 2, 9.   j. Cf.
Matth. 17, 2.   *Mc* 9, 3.   *Lc* 9, 29.   k. Cf. *Act.* 9, 3-9.18.   l. *Sag.*
3, 7 (LXX).   m. Cf. *Ps.* 81, 1.6 (LXX).

6, 23 ὅταν ἵσταται — 25 διαιρῶν cf. IOH. DAMASC., *De imag.* p. 95,
27-30 Kotter

1. *Marc* (9, 6) et *Luc* (9, 33) notent le désarroi de Pierre. P.G.
2. Cf. DÉMOSTHÈNE 18, 289 (où il y a θεῶς). Rapprochement signalé
par B. WYSS (*RAC* XII, 894). P.G.

était enlevé; c'était une lumière, celle qui enveloppa de son éclat les bergers[h], lorsque la lumière qui est en dehors du temps se mêlait à celle qui est dans le temps; c'était une lumière, celle de l'astre qui se hâta vers Bethléem; et cela, entre autres raisons, pour guider les Mages dans leur marche[i] et faire escorte à la Lumière qui est au-dessus de nous et qui s'est mise avec nous; c'était une lumière, la divinité qui se montra un instant aux disciples sur la montagne[j], mais presque avec trop de force pour la vue[1] c'était une lumière, l'apparition qui enveloppa Paul de son éclat, ainsi que le dommage infligé à sa vue, ce qui guérit les ténèbres de son âme[k]; c'est une lumière aussi, la béatitude de l'au-delà, pour ceux qui se sont purifiés ici-bas, lorsque les justes brilleront comme le soleil[l] et qu'ils seront des dieux et des rois au milieu desquels Dieu se tient[m], réglant et distinguant les degrés de leur béatitude dans l'au-delà; c'est une lumière au sens propre, plus que les précédentes, l'illumination du baptême, qui est mainte-nant le sujet de notre discours, et l'on y trouve contenu un grand et admirable mystère : celui de notre salut.

7. Être exempt de tout péché, cela appartient à Dieu[2] et à la nature première[3] et sans composition, car la simplicité[4] jouit de la paix et ne connaît pas le désaccord; je me hasarde aussi à dire qu'il en est de même pour la nature

---

3. Πρώτη φύσις est une expression philosophique (cf. également *D.* 28, 7, 13, 14, 31; 30, 16) remontant à un vague aristotélisme (c'est ainsi que propose de la comprendre R. GOTTWALD, *De Gregorio Nazianzeno platonico*, Diss., Breslau 1906, p. 25), mais déjà répandue dans le néoplatonisme, comme nous l'avons noté dans «Il Platonismo cris-tiano», p. 1385. Cf. PLOTIN, *Ennéade* II, 9, 1 : ἡ τοῦ ἀγαθοῦ ἁπλῆ φύσις καὶ πρώτη; VI, 7, 33; 9, 7; πρώτη οὐσία en V, 3, 5 etc.; *Discours* 39, 8, p. 163, n. 3.

4. Dieu est ἀσύνθετος ou ἁπλοῦς : doctrine également platonicienne (cf. PLOTIN, *Ennéade* II, 9, 1; V, 3, 1; 5, 6; 5, 10; «Il Platonismo cristiano», p. 1384).

ἢ ὅτι ἐγγυτάτω τούτου, διὰ τὴν πρὸς Θεὸν ἐγγύτητα·
5 τὸ δὲ ἁμαρτάνειν, ἀνθρώπινον καὶ τῆς κάτω συνθέσεως
— σύνθεσις γὰρ ἀρχὴ διαστάσεως —, οὐκ ᾤετο δεῖν
ἀβοήθητον τὸ ἑαυτοῦ πλάσμα[a] καταλιπεῖν ὁ Δεσπότης οὐδὲ
περιϊδεῖν κινδυνεῦον τὴν ἀπ' αὐτοῦ διάστασιν. Ἀλλ' ὥσπερ
οὐκ ὄντας ὑπέστησεν οὕτως ὑποστάντας ἀνέπλασε, πλάσιν
10 θειοτέραν τε καὶ τῆς πρώτης ὑψηλοτέραν, ἣ τοῖς μὲν
ἀρχομένοις ἐστὶ σφραγίς, τοῖς δὲ τελειοτέροις τὴν ἡλικίαν
καὶ χάρισμα καὶ τῆς παθούσης εἰκόνος[b] διὰ τὴν κακίαν
ἐπανόρθωσις· ἵνα μὴ τῇ ἀπογνώσει χείρους γινόμενοι καὶ
ἀεὶ πρὸς τὸ χεῖρον καταφερόμενοι τελέως ἔξω τοῦ καλοῦ
15 καὶ τῆς ἀρετῆς δι' ἀπόγνωσιν πίπτωμεν μηδὲ εἰς κακῶν
368A βάθος ἐμπεσόντες, ὃ δὴ λέγεται[c], καταφρονῶμεν, ἀλλ'
ὥσπερ οἱ μακρὰν ὁδὸν τέμνοντες, καταλύματι τοὺς πόνους
διαναπαύσαντες, οὕτω τὸ ἐξῆς τῆς ὁδοῦ νεαροὶ καὶ πρό-
θυμοι διανύσωμεν. Αὕτη μὲν ἡ τοῦ βαπτίσματος χάρις καὶ
20 δύναμις, οὐ κόσμου κατακλυσμὸν ὡς πάλαι, τῆς δὲ τοῦ
καθ' ἕκαστον ἁμαρτίας κάθαρσιν ἔχουσα καὶ παντελῆ
ῥύψιν τῶν ἀπὸ κακίας ἐπεισελθόντων συγχωσμάτων ἢ
μολυσμάτων.

7, 8 διάστασιν : διάπλασιν WQTmg. Dmg. corr. W² ‖ 12 παθούσης :
πεσούσης Maur. ‖ 14 καταφερόμενοι : φερόμενοι PPd² CRO Ve ‖ τέλεον
PPd CRO Ve ‖ 16 καταφρονήσωμεν Dmg.

7. a. Cf. *Gen.* 2, 7.   b. Cf. *Gen.* 1, 26.27; 9, 6.   c. Cf. *Prov.* 18, 3.

7, 6 σύνθεσις γὰρ ἀρχὴ διαστάσεως Ιοη. Damasc., *Expos. fidei* 8, p. 27,
215 Kotter

1. On retrouve ici le problème de la nature angélique, à propos de la
possibilité ou de l'impossibilité pour elle de céder au péché, comme on
l'a déjà vu dans le *Discours* 38, 9.

2. Si Dieu est ἀσύνθετος, comme nous venons de le voir (p. 209, n. 4),
l'homme au contraire, est σύνθεσις, comme l'expérience l'enseigne.

angélique[1], ou qu'elle est la plus proche possible de cet état
à cause de sa proximité par rapport à Dieu; au contraire,
commettre le péché, c'est le fait de l'homme et de la nature
composée d'ici-bas, car la composition est le principe de la
division[2]. Aussi le Maître a-t-il pensé qu'il ne fallait pas
laisser sans secours l'être qu'il avait façonné lui-même[a], et
le voir avec indifférence risquer de se séparer de Lui; mais,
de même qu'il nous avait créés alors que nous n'étions pas,
de même, une fois créés, il nous a remodelés par un
modelage plus divin et plus élevé que le premier[3]; ce
modelage, c'est, pour ceux qui débutent dans la vie, un
sceau[4], pour ceux qui sont plus avancés en âge, c'est aussi
une grâce et une restauration de l'image[b] atteinte par le
péché; ainsi nous ne deviendrons pas pires par désespoir,
nous ne serons pas emportés sans cesse vers le pire, nous ne
tomberons pas complètement en dehors du bien et de la
vertu sous l'effet du désespoir et, «tombés dans un abîme
de maux, nous n'arriverons pas au mépris», comme il est
dit[c5], mais au contraire, semblables aux voyageurs qui
parcourent une longue route et se reposent de leurs
fatigues dans une auberge, nous achèverons la suite de la
route renouvelés et pleins d'ardeur. Ce sont la grâce et la
force du baptême; elles comportent non pas la destruction
du monde par l'eau, comme jadis, mais la purification du
péché de chacun et le nettoiement complet des amas et des
souillures venant du vice.

3. Là encore on retrouve des considérations déjà rencontrées (*Discours* 39, 13) : Dieu ne peut abandonner l'homme à lui-même après le péché, et toute son «économie» tend à racheter la créature qui est tombée.

4. Le sceau du baptême qui marque le chrétien. Cf. A. HAMMAN, «La signification de σφραγίς dans le *Pasteur* d'Hermas», dans *Studia Patristica* IV, Berlin 1961, p. 286-290. P.G.

5. Allusion à un texte des *Proverbes* (18, 3) : «L'impie, lorsqu'il est tombé dans un abîme de maux, méprise.»

8. Διττῶν δὲ ὄντων ἡμῶν, ἐκ ψυχῆς λέγω καὶ σώματος, καὶ τῆς μὲν ὁρατῆς τῆς δὲ ἀοράτου φύσεως, διττὴ καὶ ἡ
B κάθαρσις, δι' ὕδατός τέ φημι καὶ Πνεύματος[a], τοῦ μὲν θεωρητῶς τε καὶ σωματικῶς λαμβανομένου, τοῦ δὲ ἀσω-
5 μάτως καὶ ἀθεωρήτως συντρέχοντος καὶ τοῦ μὲν τυπικοῦ, τοῦ δὲ ἀληθινοῦ καὶ τὰ βάθη καθαίροντος · ὃ τῆς πρώτης γενέσεως ἐπικουρία τυγχάνον καινοὺς ἀντὶ παλαιῶν καὶ θεοειδεῖς ἀντὶ τῶν νῦν ὄντων ἐργάζεται, χωρὶς πυρὸς ἀναχωνεῦον καὶ ἀνακτίζον δίχα συντρίψεως. Εἰ γὰρ δεῖ
10 συντόμως εἰπεῖν, συνθήκας πρὸς Θεὸν δευτέρου βίου καὶ πολιτείας καθαρωτέρας ὑποληπτέον τὴν τοῦ βαπτίσματος δύναμιν. Ὁ δὴ καὶ μάλιστα φοβητέον καὶ πάσῃ φυλακῇ τηρητέον τὴν ἑαυτοῦ ψυχὴν ἕκαστον, μὴ ψεῦσται τῆς ὁμολογίας ταύτης φαινώμεθα. Εἰ γὰρ τὰς πρὸς ἀνθρώπους
15 ὁμολογίας ἐμπεδοῖ Θεὸς μέσος παραληφθείς, πόσος ὁ κίνδυνος, ὧν πρὸς αὐτὸν ἐθέμεθα τὸν Θεὸν συνθηκῶν,
C τούτων παραβάτας εὑρίσκεσθαι καὶ μὴ μόνον τῶν ἄλλων ἁμαρτημάτων, ἀλλὰ καὶ αὐτοῦ τοῦ ψεύδους ὑποδίκους εἶναι τῇ ἀληθείᾳ; Καὶ ταῦτα οὐκ οὔσης δευτέρας ἀναγεννήσεως[b]
20 οὐδὲ ἀναπλάσεως οὐδὲ εἰς τὸ ἀρχαῖον ἀποκαταστάσεως, κἂν ὅτι μάλιστα ἐπιζητῶμεν ταύτην ἐν πολλοῖς στεναγμοῖς τε καὶ δάκρυσιν, ἐξ ὧν συνούλωσις μὲν ἔρχεται μόγις κατά γε τὸν ἐμὸν ὅρον καὶ νόμον — ἔρχεται γὰρ καὶ πιστεύομεν · εἰ δὲ καὶ τὰς οὐλὰς ἐξαλείφομεν, ἀγαπῴην ἄν, ἐπειδὴ καὶ

8, 1 λέγω om. Ioh. Damasc. ‖ 2 τῆς μὲν : τοῦ μὲν Tmg. ‖ 3 τέ φημι om. Ioh. Damasc. ‖ 13 ἕκαστος PPd CR Ve corr. P²Pd mg. Cmg. Rmg. Ve mg. ‖ 24 ἐξαλείφωμεν B W (ut uid.) Ald. Maur.

8. a. Jn 3, 5.   b. Cf. Jn 3, 3-4.

8, 1 διττῶν — 3 πνεύματος IOH. DAMASC., Expos. fidei, 60, p. 155, 57 Kotter; Doctrina Patrum, p. 207 Diekamp

1. Le terme ἀποκατάστασις rappelle (peut-être est-ce inconscient) la

8. Puisque nous sommes doubles, je veux dire composés d'une âme et d'un corps, et que notre nature est en
partie visible et en partie invisible, il y a aussi une double
purification, c'est-à-dire «par l'eau et par l'Esprit[a]», l'une
étant reçue d'une manière corporelle et qu'on peut voir,
l'autre apportant son concours d'une manière spirituelle et
qu'on ne peut pas voir; l'une est figurative, l'autre est
véritable et elle purifie jusqu'aux profondeurs, elle se
présente pour porter secours à notre première naissance,
elle nous fait nouveaux au lieu d'anciens, et semblables à
Dieu au lieu de ce que nous sommes maintenant; sans feu
elle nous refond et elle nous recrée sans cassure. En effet,
s'il faut s'exprimer brièvement, c'est comme un pacte avec
Dieu pour une seconde vie et une conduite plus pure qu'il
faut considérer la puissance du baptême. Aussi ce que nous
devons craindre par-dessus tout, ce que nous devons éviter
en gardant notre âme chacun avec tout notre soin, c'est de
nous montrer infidèles à cet engagement. Si l'on fait
intervenir Dieu pour confirmer les engagements pris à
l'égard des hommes, quel péril n'y a-t-il pas à être trouvés
infidèles au pacte que nous avons conclu avec Dieu
lui-même et à être inculpés non seulement pour les autres
fautes, mais encore pour avoir menti à la Vérité? De plus,
nous ne pouvons pas naître une seconde fois[b], ni être
remodelés, ni rétablis dans l'état ancien[1], même si nous
recherchons cela de notre mieux, avec une multitude de
gémissements et de larmes, d'où vient avec peine une
cicatrisation de la blessure, du moins selon mes principes,
et ma règle de conduite – car elle vient, et nous le croyons,
et si nous effacions jusqu'à cette cicatrice, je serais satisfait,

doctrine origénienne du rétablissement de la condition originelle à la fin
des siècles; il est certain que Grégoire emploie aussi le mot avec la
spécification εἰς τὸ ἀρχαῖον, c'est-à-dire dans la condition originelle,
avant la chute de l'homme. Mais de toute façon l'apocatastase de
Grégoire concerne seulement l'homme, et non les esprits déchus.

25 αὐτὸς χρῄζω φιλανθρωπίας — · πλὴν μὴ δευτέρας δεηθῆναι
καθάρσεως ἀλλὰ στῆναι μέχρι τῆς πρώτης ἄμεινον, ἣν
κοινὴν οἶδα πᾶσι καὶ ἄμοχθον καὶ ὁμότιμον, δούλοις,
δεσπόταις, πένησι, πλουσίοις, ταπεινοῖς, ὑψηλοῖς, εὐγε-
νεστέροις, ἀγενεστέροις, ὀφείλουσιν, οὐκ ὀφείλουσιν, ὡς
D 30 ἀέρος πνεῦσιν καὶ φωτὸς χύσιν καὶ ὡρῶν ἀλλαγὰς καὶ
κτίσεως θέαν, τοῦ μεγάλου καὶ κοινοῦ πᾶσιν ἡμῖν ἐντρυφή-
ματος, καὶ ἰσομοιρίαν πίστεως.

369A   9. Δεινὸν γὰρ ἀντὶ ἰατρείας ἀπονωτέρας τὴν ἐπιπονω-
τέραν ἐργάσασθαι, καὶ ἀπορρίψαντας χάριν εὔκαιρον οἴκτου
χρεωστεῖν κόλασιν καὶ ἀντιμετρεῖν ἁμαρτίᾳ διόρθωσιν.
Πόσον γὰρ εἰσοίσομεν δάκρυον, ἵν' ἀντισωθῇ τῇ πηγῇ τοῦ
5 βαπτίσματος; τίς δὲ ὁ ἐγγυητὴς ὅτι μενεῖ τὴν θεραπείαν τὸ
τέλος, ἀλλ' οὐκ ὀφείλοντας ἡμᾶς ἔτι τὸ κριτήριον ὑποδέ-
ξεται καὶ τῆς ἐκεῖσε δεομένους πυρώσεως; Σὺ μὲν
δεήσῃ τοῦ Δεσπότου τυχόν, ὁ καλὸς καὶ φιλάνθρωπος
γεωργός, ἔτι φείσασθαι τῆς συκῆς[a] καὶ μήπω ταύτην
10 ἐκτεμεῖν ἐγκαλουμένην τὸ ἄκαρπον, ἀλλὰ συγχωρηθῆναι
περιβαλεῖν κόπρια, δάκρυα, στεναγμούς, ἀνακλήσεις, χαμευ-
νίας, ἀγρυπνίας, τῆξιν ψυχῆς καὶ σώματος, τὴν δι' ἐξαγορεύσεως καὶ ἀτιμοτέρας ἀγωγῆς ἐπανόρθωσιν · ἄδηλον δὲ

8, 29 ὀφείλουσιν (bis) m B² : ὄφλουσιν n
9, 1 γὰρ om. n Ve ‖ 2 εὔκαιρον om. n C O (ex emend., ut uid.) Ve Vb
Ald. Maur. ‖ 4 εἰσοίσωμεν SD ‖ 5 μενεῖ P²Z Ald. Maur. : μένει cett.
codd. ‖ 6 ἡμᾶς om. n D add. W² mg.

---

9. a. Cf. Lc 13, 6-9.

---

1. Détail qui concerne une situation sociale et économique bien
définie : comme le remarque justement BERNARDI (p. 210), cette distinction s'explique seulement si l'on pense que le fait d'avoir des dettes ou
de n'en pas avoir permettrait de classer la population en des catégories

puisque je sollicite, moi aussi, la miséricorde –; cependant,
il vaut mieux ne pas avoir besoin d'une seconde purification, mais s'en tenir à la première qui est, je le sais,
commune à tous, qui s'obtient sans fatigue et qui vaut pour
tous, esclaves, maîtres, pauvres, riches, humbles, grands,
nobles, roturiers, débiteurs, non débiteurs[1], tout comme
l'air que l'on respire, la lumière qui se répand, les changements des saisons, le spectacle de la création – grand objet
de délices et commun à nous tous –, ainsi qu'une égale
participation à la foi.

9. Il est terrible, au lieu d'un remède moins pénible,
d'appliquer le plus pénible, de rejeter la grâce opportune
de la miséricorde pour être redevable du châtiment, et de
subir un redressement à la mesure de la faute. De combien
de larmes, apporterons-nous le tribut pour égaler la source
du baptême? Quel garant nous assure que la mort attendra
notre guérison[2] et que le tribunal ne nous recevra pas
encore endettés et passibles du feu de l'au-delà? Toi, le bon
et indulgent cultivateur, tu demanderas peut-être au Maître
d'épargner encore le figuier[a], de ne pas le couper tout de
suite en lui faisant grief de sa stérilité, mais d'accepter que
tu pratiques autour de lui la fumure : larmes, gémissements, invocations, couchers sur la dure, veilles, macéra-
tions de l'âme et du corps, correction, celle obtenue par le
moyen d'une confession[3] et d'un mode de vie plus

sociales nettement distinctes. C'est un signe que l'endettement était
largement répandu et que la vie sociale en était notablement affectée.

2. La «guérison» désigne le baptême : nul ne peut nous garantir que
la mort attendra que nous soyons baptisés pour nous prendre. P.G.

3. Le repentir doit donc être public (δι' ἐξαγορεύσεως) et il porte en
lui une condition déshonorante pour le pénitent. C'était peut-être une
des raisons qui faisaient que le baptême était retardé le plus possible et
que baptiser à l'article de la mort était une pratique assez courante,
comme on peut le déduire des chapitres 14 et suivants.

B εἰ φείσεται ταύτης ὁ Δεσπότης, ὡς καταργούσης τὸν
15 τόπον, ἄλλου δεομένου φιλανθρωπίας καὶ γινομένου χείρονος ἐκ τῆς εἰς τοῦτον μακροθυμίας. Συνταφῶμεν οὖν
Χριστῷ διὰ τοῦ βαπτίσματος[b], ἵνα καὶ συναναστῶμεν[c] ·
συγκατέλθωμεν, ἵνα καὶ συνυψωθῶμεν · συνανέλθωμεν, ἵνα
καὶ συνδοξασθῶμεν[d].

10. Ἐάν σοι προσβάλῃ μετὰ τὸ βάπτισμα ὁ τοῦ φωτὸς
διώκτης καὶ πειραστής — προσβαλεῖ δέ · καὶ γὰρ τῷ Λόγῳ
καὶ Θεῷ μου προσέβαλε διὰ τὸ κάλυμμα, τῷ κρυπτῷ φωτὶ
διὰ τὸ φαινόμενον —, ἔχεις ᾧ νικήσεις · μὴ φοβηθῇς τὸν
C5 ἀγῶνα. Προβαλοῦ τὸ ὕδωρ, προβαλοῦ τὸ Πνεῦμα, ἐν ᾧ
πάντα τὰ βέλη τοῦ Πονηροῦ τὰ πεπυρωμένα σβεσθήσεται[a].
Πνεῦμα μέν ἐστιν, ἀλλὰ διαλῦον ὄρη[b] · ὕδωρ μέν ἐστιν,
ἀλλὰ πυρὸς σβεστήριον. Ἐὰν προβάλῃ τὴν χρείαν — καὶ
γὰρ κἀκείνῳ τετόλμηκε — καὶ ζητῇ τοὺς λίθους ἄρτους
10 γενέσθαι[c], τὸ πεινῆν ἐπιθέμενος, μὴ ἀγνοήσῃς αὐτοῦ τὰ
νοήματα. Δίδαξον ἃ μὴ μεμάθηκε, τὸν λόγον ἀντίθες τὸν
σωτικόν, ὅς ἐστιν ἐξ οὐρανοῦ πεμπόμενος ἄρτος καὶ τῷ
κόσμῳ τὸ ζῆν χαριζόμενος[d]. Ἐὰν διὰ κενοδοξίας ἐπιβουλεύσῃ σοι — καὶ γὰρ ἐκείνῳ, ἀναγαγὼν ἐπὶ τὸ τοῦ ἱεροῦ
15 πτερύγιον καὶ «βάλε σεαυτὸν κάτω[c]» λέγων, εἰς ἐπίδειξιν
τῆς θεότητος —, μὴ κατενεχθῇς διὰ τῆς ἐπάρσεως. Ἂν

9, 15 ἄλλου WQT²VZ RO Ve D Ald. Maur. : ἀλλ' οὐ S P C Vb Vp
BTW² ἀλλου (sic) Pd
10, 2 καὶ πειραστής om. Ioh. Damasc. ‖ καὶ τῷ λόγῳ Ald. Maur. ‖
5 προβαλοῦ τὸ πνεῦμα προβαλοῦ τὸ ὕδωρ Ioh. Damasc. ‖ 8 προσβάλῃ
Maur. ‖ 9 κἀκείνῳ : ἐκείνῳ Vb D mg. ‖ ζητῇ B²QT²V Ald. Maur. : ζητεῖ
cett. ‖ 10 τὸ S C B² W³ Maur. : τῷ cett. Ald. ‖ πεινῆν n Ald. : πεινεῖν m
Maur. ‖ 13 ἐπιβουλεύσῃ m W : -βουλεύῃ BQTVZ Ald. Maur. ‖ 14 ἐκείνῳ
n PPd RO Ve Maur. : ἐκεῖνον S C Vb D κἀκεῖνον Vp ἐκεῖνο Ald. ‖
ἀναγαγὼν BW C VbVp D : ἀνάγων S PPd C γρ. RO Ve QTVZ Ald.
Maur.

9. b. Cf. Rom. 6, 4. Col. 2, 12.   c. Cf. Éphés. 2, 6.   d. Rom. 8, 17.
10. a. Cf. Éphés. 6, 16.   b. Cf. Ps. 96, 5.   c. Cf. Matth. 4, 3.
d. Cf. Jn 6, 33.   e. Matth. 4, 6.

méprisé[1]; mais il n'est pas certain que le Maître épargnera ce figuier, parce qu'il occupe inutilement la place, tandis qu'un autre est privé de bons soins et devient pire parce que l'on est patient envers le premier[2]. Ensevelissons-nous donc avec le Christ grâce au baptême[b], pour ressusciter aussi avec lui[c]; descendons avec lui pour nous élever avec lui; montons avec lui pour être aussi glorifiés avec lui[d].

10. Si, après le baptême, le persécuteur, le tentateur de la lumière t'attaque — et il t'attaquera, car il a attaqué le Verbe, mon dieu, grâce à l'enveloppe (de la chair), il a attaqué la lumière cachée, grâce à ce qui apparaissait —, tu as le moyen de vaincre, ne crains pas la lutte. Oppose-lui l'eau, oppose-lui l'Esprit par lequel tous les traits enflammés lancés par le Malin seront éteints[a]. C'est un esprit, mais il fait fondre des montagnes[b][3]; c'est de l'eau, mais elle éteint le feu. S'il t'attaque à cause de ton indigence — car il a osé le faire à l'égard du Christ —, et s'il cherche à obtenir que les pierres deviennent des pains[c] en te représentant que tu as faim, ne méconnais pas ses pensées, enseigne-lui ce qu'il n'a pas appris, oppose-lui la parole de vie qui est le pain envoyé du ciel et donnant la vie au monde[d]. S'il te tend un piège par la vanité — car il agit de la sorte avec le Christ en le faisant monter sur le pinacle du Temple et en lui disant : « Jette-toi en bas[e] » pour faire montre de ta divinité —, ne va pas te précipiter en bas en

10, 1 ἐάν σοι προσβάλῃ — 5 τὸ πνεῦμα IOH. DAMASC., *De imag.* III, 119, p. 192 Kotter

1. Allusion à la pénitence publique qui comportait l'acceptation d'un genre de vie austère et humiliant pendant un certain temps. P.G.
2. A partir du mot ἄλλου, l'auteur passe de l'idée du figuier (mot féminin en grec) à celle du pécheur, d'où les masculins ἄλλου et τοῦτον. P.G.
3. Allusion au texte : « Les montagnes fondaient comme cire devant la face du Seigneur » (*Ps.* 96, 5). P.G.

D τοῦτο λάβῃ, οὐ μέχρι τούτου στήσεται. Ἄπληστός ἐστιν,
   εἰς πάντα ἐπέρχεται. Σαίνει μὲν τῷ χρηστῷ, τελευτᾷ δὲ εἰς
   πονηρόν. Οὗτος αὐτοῦ τῆς μάχης ὁ τρόπος. Ἀλλὰ καὶ
20 Γραφῶν ἔμπειρος ὁ λῃστής. Ἐκεῖθεν τὸ «Γέγραπται» περὶ
   τοῦ ἄρτου[f] · ἐντεῦθεν τὸ «Γέγραπται» περὶ τῶν ἀγγέλων.
372A «Γέγραπται γάρ», φησίν, «ὅτι τοῖς ἀγγέλοις αὐτοῦ ἐντε-
   λεῖται περὶ σοῦ, καὶ ἐπὶ χειρῶν ἀροῦσί σε[g]». Ὦ σοφιστὰ
   τῆς κακίας, πῶς τὸ ἑξῆς ὑπεκράτησας; Πάνυ γὰρ νοῶ
25 τοῦτο, κἂν αὐτὸς ἀπεσιώπησας, ὅτι ἐπὶ τὴν ἀσπίδα σε καὶ
   τὸν βασιλίσκον ἐπιβήσομαι[h], καὶ περιπατήσω ἐπάνω ὄφεων
   καὶ σκορπίων, τῇ Τριάδι τετειχισμένος. Ἐὰν ἐξ ἀπληστίας
   καταπαλαίῃ σε, πάσας ὑποδεικνύων τὰς βασιλείας, ὡς
   αὐτῷ διαφερούσας[i], ἐν μιᾷ καιροῦ ῥοπῇ τε καὶ ὄψεως,
30 ἀπαιτῶν τὴν προσκύνησιν, ὡς πένητος καταφρόνησον. Εἰπέ,
   τῇ σφραγῖδι θαρρήσας · εἰκών εἰμι καὶ αὐτὸς Θεοῦ · τῆς
   ἄνω δόξης οὔπω δι' ἔπαρσιν, ὥσπερ σύ, καταβέβλημαι ·
   Χριστὸν ἐνδέδυμαι[j], Χριστὸν μεταπεποίημαι τῷ βαπτίσματι · σύ με προσκύνησον. Ἀπελεύσεται[k], σαφῶς οἶδα,
B 35 τούτοις ἡττημένος καὶ ᾐσχυμμένος, ὥσπερ ἀπὸ Χριστοῦ
   τοῦ πρώτου φωτὸς οὕτω τῶν ἀπ' ἐκείνου πεφωτισμένων.
   Τοιαῦτα τὸ λουτρὸν τοῖς ᾐσθημένοις αὐτοῦ χαρίζεται ·
   τοιαύτην προτείνει τοῖς καλῶς πεινῶσι τὴν πανδαισίαν.

   11. Βαπτισθῶμεν οὖν, ἵνα νικήσωμεν · μετάσχωμεν κα-

   10, 24 τῆς κακίας : τῆς om. BWQTV ‖ 25 ἀποσιωπήσῃς B Vb Vp
   Maur. ‖ τὴν ἀσπίδα : ἀσπίδα n ‖ 26 καταπατήσω PPd CRO Ve Maur. ‖
   28 καταπαλαίσῃ SD corr. S² ‖ 29 καιροῦ ῥοπῇ τε : ῥοπῇ καιροῦ τε WQV
   ῥοπῇ καιροῦ B καιροῦ τε ῥοπῇ Ald. Maur. ‖ 34 εὖ οἶδα B Q
   11, 1 μετασχῶμεν S B Vb μετάσχω D corr. Dmg.

   10. f. Cf. Matth. 4, 3-4. Lc 4, 3-4. g. Ps. 90, 11-12. Matth. 4, 6.
   Lc 4, 10-11. h. Ps. 90, 13 (LXX). i. Cf. Matth. 4, 8-9. Lc 4, 5-8.
   j. Gal. 3, 27. k. Cf. Matth. 4, 11. Lc 4, 13.

   10, 30 εἰπὲ τῇ σφραγίδι — 34 προσκύνησον ΙΟΗ. DAMASC., De imag.
   III, 119, p. 192 Kotter

voulant t'élever. Si cette attitude triomphe de lui, il ne s'en
tiendra pas là ; il est insatiable, il s'attaque à tout, il flatte
avec le bien, mais il finit par le mal : c'est sa méthode de
combat. Mais, de plus, il a la pratique des Écritures, le
brigand ; de là, le mot : «Il est écrit» à propos du pain[f1] ; de
là aussi le mot : «Il est écrit» à propos des anges : «Car il
est écrit, dit-il, qu'il donnera des ordres à ses anges à ton
sujet, et sur leurs mains ils te soulèveront[g].» Imposteur
habile à mal faire, pourquoi as-tu escamoté la suite du
texte ? Je le comprends tout à fait, quoique tu n'en dises
rien ; c'est parce que «je monterai sur toi l'aspic et le basilic
et marcherai sur les serpents et les scorpions[h2]», protégé
par le rempart de la Trinité. S'il engage la lutte contre toi
grâce à la cupidité, te montrant en un instant et d'un coup
d'œil tous les royaumes qui, soi-disant, lui appartiennent[i],
méprise-le : il est pauvre. Dis-lui, confiant dans le sceau (de
ton baptême) : «Je suis, moi aussi, l'image de Dieu ; je n'ai
pas encore été déchu, comme toi, de la gloire d'en-haut en
voulant m'élever ; j'ai été revêtu du Christ[j], je me suis
approprié le Christ par le baptême, c'est à toi de m'adorer.»
Il s'éloignera, je le sais clairement, vaincu et couvert de
confusion par ces paroles ; de même qu'il s'est éloigné du
Christ[k], première Lumière, de même laissera-t-il ceux qui
ont été illuminés par Lui. Tels sont les bienfaits que le bain
(de la nouvelle naissance) accorde à ceux qui l'ont compris ;
tel est le festin qu'il propose à ceux qui ont une noble faim.

11. Faisons-nous donc baptiser pour être vainqueurs ;

---

1. Petite inexactitude : Satan ne dit pas : «Il est écrit» en suggérant au
Christ de changer des pierres en pains ; mais c'est Jésus qui lui répond :
«Il est écrit», et il lui cite un verset du *Deutéronome* (8, 3). P.G.
2. Les reptiles évoqués dans ce verset symbolisent Satan. P.G.

θαρσίων ὑδάτων, ὑσσώπου[a] ῥυπτικωτέρων, αἵματος νομικοῦ
καθαρωτέρων, σποδοῦ δαμάλεως ἱερωτέρων, ῥαντιζούσης
τοὺς κεκοινωμένους[b] καὶ πρόσκαιρον ἐχούσης σώματος
5 κάθαρσιν[c], οὐ παντελῆ τῆς ἁμαρτίας ἀναίρεσιν. Τί γὰρ ἔδει
καθαίρεσθαι τοὺς ἅπαξ κεκαθαρμένους; Βαπτισθῶμεν σήμερον, ἵνα μὴ αὔριον βιασθῶμεν, καὶ μὴ ἀναβαλώμεθα τὴν
C εὐεργεσίαν, ὡς ἀδικίαν, μηδὲ ἀναμείνωμεν πλέον γενέσθαι
κακοί, ἵνα πλέον συγχωρηθῶμεν, μηδὲ γενώμεθα Χριστοκά-
10 πηλοι καὶ Χριστέμποροι, μηδὲ φορτισθῶμεν πλεῖον ἢ δυνάμεθα φέρειν, ἵνα μὴ αὐτάνδρῳ τῇ νηΐ βαπτισθῶμεν καὶ τὸ
χάρισμα ναυαγήσωμεν, ἀνθ᾽ ὧν πλεῖον ἠλπίσαμεν, τὸ πᾶν
ἀπολέσαντες. Ἕως ἔτι τῶν λογισμῶν κύριος εἶ, πρόσδραμε
τῷ δωρήματι· ἕως οὔπω νοσεῖς καὶ τὸ σῶμα καὶ τὴν
15 διάνοιαν, ἢ δοκεῖς οὕτω τοῖς παροῦσι, κἂν σωφρονῇς· ἕως
οὐκ ἐπ᾽ ἄλλοις κεῖται τὸ σὸν ἀγαθόν, ἀλλ᾽ αὐτὸς εἶ τούτου
κύριος· ἕως οὐ παράφορος ἡ γλῶσσα οὐδὲ κατεψυγμένη
οὐδὲ ζημιοῦται, ἵνα μὴ πλεῖόν τι λέγω, τὰ τῆς μυσταγω-
γίας ῥήματα· ἕως δύνασαι γενέσθαι πιστός, οὐκ εἰκαζό-
20 μενος ἀλλ᾽ ὁμολογούμενος, οὐκ ἐλεούμενος ἀλλὰ μακαριζό-
D μενος· ἕως δῆλόν σοι τὸ δῶρον, ἀλλ᾽ οὐκ ἀμφίβολον, καὶ
373 A τοῦ βάθους ἡ χάρις ἅπτεται, ἀλλ᾽ οὐ τὸ σῶμα ἐπιτάφια
λούεται· ἕως οὐ δάκρυα περὶ σὲ τῆς ἐξόδου μηνύματα, καὶ

11, 7 ἀναβαλλώμεθα SC Vb corr. S² ‖ 8 ἀναμένωμεν BVQZ -ομεν W ‖
12 τὸ πλεῖον Maur.

---

11. a. Cf. Ex. 12, 22. Nombr. 19, 6. Ps. 50, 9. Hébr. 9, 9.   b. Cf.
Nombr. 19, 2-4.9.   c. Cf. Hébr. 9, 13; 10, 4.

---

1. L'hysope est une plante aromatique utilisée pour la purification,
d'après le rituel mosaïque. P.G.
2. Par un péril de mort, p. ex. une maladie grave. P.G.
3. C'est-à-dire : ne retardons pas le baptême pour des raisons
intéressées. P.G.

participons aux eaux purificatrices, plus aptes à rendre net
que l'hysope[a][1], plus pures que le sang des victimes au
temps de la Loi, plus sainte, que la cendre de génisse dont
on aspergeait ceux qui étaient souillés[b] et qui comportait
une purification passagère du corps[c], non une suppression
totale du péché. Pourquoi en effet auraient-ils besoin de
purification, ceux qui ont été purifiés une fois pour toutes?
Faisons-nous baptiser aujourd'hui, afin de ne pas y être
forcés demain[2]; ne retardons pas le bienfait, comme si
c'était une injustice à subir; n'attendons pas d'être plus
coupables pour avoir plus à nous faire pardonner; ne
soyons ni des boutiquiers du Christ, ni des négociants du
Christ[3]; ne nous chargeons pas plus que nous ne pouvons
porter, de peur que nous ne soyons engloutis[4], hommes et
navire, que nous ne fassions naufrage pour ce qui est de la
grâce, et qu'en échange de trop vastes espoirs, nous ne
perdions le tout. Accours vers le don[5] tant que tu es encore
en possession de tes idées, tant que tu n'es pas encore
malade de corps ni d'esprit, ou que ton entourage ne te
juge pas dans cet état, alors que tu es dans ton bon sens,
tant que ton bien ne dépend pas des autres, mais que tu en
es toi-même le maître, tant que ta langue n'est pas
embarrassée, ni glacée, ni – à tout le moins – empêchée de
prononcer les paroles de ton initiation[6], tant que tu peux
devenir un croyant non par supposition, mais de l'aveu de
tous, et provoquer non pas la pitié, mais l'admiration, tant
que le don est pour toi certain et non douteux et que la
grâce atteint en toi les profondeurs, au lieu que ton corps
soit lavé d'une eau funèbre, tant qu'il n'y a pas autour de

4. L'auteur joue sur les deux sens de βαπτίζομαι : «être baptisé» et
«être englouti dans les eaux». P.G.

5. Le baptême. P.G.

6. Le baptisé devait réciter la profession de foi appelée symbole
baptismal. P.G.

ταῦτα εἰς σὴν χάριν τυχὸν ἐπεχόμενα, καὶ γυνὴ καὶ παῖδες
25 τὴν ἐκδημίαν μεθέλκοντες καὶ ζητοῦντες ἐξόδια ῥήματα ·
ἕως οὐκ ἰατρὸς ἄτεχνος περὶ σέ, ὥρας σοι χαριζόμενος ὧν
οὐκ ἔστι κύριος καὶ νεύματι ταλαντεύων τὴν σωτηρίαν καὶ
φιλοσοφῶν περὶ τῆς νόσου μετὰ τὸν θάνατον ἢ τοὺς
μισθοὺς βαρύνων ταῖς ὑποχωρήσεσιν ἢ τὴν ἀπόγνωσιν
30 αἰνιττόμενος · ἕως οὐ μάχῃ βαπτιστοῦ καὶ χρηματιστοῦ,
τοῦ μὲν ὅπως ἐφοδιάσῃ φιλονεικοῦντος, τοῦ δὲ ὅπως γραφῇ
κληρονόμος, ἀμφότερα τοῦ καιροῦ μὴ συγχωροῦντος.

B   12. Τί πυρετὸν ἀναμένεις εὐεργέτην, ἀλλ' οὐ Θεόν; Τί
καιρόν, ἀλλ' οὐ λογισμόν; Τί φίλον ἐπίβουλον, ἀλλ' οὐ
πόθον σωτήριον; Τί μὴ τὴν ἐξουσίαν, ἀλλὰ τὴν βίαν; Τί
μὴ τὴν ἐλευθερίαν, ἀλλὰ τὴν στενοχωρίαν; Τί παρ' ἄλλου
5 δέῃ μαθεῖν τὴν ἔξοδον, ἀλλ' οὐχ ὡς ἤδη παρούσης δια-
νοήσῃ; Τί φάρμακα ἐπιζητεῖς, τὰ μηδὲν ὀνήσοντα; Τί
κριτικὸν ἱδρῶτα, ἴσως παρεστῶτος τοῦ ἐξοδίου; Σαυτὸν
πρὸ τῆς ἀνάγκης ἰάτρευσον, σαυτὸν ἐλέησον, τὸν γνήσιον
τῆς ἀσθενείας θεραπευτήν, σαυτῷ προσάγαγε τὸ σωτήριον
10 ὄντως φάρμακον. Ἕως ἐξ οὐρίας πλεῖς, φοβήθητι τὸ
ναυάγιον, καὶ ἧττον ναυαγήσεις, τῇ δειλίᾳ βοηθῷ χρώμενος. Πανηγυρισθήτω τὸ δῶρον, ἀλλὰ μὴ θρηνηθήτω ·
ἐπεργασθήτω τὸ τάλαντον, ἀλλὰ μὴ συγχωσθήτω[a].

11, 24 ἐπεχόμενα BWQ² in ras. TVZ P² C Vb Vp D Maur. :
ἐπιχεόμενα S PPd RO Ve Vpmg. Dmg. Ald. ‖ 30 αἰνισσόμενος n
12, 6 ζητεῖς n Vb ‖ ὀνήσαντα BWV RO ὠνήσοντα S corr. W²R²O² ‖
9 προσάγαγε SC QZ Maur. ‖ τὸ : τὸν Dmg. τῷ S om. B PPd CO Ve
punctis notat R² add. P³ ‖ 10 πλῇς Vb Vp Ve D

12. a. Cf. Matth. 25, 14-30.

12, 6 τί φάρμακα — 7 τοῦ ἐξοδίου MAXIMUS, Ambigua, PG 91,
1349 B; 10 ἕως ἐξ οὐρίας — 11 βοηθῷ χρώμενος ΙΟΗ. DAMASC., Sacr.
Parall., PG 95, 1528 A

1. La sueur décisive est celle qui indique que le traitement est

toi des larmes qui dénoncent ton départ et que l'on retient
peut-être à cause de toi, pendant que femme et enfants
s'efforcent de retarder le grand voyage et guettent tes
dernières paroles, tant qu'il n'y a pas auprès de toi un
médecin incapable qui prétend t'accorder des heures dont
il n'est pas maître, qui pèse ton salut à la balance de son
hochement de tête, qui discute sur la maladie après la mort,
ou augmente le poids de ses honoraires avec ses dérobades,
ou insinue que le cas est désespéré, tant qu'il n'y a pas de
conflit entre le baptiseur et l'homme d'affaires, l'un s'effor-
çant de donner le viatique, l'autre de se faire inscrire
comme héritier, alors que le moment ne permet pas de faire
les deux.

12. Pourquoi attends-tu, pour t'accorder le bienfait, la
fièvre, et non pas Dieu? Pourquoi le moment, et non la
raison? Pourquoi un ami perfide, et non un désir salutaire?
Pourquoi, au lieu de la possibilité, la contrainte? Pourquoi,
au lieu de la liberté, l'angoisse? Pourquoi as-tu besoin
d'apprendre d'un autre ton départ et n'y songeras-tu pas
comme s'il était déjà présent? Pourquoi cherches-tu des
remèdes qui ne te serviront de rien? Pourquoi cherches-tu
la sueur décisive, alors que c'est peut-être la sueur du
départ qui est là[1]? Guéris-toi toi-même[2], avant que la
nécessité te presse; aie pitié de toi-même, car tu es le vrai
médecin de ta faiblesse; procure-toi le remède vraiment
salutaire. Pendant que tu navigues avec un vent favorable,
redoute le naufrage, et tu risqueras moins de faire naufrage
si tu prends la peur comme auxiliaire. Que le don soit
occasion de réjouissance, et non de deuil; que le talent
fructifie, mais ne soit pas enfoui[a]. Qu'il y ait quelque

efficace; provoquer une abondante transpiration était un des principes
de la médecine antique. P.G.

2. C'est-à-dire : fais-toi baptiser. P.G.

Γενέσθω τι μέσον τῆς χάριτος καὶ τῆς ἀναλύσεως, ἵνα μὴ
C 15 ἐξαλειφθῇ τὰ πονηρὰ γράμματα μόνον, ἀλλὰ καὶ μετεγ-
γραφῇ τὰ βελτίονα, ἵνα μὴ τὸ χάρισμα μόνον ἔχῃς, ἀλλὰ
καὶ τὴν ἀντίδοσιν, ἵνα μὴ τὸ πῦρ φύγῃς μόνον ἀλλὰ καὶ
τῆς δόξης κληρονομήσῃς, ἣν τὸ ἐπεργάσασθαι τῷ δώρῳ
χαρίζεται. Ἔστι γὰρ τοῖς μὲν μικροψύχοις μέγα τὸ φυγεῖν
20 βάσανον · τοῖς δὲ μεγαλοψύχοις τὸ καὶ τυχεῖν ἀντιδόσεως.

13. Τρεῖς γὰρ οἶδα τάξεις τῶν σωζομένων, δουλείαν,
μισθαρνίαν, υἱότητα. Εἰ δοῦλος εἶ, τὰς πληγὰς φοβήθητι ·
D εἰ μισθωτός, πρὸς τὸ λαβεῖν βλέπε μόνον. Εἰ δ' ὑπὲρ
τούτους καὶ υἱός, ὡς πατέρα αἰδέσθητι. Ἔργασαι τὸ καλόν,
5 ὅτι καλὸν τῷ πατρὶ πείθεσθαι, κἂν εἴ σοι μηδὲν ἔσεσθαι
376A μέλλοι. Τοῦτο αὐτὸ μισθός, τὸ τῷ πατρὶ χαρίζεσθαι. Ὦν
ἡμεῖς καταφρονοῦντες μὴ φαινώμεθα. Ὡς ἔστιν ἄτοπον,
χρήματα μὲν προαρπάζειν, ὑγίειαν δὲ ἀναβάλλεσθαι · καὶ
σώματα μὲν προκαθαίρειν, ψυχῆς δὲ κάθαρσιν ταμιεύεσθαι ·
10 καὶ τῆς μὲν κάτω δουλείας ἐλευθερίαν ζητεῖν, τῆς ἄνω
δὲ μὴ ἐφίεσθαι · καὶ ὅπως μὲν οἰκήσῃς μεγαλοπρεπῶς
ἢ ἀμφιέσῃ, πᾶσαν ποιεῖσθαι σπουδήν, ὅπως δὲ αὐτὸς
πλείστου ἄξιος ἔσῃ, μηδὲν φροντίζειν · καὶ ἄλλους μὲν εὖ
ποιεῖν πρόθυμον εἶναι, σαυτὸν δὲ μὴ βούλεσθαι. Καὶ εἰ μὲν
15 ὤνιον ἦν σοι τὸ ἀγαθόν, μηδενὸς ἂν φείδεσθαι χρήματος ·
εἰ δὲ πρόκειται τὸ φιλάνθρωπον, καταφρονεῖς τῷ ἑτοίμῳ
τῆς εὐποιίας. Πᾶς σοι καιρὸς ἐκπλύσεως, ἐπειδὴ πᾶς
ἀναλύσεως. Μετὰ Παύλου βοῶ σοι, τῆς μεγάλης φωνῆς[a]
B « Ἰδοὺ νῦν καιρὸς εὐπρόσδεκτος, ἰδοὺ νῦν ἡμέρα σωτη-
20 ρίας », οὐχ ἕνα καιρόν, ἀλλὰ πάντα τοῦ « Νῦν » ὁρίζοντος.

12, 18 κληρονομήσεις PPd corr. P²
13, 3 δ' om. S Vb Vp D BW Ald. ‖ 5 τὸ πατρὶ VQ R mg. Ve ‖ 6 τὸ
τῷ πατρί : τὸ πατρὶ BWQV ‖ 7 καταφρονοῦντες μὴ φαινώμεθα S Vb C :
μὴ καταφρονοῦντες φαινώμεθα PPd RO Ve Vp D BWQZ καταφρονοῦντες
μὴ φαινοίμεθα VT μὴ καταφρονοῦντες φαινοίμεθα Ald. Maur. ‖ 8 ὑγείαν S
Vb Vp BWQT²VZ Ald. corr. Q² ‖ 11 οἰκήσεις S PPd Vb Ald. Maur. ‖
12 ἀμφιάσῃ PPd RO Ve ‖ 14 ἑαυτὸν B W (ut uid.) Vb Vp D corr. W³

intervalle entre la grâce et la mort, afin que non seulement soit effacé le mal, mais encore que le bien soit inscrit à sa place, afin que tu ne possèdes pas seulement la grâce, mais encore la récompense, afin que tu n'évites pas seulement le feu, mais encore que tu hérites de la gloire que l'activité ajoute au don. Car les âmes mesquines regardent comme une grande chose d'éviter le châtiment, mais les grandes âmes veulent aussi obtenir la récompense.

13. Je sais qu'il y a trois classes d'élus : les esclaves, les mercenaires et les fils. Si tu es esclave, crains les coups ; si tu es mercenaire, regarde seulement le salaire ; mais si tu es au-dessus et si tu es fils, respecte (Dieu) comme un père. Travaille à faire le bien, car il est bien d'obéir à son père, même si cela ne doit rien te rapporter ; cela même est un salaire de plaire à son père. Montrons que nous ne méprisons pas ces sentiments ! Combien il est absurde de saisir d'emblée les richesses et de différer le soin de sa santé, de purifier en premier lieu le corps et de remettre à plus tard la purification de l'âme, de chercher la liberté vis-à-vis de l'esclavage d'ici-bas et de ne pas tendre vers la liberté d'en haut, de mettre tout ton zèle à te loger ou à te vêtir somptueusement et de ne pas te soucier d'être toi-même d'un très grand prix, de t'empresser à obliger les autres et de ne pas vouloir faire de même pour toi ! Si le bien dont nous parlons était à vendre, tu n'épargnerais pas ton argent ; mais si la bonté (divine) te le propose, tu dédaignes cette bienfaisance à cause de sa gratuité. A tout moment tu peux recevoir l'ablution, puisque à tout moment tu peux mourir. Avec Paul, cette grande voix, je te crie : « Voici maintenant le moment favorable, voici maintenant le jour du salut[a] » : ce n'est pas un moment déterminé, mais c'est tout moment que ce « maintenant » indique. Et de nou-

13. a. II *Cor.* 6, 2.

226 DISCOURS

Καὶ πάλιν · «Ἔγειραι, ὁ καθεύδων, καὶ ἀνάστα ἐκ τῶν
νεκρῶν, καὶ ἐπιφαύσει σοι ὁ Χριστός[b]», λύων τὴν νύκτα
τῆς ἁμαρτίας · ἐπειδὴ «Ἐν νυκτὶ ἐλπὶς πονηρά», κατὰ τὸν
Ἡσαΐαν[c], «καὶ τῷ πρωῒ ληφθῆναι λυσιτελέστερον».

14. Σπεῖρε μὲν ὅτε καιρὸς καὶ συγκόμιζε καὶ λῦε τὰς
C ἀποθήκας, ὅτε τούτου καιρός, καὶ φύτευε καθ' ὥραν καὶ
κειρέσθω σοι βότρυς ὥριμος καὶ ἀνάγου θαρρήσας ἔαρι
καὶ ἄνελκε τὴν ναῦν πάλιν ἀρχομένου χειμῶνος καὶ τῆς
5 θαλάσσης ἀγριουμένης. Καὶ πολέμου καιρὸς ἔστω σοι καὶ
εἰρήνης καὶ γάμου καὶ τῶν οὐ γάμου καὶ φιλίας καὶ
διαστάσεως, ἂν ταύτης δέῃσῃ, καὶ παντὸς ὅλως πράγματος,
εἴ τι τῷ Σολομῶντι πειστέον[a]. Πειστέον δέ · καὶ γὰρ
ὠφέλιμος ἡ παραίνεσις. Ἀεὶ δὲ τὴν σωτηρίαν ἐργάζου καὶ
10 πᾶς ἔστω σοι καιρὸς τοῦ βαπτίσματος ὅρος. Ἐὰν ἀεὶ τὸ
σήμερον παρατρέχων ἐπιτηρῇς τὸ εἰς αὔριον, ταῖς κατὰ
μικρὸν ἀναβολαῖς ὑπὸ τοῦ Πονηροῦ κλεπτόμενος, ὥσπερ
ἐκείνου τρόπος — «Ἐμοὶ δὸς τὸ παρόν, Θεῷ τὸ μέλλον ·
ἐμοὶ τὴν νεότητα, Θεῷ τὸ γῆρας · ἐμοὶ τὰς ἡδονάς, ἐκείνῳ
15 τὴν ἀχρηστίαν» —, ὅσος ὁ περὶ σὲ κίνδυνος, ὅσα τὰ παρ'
D ἐλπίδα συμπτώματα. Ἢ πόλεμος παρανάλωσεν ἢ σεισμὸς
συνέχωσεν ἢ θάλασσα ὑπεδέξατο ἢ θηρίον ἥρπασεν ἢ νόσος
ἀπώλεσεν ἢ ψὶξ παραδραμοῦσα, τὸ φαυλότατον — τί γὰρ
377A τοῦ ἀποθανεῖν ἄνθρωπον εὐκολώτερον, κἂν μέγα φρονῇς τῇ
20 εἰκόνι; — ἢ πότος πλεονάσας ἢ ἄνεμος κρημνίσας ἢ
ἵππος συναρπάσας ἢ φάρμακον ἐκ προνοίας ἐπιβουλεῦσαν,

13, 21 ἔγειραι P²O² VTZ Ald. Maur. : ἔγειρε cett. codd. ‖ 24 τῷ πρωῒ
S B Ald. Maur. : τὸ πρωῒ cett. codd.
14, 8 πειστέον (bis) W³ Z P² Ald. Maur. : πιστέον cett. codd. ‖
11 λανθάνεις ante ταῖς κατὰ add. S PPd CRO Ve D² Maur., habet Vp
mg. tamquam glossema verbi ἐπιτηρῇς ‖ 12 ὥσπερ S CO Ald. Maur. :
ὅσπερ PPd RO² Ve Vb Vp D B²Q²T²Z ὅπερ WQV T erasum ‖
14 ἐκείνῳ : θεῷ PPd CRO Ve ‖ 16 ἐλπίδας CR²O Ve

13. b. Éphés. 5, 14.   c. Is. 38, 13 (LXX).
14. a. Cf. Eccl. 3, 1-8.

veau : «Élève-toi, toi qui dors ; relève-toi d'entre les morts, et le Christ t'illuminera[b]», dissipant la nuit du péché, puisque «dans la nuit l'espérance est funeste», et, selon Isaïe, «être pris au point du jour préférable[c1]».

14. Sème lorsque c'est le moment, engrange et ouvre tes dépôts lorsque c'est le moment de le faire, plante à la saison voulue et que le raisin mûr soit coupé par toi ; prends la mer en faisant confiance au printemps et tire le navire à sec quand l'hiver commence et que la mer entre en fureur. Qu'il y ait pour toi un moment pour la guerre et un pour la paix, un pour le mariage et un pour ne pas se marier, un pour l'amitié et un pour la rupture, si elle est nécessaire, et en général un moment pour toute chose, s'il faut en croire Salomon[a]. Or, il faut le croire, car son conseil est utile. Mais en tout temps travaille à ton salut, et que tout moment soit un temps marqué pour le baptême. Si tu passes toujours à côté de l'«aujourd'hui» et si tu ne veux voir que le «c'est pour demain», tu te laisses tromper peu à peu, à ton insu, dans ces délais par le Malin, suivant sa manière : «Donne-moi le présent ; à Dieu l'avenir ; à moi ta jeunesse, à Dieu ta vieillesse ; à moi tes plaisirs, à Lui ton inutilité.» Quel danger pour toi ! Que d'événements imprévisibles ! C'est une guerre qui détruit, ou un tremblement de terre qui enfouit, ou la mer qui engloutit, ou une bête féroce qui enlève, ou une maladie qui fait périr, ou une miette de pain avalée de travers, chose méprisable ; qu'y a-t-il, en effet, de plus facile que la mort d'un homme, encore que tu sois fier d'être l'image de Dieu ? C'est encore une beuverie trop abondante, ou un coup de vent qui jette dans un précipice, ou un cheval qui emporte son cavalier, ou une drogue préparée à des fins perverses, peut-être

---

1. Le texte d'Isaïe évoqué est cité assez librement ; on lit, en effet, dans la *Septante* : «depuis le jour jusqu'à la nuit j'ai été livré» (*Is.* 39, 13). P.G.

τυχὸν δὲ καὶ ἀντὶ σωτηρίου φανὲν δηλητήριον, ἢ δικαστὴς
ἀπάνθρωπος ἢ δήμιος ἀπαραίτητος ἤ τι τῶν ὅσα ταχίστην
ποιεῖ τὴν μετάστασιν καὶ βοηθείας ἰσχυροτέραν.

15. Εἰ δὲ προκαταλάβοις σεαυτὸν τῇ σφραγῖδι, καὶ τὸ
μέλλον ἀσφαλίσαιο τῷ καλλίστῳ τῶν βοηθημάτων καὶ
στερροτάτῳ, σημειωθεὶς καὶ ψυχὴν καὶ σῶμα τῷ χρίσματι
καὶ τῷ Πνεύματι, ὡς ὁ Ἰσραὴλ πάλαι τῷ νυκτερινῷ καὶ
B 5 φυλακτικῷ τῶν πρωτοτόκων αἵματι[a], τί σοι συμβήσεται
καὶ τί σοι πεπραγμάτευται; Τῶν Παροιμιῶν ἄκουσον[b]·
«Ἐὰν γὰρ κάθῃ», φησίν, «ἄφοβος ἔσῃ· ἐὰν δὲ καθεύδῃς,
ἡδέως ὑπνώσεις.» Καὶ παρὰ τοῦ Δαβὶδ εὐαγγελίσθητι[c]·
«Οὐ φοβηθήσῃ ἀπὸ φόβου νυκτερινοῦ, ἀπὸ συμπτώματος
10 καὶ δαιμονίου μεσημβρινοῦ.» Τοῦτό σοι καὶ ζῶντι μέγιστον
εἰς ἀσφάλειαν. Πρόβατον γὰρ ἐσφραγισμένον οὐ ῥαδίως
ἐπιβουλεύεται, τὸ δὲ ἀσήμαντον κλέπταις εὐάλωτον· καὶ
ἀπελθόντι δεξιὸν ἐντάφιον, ἐσθῆτος λαμπρότερον, χρυσοῦ
τιμιώτερον, τάφου μεγαλοπρεπέστερον, ἀγόνων χοῶν εὐσε-
15 βέστερον, ἀπαργμάτων ὡρίων καιριώτερον, ὧν τοῖς νεκροῖς
οἱ νεκροὶ χαρίζονται[d], νόμον ποιησάμενοι τὴν συνήθειαν.
Πάντα οἰχέσθω σοι, πάντα διαρπαζέσθω, χρήματα, κτή-
ματα, θρόνοι, λαμπρότητες, ὅσα τῆς κάτω περι-
C φορᾶς· σὺ δὲ κατάλυσον ἐν ἀσφαλείᾳ τὸν βίον, μηδὲν
20 ζημιωθεὶς τῶν ἐκ Θεοῦ σοι δοθέντων εἰς σωτηρίαν βοηθημάτων.

14, 23 τάχιστα Vp D corr. Dmg.
15, 3 καὶ ψυχὴν : ψυχὴν m′ Ald. ‖ 5 αἵματι καὶ χρίσματι m′ Ald. ‖
7 φησιν om. AB QTVZ Vb ‖ 8 ὑπνώσῃς S P RO Ve Vb Z corr. P² ‖
14 ἀγώνων B W T m corr. B²W²T² (sed -ώ- iterat s.u. T²) P²C²R² ‖
20 ζημιωθῇς S C Vp D

15. a. Cf. Ex. 12, 21-24. b. Prov. 3, 24 (LXX). c. Ps.
90, 5-6 (LXX). d. Cf. Matth. 8, 22.

1. On se rappellera que φάρμακον signifie à la fois «poison» et
«remède». P.G.

même un remède[1] qui se révèle meurtrier au lieu de guérir, ou un juge inhumain, ou un bourreau inexorable, ou quoi que ce soit qui provoque le trépas très rapide et plus fort que les secours.

15. Mais si tu te prémunis par le sceau, et si tu assures l'avenir par le plus beau et le plus solide des secours, en te faisant marquer l'âme et le corps par l'onction et l'Esprit, comme Israël le fit jadis avec le sang mis pendant la nuit et qui protégea ses premiers-nés[a][2], que t'arrivera-t-il et quel résultat te sera acquis? Écoute les *Proverbes* : «Si tu es assis, dit-il, tu seras sans crainte; et si tu es couché, tu auras un sommeil agréable[b].» Et reçois de David cette bonne nouvelle : «Tu ne craindras pas devant la crainte nocturne, devant l'attaque et le démon de midi[c].» Ce sera pour toi durant ta vie une très grande sécurité : une brebis marquée n'est pas facile à subtiliser, mais celle qui ne l'est pas est une proie commode pour des voleurs; et quand tu auras quitté la vie, ce sera un présent funèbre convenable : plus brillant qu'un vêtement, plus précieux que de l'or, plus grandiose qu'un tombeau, plus pieux que des libations stériles, plus opportun que des prémices de fruits mûrs et que toutes les offrandes que les morts[1] font aux morts[d] en se faisant une loi de ce qui est la coutume. Que tout disparaisse pour toi, que tout te soit enlevé : richesse, biens fonciers, trônes, splendeurs, tout ce qui participe à la mobilité d'ici-bas; toi, du moins, termine ta vie en sécurité, sans être frustré d'aucun des secours que Dieu t'a donnés pour le salut.

2. Allusion à la dixième plaie d'Égypte : Dieu frappa de mort les premiers-nés des Égyptiens pendant la nuit; mais les Israélites furent protégés parce qu'ils marquèrent l'entrée de leurs maisons avec le sang de l'agneau pascal, immolé à la tombée de la nuit (*Ex.* 12, 21.24). P.G.

3. C'est-à-dire ceux qui sont morts spirituellement à cause de leurs péchés. P.G.

16. Ἀλλὰ φοϐῇ μὴ διαφθείρῃς τὸ χάρισμα, καὶ διὰ
τοῦτο ἀναϐάλλῃ τὴν κάθαρσιν, ὡς δευτέραν οὐκ ἔχων;
Τί δέ; Οὐ φοϐῇ μὴ διώκτῃ καιρῷ κινδυνεύσῃς καί, τὸ
μέγιστον ὧν ἔχεις, ἀφαιρεθῇς Χριστόν; Ἆρ' οὖν διὰ τοῦτο
5 φεύξῃ καὶ τὸ γενέσθαι Χριστιανός; Ἄπαγε· οὐχ ὑγιαί-
νοντος ὁ φόϐος, παραφρονοῦντος ὁ λογισμός. Ὦ τῆς
ἀνευλαϐοῦς εὐλαϐείας, εἰ δεῖ τοῦτο εἰπεῖν, ὦ τῶν τοῦ
πονηροῦ σοφισμάτων. Ὄντως σκότος ἐστί, καὶ φῶς
ὑποκρίνεται[a]. Ὅταν μηδὲν ἰσχύσῃ φανερῶς πολεμῶν,
380A 10 ἀφανῶς ἐπιϐουλεύει καὶ γίνεται σύμϐουλος ὡς χρηστός,
ὢν πονηρός· ἵν' ἑνί γε τῷ τρόπῳ πάντως ἰσχύσῃ καὶ
μηδαμόθεν αὐτοῦ τὴν ἐπιϐουλὴν διαφύγωμεν. Ὅπερ οὖν
κἀνταῦθα σαφῶς τεχνάζεται. Τὸ γὰρ φανερῶς καταφρονεῖν
τοῦ βαπτίσματος πείθειν οὐκ ἔχων, ζημιοῖ σε διὰ τῆς
15 πλαστῆς ἀσφαλείας, ἵν' ὃ φοϐῇ, τοῦτο λάθῃς παθὼν διὰ τοῦ
φόϐου· καὶ τὸ φθεῖραι τὴν δωρεὰν δεδοικώς, αὐτῷ τούτῳ
τῆς δωρεᾶς ἐκπέσῃς. Ὁ μὲν οὖν τοιοῦτός ἐστι καὶ οὔποτε
παύσεται τῆς ἑαυτοῦ διπλόης, ἕως ἂν βλέπῃ πρὸς οὐρανὸν
ἐπειγομένους ἡμᾶς, ὅθεν αὐτὸς ἐκπέπτωκεν[b]. «Σὺ δέ, ὦ
20 ἄνθρωπε τοῦ Θεοῦ[c]», γνῶθι τὴν ἐπιϐουλὴν τοῦ ἀντικει-
μένου. Πρὸς γὰρ τὸν ἔχοντα καὶ ὑπὲρ τῶν μεγίστων ἡ
μάχη. Μὴ λάθῃς σύμϐουλον τὸν ἐχθρόν· μὴ καταφρονήσῃς
B τοῦ γενέσθαι καὶ ἀκοῦσαι πιστός. Ἕως εἶ κατηχούμενος, ἐν
προθύροις εἶ τῆς εὐσεϐείας. Εἴσω γενέσθαι σε δεῖ, τὴν
25 αὐλὴν διαϐῆναι, τὰ ἅγια κατοπτεῦσαι, εἰς τὰ Ἅγια τῶν

16, 3 διώκτῃ n Ald. Maur. : διώκοντι m ‖ 10 ὡς om. WTVZ Ald. ‖
13 σαφῶς n CRO Ve Ald. Maur. : σοφῶς S PPd Cmg. Vb Vp D ‖
15 φοϐῇ γε Ald. Maur. ‖ 16 αὐτὸ τοῦτο Q Pd mg. CO Vp αὐτὸ τούτῳ
Rmg. Ve mg. ‖ 19 ἀναγομένους A ‖ ἐξέπεσεν B W³ mg. γρ. ‖ 21 ἔχοντα :
ἐχθραίνοντα ex Niceta coni. Maur. ‖ 23 ἀκοῦσαι καὶ γενέσθαι B Maur.
rasura in W (γενέσθαι καὶ ἀκοῦσαι W³) ‖ εἶ : ἦ S PPd CRO Ve Vb s.u. Vp
corr. P²

16. a. Cf. II *Cor.* 11, 14.   b. Cf. *Lc* 10, 18.   c. I *Tim.* 6, 11.

16. Mais tu crains de gâcher la grâce et, pour cela, tu tardes à te purifier parce que tu n'as pas possibilité de le faire une seconde fois. Mais quoi? Tu ne crains pas de te trouver en danger à un moment de persécution et d'être dépouillé du plus grand bien que tu possèdes, le Christ? Est-ce que pour cela tu éviteras aussi de devenir chrétien? Jamais de la vie! Ce n'est pas un homme sensé qui a cette crainte; c'est un esprit dérangé qui fait ce calcul. Ô prudence imprudente, s'il faut ainsi parler! Ô ruse du Malin! Il est vraiment ténèbres et il feint d'être lumière[a]! Lorsqu'il n'a aucune force en faisant la guerre ouvertement, il tend des embûches en secret, il se met à donner des conseils comme s'il était bon, alors qu'il est méchant; il veut ainsi à tout prix être le plus fort, au moins d'une façon, et ne nous laisser aucune issue pour échapper à ses embûches. C'est ce qu'il machine évidemment ici : comme il ne peut pas te persuader de mépriser le baptême, il te porte préjudice par le moyen d'une sécurité fictive, pour que tu subisses, sans t'en douter, à cause de la crainte, ce que tu crains, et que, redoutant de gâcher le don, tu sois par le fait même privé de ce don. Le voilà tel qu'il est, et jamais il ne mettra un terme à sa propre duplicité, tant qu'il verra que nous nous hâtons vers le ciel d'où il est lui-même tombé[b]. «Quant à toi, homme de Dieu[c]», connais l'embûche de l'adversaire, car «c'est contre celui qui possède[1]» et au sujet des plus grands intérêts que le combat se livre. Ne prends pas pour conseiller ton ennemi; ne dédaigne pas d'être «fidèle» et d'en avoir le nom. Tant que tu es catéchumène, tu es dans le vestibule de la piété; tu dois entrer, traverser la cour, contempler le Saint, te

---

1. Une note des Mauristes signale qu'il faut peut-être voir ici une réminiscence du vers 157 de l'*Ajax* de SOPHOCLE : «C'est contre celui qui possède que rampe l'envie.» Les Mauristes tiennent cette suggestion du scholiaste Nicétas de Serrone (XI[e] siècle). P.G.

ἁγίων παρακύψαι, μετὰ τῆς Τριάδος γενέσθαι. Μεγάλα
ἐστὶν ὑπὲρ ὧν πολεμεῖ · μεγάλης δεῖ σοι καὶ τῆς ἀσφαλείας. Προβαλοῦ «τὸν θυρεὸν τῆς πίστεως[d]». Φοβεῖταί σε
μετὰ τοῦ ὅπλου μαχόμενον καὶ διὰ τοῦτο γυμνοῖ σε τοῦ
30 χαρίσματος, ἵνα ῥᾶόν σου κρατήσῃ ἀόπλου καὶ ἀφυλάκτου.
Πάσης ἡλικίας ἅπτεται, πάσης ἰδέας βίου. Διὰ πάντων
ἀποκρουσθήτω.

C   17. Νέος εἶ; Στῆθι κατὰ τῶν παθῶν μετὰ τῆς συμμα-
χίας, εἰς Θεοῦ παράταξιν ἀριθμήθητι, ἀρίστευσον κατὰ τοῦ
Γολιάθ[a], λαβὲ τὰς χιλιάδας ἢ τὰς μυριάδας[b]. Οὕτω τῆς
5 ἡλικίας ἀπόλαυσον, ἀλλὰ μὴ ἀνάσχῃ μαρανθῆναί σου τὴν
νεότητα, τῷ ἀτελεῖ τῆς πίστεως νεκρωθεῖσαν. Γηραιὸς
εἶ καὶ τῆς ἀναγκαίας ἐγγὺς προθεσμίας; τὴν πολιὰν
αἰδέσθητι, δὸς ἣν ἀπαιτεῖ φρόνησιν, ἀνθ' ἧς νῦν ἔχεις
ἀσθενείας · ταῖς ὀλίγαις ἡμέραις βοήθησον, πίστευσον τῷ
γήρᾳ τὴν κάθαρσιν. Τί φοβῇ τὰ νεότητος ἐν βαθεῖ γήρᾳ
10 καὶ ταῖς ἐσχάταις ἀναπνοαῖς; Ἢ καὶ σὺ μένεις νεκρὸς
λουθῆναι, οὐ μᾶλλον ἐλεούμενος ἢ μισούμενος; Ἢ ποθεῖς
τῶν ἡδονῶν τὰ λείψανα, βίου λείψανον ὤν; Αἰσχρὸν τὴν
μὲν ἡλικίαν παρακμάσαι, μὴ παρακμάσαι δὲ τὴν ἀσέλγειαν,
ἀλλ' ἢ πάσχειν τοῦτο ἢ δοκεῖν, διαμέλλοντα πρὸς τὴν
D 15 κάθαρσιν. Νήπιον ἔστι σοι; Μὴ λαβέτω καιρὸν ἡ κακία, ἐκ
βρέφους ἁγιασθήτω, ἐξ ὀνύχων καθιερωθήτω τῷ Πνεύματι.

16, 27 πολεμεῖ AB Q S P CRO Ve : -ῇ P²Pd Vb Vp D WQ²TVZ Ald.
Maur. ‖ 29 καὶ om. B Vb Vp D ‖ 30 κρατήσῃ σου ῥᾶον m′ κρατήσῃ σε
ῥᾶον S κρατήσῃ ῥᾶόν σου Ald. Maur.
17, 3 ἢ τὰς : καὶ τὰς S Vp corr. S² ‖ 7 ἀπαιτῇ VQZ T² in rasura W³ P²
Ald. Maur. ‖ ἔχεις νῦν B ‖ 11 λουσθῆναι m praeter C corr. P² O² Vb²

16. d. Éphés. 6, 16.
17. a. Cf. I Sam. 17, 50.   b . Cf. I Sam. 18, 7.

1. Les étapes de l'initiation chrétienne sont décrites d'après la
topographie du Temple de Jérusalem : cour (ou parvis) des Israélites,
Saint (où les prêtres accomplissent les rites), Saint des Saints (où le
grand-prêtre seul pénétrait une fois par an). P.G.

pencher vers le Saint des Saints[1], être avec la Trinité. Grands sont les enjeux pour lesquels tu fais la guerre; grande aussi doit être pour toi la sécurité. Oppose à l'ennemi le «bouclier de la foi[d]»; il te craint, lorsque tu combats en armes, et c'est pour cela qu'il cherche à te dépouiller de la grâce, afin de te maîtriser plus facilement, si tu es sans armes et sans défense; il s'attaque à tout âge, à tout genre de vie; qu'il soit repoussé par tous les moyens!

17. Tu es jeune? Tiens bon contre les passions avec cette alliance[2], sois compté dans les rangs de l'armée de Dieu, prévaux contre Goliath[a], prends à ton actif les milliers et les dizaines de mille[b3]; jouis de ton âge de cette façon-là, mais ne supporte pas que ta jeunesse se fane et qu'avec sa foi incomplète elle devienne comme un cadavre. Tu es âgé et près du terme inévitable? Respecte tes cheveux blancs, donne à ta vieillesse la prudence qu'elle réclame en compensation de la faiblesse qui est maintenant la tienne; viens en aide aux quelques jours qui te restent; confie à ta vieillesse ta purification. Pourquoi crains-tu les fautes de la jeunesse dans la profondeur de la vieillesse et au moment de tes derniers souffles? Attends-tu d'être un cadavre pour recevoir l'ablution, en provoquant l'aversion plutôt que la pitié? Désires-tu les restes des plaisirs, quand tu es un reste de vie? Il est honteux d'avoir perdu la force de l'âge et de n'avoir pas perdu la force de la débauche, et d'être ou de sembler être dans cet état en tardant à recevoir la purification. Tu as un enfant en bas âge? Que le mal ne saisisse pas cette occasion; qu'il soit sanctifié dès son âge le plus tendre, qu'il soit consacré à l'Esprit dès que poussent

2. C'est-à-dire : avec le secours du baptême. P.G.

3. Allusion à la chanson des femmes après la victoire de David sur Goliath : «Saül a tué ses mille, et David ses dix mille» (*I Sam.* 18, 7). P.G.

381A Σὺ δὲ δέδοικας τὴν σφραγῖδα διὰ τὸ τῆς φύσεως ἀσθενές · ὡς
μικρόψυχος εἶ μήτηρ καὶ ὀλιγόπιστος. Ἡ Ἄννα δὲ καὶ
πρὶν γεννηθῆναι τὸν Σαμουὴλ καθυπέσχετο τῷ Θεῷ[c], καὶ
20 γεννηθέντα ἱερὸν εὐθὺς ποιεῖ[d] καὶ τῇ ἱερατικῇ στολῇ
συνανέθρεψεν[e], οὐ τὸ ἀνθρώπινον φοβηθεῖσα, τῷ δὲ Θεῷ
πιστεύσασα. Οὐδὲν δεῖ σοι περιαμμάτων καὶ ἐπασμάτων,
οἷς ὁ πονηρὸς συνεισέρχεται, κλέπτων εἰς ἑαυτὸν ἀπὸ τοῦ
Θεοῦ τὸ σέβας, ἐν τοῖς κουφοτέροις. Δὸς αὐτῷ τὴν Τριάδα,
25 τὸ μέγα καὶ καλὸν φυλακτήριον.

18. Τί ἔτι; Παρθενίαν ἀσκεῖς; Τῇ καθάρσει σφρα-
B γίσθητι · ταύτην ποίησαι τοῦ βίου κοινωνὸν καὶ συνόμιλον ·
αὕτη ῥυθμιζέτω σοι καὶ βίον καὶ λόγον, πᾶν μέλος, πᾶν
κίνημα, πᾶσαν αἴσθησιν. Τίμησον αὐτήν, ἵνα σε κοσμήσῃ,
5 ἵνα δῷ τῇ σῇ κεφαλῇ στέφανον χαρίτων, στεφάνῳ δὲ
τρυφῆς ὑπερασπίσῃ σου[a]. Δέδεσαι γάμῳ; Καὶ τῇ σφραγῖδι
συνδέθητι · ταύτην συνοίκισον σεαυτῷ τῆς σωφροσύνης

17, 17 σὺ δὲ n Vb² : σὺ δέ μοι m′ σοί μοι S σὺ Ald. Maur. ‖ 18 ἡ μήτηρ
Ald. Maur. ‖ 19 πρὶν ἢ W Vb Vp D Ald. Maur. ‖ 21 τῷ δὲ θεῷ A W S
PPd Vb Vp D Ald. Maur. : τῷ θεῷ δὲ BQTVZ CRO Ve ‖ 24 αὐτῷ :
αὐτοῖς B σαυτῷ A
18, 2 ποίησον QZ CRO Ve ‖ 3 σοι : σοῦ Dmg et D² Z ‖ 6 ὑπερασπίσει
S -ασπιεῖ D² ‖ 7 συνοίκισον O² Q² VZ Ald. Maur. : συνοίκησον cett.

17. c. Cf. I *Sam.* 1, 11.   d. Cf. I *Sam.* 1,28.   e. Cf. I *Sam.* 2, 18-19.
18. a. *Prov.* 4, 9 (LXX).

1. Le texte biblique dit que le jeune Samuel, en servant au sanctuaire
de Silo, avait un éphod de lin, et que sa mère lui apportait chaque année
une robe neuve (*I Sam.* 2, 18). P.G.
2. Ici le problème du baptême des enfants est seulement effleuré, et
Grégoire le résout sur le plan de l'expérience concrète de tous les jours :
il est opportun de baptiser les enfants dès qu'ils sont en mesure de
comprendre et dès qu'ils sont exposés à un danger. Donc, aucune
nécessité de les baptiser parce qu'ils sont tachés par le péché originel
(cf. également à ce propos BERNARDI, p. 211, n. 113; J. DANIÉLOU,
«Sur les enfants morts prématurément», dans *Vigiliae Christianae* 20,

ses ongles. Tu redoutes de lui imprimer le sceau, à cause de
la faiblesse de la nature? Que tu es une mère pusillanime et
de peu de foi! Anne, avant même que Samuel fût né, le
promit à Dieu[c]; lorsqu'il est né, elle le consacra aussitôt[d];
puis elle l'éleva avec le vêtement sacerdotal[e1], sans aucune
crainte humaine, mais en ayant confiance en Dieu. Et tu
n'as pas besoin d'amulettes ni d'incantations avec lesquelles le Malin s'introduit dans les esprits légers, dérobant
à son profit la vénération enlevée à Dieu. Donne à ton
enfant la Trinité, c'est le grand et beau talisman[2].

18. Quoi encore? Tu pratiques la virginité? marque-toi
du sceau de la purification; fais de celle-ci la compagne de
ta vie, ton associée; qu'elle rythme pour toi vie, parole,
tous tes membres, tous tes mouvements, tous tes sens.
Honore-la pour qu'elle te soit une parure, pour qu'elle
devienne «à ta tête une couronne de grâces, et qu'elle te
protège contre la couronne de délices[a3]». Tu es dans les
liens du mariage? Accepte aussi le lien du Sceau; établis-le

1966, p. 170). Ailleurs aussi, du reste (cf. chap. 28), Grégoire suggère de
donner le baptême à l'âge de trois ou quatre ans, quand l'enfant est en
mesure de comprendre les rudiments du mystère chrétien. Comme le
remarque ALTHAUS (*Die Heilslehre,* p. 105-106) à propos du *Poème* I,
1, 9, v. 87-95, notre auteur considère le baptême comme un moyen de
salut et une marque d'appartenance au Christ pour les adultes, mais il
vaut seulement comme marque pour les enfants. On comprend donc par
ces considérations pourquoi les Pélagiens ont pensé trouver en Grégoire
une autorité pour appuyer leur doctrine concernant l'inopportunité du
baptême des enfants. C'est à ce discours en effet qu'avait fait allusion
Julien d'Éclane, comme on le déduit de la polémique d'AUGUSTIN
(*Contra Julianum* 6, 75 et 6, 79); voir aussi à ce sujet B. ALTANER,
«Augustinus und Gregor von Nazianz, Gregor von Nyssa», dans *Kleine
Patristische Schriften,* Berlin 1967, p. 277-285; ALTHAUS, *Die Heilslehre,*
p. 118-122. Comme on l'a déjà montré dans l'Introduction, Grégoire
considère le péché originel comme une potentialité inhérente à la nature
humaine, non comme une réalité qui la constitue.

3. La couronne était un accessoire obligé des banquets et des
réjouissances dans l'Antiquité. P.G.

φύλακα. Πόσων εὐνούχων οἴει, πόσων θυρωρῶν οὖσαν
ἀσφαλεστέραν; Οὔπω σαρκὶ συνεζεύχθης; μὴ φοβηθῇς τὴν
10 τελείωσιν. Καθαρὸς εἶ καὶ μετὰ τὸν γάμον; ἐμὸς ὁ
κίνδυνος, ἐγὼ τούτου συναρμοστής, ἐγὼ νυμφοστόλος. Οὐ
γάρ, ἐπεὶ ἡ παρθενία τιμιωτέρα, ἐν τοῖς ἀτίμοις ὁ
γάμος. Μιμήσομαι Χριστόν, τὸν καθαρὸν νυμφαγωγὸν
καὶ νυμφίον[b], ὃς καὶ θαυματουργεῖ γάμῳ καὶ τιμᾷ συζυ-
C 15 γίαν τῇ παρουσίᾳ[c]. Μόνον ἔστω γάμος καθαρὸς καὶ πόθοις
ῥυπαροῖς ἀνεπίμικτος. Ἕν αἰτῶ μόνον· λαβὲ παρὰ τοῦ
δώρου τὴν ἀσφάλειαν καὶ δὸς τῷ δώρῳ τὴν ἁγνείαν κατὰ
καιρὸν ἕως εὐχῆς πρόκειται προθεσμία καὶ ἀσχολίας τιμιωτέρα καὶ ταύτην ἐκ κοινῆς ὁμολογίας καὶ συναινέσεως[d]. Οὐ
20 γὰρ νομοθετοῦμεν, ἀλλὰ παραινοῦμεν[e], καὶ τῶν σῶν τι
λαβεῖν ὑπὲρ σοῦ βουλόμεθα, καὶ τῆς κοινῆς ὑμῶν ἀσφαλείας ἕνεκεν. Ἐν κεφαλαίῳ δὲ εἰπεῖν, οὐκ ἔστιν οὐ βίος,
οὐκ ἐπιτήδευμα, ᾧ μὴ τοῦτο λυσιτελέστερον. Δέξαι, ὁ ἐν
ἐξουσίᾳ τὸν χαλινόν, ὁ ἐν δουλείᾳ τὴν ἰσοτιμίαν, ὁ ἀθυμῶν
25 τὴν παραμυθίαν, ὁ ἐν εὐθυμίᾳ τὴν παιδαγωγίαν, ὁ πένης
τὸν ἄσυλον πλοῦτον, ὁ εὐπορῶν τὴν καλὴν ὧν ἔχεις
οἰκονομίαν. Μηδὲν σοφίσῃ, μηδὲν τεχνάσῃ κατὰ τῆς
D σεαυτοῦ σωτηρίας· κἂν γὰρ τοὺς ἄλλους παραλογιζώμεθα,
384A ἡμᾶς γε αὐτοὺς οὐ δυνησόμεθα· ὡς τό γε καθ᾽ ἑαυτοῦ
30 παίζειν λίαν ἐπισφαλὲς καὶ ἀνόητον.

18, 8 οἴη AB Vp D ‖ 12 ἐπεὶ m Ald. Maur. : εἰ n Pd² ‖ 15 τις γάμος
PPd CRO Ve ‖ καθαρὸς m Ald. Maur. : λαμπρὸς n Dmg. ‖ 18 ἀσχολία
PPd CRO Ve D corr. P³ D² ‖ τιμιωτέρας A Vb ‖ 19 συναίσεως W PPd
corr. Pd² W³ ‖ 21 ὑμῶν : ἡμῶν ABW T³ ‖ 22 ἕνεκεν om. n ‖ 28 σεαυτοῦ
m praeter Vb Ald. Maur. : ἑαυτοῦ Vb σῆς A BWQTV om. Z ‖ 29 γε : δὲ
PPd CRO Ve δ᾽ Vb ‖ ἑαυτοὺς P²Pd

18. b. Cf. *Éphés.* 5, 23-27. II *Cor.* 11, 2. *Jn* 3, 29.   c. Cf. *Jn* 2, 1-11.
d. Cf. I *Cor.* 7, 5.   e. Cf. I *Cor.* 7, 6.

1. Cette distinction entre mariage et virginité et le plus grand prix à
accorder à cette dernière (doctrine très largement répandue dans le
christianisme ancien) sera plus amplement développée par le même

chez toi comme gardien de ta chasteté : ne le crois-tu pas plus sûr qu'une multitude d'eunuques et de portiers ? Tu n'as pas encore pris le joug de la chair ? Ne redoute pas la perfection ; tu es pur aussi après le mariage, c'est moi qui en réponds, c'est moi qui scelle l'union et qui te présente l'épouse. Ce n'est pas parce que la virginité est plus honorable, que le mariage est sans honneur[1]. J'imiterai le Christ, lui qui conduit l'épouse en toute pureté et qui est l'époux[b2], lui qui accomplit un miracle à des noces et qui honore le mariage par sa présence[c]. Que seulement le mariage soit pur et sans mélange de désirs immondes ! Je ne demande qu'une chose : reçois la sécurité venant du don, et corresponds à ce don par la continence passagère, pendant le temps fixé pour la prière – temps plus précieux que celui de l'activité –, mais cela doit être avec accord et consentement mutuels[d]. Car nous n'établissons pas une loi, mais nous donnons un conseil[e], et nous voulons recevoir de toi un gage dans ton intérêt en vue de votre sécurité à tous les deux. En résumé, il n'est pas un état de vie ni un genre d'occupation où le baptême ne soit ce qu'il y a de plus utile ; accepte-le, toi qui es libre, comme un frein ; toi qui es esclave, comme l'égalité des droits ; toi qui es découragé, comme la consolation : toi qui es dans la confiance, comme la règle de conduite ; toi qui es pauvre, comme la richesse à l'abri du vol ; toi qui es dans l'abondance, comme la bonne administration de tes biens. N'emploie pas la ruse, ne te livre à aucune machination contre ton propre salut. Même si nous abusons les autres, du moins ne pourrons-nous pas nous abuser nous-mêmes, car se jouer de soi-même, c'est tout à fait imprudent et stupide.

Grégoire dans le *Discours* 37, 9-10 (*SC* 318) qui est postérieur au *Discours* 40.

2. Allusion à la doctrine de S. Paul suivant laquelle le Christ est l'époux de l'Église. P.G.

19. Ἀλλ' ἐν μέσῳ στρέφῃ, καὶ μολύνῃ τοῖς δημοσίοις,
καὶ δεινὸν εἴ σοι δαπανηθήσεται τὸ φιλάνθρωπον; Ἁπλοῦς
ὁ λόγος· εἰ μὲν οἷόν τε, φύγε καὶ τὴν ἀγορὰν μετὰ
τῆς καλῆς συνοδίας, πτέρυγας ἀετοῦ σεαυτῷ περιθεὶς
5 ἢ περιστερᾶς, ἵν' οἰκειότερον εἴπω – τί γάρ σοι καὶ Καίσαρι
ἢ τοῖς Καίσαρος[a]; – ἕως οὗ καταπαύσῃς οὗ μὴ ἔστιν
ἁμαρτία μηδὲ μελάνωσις μηδὲ δάκνων ὄφις ἐφ' ὁδοῦ,
κωλύων σου τὰ κατὰ Θεὸν διαβήματα. Ἅρπασον τὴν
B σαυτοῦ ψυχὴν ἐκ τοῦ κόσμου· φύγε Σόδομα, φύγε τὸν
10 ἐμπρησμόν· ὅδευσον ἀμεταστρεπτί, μὴ παγῇς λίθος ἁλός[b]·
εἰς τὸ ὄρος σῴζου[c], μὴ συμπαραληφθῇς. Εἰ δὲ προκατέχῃ
καὶ δέδεσαι δεσμοῖς ἀναγκαίοις, ἐκεῖνο σεαυτῷ διαλέχθητι,
μᾶλλον δέ σοι αὐτὸς διαλεχθήσομαι· κρεῖσσον μὲν καὶ
τυχεῖν τοῦ ἀγαθοῦ καὶ φυλάσσειν τὴν κάθαρσιν· εἰ δὲ
15 ἀμφότερα μὴ ἐνδέχεται, κρεῖσσόν ποτε μικρὰ μολυνθῆναι
τοῖς σοῖς δημοσίοις ἢ παντάπασιν ἐκπεσεῖν τῆς χάριτος,
ὥσπερ, οἶμαι, κρεῖσσον ἐπιτιμηθῆναί τι παρὰ πατρὸς καὶ
δεσπότου ἢ ἀπωσθῆναι, καὶ μικρὸν αὐγάζεσθαι ἢ παντελῶς
σκοτίζεσθαι. Σωφρόνων δέ, ὥσπερ τῶν ἀγαθῶν τὰ μείζω
20 καὶ τελεώτερα, οὕτω καὶ τῶν κακῶν αἱρεῖσθαι τὰ ἐλάττω
C τε καὶ κουφότερα. Διὰ τοῦτο μὴ λίαν φοβηθῇς τὴν

19, 2 ἐάν σοι Amg. Rmg. ‖ 4 σεαυτῷ : σαυτῷ B W ἑαυτῷ Vb σεαυτοῦ
Vp ‖ 7 ἐφ' : ἐπ' S ἐπὶ n Ald. Maur. ‖ 8 κωλῦον BV P καὶ λύων A W² ‖
9 σαυτοῦ AWQV O²D ἑαυτοῦ S B σεαυτοῦ PPd CRO Ve Vb Vp T Z
Ald. ‖ 20 καὶ² om. n Vp D

19. a. *Matth*. 22, 21. *Mc* 12, 17. *Lc* 20, 25.　b. Cf. *Gen*. 19, 17.24-26.
c. Cf. *Gen*. 19, 17.　d. Cf. *Jos*. 2, 1-21; 6, 17.22-23.　e. Cf. *Lc*
18, 13-14.

1. Se tenir éloigné de la vie publique : cette exhortation est encore un
problème dont il était habituellement question chez les écrivains
chrétiens, et, au moins dans les trois premiers siècles, la réponse a
toujours été en faveur de l'abstention. On a ici l'impression que
Grégoire répète des *topoi* et des phrases toutes faites, des thèmes
stéréotypés qui devaient paraître de jour en jour moins opportuns à une

19. Mais tu es un homme en vue, tu es souillé par les
affaires publiques, et il est à craindre que tu gaspilles la
bonté (de Dieu)? Mon langage est simple : si tu le peux,
fuis même la place publique, en compagnie des gens de
bien, mets-toi des ailes d'aigle, ou de colombe — pour
parler plus exactement —; que t'importent, en effet, «César»
et «ce qui est à César[a]?» Fuis jusqu'à ce que tu parviennes
là où il n'y a pas de péché, de noirceur, de serpent qui
morde sur le chemin, t'empêchant de marcher selon Dieu;
arrache ton âme au monde, fuis Sodome, fuis l'incendie,
marche sans te retourner, pour ne pas être changé en statue
de sel[b], sauve-toi dans la montagne[c], pour ne pas être pris
avec les autres[1]. Mais si tu es retenu, attaché par des liens
inévitables, tiens-toi le langage que voici, ou plutôt je vais
moi-même te le tenir : le mieux serait d'atteindre le
bien et en même temps de préserver la purification;
si les deux choses ne sont pas possibles, s'il est préférable
de contracter, à l'occasion, de légères souillures dans les
affaires publiques plutôt que d'être exclu de la grâce, de
même qu'il est, je crois, préférable de recevoir quelques
blâmes d'un père ou d'un maître plutôt que d'être chassé,
et de briller faiblement plutôt que d'être entièrement
ténèbre; c'est le propre des sages de chosir parmi les biens
les plus grands et les plus parfaits, et de même parmi les
maux, les plus petits et les plus légers. C'est pourquoi tu ne
dois pas trop redouter la purification. En effet, il tient

époque où l'Église et le christianisme, loin de se désintéresser du
monde, y prenaient toujours plus de part, et quelquefois même au pire
sens du terme. La Constantinople de la fin du IVe siècle et les chrétiens de
cette cité, devant lesquels Grégoire prononce ces mots, n'étaient pas les
chrétiens des persécutions et de l'âge apostolique, auprès desquels
l'exhortation à se désintéresser du monde, dans l'attente de l'imminente
«parousie», pouvait avoir une signification. BERNARDI aussi (p. 212) est
assez sceptique sur l'efficacité de ces paroles et il doute qu'elles aient pu
satisfaire l'auditoire ou résoudre les problèmes de ceux qui étaient
engagés dans la politique.

κάθαρσιν· κρίνεται γὰρ ἀεὶ μετὰ τῶν ἐπιτηδευμάτων τὸ
κατορθούμενον παρὰ τοῦ δικαίου καὶ φιλανθρώπου τῶν
ἡμετέρων κριτοῦ. Καὶ μικρὸν κατορθώσας πολλάκις ὁ ἐν
25 τῷ μέσῳ πλεῖον ἔσχε τοῦ ἐν ἐλευθερίᾳ μὴ τὸ πᾶν
κατορθώσαντος· ὥσπερ, οἶμαι, παραδοξότερον ἐν πέδαις
μικρὰ προβαίνειν ἢ τρέχειν μηδενὶ βαρούμενον· καὶ διὰ
βορβόρου μικρὰ ῥαντίζεσθαι ἢ καθαρὸν εἶναι διὰ καθαρᾶς
ὁδοῦ φερόμενον. Τεκμήριον δὲ τοῦ λόγου· καὶ ʿΡαὰβ τὴν
30 πόρνην ἐν ἐδικαίωσε μόνον, ἡ φιλοξενία[d], τἆλλα οὐκ
ἐπαινουμένην, καὶ τὸν τελώνην ἐν ὕψωσεν, ἡ ταπείνωσις[e],
οὐδὲν ἄλλο μαρτυρηθέντα· ἵνα σὺ μάθῃς σεαυτοῦ μὴ
ῥαδίως ἀπογινώσκειν.

D   20. «Ἀλλὰ τί μοι πλέον, φησί, προκατασχεθέντι διὰ
τοῦ βαπτίσματος καὶ τὸ τερπνὸν τοῦ ζῆν ἐμαυτῷ διὰ τοῦ
τάχους ἀποκλείσαντι, ἐνὸν ἐφεῖναι ταῖς ἡδοναῖς καὶ τηνικαῦτα τυχεῖν τῆς χάριτος; Οὐδὲ γὰρ τοῖς ἐν τῷ ἀμπελῶνι
385A5 προκεκμηκόσιν ὑπῆρξέ τι πλέον, ἴσου τοῦ μισθοῦ δοθέντος
καὶ τοῖς τελευταίοις». Ἀπήλλαξας ἡμᾶς πραγμάτων, ὅστις
ποτὲ εἶ ὁ ταῦτα λέγων, μόγις τῆς ἀναβολῆς ἐξειπὼν τὸ
ἀπόρρητον· καί σε τῆς κακουργίας οὐκ ἐπαινῶν, ἐπαινῶ
τῆς ἐξαγορεύσεως. Ἀλλὰ δεῦρο καὶ τὴν παραβολὴν ἑρμη-
10 νεύθητι, ὡς ἂν μὴ βλάπτῃ τοῖς γεγραμμένοις ἐξ ἀπειρίας.
Πρῶτον μὲν οὐ περὶ τοῦ βαπτίσματος ἐνταῦθα ὁ λόγος,
ἀλλὰ περὶ τῶν κατὰ διαφόρους καιροὺς πιστευόντων καὶ εἰς
τὸν καλὸν ἀμπελῶνα εἰσερχομένων, τὴν Ἐκκλησίαν. Ἀφ'

19, 27 βαρυνόμενον A ‖ 32 σεαυτοῦ : ἑαυτοῦ PPd CRO Ve Vb
20, 3 ἀποκλείσαντος P Pd CRO Ve corr. P²R²O² ‖ ἐφεῖναι n Vb² P²
Ald. Maur. : ἐφιέναι m ‖ 7 μόλις ABQTV W² (W non liquet) μόνης Z ‖
10 βλάπτοιο m′

20. a. Cf. *Matth.* 20, 1 s.

1. Rahab, courtisane de Jéricho, donna l'hospitalité aux émissaires de
Josué venus pour explorer la Terre promise; elle assura leur sécurité

toujours compte des situations, notre juge équitable et bon; celui qui a obtenu un petit résultat, tout en étant engagé dans les affaires, a souvent plus de valeur que celui qui, libre de toute affaire, a souvent plus de valeur que celui qui, libre de toute affaire, n'a pas obtenu tout le résultat, tout en étant engagé dans les affaires, a souvent plus de valeur que celui qui, libre de toute affaire, n'a pas obtenu tout le résultat; de même, à mon avis, il est plus surprenant d'avancer un peu avec des entraves que de courir sans fardeau; et traverser un bourbier en ne recevant que de petites éclaboussures est plus surprenant que d'être propre en passant par un chemin propre. Comme preuve de ce que je dis, il y a Rahab, la courtisane, qui fut justifiée par le seul fait de son hospitalité[d][1], sans qu'elle méritât des éloges pour le reste, et aussi le publicain qui fut élevé par sa seule humilité[e], sans qu'on lui rendît d'autre témoignage – cela, pour t'apprendre à ne pas désespérer facilement de toi-même.

20. Mais qu'aurai-je de plus, dit-il, si je suis pris très tôt par le baptême, si je m'interdis par cette rapidité la joie de vivre, alors que je peux me livrer aux plaisirs et obtenir la grâce au moment voulu? En effet, ceux qui ont peiné les premiers dans la vigne n'ont rien eu de plus, et c'est un salaire égal qui a été donné aux derniers[a]. Tu viens de nous tirer d'embarras, qui que tu sois, toi qui tiens ce langage, en exprimant malgré toi le secret de tes atermoiements; et, sans te louer de ta perversité, je te loue de ta franchise. Eh bien, reçois l'explication de cette parabole, afin que ce qui est écrit ne te porte pas préjudice à cause de ton ignorance. D'abord, il ne s'agit pas ici du baptême, mais de ceux qui, à des moments différents, croient et entrent dans la belle

pour les faire repartir, après qu'ils eurent accompli leur mission. En récompense, Rahab fut épargnée, ainsi que sa famille, lorsque les Israélites détruisirent Jéricho. P.G.

ἧς γὰρ ἡμέρας καὶ ὥρας ἐπίστευσεν ἕκαστος, ἀπ' ἐκείνης
15 καὶ ἀπαιτεῖται τὴν ἐργασίαν. Ἔπειτα εἰ καὶ τῷ μέτρῳ τοῦ
μόχθου πλεῖον εἰσήνεγκαν οἱ προεισελθόντες, ἀλλ' οὐχὶ καὶ
τῷ μέτρῳ τῆς προαιρέσεως · καὶ τυχὸν τοῖς τελευταίοις ἐκ
B ταύτης καὶ πλεῖον ὠφείλετο, εἰ καὶ παράδοξός πως ὁ
λόγος. Τοῦ μὲν γὰρ ὕστερον εἰσελθεῖν, τὸ καὶ ὕστερον
20 κληθῆναι πρὸς τὴν ἀμπελουργίαν αἴτιον · τῶν ἄλλων δὲ
τὸ διάφορον ὅσον ἐπισκεψώμεθα. Οἱ μὲν οὐ πρότερον
ἐπίστευσαν οὐδὲ εἰσῆλθον πρὶν ἢ συμφωνηθῆναι αὐτοῖς τὸν
μισθόν · οἱ δὲ ἀσύμφωνοι τῇ ἐργασίᾳ προσῆλθον, ὃ μεί-
ζονός ἐστι γνώρισμα πίστεως. Καὶ οἱ μὲν φθονερᾶς καὶ
25 γογγυστικῆς ηὑρέθησαν ὄντες φύσεως, οἱ δὲ οὐδὲν ἐγκα-
λοῦνται τοιοῦτον. Καὶ τοῖς μὲν μισθὸς ἦν τὸ διδόμενον,
καίπερ οὖσι πονηροῖς, τοῖς δὲ χάρις · ὥστε καὶ ἄνοιαν
ἐγκληθέντες, εἰκότως τοῦ πλείονος ἐστερήθησαν. Τί δ' ἂν
καὶ αὐτοῖς ὀψισθεῖσιν ἐγένετο, καταμάθωμεν · τὸ ἴσον τοῦ
30 μισθοῦ δηλονότι. Πῶς οὖν αἰτιῶνται τὸν ἐργοδότην, ὡς διὰ
τὸ τῆς ἰσότητος ἄνισον; Ταῦτα πάντα τὴν τοῦ ἱδρῶτος
C ὑφαιρεῖ χάριν τοῖς πρώτοις, καὶ εἰ προκεκμήκασιν. Ἐξ ὧν
τί συμβαίνει; Δικαίαν εἶναι τὴν τοῦ ἴσου διανομήν, ἀντι-
μετρουμένης τῷ πόνῳ τῆς προαιρέσεως.

21. Εἰ δὲ καὶ τὴν τοῦ λουτροῦ δύναμιν ἡ παραβολὴ
σκιαγραφεῖ κατὰ τὴν σὴν ἐξήγησιν, τί κωλύει σε καὶ
προεισελθόντα καὶ καυσωθέντα μὴ βασκαίνειν τοῖς τελευταίοις, ἵν' αὐτῷ τούτῳ πλέον ἔχῃς, τῷ φιλανθρώπῳ, καὶ
D 5 χρέος, ἀλλὰ μὴ χάριν λαβεῖν τὴν ἀντίδοσιν; Ἔπειτα

20, 15 καὶ ἀπαιτεῖται SPPd RO Vb D T Ald. Maur. : ἀπαιτεῖται
ABWQZ C Ve Vp ‖ 16 μόχθου : κόπου PPd CRO Ve ‖ 25 ηὑρέθησαν AB
V : εὑ- cett. Ald. Maur. ‖ φύσεως : γνώμης A T P² Rmg. Omg. Vemg. D
‖ 27 ἡ χάρις Maur. ‖ 31 τὸ om. AB W QV P² ‖ 33 τί om. A Vb Vp Ald.
Maur. ‖ καὶ δικαίαν A Vb Vp Ald. Maur.

vigne, l'Église. C'est à partir du jour et de l'heure où
chacun a commencé à croire qu'il lui est demandé de
travailler. Ensuite, si l'on mesure par la fatigue, les
premiers arrivés ont apporté davantage, mais pas du tout si
l'on mesure par la bonne volonté; et c'est peut-être du fait
de cette bonne volonté qu'il était dû davantage aux
derniers, bien que ce que je dis soit quelque peu paradoxal.
S'ils sont arrivés plus tard, c'est parce qu'ils ont été appelés
aussi plus tard au travail de la vigne; et, pour le reste,
considérons combien ils l'emportent sur les autres : les uns
n'ont pas commencé à croire et ne sont pas entrés avant un
accord au sujet du salaire; les autres se sont mis au travail
sans cet accord, ce qui est l'indice d'une foi plus grande.
Les uns se sont montrés d'une nature portée à l'envie et au
murmure; les autres n'encourent pas un tel reproche. Aux
uns, c'était un salaire qui était donné, en dépit de leur
méchanceté; aux autres, une faveur. Et ainsi les premiers,
convaincus de sottise, furent privés du plus important.
Que leur serait-il arrivé, s'ils avaient été les derniers?
Comprenons-le : ils auraient reçu un salaire égal, évidemment. Comment, dès lors, accusent-ils celui qui a donné le
travail, à cause de l'inégalité dans l'égalité? Tout cela
enlève aux premiers la reconnaissance due à leurs sueurs,
même s'ils se sont fatigués avant les autres. De cela que
résulte-t-il? Que la distribution du salaire égal est juste, la
bonne volonté suppléant au travail.

21. Et même, si la parabole est réellement l'esquisse du
bain, d'après ton explication, ne pourras-tu pas, toi qui es
entré le premier et qui as supporté la chaleur, t'abstenir de
jalouser les derniers, afin d'avoir la supériorité par cette
bonté elle-même, et de recevoir comme un dû, et non
comme une faveur, la rémunération? De plus, les ouvriers

21, 2 κωλύει σε : κωλύσειε Maur. ‖ 4 αὐτῷ τοῦτο B W (ut uid.) T αὐτὸ
τοῦτο AQVZ ‖ ἔχεις S PPd D corr. P²

388A εἰσελθόντας ἐκεῖ λαμβάνειν τοὺς ἐργάτας, οὐ διαμαρτόντας
τοῦ ἀμπελῶνος · ὅ σοι παθεῖν κίνδυνος. Ὥστε εἰ μὲν ἦν
δῆλον ὅτι τεύξῃ τῆς δωρεᾶς οὕτω φρονῶν καὶ ὑποκρατῶν
τι κακούργως τῆς ἐργασίας, συγγνωστὸν ἦν σοι πρὸς τοὺς
10 τοιούτους καταφεύγοντι λογισμοὺς καὶ παρακερδαίνειν τι
βουλομένῳ τῆς τοῦ Δεσπότου φιλανθρωπίας · ἵνα μὴ λέγω
ὅτι καὶ αὐτὸ τὸ καμεῖν πλέον πλείων μισθὸς τῷ μὴ πάντη
καπηλικῷ τὴν διάνοιαν. Εἰ δὲ κίνδυνός σοι τοῦ ἀμπελῶνος
παντελῶς ἐκπεσεῖν διὰ τῆς ἐμπορίας καὶ εἰς τὸ κεφάλαιον
15 ζημιοῖ τὰ μικρὰ παρεκλέγων, φέρε, τοῖς ἐμοῖς πείσθητι
λόγοις · ἀφεὶς τὰς τοιαύτας παρεξηγήσεις καὶ ἀντιθέσεις,
ἀσυλλογίστως τῷ δώρῳ πρόσελθε, μὴ προαναρπασθῇς τῶν
ἐλπίδων καὶ κατὰ σεαυτοῦ λάθῃς τὰ τοιαῦτα σοφιζόμενος.

B	22. «Τί δέ; Οὐχὶ φιλάνθρωπον», φησί, «τὸ Θεῖον; Καὶ
γνωστικὸν γὰρ ἐννοῶν, δοκιμάζει τε τὴν ἔφεσιν καὶ
ἀντὶ βαπτίσματος ποιεῖται τὴν ὁρμὴν τοῦ βαπτίσματος.»
Αἰνίγματι λέγεις ὅμοιον, εἰ πεφωτισμένος ἐστὶ Θεῷ διὰ
5 τὸ φιλάνθρωπον ὁ ἀφώτιστος, ἢ καὶ τῆς βασιλείας τῶν
οὐρανῶν ἐντὸς ὁ ταύτης τυχεῖν σπουδάζων, δίχα τοῦ
πράττειν τὰ τῆς βασιλείας. Ἐγὼ δὲ ὡς ἔχω περὶ τούτων
εἰπεῖν θαρρήσω, οἶμαι δὲ καὶ τῶν ἄλλων συνθήσεσθαι τοὺς
νοῦν ἔχοντας. Τῶν τυχόντων τῆς δωρεᾶς οἱ μὲν παντελῶς
10 ἦσαν ἀλλότριοι τοῦ Θεοῦ καὶ τῆς σωτηρίας, πᾶν εἶδος
κακίας διεξελθόντες καὶ εἶναι κακοὶ σπουδάσαντες · οἱ δὲ
ἡμιμόχθηροί πως καὶ μέσως ἔχοντες ἀρετῆς καὶ κακίας, οἳ
τὸ μὲν κακὸν ἔπραξαν, τῷ πραττομένῳ δὲ οὐ συνήνεσαν,
C καθάπερ οἱ πυρέττοντες τῷ ἑαυτῶν ἀρρωστήματι. Οἱ δὲ

21, 6 διαμαρτῶντας AB S CRO corr. O² ‖ 12 post πλέον add. πολὺ
Dmg. ‖ 17 προαναρπασθῇς m Q Ald. Maur. : προαρπασθῇς n praeter Q
22, 2 γνωστικῶν CRO Ve Vp corr. Rmg. O mg. ‖ 7 τούτου Vb Vp D ‖
11 σπουδάζοντες Vb Vp D Ald. Maur. ‖ 13 τῷ δὲ πραττομένῳ Vp D

la reçoivent pour être entrés là, pour ne s'être pas tenus à
l'écart de la vigne, ce qui risque de t'arriver. S'il était
certain que tu obtiennes le don, tout en ayant de tels
sentiments et tout en dérobant comme un voleur une partie
de ton travail, on pourrait t'excuser de recourir à de tels
calculs et de vouloir tirer profit de la bonté du Maître
– cela, pour ne pas te dire que le surcroît de fatigue est par
lui-même un supplément de récompense pour celui qui n'a
pas tout à fait la mentalité d'un boutiquier. Et si tu risques
d'être totalement exclu de la vigne à cause de ce marchan-
dage et de perdre l'essentiel en ne recueillant que de petits
avantages, allons, crois en mes paroles, laisse de côté les
mauvaises explications et les objections de cette sorte, et,
sans ergoter, viens chercher le don ; ainsi tu ne seras pas
enlevé avant la réalisation de tes espérances et tu ne seras
pas la victime inconsciente de ces arguties.

22. Eh quoi ? La divinité ne nous aime-t-elle pas ? dit-il.
En effet, Dieu qui connaît nos pensées apprécie notre désir,
et à ses yeux l'intention de recevoir le baptême tient lieu de
baptême. – Ce que tu dis ressemble à une énigme : c'est
comme si Dieu considérait pourvu de la lumière, parce
qu'il l'aime, celui qui n'a pas reçu la lumière, ou comme si
l'on entrait dans le royaume des cieux, parce que l'on y
prétend, sans faire ce qui est requis pour ce royaume.
Quant à moi, ce que je pense sur ce sujet, je vais le dire
hardiment, et je crois que tous ceux qui ont du bon sens
m'approuveront. Parmi ceux qui ont obtenu le don, les uns
étaient absolument étrangers à Dieu et au salut, ayant
parcouru toutes les formes du vice et étant vicieux de parti
pris. D'autres étaient à demi mauvais en quelque sorte et
tenaient le milieu entre la vertu et le vice ; ils avaient fait le
mal mais ils n'approuvaient pas ce qu'ils faisaient, comme
ceux qui ont la fièvre ne se félicitent pas de leur maladie.
D'autres, avant même l'initiation, étaient dignes d'éloges,

15 καὶ πρὸ τῆς τελειώσεως ἦσαν ἐπαινετοί, οἱ μὲν ἐκ
φύσεως, οἱ δὲ κατὰ σπουδὴν προκαθαίροντες ἑαυτοὺς
τῷ βαπτίσματι, καὶ μετὰ τὴν τελειότητα πεφήνασι κρείτ-
τους καὶ ἀσφαλέστεροι · τὸ μὲν ἵνα τύχωσι τοῦ ἀγαθοῦ, τὸ
δὲ ἵνα φυλάξωσιν. Ἐν τούτοις, βελτίους μὲν τῶν παντά-
20 πασι πονηρῶν οἱ τῆς κακίας τι ὑφιέμενοι · βελτίους δὲ τῶν
μικρόν τι ὑφιεμένων οἱ σπουδαιότεροι καὶ προσαρώσαντες
ἑαυτοὺς τοῦ βαπτίσματος · ἔχουσι γάρ τι πλεῖον, τὴν
D ἐργασίαν. Οὐ γάρ, ὥσπερ τῶν ἁμαρτημάτων ἐξάλειψιν
389A ἔχει τὸ λουτρόν, οὕτω καὶ τῶν κατορθωμάτων ἀναίρεσιν.
25 Τούτων δὲ αὐτῶν βελτίους οἱ καὶ γεωργοῦντες τὸ χάρισμα
καὶ ὅτι μάλιστα εἰς κάλλος ἑαυτοὺς ἀποξέοντες.

23. Ὥστε καὶ τῶν ἀποτυγχανόντων οἱ μέν εἰσι
παντελῶς κτηνώδεις ἢ θηριώδεις, ὡς ἂν ἀνοίας ἢ πονηρίας
ἔχωσιν, οἷς μετὰ τῶν ἄλλων κακῶν οὐδὲ τὸ χάρισμα,
οἶμαι, σφόδρα αἰδέσιμον, ἀλλ' ὄντως χάρισμα · εἰ μὲν
5 δοθείη, στεργόμενον, εἰ δὲ μὴ δοθείη, περιφρονούμενον. Οἱ
δὲ γινώσκουσι μὲν καὶ τιμῶσι τὴν δωρεάν, ἀναβάλλονται
δέ, οἱ μὲν διὰ ῥαθυμίαν, οἱ δὲ δι' ἀπληστίαν. Οἱ δὲ οὐδέ
εἰσιν ἐν δυνάμει τοῦ δέξασθαι, ἢ διὰ νηπιότητα τυχὸν ἢ
B τινα τελέως ἀκούσιον περιπέτειαν, ἐξ ἧς οὐδὲ βουλομένοις
10 αὐτοῖς ὑπάρχει τυχεῖν τοῦ χαρίσματος. Ὥσπερ οὖν ἐν
ἐκείνοις πλείστην διαφορὰν ηὕρομεν, οὕτω κἂν τούτοις.
Χείρους μὲν οἱ παντάπασι καταφρονηταὶ τῶν ἀπληστοτέρων
ἢ ῥαθυμοτέρων, χείρους δὲ οὗτοι τῶν ἐξ ἀγνοίας καὶ
τυραννίδος ἀποπιπτόντων τῆς δωρεᾶς. Τυραννὶς γὰρ οὐκ

22, 15 τελειώσεως m Ald. Maur. : τελειότητος n ‖ 20 ὑφειμένοι QTV
ἐλαττοῦντες Q² mg. Vmg. ‖ 21 τι om. n ‖ προσαρώσαντες S PPd CD Ve
B² W QT γρ. mg. Maur. : προ- A BTVZ Vb P² RO Vp Ald.
23, 1 ὥστε : ὡς δὲ WTV R² ‖ 8 ἢ διά τινα A

22. a. Cf. *Lc* 15, 8.

soit par inclination soit parce qu'ils se purifiaient avec
ardeur avant le baptême, et après l'initiation ils se montrent
plus vaillants et plus assurés : avant, c'était pour obtenir le
bien ; après, c'est pour le conserver. Parmi ces baptisés,
au-dessus de ceux qui sont absolument pervers se trouvent
ceux qui ont eu quelque faiblesse en face du mal ; et
au-dessus de ceux qui ont eu de petites faiblesses se
trouvent ceux qui ont été plus généreux et qui ont
« balayé[a] » chez eux avant le baptême : ces derniers ont
quelque chose de plus, leurs efforts, car le bain, s'il a le
pouvoir d'effacer les péchés, n'a pas celui de détruire les
bonnes actions ; et au-dessus même de ceux-là se trouvent
ceux qui cultivent la grâce et qui se donnent, autant qu'il
est possible, le poli de la beauté[1].

23. Parmi ceux qui n'arrivent pas au baptême, certains
sont de vraies bêtes, d'autres, de vrais fauves, selon leur
degré de sottise ou de perversité. Pour eux, outre leurs
autres défauts, la grâce, je crois, n'a pas grande valeur, tout
en étant réellement grâce ; si on la donne, ils l'acceptent, si
on ne la donne pas, ils n'en ont cure. D'autres connaissent
et estiment le don ; mais ils le renvoient à plus tard, soit par
nonchalance, soit parce qu'ils sont insatiables de jouissance. D'autres ne sont pas en puissance de le recevoir, à
cause de leur bas âge peut-être, ou par suite de quelque
circonstance parfaitement involontaire qui ne leur permet
pas, malgré leur désir, d'obtenir la grâce. Nous trouvons la
plus grande différence aussi bien parmi les uns que parmi
les autres. Ceux qui ont un mépris total sont pires que ceux
qui sont insatiables ou nonchalants ; et ces derniers sont
pires que ceux qui restent à l'écart du don sous l'effet de
l'ignorance ou d'une contrainte ; car la contrainte n'est pas

---

1. Cette image du sculpteur qui polit sa statue se retrouve sous forme
plus explicite dans le *Discours* 27, 7 (*SC* 250, p. 86, l. 6-7). P.G.

15 ἄλλο τι ἢ ἀκούσιος διαμαρτία. Καὶ ἡγοῦμαι τοὺς μὲν καὶ
δίκας ὑφέξειν, ὥσπερ τῆς ἄλλης πονηρίας οὕτω καὶ τῆς τοῦ
λουτροῦ περιφρονήσεως · τοὺς δὲ ὑφέξειν μέν, ἧττον δέ, ὅτι
μὴ κακίᾳ μᾶλλον ἢ ἀνοίᾳ τὴν ἀποτυχίαν εἰργάσαντο · τοὺς
δὲ μήτε δοξασθήσεσθαι μήτε κολασθήσεσθαι παρὰ τοῦ
C 20 δικαίου κριτοῦ[a], ὡς ἀσφραγίστους μέν, ἀπονήρους δέ,
ἀλλὰ παθόντας μᾶλλον τὴν ζημίαν ἢ δράσαντας. Οὐ γὰρ
ὅστις οὐ κολάσεως ἄξιος, ἤδη καὶ τιμῆς · ὥσπερ οὐδὲ ὅστις
οὐ τιμῆς, ἤδη καὶ κολάσεως. Σκοπῶ δὲ κἀκεῖνο · εἰ κρίνεις
φόνου τὸν φονικὸν ἐκ μόνου τοῦ βούλεσθαι καὶ δίχα τοῦ
25 φόνου, βεβαπτίσθω σοι καὶ ὁ ποθήσας τὸ βάπτισμα δίχα
τοῦ βαπτίσματος · εἰ δὲ οὐκ ἐκεῖνο, πῶς τοῦτο συνιδεῖν οὐκ
ἔχω. Εἰ βούλει δὲ οὕτως · εἰ ἀρκεῖ σοι πρὸς δύναμιν τοῦ
βαπτίσματος ὁ πόθος καὶ διὰ τοῦτο νομίζεις καὶ δίχα
βαπτίσματος ζήσεσθαι, περιττὴ λίαν ἡ τῆς δόξης ἀπό-
30 λαυσις · καὶ εἰ διὰ τοῦτο δικάζῃ περὶ τῆς δόξης, ἀρκείτω
σοι καὶ πρὸς δόξαν ἡ τῆς δόξης ἐπιθυμία. Καὶ τί σοι τὸ μὴ
τυχεῖν ταύτης, τὴν ἔφεσιν ἔχοντι;

392A   **24.** Τοιγαροῦν, ἐπειδὴ τούτων ἠκούσατε τῶν φωνῶν,
«Προσέλθετε πρὸς αὐτὸν καὶ φωτίσθητε καὶ τὰ πρόσωπα
ὑμῶν οὐ μὴ καταισχυνθῇ[a]», διαμαρτόντα τῆς χάριτος.
Καὶ δέξασθε τὸν φωτισμὸν ἕως καιρός, ἵνα μὴ σκοτία
5 ὑμᾶς καταδιώξῃ καὶ καταλάβῃ[b] χωρίσασα τοῦ φωτίσματος.
«Ἔρχεται νύξ, ὅτε οὐδεὶς δύναται ἐργάσασθαι[c]», μετὰ τὴν
ἐνθένδε ἀπαλλαγήν. Ἐκείνη Δαβὶδ ἡ φωνή · αὕτη τοῦ

23, 15 διαμαρτυρία A ‖ 16 ὥσπερ καὶ Vb Vp D Ald. Maur. ‖ 23 οὐ
τιμῆς : ὁ τιμῆς PPd καὶ τιμῆς Vp D τιμῆς CO Ve (ut uid.) corr. Ve² ‖
24 καὶ δίχα : δίχα CO Ve corr. Ve² ‖ 25 ποθήσας : θελήσας A QTV P²
Maur. ‖ 28 νομίζεις — 30 διὰ τοῦτο om. n Maur. ‖ 31 καὶ πρὸς : πρὸς
CRO Ve ‖ τίς σοι βλάβη m' Ald. Maur. τί tantum in ras. A
24, 3 διαμαρτῶντα AZ SCD corr. D²Z² ‖ 6 ἐργάζεσθαι TVZ D corr.
Dmg. ‖ 7 ἐντεῦθεν A

23. a. II *Tim.* 4, 8.
24. a. *Ps.* 33, 6.   b. *Jn* 12, 35.   c. *Jn* 9, 4.

autre chose qu'un péché involontaire. Et je pense que les premiers seront punis à la fois pour leurs autres vices et pour leur mépris du bain; les seconds seront punis, mais moins sévèrement, parce qu'ils se sont tenus à l'écart par sottise plutôt que par malice; les autres ne seront ni pourvus de la gloire ni châtiés par le «juste juge[a]» : ils n'ont pas le sceau, mais ils n'ont pas mal agi, et ils ont subi le dommage plutôt qu'ils ne l'ont causé; car celui qui ne mérite pas d'être chatié ne mérite pas dès lors d'être à l'honneur, et celui qui ne mérite pas d'être à l'honneur ne mérite pas dès lors d'être châtié. Je fais aussi la remarque suivante : si tu juges coupable de meurtre celui qui a seulement voulu tuer, sans passer à l'acte, tu dois aussi considérer comme baptisé celui qui a désiré le baptême, sans le recevoir ! Tu n'admets pas la première proposition ? Alors, comment admets-tu la seconde ? Je ne puis voir la conciliation. Veux-tu encore un exemple ? Si le désir te suffit pour tenir lieu de la réalité du baptême, et si tu crois, pour cette raison, que tu auras la vie même sans baptême, la jouissance de la gloire est tout à fait superflue : si tu argumentes en conséquence au sujet de la gloire[1], convoiter la gloire doit te suffire pour tenir lieu de gloire. Et qu'est-ce pour toi de ne pas l'obtenir, alors que tu y aspires ?

24. C'est pourquoi, après avoir entendu ces paroles, «approchez-vous de lui et soyez illuminés, et que vos visages ne soient pas couverts de honte[a]», en manquant à la grâce. Recevez l'illumination pendant qu'il en est temps, «afin que les ténèbres» ne vous poursuivent pas et «ne vous arrêtent pas[b]», en vous séparant de l'illumination. «La nuit vient, où personne ne peut travailler[c]», après le départ d'ici-bas. La première de ces paroles est de David,

---

1. La gloire céleste. P.G.

ἀληθινοῦ φωτός, τοῦ φωτίζοντος πάντα ἄνθρωπον ἐρχόμενον εἰς τὸν κόσμον[d]. Οἴεσθε δὲ καὶ τὸν Σολομῶντα
10 πικρῶς ὑμῖν ὀνειδίζειν τοῖς ἀργοτέροις ἢ νωθεστέροις ·
« Ἕως πότε, ὀκνηρέ, κατάκεισαι; » λέγοντα · « Πότε » δὲ
« ἐξ ὕπνου ἀναστήσῃ[e]; » Τὸ καὶ τὸ σκήπτῃ καὶ προφασίζῃ
προφάσεις ἐν ἁμαρτίαις[f]. Μενῶ τὰ Φῶτα · τὸ Πάσχα μοι
B τιμιώτερον · τὴν Πεντηκοστὴν ἐκδέξομαι · Χριστῷ συμφω-
15 τισθῆναι βέλτιον, Χριστῷ συναναστῆναι κατὰ τὴν ἀναστά-
σιμον ἡμέραν, τοῦ Πνεύματος τιμῆσαι τὴν ἐπιφάνειαν. Εἶτα
τί; Ἥξει τὸ τέλος ἐξαίφνης ἐν ἡμέρᾳ ᾗ οὐ προσδοκᾷς καὶ
ἐν ὥρᾳ ᾗ οὐ γινώσκεις[g] · εἶτα παραγίνεταί σοι, ὥσπερ
κακὸς ὁδοιπόρος, ἡ πενία τῆς χάριτος, καὶ λιμώξεις ἐν
20 τοσούτῳ πλούτῳ τῆς ἀγαθότητος, δέον τὰ ἐναντία τῷ
ἐναντίῳ καρποῦσθαι, τῷ ἀόκνῳ τὸν ἄμητον καὶ τῇ πηγῇ
τὴν ἀνάψυξιν, ὥσπερ τὸν διψητικώτατον ἔλαφον[h] σπουδῇ
ταῖς πηγαῖς προστρέχοντα καὶ σβεννύντα τὸν τοῦ δρόμου
κόπον τῷ ὕδατι, ἀλλὰ μὴ τὸ τοῦ Ἰσμαὴλ παθεῖν, ἀνυδρίᾳ
25 ξηραίνεσθαι[i] ἤ, τὸ τοῦ μύθου, ἐν μέσῃ πηγῇ δίψει κολά-
C ζεσθαι. Δεινὸν παρελθεῖν πανήγυριν καὶ τηνικαῦτα τὴν
πραγματείαν ἐπιζητεῖν. Δεινὸν τὸ μάννα παραδραμεῖν καὶ
τηνικαῦτα τροφῆς ἐφίεσθαι. Δεινὸν ὑστεροβουλία καὶ τὸ
τηνικαῦτα τῆς ζημίας αἰσθάνεσθαι, ὅτε οὐκ ἔστι λύσις
30 ζημίας, μετὰ τὴν ἐντεῦθεν ἐκδημίαν καὶ τὸν πικρὸν
συγκλεισμὸν τῶν ἑκάστῳ βεβιωμένων καὶ τὴν τῶν

24, 9 δὲ om. n del. P² || 12 σκέπτῃ Pdmg. Dmg. || 13 μενῶ ATVZ W³
P CR O³ D² : μένω S Pd OVe Vb Vp D BWQ Ald. Maur. ||
14 ἐκδέχομαι Vp Dmg. || 24 ἰσραὴλ Ald. Maur. || 25 δίψῃ WV RO Ve
mg. D Ald. Maur. τῇ δίψῃ S τῷ δίψει A corr. Rmg. Omg. || 26 τὴν
πανήγυριν A S || 27 ἐπιζητεῖν m Q Ald. Maur. : ζητεῖν n praeter Q ||
29 αἰσθάνεσθαι m B Ald. Maur. : ἐπαισθάνεσθαι n praeter B || οὐκ ἔστι :
οὐκέτι S Vb Vp D Q

24. d. *Jn* 1, 9. e. *Prov.* 6, 10. f. *Ps.* 140, 4 (LXX). g. Cf. *Lc*
12, 19-20. h. *Ps.* 41, 2. i. Cf. *Gen.* 21, 15-19.

1. Ce discours, comme le remarque BERNARDI (p. 213), nous informe
sur quelques aspects de la cérémonie du baptême, qui était donc conféré

l'autre est de «la véritable lumière qui illumine tout homme venant dans le monde[d]». Imaginez-vous aussi que Salomon vous reproche vivement votre nonchalance et votre inertie : «Pour combien de temps, paresseux, es-tu couché», dit-il, «quand te lèveras-tu de ton sommeil[e]?» Tu allègues ceci et cela, et «tu mets en avant des prétextes au milieu des fautes[f]». – J'attendrai la fête des Lumières; Pâques a pour moi plus d'importance; c'est la Pentecôte que j'attendrai[1]; il vaut mieux recevoir l'illumination avec le Christ; il vaut mieux ressusciter avec le Christ, le jour de la résurrection; il vaut mieux honorer la manifestation de l'Esprit. – Et puis quoi? La fin viendra brusquement, au jour où tu ne l'attends pas, à l'heure que tu ne connais pas[g]; alors c'est pour toi, comme pour un voyageur imprudent, la pénurie de la grâce, et tu souffriras de la faim au milieu des si grands trésors de la Bonté. Il faut faire une tout autre récolte par une tout autre conduite, obtenir par l'activité la moisson, et par la source le rafraîchissement, comme le cerf mourant de soif accourt avec empressement vers les sources[h], pour que l'eau éteigne la fatigue de sa course; mais il ne faut pas avoir le sort d'Ismaël exposé à se dessécher[i], ou, comme dans la fable, être torturé par la soif au milieu d'une source[1]. Il est terrible de laisser passer le jour des affaires et de chercher ensuite le négoce; il est terrible de passer à côté de la manne et de désirer ensuite une nourriture; il est terrible de ne pas se décider à temps et de s'apercevoir ensuite du dommage, lorsqu'il n'est pas possible d'y remédier, après le départ d'ici-bas, après la fermeture impitoyable de la série des actes de chacun pendant sa vie, après le châtiment des pécheurs et l'entrée

non seulement le jour de Pâques, mais aussi à l'occasion de l'Épiphanie et de la Pentecôte.

2. Allusion au mythe de Tantale, comme les Mauristes l'ont eux-mêmes noté.

ἁμαρτωλῶν κόλασιν καὶ τὴν τῶν κεκαθαρμένων λαμπρότητα. Διὰ τοῦτο μὴ μέλλετε πρὸς τὴν χάριν, ἀλλ᾽ ἐπεί-
γεσθε, μὴ λῃστὴς ὑμᾶς προλάβῃ, μὴ μοιχὸς παραδράμῃ, μὴ
35 ἄπληστος πλεονεκτήσῃ, μὴ φονεὺς προαρπάσῃ τὸ ἀγαθόν,
μὴ τελώνης, μὴ πόρνος[j], μή τις τῶν βιαστῶν τῆς βασιλείας
D καὶ ἁρπακτῶν[k]. Βιάζεται γὰρ ἑκοῦσα καὶ τυραννεῖται δι᾽
ἀγαθότητα.

393A   **25.** Βραδὺς ἴσθι πρὸς κακουργίαν, ὦ οὗτος, ταχὺς δὲ
πρὸς σωτηρίαν, ἐμοὶ πειθόμενος · ἴσον γάρ ἐστι κακὸν
ἑτοιμότης τε πρὸς τὸ χεῖρον καὶ μέλλησις πρὸς τὸ βέλτιον.
Ἐὰν ἐπὶ κῶμον κληθῇς, μὴ ταχύνῃς · ἐὰν ἐπ᾽ ἄρνησιν,
5 ἀποπήδησον · ἐὰν εἴπῃ σοι πονηρὸν ἐργαστήριον · «Ἐλθὲ
μεθ᾽ ἡμῶν, κοινώνησον αἵματος, κρύψωμεν δὲ εἰς γῆν
ἄνδρα δίκαιον ἀδίκως[a]», μηδὲ τὰς ἀκοὰς ὑπόσχῃς. Δύο
γὰρ τὰ μέγιστα κερδανεῖς · ἐκείνῳ τε γνωριεῖς τὴν
ἁμαρτίαν καὶ σαυτὸν ἐξαιρήσεις πονηρᾶς κοινωνίας. Ἂν δέ
10 σοι λέγῃ Δαβὶδ ὁ μέγας[b] · «Δεῦτε, ἀγαλλιασώμεθα τῷ
Κυρίῳ», ἐὰν δὲ προφήτης ἄλλος[c] · «Δεῦτε, ἀναβῶμεν εἰς
τὸ ὄρος Κυρίου», ἐὰν δὲ αὐτὸς ὁ Σωτήρ[d] · «Δεῦτε πρός
με, πάντες οἱ κοπιῶντες καὶ πεφορτισμένοι, κἀγὼ ἀνα-
B παύσω ὑμᾶς», ἢ «Ἐγείρεσθε, ἄγωμεν ἐντεῦθεν[e]», λαμπροὶ
15 λαμπρῶς ὑπὲρ χιόνα λάμψαντες, ὑπὲρ γάλα τυρωθέντες,
ὑπὲρ λίθον σάπφειρον αὐγασθέντες[f] · μὴ ἀντιτείνωμεν, μὴ
βραδύνωμεν. Γενώμεθα Πέτρος καὶ Ἰωάννης · ὡς ἐπὶ τὸν
τάφον ἐκεῖνοι καὶ τὴν ἀνάστασιν[g], οὕτως ἐπὶ τὸ λουτρὸν
αὐτοὶ σπεύδωμεν, συντρέχοντες, ἀντιτρέχοντες, ὅπως ἂν

25, 2 κακῶν PPd Ve corr. P²Pd²mg. Ve²mg. ‖ 4 κώμων B PPd RO
Ve Vb Vp D corr. B² Vb² P² Vp²O² κωμῶν S ‖ 6 δὲ om. A ‖ 7 ὑποσχῆς
S Vb B ὑπόσχῃ CRO Ve ὑπόχῃς A corr. B² ‖ 8 γνωριεῖς n D² Ald.
Maur. : γνωρίσεις m ‖ 9 σεαυτὸν TVZ ‖ 10 λέγει A Vb Vp ‖ 12 τοῦ
κυρίου m praeter S O ‖ 19 ἂν om. S Vb

24. j. Cf. Matth. 21, 31.   k. Cf. Matth. 11, 12.
25. a. Prov. 1, 11.   b. Ps. 94, 1.   c. Mich. 4, 2.   d. Matth. 11, 28.
e. Jn 14, 31.   f. Lam. 4, 7.   g. Cf. Jn 20, 3-4.

dans la splendeur de ceux qui se sont purifiés. C'est pourquoi ne tardez pas en face de la grâce, mais hâtez-vous ; que le brigand ne vous précède pas, que l'adultère ne vous dépasse pas, que l'avare n'en ait pas une plus grande part, que le meurtrier ne s'empare pas avant vous de ce bien, ni le publicain, ni le prostitué[j], ni aucun de ceux qui font violence au Royaume et s'en emparent ; car il souffre violence de bon gré et se laisse tyranniser par bonté.

25. Sois lent pour le crime, mon ami, et empressé pour le salut, si tu m'en crois ; c'est un égal défaut d'être prêt au mal et de tarder pour le bien. Si tu es invité à un banquet, ne t'empresse pas ; si tu es invité à renier la foi, écarte-toi d'un bond ; si une bande[1] de vauriens te dit : «Viens avec nous, prends part à l'effusion du sang ; et, par une injustice, cachons dans la terre l'homme juste[a]», n'y prête même pas l'oreille. Tu retireras ainsi les deux plus grands avantages : d'une part, tu feras connaître au coupable son péché, et d'autre part tu te dégageras d'une compagnie perverse. Au contraire, si le grand David te dit : «Venez, exultons de joie pour le Seigneur[b]», ou bien un autre prophète : «Venez, montons à la montagne du Seigneur[c]», ou le Sauveur lui-même : «Venez à moi, vous tous qui êtes fatigués et accablés ; et je vous ferai reposer[d]», ou bien : «Levez-vous, partons d'ici[e]», brillants d'un éclat «plus vif que neige, caillés plus blancs que lait[2]», étincelants «plus que pierre de saphir[f]», ne résistons pas, ne tardons pas ; soyons Pierre et Jean : de même qu'ils se hâtèrent vers le sépulcre et la résurrection[g], de même hâtons-nous vers le bain, courons ensemble, courons en rivaux, luttons pour

---

1. Le sens un peu rare de «bande» pour le mot ἐργαστήριον est attesté déjà dans Démosthène. P.G.

2. On sait que le lait caillé est encore plus blanc que le lait à l'état liquide. Grégoire lisait un texte qui portait τυρωθέντες, leçon rejetée actuellement par les éditeurs de la *Septante*, qui lui préfèrent πυρρω-θέντες. P.G.

20 τὸ ἀγαθὸν προλάβωμεν ἀγωνιζόμενοι. Καὶ μὴ εἴπῃς ·
«ἀπελθὼν ἐπάνηκε καὶ αὔριον βαπτισθήσομαι», δυνατὸς
ὢν σήμερον εὖ παθεῖν · «παρέστω μοι μήτηρ, παρέστω
μοι πατήρ, ἀδελφοί, γυνή, τέκνα, φίλοι, πᾶν ὅτι μοι
τίμιον, καὶ τηνικαῦτα σωθήσομαι · νῦν δὲ οὔπω μοι καιρὸς
25 λαμπρυνθῆναι». Δέος γὰρ μὴ κοινωνοὺς λάβῃς πένθους οὓς
εὐφροσύνης κοινωνοὺς ἤλπισας. Ἐὰν μὲν παρῶσιν, ἀγά-
C πησον · ἐὰν δὲ ἀπῶσι, μὴ ἀναμείνῃς. Αἰσχρὸν εἰπεῖν · «ποῦ
δέ μοι τὸ καρποφορούμενον ἐπὶ τῷ φωτίσματι; Ποῦ δὲ ἡ
ἐμφώτειος ἐσθής, ᾗ λαμπρυνθήσομαι; Ποῦ δὲ τὰ πρὸς
30 δεξίωσιν τῶν ἐμῶν βαπτιστῶν, ἵνα κἂν τούτοις εὐδοκι-
μήσω;» Πάνυ γάρ, ὡς ὁρᾷς, ἐστὶ ταῦτα τῶν ἀναγκαίων,
καὶ παρὰ τοῦτο ἡ χάρις ἐλαττωθήσεται. Μὴ μικρολογοῦ
περὶ τὰ μεγάλα · μηδὲν ἀγεννὲς πάθῃς. Μεῖζον τῶν ὁρω-
μένων ἐστὶ τὸ μυστήριον · σαυτὸν καρποφόρησον · «Χριστὸν
35 ἔνδυσαι[h]», θρέψον με πολιτείᾳ · οὕτως ἐγὼ χαίρω φιλοφρο-
νούμενος · οὕτω καὶ Θεός, ὁ τὰ μέγιστα χαριζόμενος.
Οὐδὲν τῷ Θεῷ μέγα, ὃ μὴ καὶ πένης δίδωσιν, ἵνα μὴ
κἀνταῦθα παρωθῶνται οἱ πένητες · οὐ γὰρ ἔχουσιν ὅπως
396A τοῖς πλουσίοις ἁμιλληθῶσιν. Ἐν ἄλλοις μὲν ἡ διαφορὰ τοῦ
40 πλουτεῖν καὶ τοῦ πένεσθαι, ἐνταῦθα δὲ ὁ προθυμότερος
πλουσιώτερος.

25, 21 ἐπανελθὼν S Vb D BWZ ‖ 22-23 πατήρ ... μήτηρ PPd CRO Ve
TVZ W³ ‖ 23 ὅτι : εἴ τι PPd CRO Ve ‖ 24 οὔπω ABQT VpD Ald.
Maur. : οὐ S PPd CRO Ve Vb WVZ ‖ 25 λαμπρύνεσθαι Maur. ‖
26 ἀγαπητέον Maur. ἀγάπησον — 27 ἀπῶσι om. Ald. ‖ 27 αἰσχρὸν γὰρ B
Maur. ‖ 28 φωτίσματι : βαπτίσματι Vp D Ald. Maur. corr. Vp mg. D
mg. ‖ 31 ὡς om. S Vb QTV ‖ 33 ἀγενὲς A Vb Vp corr. Vp² ‖ 36 ὁ θεὸς
B Maur. ‖ 38 ἔχουσιν : ἔχωσιν O Ve Vp D corr. Ve²

25. h. Rom. 13, 14. Cf. Gal. 3, 27.

25, 37 οὐδὲν τῷ Θεῷ — πένης δίδωσιν IOH. DAMASC., Sacr. Parall.,
PG 96, 288 D

saisir le bien l'un avant l'autre. Ne dis pas : «Va-t'en;
reviens, et demain je me ferai baptiser» – alors que tu peux
recevoir aujourd'hui le bienfait –, «que j'aie auprès de moi
mon père, mes frères, ma femme, mes enfants, mes amis,
tout ce qui m'est cher, et alors j'accepterai le salut;
maintenant ce n'est pas encore le moment de recevoir la
splendeur»; en effet, on peut craindre que tu n'accueilles
pour les faire participer à un deuil ceux que tu espérais faire
participer à une réjouissance; s'ils sont présents, sois
satisfait, s'ils sont absents, n'attends pas. Il est mesquin de
dire : «Où est le présent que j'offrirai à l'occasion de
l'illumination? Où est le vêtement brillant dans lequel je
resplendirai? Où sont les moyens de recevoir ceux qui me
baptisent, afin que cela aussi contribue à ma renommée?»
Ces choses, à tes yeux, sont des plus nécessaires, et auprès
d'elles la grâce comptera peu! Ne fais pas de petits calculs à
propos de ce qui est grand; ne cède pas à des sentiments
sans noblesse. Le mystère est plus grand que ce qui se
voit[1]; offre-toi toi-même; revêts le Christ[h]; nourris-moi
par ta conduite, c'est ainsi que j'aime à être reçu, et Dieu
aussi, lui qui accorde les plus grands biens. Pour Dieu, rien
n'est grand qu'un pauvre même ne puisse donner, afin que
même ici les pauvres ne soient pas exclus, car ils n'ont pas
le moyen de rivaliser avec les riches. C'est partout ailleurs
qu'existe la différence entre la richesse et la pauvreté; ici,
c'est le plus empressé qui est le plus riche[2].

---

1. Noter la description de la mondanité à laquelle était soumise la
cérémonie du baptême de la part d'une foule qui n'était chrétienne que
de nom.

2. Le pauvre n'est pas exclu de la religion; cela a déjà été dit dans le
Discours 32, 22. Cette affirmation, qui peut paraître étrange, s'explique
peut-être par un aspect de la mentalité de la foule, mi-païenne et
mi-chrétienne, de Constantinople : la religion chrétienne était considérée un peu comme les religions à mystères, réservées à quelques initiés
et auxquelles le peuple ne devait guère prendre part.

26. Μηδὲν ἐπεχέτω σε τοῦ πρόσω, μηδὲν ἀνθελκέτω σου τὴν προθυμίαν. Ἕως σφοδρὸς ὁ πόθος, λαβοῦ τοῦ ποθουμένου· ἕως θερμὸς ὁ σίδηρος, τῷ ψυχρῷ στομωθήτω, μή τι παρεμπέσῃ μέσον καὶ διακόψῃ τὸν πόθον. Φίλιππός εἰμι·
5 γενοῦ Κανδάκης. Εἰπὲ καὶ αὐτός[a]· «'Ιδοὺ τὸ ὕδωρ· τί κωλύει με βαπτισθῆναι;» Ἅρπασον τὸν καιρόν, τῷ ἀγαθῷ περιχάρηθι καὶ εἰπὼν βαπτίσθητι καὶ βαπτισθεὶς σώθητι·
B κἂν ᾖς Αἰθίοψ τὸ σῶμα, τὴν ψυχὴν λευκάνθητι. Τύχε τῆς σωτηρίας, ἧς οὐδὲν ὑψηλότερον οὐδὲ τιμιώτερον τοῖς γε
10 νοῦν ἔχουσι. Μὴ εἴπῃς· «ἐπίσκοπος βαπτισάτω με, καὶ οὗτος μητροπολίτης ἢ Ἱεροσολυμίτης — οὐ γὰρ τόπων ἡ χάρις, ἀλλὰ τοῦ Πνεύματος —, καὶ οὗτος τῶν εὖ γεγονότων· δεινὸν γὰρ εἰ τῷ βαπτιστῇ τὸ εὐγενές μου καθυβρισθήσεται» ἢ· «πρεσβύτερος μέν, ἀλλὰ καὶ οὗτος
15 τῶν ἀγάμων καὶ οὗτος τῶν ἐγκρατῶν καὶ ἀγγελικῶν τὴν πολιτείαν· δεινὸν γὰρ εἰ ἐν καιρῷ καθάρσεως ῥυπωθήσομαι». Μὴ ζήτει ἀξιοπιστίαν τοῦ κηρύσσοντος μηδὲ τοῦ βαπτίζοντος. Ἄλλος ὁ τούτων κριτὴς καὶ τῶν ἀφανεστέρων δοκιμαστής· ἐπειδὴ ἄνθρωπος μὲν εἰς πρόσωπον, Θεὸς δὲ
20 εἰς καρδίαν ὄψεται[b]. Σοὶ δὲ πᾶς ἀξιόπιστος εἰς τὴν

26, 1 μηδὲν[2] : μηδ' m' ‖ σου om. ABW P RO Ve punctis notat Pd ‖ 5 τὸ om. VT m praeter S Pd erasit Pd[2] ‖ 16 ῥυπανθήσομαι Rmg. Ve mg. ‖ 20 ὄψεται om. n C Ald. Maur.

26. a. *Act.* 8, 36.　　b. I *Sam.* 16, 7.

1. Candace est la reine d'Éthiopie; son eunuque, venu en pèlerinage à Jérusalem, fut converti par le diacre Philippe, auquel il demanda le baptême (*Act.* 8, 27-28). Le texte des *Actes* fait de Κανδάκης un génitif du nom de la reine Κανδάκη, nom attesté par ailleurs. Mais il semble bien qu'ici Κανδάκης soit un nominatif et désigne l'eunuque. P.G.

2. Le mot «Éthiopien» était, pour les Grecs, synonyme de «noir». P.G.

3. Il est permis de faire ici, comme BERNARDI (p. 214), une autre observation sur les caractéristiques du christianisme de Constantinople.

26. Que rien ne t'empêche d'aller de l'avant! Que rien
ne réprime ton désir! Pendant que le désir est fort,
empare-toi de ce que tu désires; pendant que le fer est
chaud, trempe-le dans l'eau froide, de peur que quelque
obstacle ne se mette en travers et n'arrête ton désir. Je suis
Philippe, sois Candace[1]; dis, toi aussi[a] : «Voici de l'eau;
qu'est-ce qui empêche que je sois baptisé?» Saisis l'occasion; que ce bien soit ta grande joie; après avoir parlé, sois
baptisé, et, baptisé, sois sauvé; même si tu es Éthiopien par
ton corps, deviens blanc par ton âme[2]. Obtiens le salut;
rien n'est plus élevé ni plus estimable pour les hommes
sensés. Ne dis pas : «Je veux être baptisé par un évêque, et
même par un métropolite[3], ou par l'évêque de Jérusalem»
– la grâce ne dépend pas des lieux, mais de l'Esprit –, «et
même je veux qu'il soit de naissance noble, car il serait
fâcheux que ma noblesse soit déshonorée par mon baptiseur; ou bien, si c'est un prêtre, qu'il soit du moins un de
ceux qui ne sont pas mariés, un de ceux qui sont maîtres
d'eux-mêmes et qui ont une conduite angélique, car il
serait fâcheux que je contracte une souillure au moment de
la purification.» Ne cherche pas si celui qui proclame la foi
et celui qui baptise sont dignes de confiance. C'est un autre
qui en est juge et qui apprécie ce qu'il y a de plus caché,
puisque «l'homme verra le visage, mais Dieu verra le
cœur[b]». Que pour toi soit digne de confiance quiconque

Pour certaines personnes (certainement de rang élevé), un simple prêtre
ne suffisait pas pour leur baptême : elles voulaient un évêque et, de
surcroît, un métropolitain. A cette époque, Constantinople était encore,
canoniquement, sous la juridiction de l'évêque métropolitain d'Héraclée, et c'est seulement le Concile de 381, tenu précisément à Constantinople, qui fera de cette ville le second siège de la chrétienté, immédiatement après celui de Rome, en déclarant que «Constantinople est la
seconde Rome». Il est peu probable que les habitants de Constantinople
soient allés jusqu'à Héraclée pour se faire baptiser; mais plus vraisemblablement les personnages les plus importants auront cherché à obtenir
le baptême de quelque évêque métropolitain de passage.

κάθαρσιν · μόνον ἔστω τις τῶν ἐγκρίτων καὶ μὴ προδήλως
κατεγνωσμένων μηδὲ τῆς Ἐκκλησίας ἀλλότριος. Μὴ κρῖνε
C τοὺς κριτάς, ὁ χρῄζων τῆς ἰατρείας · μηδὲ φιλοκρίνει μοι
τὰς ἀξίας τῶν σὲ καθαιρόντων μηδὲ διακρίνου πρὸς τοὺς
25 γεννήτορας. Ἄλλος μὲν ἄλλου κρείττων ἢ ταπεινότερος ·
σοῦ δὲ πᾶς ὑψηλότερος. Σκόπει δὲ οὕτως · ἔστω χρυσός,
ἔστω σίδηρος, δακτύλιοι δὲ ἀμφότεροι καὶ τὴν αὐτὴν
ἐγκεχαράχθωσαν εἰκόνα βασιλικήν, εἶτα κηρὸν ἐκτυπούτω-
σαν · τί διοίσει ἡ σφραγὶς αὕτη τῆς σφραγῖδος ἐκείνης;
30 Οὐδέν. Ἐπίγνωθι τὴν ὕλην ἐν τῷ κηρῷ, κἂν ᾖς σοφώ-
τατος · εἰπὲ τί μὲν τοῦ σιδήρου, τί δὲ χρυσοῦ τὸ ἐκσφρά-
γισμα καὶ πῶς ἕν ἐστι · τῆς γὰρ ὕλης τὸ διάφορον, οὐ τοῦ
χαρακτῆρος. Οὕτως ἔστω σοι πᾶς βαπτιστής. Κἂν τῇ
πολιτείᾳ προέχῃ, ἀλλ' ἥ γε τοῦ βαπτίσματος δύναμις
35 ἴση · καὶ τελειοποιός σοι πᾶς ὁμοίως, ὁ τῇ αὐτῇ πίστει
μεμορφωμένος.

D   27. Μὴ ἀπαξιώσῃς συμβαπτισθῆναι πένητι πλούσιος
ὤν, ὁ εὐπατρίδης τῷ δυσγενεῖ, ὁ δεσπότης τῷ δούλῳ μέχρι
397A τοῦ νῦν. Οὔπω τοσοῦτον ταπεινοφρονήσεις ὅσον Χριστός, ᾧ
5 σὺ βαπτίζῃ σήμερον, ὃς διὰ σὲ καὶ «δούλου μορφὴν[a]»
ἐδέξατο. Ἀφ' ἧς ἡμέρας μεταποιῇ, πάντες εἶξαν οἱ παλαιοὶ
χαρακτῆρες · μιᾷ μορφῇ πᾶσι Χριστὸς ἐπιτέθειται. Μὴ
ἀπαξιώσῃς ἐξαγορεῦσαί σου τὴν ἁμαρτίαν, εἰδὼς ὅπως
Ἰωάννης ἐβάπτισεν[b], ἵνα τὴν ἐκεῖθεν αἰσχύνην τῇ ἐνταῦθα
φύγῃς — ἐπειδὴ μέρος καὶ τοῦτο τῆς ἐκεῖσε κολάσεως —

26, 21 ἐκκρίτων TVZ P²W³mg. ‖ μὴ : μὴ τῶν m' B³ Ald. Maur. ‖
23 φιλοκρίνει QVZ W³ D² (W non liquet) Ald. Maur. : φυλο- ABT CO³
in ras. Vp P²D φυλόκρινε S PPd R Ve φυλοκρίνη Vb ‖ 28 ἐντυπούτωσαν
Maur. ‖ 30 ἧς : ἦ Vb Vp
27, 6 ἐπιτίθεται S PPd CRO Ve

27. a. Phil. 2, 7.   b. Cf. Matth. 3, 6. Mc 1, 5.

1. A la vie nouvelle, qui commence avec le baptême. P.G.

fait partie de ceux qui sont approuvés, qui n'ont pas été ouvertement condamnés et qui ne sont pas étrangers à l'Église. Ne juge pas tes juges, toi qui as besoin de la guérison; n'affecte pas, je t'en prie, de juger la dignité de ceux qui te purifient, et ne fais pas de distinction à l'égard de ceux qui t'engendrent[1]. L'un est supérieur ou inférieur à l'autre; mais tous sont au-dessus de toi. Examine ceci : suppose que deux anneaux, l'un en or, l'autre en fer, ont reçu l'empreinte de la même effigie impériale et qu'ensuite ils impriment leur cachet dans une cire; quelle différence y aura-t-il entre le premier sceau et le second? Aucune. Distingue la matière dans la cire, si habile sois-tu, dis quelle est la marque apposée par le fer, quelle est celle apposée par l'or, et comment il n'y en a qu'une? C'est que la différence est dans la matière, non dans l'empreinte. Qu'il en soit ainsi pour toi à propos de tout baptiseur : même si un tel est supérieur par sa conduite, la valeur du baptême n'en est pas moins égale; qu'il en soit de même pour toi à propos de tout initiateur qui a été formé par la même foi.

27. Ne dédaigne pas d'être baptisé avec un pauvre, toi, un riche, ou bien le noble avec le roturier, ou le maître avec celui qui était son esclave jusqu'à maintenant. Ton humiliation n'égalera pas encore celle du Christ, par qui tu es baptisé aujourd'hui, lui qui, à cause de toi, accepta même «la forme d'esclave[a]». A partir du jour où tu es changé[2], toutes les anciennes marques ont disparu, le Christ a été imposé à tous en une seule forme. Ne dédaigne pas d'avouer tes péchés, puisque tu sais comment Jean baptise[b][3]; évite de subir la honte dans l'autre vie en l'acceptant dans celle-ci, car la honte est bien une partie du châtiment

---

2. Le baptême produit un changement, puisqu'il est une «nouvelle naissance», une «régénération». P.G.

3. Jean-Baptiste demandait à ceux qu'il baptisait d'avouer publiquement leurs fautes. P.G.

10 καὶ δείξῃς ὅτι τὴν ἁμαρτίαν ὄντως μεμίσηκας, «παρα-
δειγματίσας^c» αὐτὴν καὶ θριαμβεύσας, ὡς ἀξίαν ὕβρεως.
Μὴ διαπτύσῃς ἐξορκισμοῦ θεραπείαν μηδὲ πρὸς τὸ μῆκος
ταύτης ἀπαγορεύσῃς. Βάσανός ἐστι καὶ αὕτη τῆς περὶ τὸ
χάρισμα γνησιότητος. Τί τοσοῦτον πονήσεις οἷον «ἡ τῶν
15 Αἰθιόπων βασίλισσα, ἐκ τῶν περάτων τῆς γῆς ἀπαναστᾶσα
ἵνα ἴδῃ τὴν σοφίαν Σολομῶντος; Καὶ ἰδοὺ πλεῖον
B Σολομῶντος ὧδε^d», παρὰ τοῖς τελείως λογιζομένοις. Μὴ
κατοκνήσῃς, μὴ ὁδοῦ μῆκος, μὴ μέτρα θαλάσσης, μὴ πῦρ,
εἰ καὶ τοῦτο πρόκειται, μὴ ἄλλο μηδέν, ἢ μικρὸν ἢ μεῖζον
20 τῶν κωλυμάτων, ὥστε τυχεῖν τοῦ χαρίσματος. Εἰ δέ σοι
μηδὲν πονήσαντι μηδὲ πραγματευσαμένῳ τυχεῖν ἔξεστι τοῦ
ποθουμένου, πόσης εὐηθείας τὴν δωρεὰν ἀναβάλλεσθαι; «Οἱ
διψῶντες», φησί^e, «πορεύεσθε ἐφ' ὕδωρ — Ἡσαΐας διακελεύεταί σοι — καὶ ὅσοι μὴ ἔχετε ἀργύριον, βαδίσαντες
25 ἀγοράσατε, καὶ πίεσθε οἶνον», ἄνευ τιμῆς. Ὦ τοῦ τάχους
τῆς φιλανθρωπίας. Ὦ τῆς εὐκολίας τοῦ συναλλάγματος.
Ὤνιόν σοι τοῦ θελῆσαι μόνου τὸ ἀγαθόν · αὐτὴν τὴν
C ὁρμὴν ἀντὶ μεγάλου τιμήματος δέχεται. Διψᾷ τὸ διψᾶσθαι,
ποτίζει τοὺς πιεῖν ἐθέλοντας, εὐεργετεῖται τὴν εὐεργεσίαν
30 αἰτούμενος, πρόχειρός ἐστι μεγαλόδωρος, δίδωσιν ἥδιον ἢ
λαμβάνουσιν ἕτεροι. Μόνον μὴ μικρολογίαν καταγνωσθῶμεν
τῷ μικρὰ αἰτεῖν καὶ τοῦ διδόντος ἀνάξια. Μακάριος ὃν
αἰτεῖ πόμα Χριστός, ὡς τὴν Σαμαρεῖτιν ἐκείνην^f, καὶ
«δίδωσι πηγὴν ὕδατος ἁλλομένου εἰς ζωὴν αἰώνιον».
35 «Μακάριος ὁ σπείρων ἐπὶ πᾶν ὕδωρ^g» καὶ πᾶσαν ψυχήν,

27, 10 δείξεις S Pd R Ve corr. O³ in ras. ‖ 11 αὐτὴν m Ald. Maur. :
ταύτην n ‖ 15 ἀπαναστᾶσα m Z Ald. Maur. : ἀναστᾶσα n praeter Z ‖
25 ἀργυρίου τιμῆς Ald. Maur. ‖ 27 ante τοῦ θελ. add. τοῦτο Vb Vp D
Ald. Maur. ‖ τοῦ θελῆσαι μόνου n : τοῦ θελῆσαι μόνον W² S Ald. Maur.
μόνον τὸ θελῆσαι PPd CRO Ve τὸ θελῆσαι μόνον VbVp D μόνου τοῦ
θελῆσαι P² ‖ 28 τοῦ μεγάλου Vp Ald. Maur. ‖ τοῦ διψᾶσθαι Vb Vp D
corr. D² ‖ 29 πίνειν Vp D πεῖν A ‖ 32 τοῦ μικρὰ Ald. Maur.

dans l'au-delà; montre que tu as réellement la haine de ton péché en le «diffamant publiquement[c]» et en l'exposant au mépris comme digne d'affront. Ne rejette pas le remède de l'exorcisme et ne sois pas découragé par sa longueur. C'est là aussi la pierre de touche de ta sincérité à l'égard de la grâce. Prendras-tu jamais autant de peine que «la reine des Éthiopiens qui arriva des extrémités de la terre pour voir la sagesse de Salomon? Et voici qu'il y a ici plus que Salomon[d]» pour ceux qui ont une vue complète des choses. Ne redoute ni la longueur du chemin, ni les distances par mer, ni le feu, au cas où il se trouverait devant toi, ni aucun autre obstacle, petit ou grand, pour atteindre la grâce. Mais si tu peux, sans aucune peine, sans aucun tracas, atteindre l'objet de ton désir, quelle stupidité de tarder à recevoir le don! «Vous qui avez soif, dit-il, approchez-vous de l'eau» – C'est Isaïe qui t'exhorte –, «et vous qui n'avez pas d'argent, venez, achetez et buvez du vin[e]», sans payer. Ô promptitude de la bonté! Ô facilité pour l'acquisition! Tu peux acheter par ton seul vouloir; Dieu accepte ton élan même comme le paiement d'un grand prix; il a soif que l'on ait soif de lui; il abreuve ceux qui veulent boire; il considère comme un bienfait qu'on lui demande ce bienfait; sa munificence est à portée de la main; il a plus de plaisir à donner que d'autres à recevoir. Veillons seulement à ne pas nous faire condamner pour la petitesse de notre âme en ne demandant que des choses petites et indignes du donateur. Bienheureux celui à qui le Christ demande à boire, comme à cette Samaritaine bien connue, et il lui donnne «une source d'eau jaillissant pour la vie éternelle[f]». «Bienheureux celui qui sème sur toute eau[g]», sur toute âme, demain labourée et arrosée, alors

27. c. Cf. *Matth.* 1, 19.   d. *Matth.* 12, 42.   Cf. III *Rois* 10, 1-3.
e. *Is.* 55, 1.   f. *Jn* 4, 7.14.   g. *Is.* 32, 20.

αὔριον ἀρουμένην καὶ ἀρδομένην, ἣν βοῦς καὶ ὄνος πατεῖ
σήμερον, χέρσον τε οὖσαν καὶ ἄνυδρον καὶ ἀλογίᾳ πιεζο-
μένην. Μακάριος ὃς κἂν χειμάρρους ἢ σχοίνων ἐξ οἴκου
Κυρίου ποτίζεται[h] καὶ γίνεται σιτοφόρος ἀντὶ σχοινοφόρου
40 καὶ γεωργεῖ τροφὴν ἀνθρωπίνην, ἀλλ' οὐ τραχεῖάν τε καὶ
D ἀνόνητον. Ὑπὲρ οὗ πᾶσαν εἰσενεκτέον σπουδήν, ὥστε μὴ
διαμαρτεῖν τῆς κοινῆς χάριτος.

400Α   28. «Ἔστω ταῦτα, φησί, περὶ τῶν ἐπιζητούντων τὸ
βάπτισμα. Τί δ' ἂν εἴποις περὶ τῶν ἔτι νηπίων καὶ μήτε
τῆς ζημίας ἐπαισθανομένων μήτε τῆς χάριτος; ἢ καὶ
ταῦτα βαπτίσωμεν;» Πάνυ γε, εἴπερ τις ἐπείγοι κίνδυνος.
5 Κρεῖσσον γὰρ ἀναισθήτως ἁγιασθῆναι ἢ ἀπελθεῖν ἀσφρά-
γιστα καὶ ἀτέλεστα. Καὶ τούτου λόγος ἡμῖν ἡ ὀκταήμερος
περιτομή, τυπική τις οὖσα σφραγὶς καὶ ἀλογίστοις ἔτι
προσαγομένη[a], ὡς δὲ καὶ ἡ τῶν φλιῶν χρῖσις, διὰ τῶν
ἀναισθήτων φυλάττουσα τὰ πρωτότοκα[b]. Περὶ δὲ τῶν
10 ἄλλων δίδωμι γνώμην, τὴν τριετίαν ἀναμείναντας ἢ μικρὸν
ἐντὸς τούτου ἢ ὑπὲρ τοῦτο — ἡνίκα καὶ ἀκοῦσαί τι
μυστικὸν καὶ ἀποκρίνασθαι δυνατόν, εἰ καὶ μὴ συνιέντα
τελέως, ἀλλ' οὖν τυπούμενα —, οὕτως ἁγιάζειν καὶ ψυχὰς
B καὶ σώματα τῷ μεγάλῳ μυστηρίῳ τῆς τελειώσεως. Καὶ
15 γὰρ οὕτως ἔχει· τοῦ μὲν βίου τὰς εὐθύνας τηνικαῦτα
ὑπέχειν ἄρχονται ἡνίκα ἂν ὅ τε λόγος συμπληρωθῇ καὶ τὸ
μυστήριον μάθωσι — τῶν γὰρ ἐξ ἀγνοίας ἁμαρτημάτων
παρὰ τῆς ἡλικίας αὐτοῖς τὸ ἀνεύθυνον — · τετειχίσθαι δὲ
τῷ λουτρῷ παντὶ λόγῳ λυσιτελέστερον διὰ τὰς ἐξαίφνης

27, 36 ἀρδουμένην S CR Vb D² corr. C² ‖ 38 χείμαρρος AQ corr. Q² ‖
39 σχοινηφόρου A
28, 4 βαπτίσομεν WTVQZ P² C² Ald. Maur. ‖ ἐπείγει B ‖ 9 φυλάττουσα m Q Ald. Maur. : -σσουσα n praeter Q ‖ 12 ἀποκρίνεσθαι Ald.
Maur.

27. h. Cf. *Joël* 3, 18 (LXX).
28. a. Cf. *Gen.* 17, 12.   b. Cf. *Ex.* 12, 22-23.29.

qu'aujourd'hui elle est foulée par le bœuf et l'âne, sèche, privée d'eau et accablée du poids de sa sottise. Bienheureux celui qui, même s'il est un torrent où poussent des joncs, se désaltère à la maison du Seigneur[h1], devient porteur de blé au lieu d'être porteur de joncs, et produit une nourriture bonne pour l'homme, et non pas rude et inutile. C'est pourquoi il faut mettre tout son zèle à ne pas manquer à la grâce destinée à tous.

28. Admettons cela, dit-il, pour ceux qui cherchent le baptême. Mais que peux-tu dire à propos de ceux qui sont encore des petits enfants et qui n'ont conscience ni du dommage ni de la grâce? Devons-nous les baptiser, eux aussi? – Certainement, en cas de danger imminent. Il vaut mieux qu'ils soient sanctifiés inconsciemment plutôt que de partir sans être marqués du sceau et sans être initiés. Et la raison en est pour nous dans le fait que la circoncision, qui était une sorte de figure du sceau, était pratiquée le huitième jour[a] et sur des êtres encore privés de raison; de même, l'onction des montants des portes, qui protégeait les premiers-nés par le moyen de choses insensibles[b]. Pour les autres, l'avis que je donne est d'attendre la troisième année – soit un peu moins, soit un peu plus –, lorsqu'ils sont capables d'entendre quelque parole du mystère et d'y répondre; même s'ils ne comprennent pas complètement, ils en reçoivent du moins l'impression, et ainsi l'on sanctifie leur âme et leur corps par le grand mystère de l'initiation. Car la situation est la suivante : ils commencent à être responsables de leur vie seulement lorsqu'ils ont le plein usage de la raison et lorsqu'ils connaissent le mystère, car les fautes commises par ignorance ne leur sont pas imputables à cause de leur âge, et il est plus utile, à tous points de vue, d'être mis à l'abri par le bain à cause des

1. *Joël* 3, 18 dans la *Septante* et la *Vulgate* correspond à *Joël* 4, 18 dans la Bible hébraïque. P.G.

20 συμπιπτούσας ἡμῖν προσβολὰς τῶν κινδύνων καὶ βοηθείας
ἰσχυροτέρας.

C   29. «Ἀλλὰ Χριστός, φησί, τριακονταέτης βαπτίζεται[a],
καὶ ταῦτα Θεὸς ὤν· καὶ σὺ κελεύεις ἐπισπεύδειν τὸ
βάπτισμα;» Θεὸν εἰπών, λέλυκας τὸ ζητούμενον. Ὁ μὲν
γὰρ αὐτοκάθαρσις ἦν καὶ οὐκ ἐδεῖτο καθάρσεως, ἀλλὰ σοὶ
5 καθαίρεται, ὥσπερ καὶ σάρκα φορεῖ, ἄσαρκος ὤν. Οὐδέ τις
κίνδυνος ἦν αὐτῷ τὸ βάπτισμα παρατείνοντι· αὐτὸς γὰρ
καὶ τοῦ παθεῖν ἦν ἑαυτῷ ταμίας, ὥσπερ καὶ τῆς γεννήσεως. Σοὶ δὲ οὐ περὶ μικρῶν ὁ κίνδυνος, εἰ ἀπέλθοις τῇ
φθορᾷ γεννηθεὶς μόνῃ καὶ μὴ τὴν ἀφθαρσίαν ἀμφιεσάμε-
10 νος[b]. Σκοπῶ δὲ κἀκεῖνο, ὅτι τῷ μὲν ἀναγκαῖος ἦν οὗτος ὁ
καιρὸς τοῦ βαπτίσματος, σοὶ δὲ οὐχ ὁ αὐτὸς λόγος.
Ἀνεδείχθη μὲν γὰρ τριακοστὸν γεγονὼς ἔτος, οὐ πρότερον,
τοῦ τε μὴ δοκεῖν ἐπιδεικτικὸς εἶναί τις – τῶν γὰρ
D ἀπειροκάλων τὸ πάθος – καὶ ὡς τελείαν βάσανον ἀρετῆς
15 καὶ τοῦ διδάσκειν καιρὸν ταύτης ἐχούσης τῆς ἡλικίας.
Ἐπεὶ δὲ παθεῖν ἐχρῆν τὸ τοῦ κόσμου σωτήριον πάθος,
πάντα συνδραμεῖν ἔδει πρὸς τὸ πάθος ὅσα τοῦ πάθους,
τὴν ἀνάδειξιν, τὸ βάπτισμα, τὴν ἄνωθεν μαρτυρίαν, τὸ
κήρυγμα, τὴν συνδρομὴν τοῦ πλήθους, τὰ θαύματα, καὶ
20 ὥσπερ ἓν σῶμα γενέσθαι, μὴ διεσπασμένον μηδὲ ἀπερ-
ρηγμένον τοῖς διαστήμασιν. Ἐκ μὲν γὰρ τοῦ βαπτίσματος
401A καὶ τοῦ κηρύγματος ὁ τῶν συντρεχόντων σεισμός[c] – οὕτω
γὰρ ἡ Γραφὴ καλεῖ τὸν καιρὸν ἐκεῖνον –, ἐκ δὲ τοῦ
πλήθους ἡ τῶν σημείων[d] ἐπίδειξις καὶ τὰ θαύματα τῷ
25 Εὐαγγελίῳ προσάγοντα. Ἐκ δὲ τούτων ὁ φθόνος· ἐκ δὲ

28, 20 προσπιπτούσας PPd CRO Ve Vb Q
29, 2 θεὸς ὢν καὶ ταῦτα AWQT ‖ 3 θεὸν : θεὸς Vp Dmg. ‖ 5 σαρκο-
φορεῖ σοι m′ σάρκα φορεῖ σοι Q Ald. Maur. ‖ 8 οὐ n P² C : οὐδὲ m praeter
C Ald. Maur. ‖ 12 γεγονὸς PPd CR Ve (ut uid.) D corr. P² ‖ 13 τις εἶναι
m′ ‖ 14 τοῦτο τὸ πάθος Vp D ‖ 16 ἐχρῆν m : ἔδει n Ald. Maur.

29. a. Cf. Lc 3, 23.   b. Cf. I Cor. 15, 53.   c. Cf. Matth. 21, 10.
d. Cf. Jn 2, 11, etc.

dangers qui surgissent devant nous à l'improviste et qui sont plus forts que tout secours.

29. Mais le Christ, dit-il, est baptisé à trente ans[a], et cela, alors qu'il est Dieu; et tu m'invites à hâter le baptême? — En disant qu'il est Dieu, tu as résolu la question. Il était la pureté même et n'avait pas besoin de purification; mais c'est pour toi qu'il se purifie, comme aussi il porte la chair, alors qu'il n'a pas de chair. Il n'y avait pas de danger pour lui à retarder son baptême, car il était aussi l'arbitre de sa Passion, comme de sa naissance. Pour toi, au contraire, le danger serait grand, si tu partais après avoir été engendré seulement dans la corruption, sans avoir revêtu l'incorruptibilité[b]. Et je remarque que lui, il devait attendre ce moment pour son baptême, tandis que toi, tu n'as pas la même raison. En effet, il se manifesta à l'âge de trente ans, et non pas plus tôt, pour ne pas avoir l'air de se mettre en avant — ce qui est le cas des sots —, et parce que cet âge implique que l'on a une vertu complètement éprouvée, et que le moment est venu d'enseigner. Et comme il devait subir la Passion qui sauve le monde, il devait réunir en vue de cette Passion tout ce qui la concernait : la manifestation, le baptême, le témoignage venu d'en haut, la prédication, l'affluence de la foule, les miracles; c'était comme un seul corps qui n'est pas dispersé ni divisé par des intervalles de temps. En effet, le baptême et la prédication entraînent le «séisme[c]» des foules qui se rassemblent — car l'Écriture s'exprime ainsi en cette occasion[1] —; la foule entraîne la manifestation des «signes[d]» et les miracles qui amènent à l'Évangile; cela entraîne la jalousie; celle-ci, la haine;

---

1. Le texte de Matthieu (21, 10) auquel il est fait allusion dit en effet : «Lorsque (Jésus) fut entré à Jérusalem, toute la ville fut secouée (ἐσείσθη) en disant : Qui est-il?». Le verbe σείω s'emploie pour désigner un séisme (σεισμός dans le texte de Grégoire). P.G.

τούτου τὸ μῖσος· ἐκ δὲ τοῦ μίσους τὸ τῆς ἐπιβουλῆς
καὶ τῆς προδοσίας· ἐκ τούτου δὲ ὁ σταυρὸς καὶ ὅσοις
σεσώσμεθα. Τὰ μὲν δὴ τοῦ Χριστοῦ τοιαῦτα καὶ οὕτως
ἔχοντα, ὅσον ἡμῖν ἐφικτόν· τάχα δ᾽ ἄν τις καὶ ἄλλος
30 εὑρεθείη λόγος τούτων ἀπορρητότερος.

B　　30. Σοὶ δὲ τίς ἀνάγκη, τοῖς ὑπὲρ σὲ ὑποδείγμασιν
ἑπομένῳ, κακῶς βουλεύεσθαι; ἐπεὶ καὶ ἄλλα πολλὰ τῶν
τηνικαῦτα ἱστορουμένων ἑτέρως ἢ ὡς τὰ νῦν ἔχοντα
φαίνεται καὶ οὐ συμβαίνοντα τοῖς καιροῖς. Οἷον ἐνήστευσε
5 μικρὸν πρὸ τῆς πείρας[a], ἡμεῖς πρὸ τοῦ Πάσχα· τὸ μὲν
τῶν νηστειῶν ἕν, οὐ μικρὸν δὲ ἀμφοτέρων τῶν καιρῶν τὸ
διάστημα. Ὁ μὲν γὰρ κατὰ τῶν πειρασμῶν ταύτας προ-
βάλλεται· ἡμῖν δὲ τὴν συννέκρωσιν Χριστοῦ τοῦτο δύναται
καὶ κάθαρσίς ἐστι προεόρτιος. Καὶ ὁ μὲν νηστεύει τεσσαρά-
10 κοντα ἡμέρας — Θεὸς γὰρ ἦν —, ἡμεῖς δὲ τῇ δυνάμει τοῦτο
συνεμετρήσαμεν, εἰ καί τινας ἄττειν ὁ ζῆλος πείθει καὶ
ὑπὲρ δύναμιν. Πάλιν μυσταγωγεῖ τὸ Πάσχα τοὺς μαθητὰς
ἐν ὑπερῴῳ[b] καὶ μετὰ δεῖπνον καὶ πρὸ μιᾶς τοῦ παθεῖν
ἡμέρας· ἡμεῖς ἐν προσευχῆς οἴκοις καὶ πρὸ τοῦ δείπνου
C 15 καὶ μετὰ τὴν ἀνάστασιν. Ἀνίσταται τριήμερος, ἡμεῖς μετὰ
πολὺν χρόνον· καὶ οὔτε ἀπέρρηκται τῶν ἐκείνου τὰ ἡμέτερα οὔτε συνέζευκται χρονικῶς, ἀλλ᾽ ὅσον τύπος τις εἶναι
τῶν ἡμετέρων παραδοθέντα, τὸ πάντη παραπλήσιον διαπέ-
φευγεν. Τί οὖν θαυμαστὸν καὶ τὸ βάπτισμα παρειλῆφθαι
20 μὲν δι᾽ ἡμᾶς, τῷ χρόνῳ δὲ διαφέρειν; Ὃ σύ μοι δοκεῖς

29, 26 τοῦ μίσους n Ald. Maur. : τούτου m ‖ 27 ὅσοι A Pd² ‖ 28 τοῦ
Χριστοῦ : Χριστοῦ B Vb Vp D

30, 5 τοῦ πάσχα : τοῦ πάθους Dmg. ‖ 7 τὸν πειρασμὸν S PPd R Dmg.
corr. R² ‖ 10 τοῦτο τῇ δυνάμει Vp D ‖ 13 τὸ δεῖπνον A Vp Ald. Maur. ‖
19 καὶ BWTZ P² Ald. Maur. : εἰ καὶ cett. codd.

30. a. Cf. *Matth.* 4, 2. *Lc* 4, 2.　　b. Cf. *Mc* 14, 15 s. *Lc* 22, 11 s.

celle-ci, le complot et la trahison; cela, la croix et tout ce qui fait notre salut. Pour le Christ, voilà ce qu'il en est, dans la mesure où cela nous est accessible; et peut-être se trouve-t-il une autre explication plus profonde[1]?

30. Mais toi, qu'est-ce qui t'oblige à prendre une mauvaise décision en suivant des exemples qui te dépassent, puisqu'on nous rapporte beaucoup d'autres traits de ce temps-là qui ont évidemment une forme différente de ce qui se fait actuellement et ne coïncident pas pour les dates? Ainsi, lui il a jeûné peu avant la tentation[a], et nous, c'est avant Pâques; les jeûnes sont une seule et même chose, mais entre les dates, de part et d'autre, la différence n'est pas mince. Lui, il fait du jeûne une barrière contre les tentations; pour nous, le jeûne a le pouvoir de nous faire mourir avec le Christ, et il est purification qui précède la fête. Lui, il pratique le jeûne pendant quarante jours, car il était Dieu; nous, nous le mesurons à nos possibilités, encore que le zèle de certains leur persuade de se lancer au-delà du possible. De plus, il initie les disciples au mystère de Pâques dans une chambre haute[b], après le repas et un jour avant la Passion; pour nous, c'est dans des maisons de prière, avant le repas et après la Résurrection. Il resuscite le troisième jour; nous ce sera après un long temps. Nos actions ne sont ni coupées des siennes, ni liées à elles au point de vue du temps; les siennes nous ont été proposées seulement comme un modèle pour les nôtres, en évitant la similitude complète. Dès lors, pourquoi s'étonner si, d'une part, il a reçu le baptême à cause de nous, et si, d'autre part, il y a une différence pour le temps? Il me semble que, tout en croyant faire quelque chose de

1. Suivant un procédé de rhétorique bien connu, l'orateur fait un appel fictif à ses auditeurs pour une rectification qui ne viendra pas. P.G.

ὡς μέγα τι καὶ θαυμαστὸν οἷον προβάλλεσθαι κατὰ τῆς
σεαυτοῦ σωτηρίας.

D   31. Εἴ τι οὖν ἐμοὶ πείθεσθε, τοὺς μὲν τοιούτους λόγους
χαίρειν ἐάσατε· αὐτοὶ δὲ τῷ ἀγαθῷ προσπηδήσατε καὶ
διπλοῦν ἀγῶνα ἀγωνιεῖσθε· τὸν μὲν προκαθαίρειν ὑμᾶς
αὐτοὺς τοῦ βαπτίσματος, τὸν δὲ συντηρεῖν τὸ βάπτισμα,
5 ἐπειδὴ τῆς αὐτῆς ἐστι δυσχερείας καὶ κτήσασθαί τι τῶν
ἀγαθῶν οὐκ ὑπάρχον, καὶ κτηθὲν διασώσασθαι. Πολλάκις
γὰρ ὁ μὲν σπουδὴ προσέλαβε, ῥᾳθυμία διέφθειρεν· ὁ δὲ
ὄκνος ἀπώλεσεν, ἀνεκαλέσατο ἐπιμέλεια. Καλόν σοι βοή-
θημα πρὸς τὸ τυχεῖν ὧν ἐπιποθεῖς ἀγρυπνίαι, νηστεῖαι,
404A 10 χαμευνίαι, προσευχαί, δάκρυον, οἶκτος τῶν δεομένων, μετάδοσις. Τοῦτό σοι γενέσθω ὧν τετύχηκας εὐχαριστήριόν τε
ἅμα καὶ φυλακτήριον. Ἔχεις πολλῶν ἐντολῶν ὑπόμνημα,
τὴν εὐεργεσίαν· μὴ παραδράμῃς. Πένης προσῆλθε;
μνήσθητι πόσον πτωχεύων, πόσον ἐπλούτησας. Ἄρτου δεό-
15 μενος ἢ πόματος, Λάζαρος[a] ἴσως ἄλλος τοῖς σοῖς πυλῶσι
προσερριμμένος; Αἰδέσθητι τὴν μυστικὴν τράπεζαν, ᾗ
προσῆλθες· τὸν ἄρτον, οὗ μετείληφας· τὸ ποτήριον, οὗ
κεκοινώνηκας τοῖς Χριστοῦ πάθεσι τελειούμενος. Ξένος
προσέπεσεν, ἄοικος, παρεπίδημος. Ὑπόδεξαι διὰ τούτου
20 τὸν διὰ σὲ ξενιτεύσαντα, καὶ ταῦτα ἐν τοῖς ἰδίοις[b] καὶ
εἰσοικισθέντα σοι διὰ τῆς χάριτος[c], καὶ πρὸς τὴν ἄνω
κατοικίαν ἑλκύσαντα. Γενοῦ Ζακχαῖος, ὁ χθὲς τελώνης, καὶ
B   σήμερον μεγαλόψυχος[d]· πάντα τῇ εἰσόδῳ Χριστοῦ καρπο-

30, 22 σαυτοῦ PPd Vb ἑαυτοῦ SC B Ald. Maur. corr. B²
31, 3 ἡμᾶς Vb Vp D CRO Ve ‖ 5 ἐστι δυσχερείας m Q Ald. Maur. :
δυσχερείας ἐστὶ n praeter Q ‖ 6 οὐκ : οὐχ Vb Vp Ve ‖ 11 γενέσθω S PPd
Q Ald. Maur. : γινέσθω cett. codd. ‖ 12 ὑπομνήματα m′ corr. P² ‖
14 πόσον πτωχεύων om. D ‖ πόσον¹ ABQTV W³ Vb Vp P²Pd² O² Ve²
Maur. : πόσων S PPd CRO Ve W Ald. ‖ πόσον² ABQVZ T²W³ Vb Vp D
P²Pd² Ald. Maur. : πόσων W'T PPd CRO Ve Vb² Dmg. om. S ‖ 15 ἢ
om. n ‖ 18 εἰ ξένος PPd CRO Ve Vb D Ald. corr. P²O²D² ‖ 23 τοῦ
Χριστοῦ Ald. Maur.

grand et d'admirable, tu dresses comme une barrière
contre ton propre salut.

31. Alors, si vous m'en croyez, envoyez promener de
tels raisonnements, hâtez-vous vers ce bien, et vous
mènerez une double lutte : l'une pour vous purifier avant
le baptême, l'autre pour sauvegarder votre baptême. Il y a,
en effet, la même difficulté à acquérir le bien qu'on ne
possède pas et à conserver celui que l'on a acquis ; souvent
ce que l'activité a gagné, la négligence le compromet ; et ce
que la nonchalance a perdu, l'empressement le récupère.
Tu trouveras une aide précieuse pour atteindre ce que tu
désires dans les veilles, les jeûnes, le coucher sur la dure, les
larmes, la compassion envers les nécessiteux, le partage.
Que cela soit pour toi une action de grâces pour ce que tu
as atteint, et en même temps un moyen de le garder. Pour
te rappeler le souvenir de nombreux commandements, tu
as la bienfaisance ; ne passe pas à côté. Un pauvre s'est
présenté ? Rappelle-toi comme tu étais mendiant et comme
tu es devenu riche. Il manque de pain ou n'a rien à boire :
peut-être un autre Lazare s'est-il jeté à ta porte[a] ? Respecte
la table mystique dont tu t'es approché, le pain dont tu as
pris ta part, la coupe à laquelle tu as participé en étant initié
aux souffrances du Christ. Un étranger est tombé à tes
pieds, sans logis, sans personne qui l'accueille ? Reçois, par
son intermédiaire, celui qui, à cause de toi, a été un
étranger même parmi les siens[b], qui a fait en toi sa demeure
par la grâce[c] et qui t'a attiré vers le séjour d'en haut. Sois
Zachée[d], le publicain d'hier, et aujourd'hui homme généreux ; offre tout pour l'entrée du Christ, et ainsi tu

---

31. a. Cf. *Lc* 16, 20 s.   b. Cf. *Jn* 1, 11.   c. Cf. *Jn* 14, 23.
d. Cf. *Lc* 19, 2-10.

φόρησον, ἵνα μέγας ἀναφανῇς, κἂν μικρὸς ᾖς τὴν σωμα-
25 τικὴν ἡλικίαν, καλῶς Χριστὸν θεασάμενος. Ἄρρωστος πρόκειται καὶ τραυματίας; τὴν σὴν ὑγίειαν αἰδέσθητι καὶ
τὰ τραύματα, ὧν σε Χριστὸς ἠλευθέρωσεν[c]. «Ἐὰν ἴδῃς
γυμνόν, περίβαλε[f]», τὸ σὸν τιμῶν ἔνδυμα τῆς ἀφθαρσίας·
Χριστὸς δὲ τοῦτό ἐστιν, «ἐπειδὴ ὅσοι εἰς Χριστὸν
30 ἐβαπτίσθημεν, Χριστὸν ἐνδεδύμεθα[g]». Ἐὰν χρεωφειλέτην
λάβῃς προσπίπτοντα, πᾶσαν συγγραφὴν ἄδικον ἢ καὶ
δικαίαν διάσπασον[h]. Μνήσθητι τῶν μυρίων ταλάντων[i], ὧν
σοι Χριστὸς ἐχαρίσατο. Μὴ γένῃ πράκτωρ πικρὸς τοῦ
ἐλάττονος χρέους. Καὶ ταῦτα τίσι; Τοῖς ὁμοδούλοις, ὁ τὸ
35 πλεῖον παρὰ τοῦ Δεσπότου συγχωρηθείς· μὴ καὶ τῆς
C ἐκείνου φιλανθρωπίας ὑπόσχῃς δίκην, ἣν οὐκ ἐμιμήσω
λαβὼν ὑπόδειγμα.

32. Γενέσθω σοι τὸ λουτρὸν μὴ τοῦ σώματος μόνον,
ἀλλὰ καὶ τῆς εἰκόνος[a], μὴ τῶν ἁμαρτημάτων ἔκπλυσις
μόνον, ἀλλὰ καὶ τοῦ τρόπου διόρθωσις, μὴ τὸν προεισελθόντα βόρβορον ἀποκλυζέτω μόνον, ἀλλὰ καὶ τὴν
5 πηγὴν καθαιρέτω, μὴ τὸ καλῶς κτᾶσθαι τυποῦτω μόνον,
ἀλλὰ καὶ τὸ καλῶς ἀποκτᾶσθαι ἤ, τό γε κουφότατον, τὸ
κακῶς κτηθὲν ἀποτίθεσθαι. Τί γὰρ ὄφελος σοὶ μὲν συγχωρηθῆναι τὴν ἁμαρτίαν, τῷ δὲ ἠδικημένῳ μὴ λυθῆναι τὴν
παρὰ σοῦ ζημίαν, δύο σοι κακῶν ὄντων, τοῦ τε κτήσασθαι
10 μὴ δικαίως καὶ τοῦ τὸ κτηθὲν κατέχεσθαι; Τοῦ μὲν ἄφεσιν
ἔλαβες, τὸ δὲ σήμερον ἀδικεῖς. Σήμερον γάρ ἐστι παρὰ σοὶ

31, 24 post καρποφόρησον add. τὰ ὄντα S Vp D corr. Vp² D² ‖ 29 δὲ
om. n ‖ 30 ἐνεδυσάμεθα A S Vb ‖ 31 καὶ ABTV Vb D : om. S P Pd
CRO Ve Vp WQZ Ald. Maur. ‖ 36 ὑποσχῇ S ὑπόσχῃ CRO Ve Vb Vp D
Q corr. P² D²
32, 1 μόνον ἔκπλυσις m ‖ 2 εἰκόνος ἔκπλυσις Maur. ‖ 2-3 ἔκπλυσις
μόνον om. S ‖ ἔκπλυσις n Ald. Maur. : λύσις m′ ‖ 3 προελθόντα BWQ Vb
corr. W³ προλαβόντα Ald. Maur. ‖ 7 ὄφελος Pdmg. R

31. e. Cf. Is. 53, 4-5. f. Is. 58, 7. g. Gal. 3, 27. h. Is.
58, 6 (LXX). i. Cf. Matth. 18, 24-28.

apparaîtras grand – même si tu es de petite taille[1] –, après
avoir dignement contemplé le Christ. Un malade est là, et
blessé? Souviens-toi avec respect de ta santé (spirituelle) et
des blessures dont le Christ t'a libéré[e]. «Si tu vois
quelqu'un qui est nu, couvre-le[f]», honorant ainsi ton
vêtement d'incorruptibilité; ce vêtement est le Christ,
puisque «nous tous qui avons été baptisés dans le Christ,
nous avons revêtu le Christ[g]». Si tu reçois un débiteur qui
tombe à tes pieds, «déchire tout contrat injuste[h]», et même
juste; souviens-toi des «dix mille talents[i]» dont le Christ
t'a fait grâce; ne sois pas un exacteur réclamant avec
aigreur la moindre dette; et cela, de qui? de tes compagnons de servitude. Toi à qui le Maître a remis une dette
plus considérable, n'encours pas la peine de n'avoir pas
imité sa bonté après en avoir reçu l'exemple.

32. Que le bain soit pour toi non seulement celui du
corps, mais qu'il lave aussi l'image[a]; qu'il ne te délie pas
seulement des péchés, mais qu'il aille aussi jusqu'au redressement des mœurs; qu'il ne te nettoie pas seulement de la
fange qui avait précédemment pénétré en toi, mais qu'il
purifie aussi la source; qu'il te forme non seulement à
acquérir des biens honorablement, mais aussi à y renoncer
honorablement, ou – c'est bien le moins – à lâcher ce qui a
été mal acquis. Quelle utilité pour toi en effet, d'avoir été
pardonné de ton péché, si le dommage de celui que tu as
lésé n'est pas supprimé? Il y a pour toi deux maux : avoir
acquis injustement et retenir ce que tu as acquis; sur le
premier point, tu as obtenu l'acquittement, mais sur le
second ton injustice demeure aujourd'hui. Aujourd'hui, en

---

32. a. Cf. *Gen.* 1, 26.27; 9, 6.

1. Sur le contraste entre l'âge du corps et l'âge spirituel, cf. ce qui est
dit plus haut (*Discours* 39, 9).

405A   τὸ ἀλλότριον, καὶ οὐκ ἀνῃρέθη τὸ ἁμάρτημα, τῷ χρόνῳ δὲ
διεκόπη, τὸ μὲν πρὸ τοῦ βαπτίσματος τολμηθέν, τὸ δὲ
μένον μετὰ τὸ βάπτισμα · τῶν γὰρ ἡμαρτημένων, οὐ τῶν
15 ἁμαρτανομένων τὸ λουτρὸν ἔχει συγχώρησιν. Δεῖ δὲ μὴ
σοφισθῆναι τὸν καθαρμόν, ἀλλ᾽ ἐνσημανθῆναι, λαμπρυνθῆναί
σε τελείως, ἀλλὰ μὴ χρωσθῆναι, μηδὲ ἐπικάλυψιν τῶν
ἁμαρτιῶν, ἀλλ᾽ ἀπαλλαγὴν ἔχειν τὸ χάρισμα. «Μακάριοι,
ὧν ἀφέθησαν αἱ ἀνομίαι», τοῦτο τῆς παντελοῦς καθάρσεως,
20 «καὶ ὧν ἐπεκαλύφθησαν αἱ ἁμαρτίαι[b]» · τοῦτο τῶν οὔπω
τὸ βάθος καθηραμένων. «Μακάριος ἀνὴρ ᾧ οὐ μὴ λογί-
σηται Κύριος ἁμαρτίαν[c]» · τρίτη τις αὕτη τάξις τῶν
ἁμαρτανομένων, ὧν ἡ μὲν πρᾶξις οὐκ ἐπαινετή, τὸ δὲ τῆς
γνώμης ἀνεύθυνον.

B   33. Τί οὖν φημι καὶ τίς ὁ ἐμὸς λόγος; χθὲς ἦσθα
Χαναναία ψυχὴ[a] καὶ διὰ τὰς ἁμαρτίας συγκύπτουσα[b] ·
σήμερον ἀνωρθώθης ὑπὸ τοῦ Λόγου. Μὴ συγκύψῃς πάλιν
καὶ εἰς γῆν κλιθῇς, ὥσπερ κύφωνι, παρὰ τοῦ πονηροῦ
5 βαρηθεῖσα καὶ δυσανάκλητον ἔχῃς τὴν ταπεινότητα. Χθὲς
ἐξηραίνου θάλλουσα τῇ αἱμορροίᾳ[c] — ἐπήγαζες γὰρ τὴν
φοινικὴν[d] ἁμαρτίαν — · σήμερον ἀνέθηλας ξηρανθεῖσα.
Ἥψω γὰρ τῶν Χριστοῦ κρασπέδων[e] καὶ τὴν ῥύσιν
ἔστησας. Φύλασσέ μοι τὴν κάθαρσιν, μὴ πάλιν αἱμορροήσῃς
10 καὶ οὐκ ἰσχύσῃς λαβέσθαι Χριστοῦ, ἵνα κλέψῃς[f] τὴν σωτη-

32, 15 τὴν συγχώρησιν m′ ‖ 22 τάξις αὕτη m′
33, 2 τὰς S PPd CRO Ve : τῆς n Vb Vp D Ald. Maur. ‖ 5 ἔχεις m
praeter Vp ἔχει uel ἔχῃς W³ corr. P² ‖ 9 post τὴν κάθαρσιν add. ἐν τῷ
πρακτικῷ τῆς ἀσκήσεως S PPd Vp D ‖ 10 ἰσχύσεις ABT Ve Ald.

33. a. Cf. Matth. 15, 22.   b. Cf. Lc 13, 11.   c. Cf. Matth. 9, 20. Mc
5, 25. Lc 8, 43.   d. Cf. Is. 1, 18.   e. Cf. Matth. 9, 20-22. Mc 5, 27-28.
Lc 8, 44.   f. Cf. Mc 5, 30-33.

effet, le bien d'autrui est chez toi; ton péché n'a pas été
enlevé, mais divisé par le temps : d'une part, il a été osé
avant le baptême, d'autre part il persiste après le baptême;
le bain comporte le pardon des péchés qui ont été commis,
non de ceux que l'on est en train de commettre. Il faut que
la purification ne soit pas feinte, mais qu'elle t'imprègne;
que tu aies un éclat parfait, mais non une simple colora-
tion; que la grâce ne couvre pas tes péché, mais qu'elle t'en
débarrasse : «Bienheureux ceux dont les iniquités ont été
enlevées», c'est le fait de la purification totale –, «et dont
les péchés ont été couverts[b]» – c'est le fait de ceux qui
n'ont pas encore été purifiés en profondeur –, «bienheureux l'homme auquel le Seigneur ne comptera pas de
péché[c]» – c'est comme une troisième sorte de pécheurs :
leur action n'est pas louable, mais leur intention est
irréprochable.

33. Que dis-je donc, et quel est mon discours? Hier, tu
étais une âme Chananéenne[a] et courbée[b] par les péchés,
aujourd'hui, tu as été redressé par le Verbe; ne te courbe
pas de nouveau, ne penche pas vers la terre comme sous le
poids d'un joug imposé par le Malin, et que ta bassesse ne
soit pas rebelle aux appels ves le haut. Hier, sous la vigueur
d'un flux de sang[c], tu te desséchais, – car le péché, rouge
comme la pourpre[d], coulait de toi –; aujourd'hui, tu as
retrouvé ta vigueur, le flux s'étant desséché[1]. Garde, je t'en
prie, ta purification, de peur qu'il ne t'arrive un nouveau
flux de sang et que tu n'aies pas la force de saisir le Christ
pour dérober ton salut[f]; car le Christ n'a pas coutume

---

1. Le texte présente des jeux de mots : θάλλουσα («être vigoureux»,
pris en mauvaise part en parlant d'une maladie) s'oppose à ἀνέθηλας («tu
as retrouvé ta vigueur»); d'autre part ἐξηραίνου («tu te desséchais»)
répond à ξηρανθεῖσα («tu as été desséché» en ce qui concerne le flux de
sang, symbole du péché). P.G.

ρίαν. Οὐ γὰρ πολλάκις Χριστὸς φιλεῖ κλεπτόμενος, καὶ εἰ
λίαν ἐστι φιλάνθρωπος. Χθὲς ἐπὶ κλίνης ἔρριψο παρειμένος
καὶ λελυμένος καὶ οὐκ εἶχες ἄνθρωπον, ἵνα, ὅταν ταραχθῇ τὸ
C ὕδωρ, βάλῃ σε εἰς τὴν κολυμβήθραν[g]· σήμερον εὗρες
15 ἄνθρωπον, τὸν αὐτὸν καὶ Θεόν, μᾶλλον δὲ Θεὸν ἄνθρωπον.
Ἤρθης ἀπὸ κραβάττου, μᾶλλον δὲ ἦρας τὸν κράβαττον[h]
καὶ ἐστηλίτευσας τὴν εὐεργεσίαν· μὴ πάλιν ἐπὶ κραβάττου
ριφῇς ἁμαρτήσας, τῆς κακῆς τοῦ σώματος ἀναπαύσεως
παρειμένου ταῖς ἡδοναῖς, ἀλλ᾽ ὡς ἔχεις βάδιζε μεμνημένος
20 τῆς ἐντολῆς· «Ἰδοὺ ὑγιὴς γέγονας· μηκέτι ἁμάρτανε, ἵνα
μὴ χεῖρόν τί σοι γένηται[i]», κακῷ φανέντι μετὰ τὴν
εὐποιΐαν. «Λάζαρε, δεῦρο ἔξω[j]», ἤκουσας τῆς μεγάλης
φωνῆς ἐν τάφῳ κείμενος — τί γὰρ τοῦ Λόγου μεγαλοφωνό-
τερον; — καὶ προῆλθες, οὐ τετραήμερος[k] νεκρός, ἀλλὰ
25 πολυήμερος, τῷ τριημέρῳ[l] συναναστάς, καὶ τῶν ἐνταφίων
δεσμῶν ἐξελύθης. Μὴ νεκρωθῇς πάλιν καὶ γένῃ μετὰ τῶν
408A κατοικούντων ἐν τάφοις[m] μηδὲ κατασφιγγῇς ταῖς σειραῖς[n]
τῶν οἰκείων ἁμαρτημάτων, ἄδηλον ὂν εἰ πάλιν ἐξαναστήσῃ
τῶν τάφων μέχρι τῆς τελευταίας καὶ κοινῆς ἀναστάσεως, ἢ
30 πᾶν τὸ ποίημα ἄξει εἰς κρίσιν, οὐ θεραπευθησόμενον, ἀλλὰ
κριθησόμενον καὶ λόγον ὑφέξον ὧν εὖ ἢ κακῶς ἐθησαύ-
ρισεν.

34. Εἰ λέπραν ἔβρυες τέως τὴν ἄμορφον πονηρίαν,
ἀπεξέσθης δὲ τῆς κακῆς ὕλης καὶ τὴν εἰκόνα σώαν

33, 11 φιλεῖ Χριστὸς Maur. ‖ 14 βάλλῃ Ald. Maur. ‖ 15 θεὸν καὶ
ἄνθρωπον W P² Maur. ‖ 16 κραββάτου S Vp D κραβάτου B corr. Dmg. B²
τοῦ κραββάτου Ald. Maur. ‖ κράββατον S Vp D W³ Ald. Maur. ‖
17 κραββάτου B Vp D Ald. Maur. κράββατον S corr. B ‖ 19 ὡς ἔχεις :
ὀρθῶς D ‖ 21 σοί τι B Ald. σοι tantum A ‖ 26 πάλιν νεκρωθῇς m′ ‖
27 κατασφιγγῆς B² WQTVZ -σφιγχθῆς Amg. PPd Ve R Ald. corr. Rmg.
‖ 29 τῶν τάφων ex τοῦ τάφου corr. Amg.

33. g. Cf. Jn 5, 3-7.   h. Cf. Jn 5, 8-9.   i. Jn 5, 14.   j. Jn 11, 43.
k. Cf. Jn 11, 39.   l. Cf. Matth. 20, 19.   m. Ps. 67, 7 (LXX).   n. Jn
11, 44.

d'accepter qu'on le lui dérobe plusieurs fois, malgré sa
grande bonté pour les hommes. Hier, tu gisais sur un lit,
languissant et abattu, et tu n'avais pas d'homme pour te
jeter dans la piscine quand l'eau s'agiterait[g]; aujourd'hui tu
as trouvé un homme, qui est aussi Dieu, ou plutôt un
Dieu-homme. Tu as été soulevé de ton grabat, ou plutôt tu
as soulevé ton grabat[h] et tu as, pour ainsi dire, marqué ce
bienfait sur une stèle; veille à n'être pas jeté de nouveau par
le péché sur un grabat, repos funeste du corps alangui par
les plaisirs; au contraire, marche comme tu es, en te
souvenant de la recommandation : « Voici que tu es devenu
sain; ne pèche plus, de peur qu'il ne t'arrive quelque chose
de pire[i] », si tu te montrais mauvais après cette faveur.
« Lazare, viens ici dehors[j] »; gisant au tombeau, tu as
entendu la grande voix – quelle voix, en effet, est plus
grande que celle du Verbe? – et tu t'es avancé, cadavre non
pas à son quatrième jour[k], mais depuis de nombreux jours,
ressuscité avec Celui qui en était à son troisième jour[l], et tu
as été dégagé des liens de la sépulture. Ne deviens pas de
nouveau un cadavre, ne sois pas « avec ceux qui habitent
dans les sépulcres[m] » et ne sois pas enserré par les « bande-
lettes[n] » de tes propres péchés; car il n'est pas certain que
tu sortiras une seconde fois du sépulcre jusqu'à la résurrection dernière et commune qui amènera en jugement tout le
créé, non pour qu'il soit guéri, mais pour qu'il soit jugé et
qu'il rende compte de ce qu'il a amassé en bien ou en mal.

34. Si tu étais jusqu'ici couvert de lèpre – je parle de la
hideuse perversité –, mais si cette funeste matière a été
râclée sur toi et si tu as reçu intacte l'image, montre-moi, à

33, 11 οὐ γὰρ πολλάκις — 12 φιλάνθρωπος MAXIMUS, *Ambigua*,
PG 91, 1349 D

ἀπέλαβες, δεῖξον ἐμοὶ τῷ ἱερεῖ σου τὴν κάθαρσιν[a], ἵνα γνῶ
πόσον τῆς νομικῆς αὕτη τιμιωτέρα. Γενοῦ μὴ τῶν ἐννέα
5 τῶν ἀχαρίστων, ἀλλὰ τὸν δέκατον μίμησαι · καὶ γὰρ
B εἰ Σαμαρείτης ἦν, ἀλλὰ τῶν ἄλλων εὐγνωμονέστερος[b].
Ἀσφάλισαι μὴ πάλιν κακῶς ἐξανθήσῃς καὶ δυσθεράπευτον
ἔχῃς τὴν ἀνωμαλίαν τοῦ σώματος. Πρώην ἐξήραινέ σου
τὴν χεῖρα μικρολογία καὶ φειδωλία · σήμερον ἐκτεινάτω[c]
10 μετάδοσις καὶ φιλανθρωπία. Καλὴ θεραπεία χειρὸς
ἀρρωστούσης «σκορπίζειν, διδόναι τοῖς πένησιν[d]»,
ἐξαντλεῖν ὧν ἔχομεν δαψιλῶς, μέχρις ἂν καὶ τοῦ πυθμένος
ἁψώμεθα – ἴσως καὶ οὗτος πηγάσει σοι τροφὴν καθάπερ
τῇ Σαραφθίᾳ, καὶ μάλιστα εἰ τύχοις Ἡλίαν τρέφουσα[e] –,
15 καλὴν εὐπορίαν εἰδέναι τὸ διὰ Χριστὸν ἀπορεῖν, τὸν δι'
ἡμᾶς πτωχεύσαντα[f]. Εἰ κωφὸς ἦσθα καὶ ἄλαλος[g], ὁ Λόγος
ἐνηχησάτω σοι · μᾶλλον δὲ κάτασχε τὸν ἐνηχήσαντα. Μὴ
κλείσῃς τὰ ὦτα πρὸς παιδείαν Κυρίου καὶ νουθεσίαν
C ὡς ἀσπὶς πρὸς ἐπάσματα[h]. Εἰ τυφλὸς καὶ ἀφώτιστος,
20 «φώτισον τοὺς ὀφθαλμούς σου μή ποτε ὑπνώσῃς εἰς
θάνατον[i]». Ἐν τῷ φωτὶ Κυρίου θέασαι φῶς[j], ἐν τῷ
Πνεύματι τοῦ Θεοῦ τὸν Υἱὸν αὐγάσθητι, τὸ τρισσὸν φῶς
καὶ ἀμέριστον. Ἐὰν ὅλον εἰσδέξῃ τὸν Λόγον, πάσας τὰς
Χριστοῦ θεραπείας ἐπὶ τὴν σεαυτοῦ συνάξεις ψυχήν, ἃς
25 κατὰ μέρος ἕκαστος τεθεράπευται. Μόνον μὴ ἀγνοήσῃς τὸ
μέτρον τῆς χάριτος · μόνον μὴ καθεύδοντί σοι καὶ ἀμε-
ριμνοῦντι κακῶς ἐπισπείρῃ ὁ ἐχθρὸς τὰ ζιζάνια[k] · μόνον
ἐπίφθονος τῷ πονηρῷ γεγονὼς διὰ τὴν καθαρότητα μὴ

34, 3 γνῶς C O² Vb Vp D ‖ 8 ἑξῆς SD ἔχεις Pd CRO Ve σχῆς A σχεῖς
Amg. ἕξεις Ald. Maur. ‖ 13 πηγάσῃ A ‖ 24 συνέξεις PPd corr. P²

34. a. Cf. *Lc* 17, 14.   b. Cf. *Lc* 17, 15-19.   c. Cf. *Lc* 6, 6-10.
d. *Ps.* 111, 9.   e. Cf. III *Rois* 17, 14-16.   f. II *Cor.* 8, 9.   g. Cf. *Mc*
7, 32.   h. Cf. *Ps.* 57, 5-6 (LXX).   i. *Ps.* 12, 4.   j. Cf. *Ps.* 35, 10.
k. Cf. *Matth.* 13, 25.

1. Allusion à la guérison des dix lépreux (*Lc* 17, 12-19). P.G.

moi, ton prêtre, ta purification[a], pour que je constate à
quel point elle a plus de valeur que la purification légale.
Ne sois pas l'un des neuf ingrats, mais imite le dixième : s'il
était Samaritain, du moins était-il plus reconnaissant que
les autres[b1]. Préviens le retour de cette funeste éruption,
pour que ton état physique défectueux ne soit pas difficile à
guérir. Naguère, l'avarice et la ladrerie te desséchaient la
main ; aujourd'hui, que le partage et la bienfaisance te
l'étendent[c]! Une telle façon de guérir une main malade,
c'est de «disperser», de «donner aux pauvres[d]», de puiser
abondamment dans ce que nous avons, jusqu'à ce que nous
touchions le fond – et celui-ci peut-être fera sourdre pour
toi une nourriture, comme pour la femme de Sarephta[e],
surtout si, d'aventure, tu nourris un Élie[2] – ; tu dois savoir
que c'est une belle opulence que d'être dans l'indigence à
cause du Christ «qui a été pauvre à cause de nous[f]». Si tu
étais sourd-muet[g], que le Verbe retentisse en toi, ou plutôt
retiens-le, lui qui retentit en toi ; ne ferme pas tes oreilles à
l'enseignement et à l'avertissement du Seigneur, comme
fait l'aspic à l'égard des incantations[h3]. Si tu es aveugle et
privé de lumière, «illumine tes yeux, afin de ne jamais
t'endormir dans la mort[i]» ; dans la lumière du Seigneur
contemple la lumière[j] ; dans l'Esprit de Dieu reçois l'éclat
du Fils – lumière triple et indivisible. Si tu reçois dans ton
âme le Verbe tout entier, tu réuniras en elle tous les
remèdes qui ont guéri chacun en particulier. Évite seulement de méconnaître la mesure de la grâce ; évite seulement
que par suite de ta somnolence et de ton insouciance,
l'ennemi ne sème méchamment, après coup, de l'ivraie[k] ;
évite seulement, après avoir donné de la jalousie au Malin à

---

2. Allusion à l'histoire d'Élie, qui multiplia miraculeusement l'huile
et la farine de la veuve de Sarephta (IV *Rois* 17, 10-16). P.G.

3. Le *Psaume* 57, 5-6 parle de «l'aspic sourd qui ferme ses oreilles
pour ne pas entendre la voix des enchanteurs». P.G.

πάλιν σεαυτὸν ἐλεεινὸν καταστήσῃς διὰ τῆς ἁμαρτίας ·
30 μόνον μὴ τῷ ἀγαθῷ περιχαρεὶς καὶ ὑψωθεὶς ἄμετρα
καταπέσῃς ἐν τῷ ἐπαρθῆναι[I] · μόνον ἀεὶ φιλοπόνει τὴν
D κάθαρσιν, ἀναβάσεις ἐν τῇ καρδίᾳ διατιθέμενος[m], καὶ ἧς
ἔτυχες κατὰ δωρεὰν ἀφέσεως[n], ταύτην ἐπιμελείᾳ συντή-
ρησον, ἵνα τὸ μὲν ἀφεθῆναί σοι παρὰ Θεοῦ, τὸ δὲ
35 συντηρηθῆναι καὶ παρὰ σοῦ γένηται.

409A   35. Γενήσεται δὲ πῶς; Ἀεὶ τῆς παραβολῆς ἐκείνης
μέμνησο καὶ σεαυτῷ βοηθήσεις ἄριστά τε καὶ τελεώτατα.
Ἐξῆλθεν ἀπὸ σοῦ τὸ ἀκάθαρτον καὶ ὑλικὸν πνεῦμα,
διωχθὲν τῷ βαπτίσματι. Οὐ φέρει τὸν διωγμόν, οὐ δέχεται
5 ἄοικον εἶναι καὶ ἀνέστιον. Πορεύεται δι' ἀνύδρων τόπων
καὶ ξηρῶν θείας ἐπιρροῆς · ἐκεῖ φιλοχωρῆσαι βούλεται,
πλανᾶται ζητοῦν ἀνάπαυσιν, οὐχ εὑρίσκει[a] · βεβαπτισμέναις
ἐντυγχάνει ψυχαῖς, ὧν τὴν κακίαν τὸ λουτρὸν ἐξέκλυσεν ·
φοβεῖται τὸ ὕδωρ · ἐμπνίγεται τῇ καθάρσει, καθάπερ ὁ
10 λεγεὼν τῇ θαλάσσῃ[b]. Πάλιν ὑποστρέφει πρὸς τὸν οἶκον,
ὅθεν ἀνεχώρησεν. Ἀναίσχυντόν ἐστι, φιλόνεικόν ἐστι,
προσβάλλει πάλιν, πειρᾶται πάλιν. Ἐὰν μὲν εὕρῃ Χριστὸν
B εἰσοικισθέντα καὶ πληρώσαντα τὴν χώραν ἣν αὐτὸς ἐκέ-
νωσεν, ἀπεκρούσθη πάλιν, ἀπῆλθεν ἄπρακτος, ἐλεεινὸς
15 ἐγένετο τῆς περιπλανήσεως. Ἐὰν δὲ «σεσαρωμένον καὶ
κεκοσμημένον» τὸν ἐν σοὶ τόπον εὕρῃ[c], κενὸν καὶ
ἄπρακτον, ἕτοιμον ἐπίσης πρὸς ὑποδοχὴν τοῦδε ἢ τοῦδε
τοῦ προκαταλαβόντος, εἰσεπήδησεν, εἰσῳκίσθη μετὰ πλείονος τῆς παρασκευῆς καὶ γίνεται τὰ ἔσχατα χείρονα τῶν
20 πρώτων[d], ὅσῳ τότε μὲν ἐλπὶς ἦν διορθώσεώς τε καὶ

34, 30 περιχαρῆς S Vp D B ‖ 32 διατιθέμενος AW²V S PPd R Vb Vp
D Ald. : τιθέμενος BWQTZ C O Ve Maur. ‖ 35 καὶ παρὰ n Ald. Maur. :
παρὰ m

35, 8 ἐντυγχάνον Dmg. ‖ 10 πρός : εἰς P Pd CRO Ve Ald. ‖
14 ἄπρακτον ἐλεεινὸν P Pd C RO Ve Maur. ‖ 17 εἴτε τοῦδε εἴτε τοῦδε Vb
Vp D ‖ 19 καὶ om. n ‖ 20 προτέρων Maur. ‖ τε om. S PPd CRO Ve

cause de ta pureté, de devenir, à l'inverse, digne de pitié par ton péché; évite seulement d'éprouver une joie excessive à cause du bien que tu as reçu et de t'exalter sans mesure, de peur que ton élévation ne te jette en bas[l]; travaille seulement toujours avec ardeur à ta purification «en disposant des montées dans ton cœur[m]»; et le pardon que tu as obtenu gratuitement, maintiens-le par ta vigilance. Si le pardon t'est venu de Dieu, que le maintien du pardon vienne aussi de toi.

35. Et comment cela se fera-t-il? Souviens-toi toujours de la célèbre parabole que voici, et tu t'assureras le secours le meilleur et le plus parfait. «L'esprit impur» et grossier «est sorti» de toi, expulsé par le baptême; il ne supporte pas son expulsion, il n'accepte pas d'être sans maison et sans foyer, «il va à travers des lieux sans eau» et secs par manque de rosée divine; il veut y trouver un séjour qui lui plaise; il erre «cherchant du repos, il n'en trouve pas[a]»; il rencontre des âmes qui ont été baptisées et dont le bain a lavé la perversité : il craint cette eau, il est étouffé par cette purification, comme «Légion» le fut «dans la mer[b]»; il revient vers la maison dont il s'était éloigné; il est impudent, il est opiniâtre, il attaque de nouveau, il tente un nouveau coup. S'il trouve le Christ établi là et ayant rempli la place que lui-même a laissée vide, il est de nouveau repoussé, il s'en va sans avoir rien fait, il est piteux de sa course errante; si, au contraire, il trouve en toi la place «balayée et ornée[c]», mais vide et inoccupée, prête à recevoir indifféremment celui-ci ou celui-là qui s'en empare le premier, il s'y précipite, il s'y établit en plus grand arroi, et «le dernier état devient pire que le premier[d]», d'autant plus qu'autrefois il y avait espoir de redressement et de

---

34. l. Cf. *Ps.* 72, 8. *Lc* 18, 14.   m. *Ps.* 83, 6.
35. a. Cf. *Lc* 11, 24.   b. Cf. *Mc* 5, 9-13. *Lc* 8, 30.33.   c. *Lc* 11, 25.
d. *Lc* 11, 26.

ἀσφαλείας, νῦν δὲ πρόδηλος ἡ κακία, τῇ φυγῇ τοῦ καλοῦ
τὸ πονηρὸν ἕλκουσα· καὶ διὰ τοῦτο βεβαιοτέρα πως τῷ
οἰκήτορι ἡ κατάσχεσις.

C   36. Πάλιν ὑπομνήσω σε τῶν φωτισμῶν καὶ πολλάκις ἐκ
τῶν θείων λογίων τούτους ἀναλεγόμενος. Αὐτός τε γὰρ
ἡδίων ἔσομαι τῇ τούτων μνήμῃ — τί γὰρ φωτὸς ἡδύτερον
τοῖς φωτὸς γευσαμένοις; — καὶ σὲ περιαστράψω τοῖς
5 λεγομένοις. «Φῶς» μὲν «ἀνέτειλε τῷ δικαίῳ[a]» καὶ
ἡ τούτου σύζυγος εὐφροσύνη· «Φῶς δὲ δικαίοις διὰ
παντός[b]». «Φωτίζεις δὲ σὺ θαυμαστῶς ἀπὸ ὀρέων αἰω-
νίων[c]» πρὸς τὸν Θεὸν λέγεται· ἀγγελικῶν, οἶμαι, δυνάμεων, αἳ συνεργοῦσιν ἡμῖν πρὸς τὰ κρείττονα. «Κύριος δὲ
10 φωτισμός μου καὶ σωτήρ μου· τίνα φοβηθήσομαι[d];» Τοῦ
Δαβὶδ ἤκουσα λέγοντος, καὶ ποτὲ μὲν αἰτοῦντος ἐξαποστα-
λῆναι τὸ φῶς αὐτῷ καὶ τὴν ἀλήθειαν[e], ποτὲ δὲ εὐχα-
ριστοῦντος ὅτι καὶ τούτου μετείληφεν, ἐν τῷ σημειωθῆναι
τὸ τοῦ Θεοῦ φῶς ἐπ' αὐτόν[f], τουτέστιν ἐνσημανθῆναι καὶ
D 15 γνωρισθῆναι τὰ σημεῖα τῆς δεδομένης ἐλλάμψεως. Ἓν μόνον
φεύγωμεν φῶς, τὸ τοῦ πικροῦ πυρὸς ἔκγονον. Μὴ πορευ-
θῶμεν τῷ φωτὶ τοῦ πυρὸς ἡμῶν καὶ τῇ φλογὶ ᾗ ἐξεκαύ-
412A σαμεν. Οἶδα γὰρ καὶ πῦρ καθαρτήριον, ὃ Χριστὸς ἦλθε
βαλεῖν ἐπὶ τὴν γῆν[g], πῦρ καὶ αὐτὸς ἀναγωγῆς λόγοις

35, 22 πως om. n Ald. Maur.
36, 3 τοῦ φωτός m praeter S Vb ‖ ἡδύτερον : γλυκύτερον m′ ‖
9 κρείττονα : κρείττω S ‖ 11 ἤκουσα AQ SC Pd RO Ve Vp : ἤκουσας
BWTVZ Vb P (an P²?) D Ald. Maur. ‖ 14 ἐπ' αὐτόν : ἐν αὐτῷ m′ ‖
16 φῶς φεύγωμεν Ald. Maur. ‖ 18 γὰρ καὶ S : καὶ m′ γὰρ n Maur. om. Q
Ald. ‖ 19 τῆς γῆς Ald. Maur.

36. a. Ps. 96, 11 (LXX). b. Cf. Is. 60, 19. c. Ps. 75, 5. d. Ps.
26, 1. e. Cf. Ps. 42, 3. f. Cf. Ps. 4, 7 (LXX). g. Cf. Lc 12, 49.

1. L'auteur oppose sans doute les deux formes de comparatif ἡδίων et
ἡδύτερος parce qu'il entend la première dans un sens insolite (éprouver

sécurité, tandis que maintenant ta perversité est manifestée, la fuite du bien attire le mal, et, pour cette raison, plus ferme en quelque sorte est la possession de celui qui habite.

36. Je veux rappeler à ta mémoire les illuminations, et en réunissant de nombreux exemples tirés des oracles divins. J'aurai moi-même beaucoup d'agrément à ce rappel – qu'y a-t-il de plus agréable[1] que la lumière pour ceux qui ont goûté à la lumière? – et je t'envelopperai d'éclairs avec ces paroles : «La lumière s'est levée pour le juste ainsi que sa compagne, la joie[a][2]»; «La lumière est aux justes en tout temps[b][3]»; «Tu illumines merveilleusement à partir des montagnes éternelles[c]», est-il dit en s'adressant à Dieu : il s'agit, je pense, des puissances angéliques qui nous prêtent leur assistance pour le bien; «Le Seigneur est mon illumination et mon sauveur; qui craindrai-je[d]?», c'est David que je viens d'entendre, et tantôt il demande que lui soient envoyées la lumière et la vérité[e], et tantôt il remercie parce qu'il y a participé, quand la lumière de Dieu a été imprimée sur lui[f], c'est-à-dire quand les signes de la splendeur qui lui a été donnée ont été marqués sur lui et sont devenus manifestes. N'évitons qu'une seule lumière, celle qui est fille du feu cruel; ne marchons pas à la lumière de notre feu et de la flamme que nous avons allumée. Je sais qu'il existe aussi un feu purificateur, que le Christ est venu jeter sur la terre[g], et le Christ lui-même est aussi appelé «feu[h][4]» en

de l'agrément) et la seconde au sens ordinaire (être cause d'agrément). P.G.

2. Légère différence avec le texte de la *Septante* qui est : «La lumière s'est levée pour les justes; et pour les hommes au cœur droit, la joie.» P.G.

3. Le texte porte exactement : «Le Seigneur sera pour toi lumière en tout temps» (*Is.* 60, 19). P.G.

4. Grégoire applique ici directement au Christ ce que le *Deutéronome* (4, 24) dit de Dieu en général. P.G.

20 καλούμενος[h]. Ἀναλωτικὸν τοῦτο τῆς ὕλης καὶ τῆς πονηρᾶς
ἐστιν ἕξεως, ὃ καὶ ἀναφθῆναι τάχιστα[i] βούλεται · ποθεῖ γὰρ
τῆς εὐεργεσίας τὸ τάχος, ἐπεὶ καὶ πυρὸς ἄνθρακας[j] δίδωσιν
ἡμῖν εἰς βοήθειαν. Οἶδα καὶ πῦρ οὐ καθαρτήριον, ἀλλὰ καὶ
κολαστήριον · εἴτε τὸ Σοδομιτικόν, ὃ πᾶσιν ἁμαρτωλοῖς
25 ἐπιβρέχει θείῳ καὶ καταιγίδι μιγνύμενον[k], εἴτε τὸ ἡτοι-
μασμένον τῷ διαβόλῳ καὶ τοῖς ἀγγέλοις αὐτοῦ[l], εἴτε ὃ
πρὸ προσώπου Κυρίου πορεύεται[m] καὶ φλογιεῖ κύκλῳ τοὺς
ἐχθροὺς αὐτοῦ καὶ τὸ τούτων ἔτι φοβερώτερον, ὃ τῷ
ἀκοιμήτῳ σκώληκι[n] συντέτακται, μὴ σβεννύμενον, ἀλλὰ
30 διαιωνίζον τοῖς πονηροῖς. Πάντα γὰρ ταῦτα τῆς ἀφα-
B νιστικῆς ἐστι δυνάμεως · εἰ μή τῳ φίλον κἀνταῦθα νοεῖν
τοῦτο φιλανθρωπότερον, καὶ τοῦ κολάζοντος ἐπαξίως.

37. Ὥσπερ δὲ πῦρ οἶδα διπλοῦν, οὕτω καὶ φῶς · τὸ
μέν, τὴν τοῦ ἡγεμονικοῦ λαμπάδα, κατευθῦνον ἡμῖν τὰ
κατὰ Θεὸν διαβήματα, τὸ δὲ ἀπατηλὸν καὶ περίεργον καὶ
τοῦ ἀληθινοῦ φωτὸς ἀντίθετον, ἐκεῖνο εἶναι ὑποκρινόμενον,
5 ἵνα κλέπτῃ τῷ φαινομένῳ · τοῦτο καὶ σκοτία ἐστὶ καὶ
μεσημβρία δοκεῖ, τὸ τοῦ φωτὸς ἀκμαιότατον. Οὕτως ἀκούω
τοῖς διὰ παντὸς ἐν μεσημβρινῇ σκοτίᾳ φεύγουσι[a]. Τοῦτο

36, 20-21 τῶν πονηρῶν ... ἕξεων Vb Vp D || 23 εἰς om. AB || καὶ[2] om.
S COVe QTVZ Ald. || 24 τὸ σοδομιτικὸν m Q : σοδομιτικὸν ABWVTZ
Ald. corr. B[2]W[2] καὶ Σοδομιτικὸν Maur. || 25 τὸ ex emend. B τῷ A ||
27 φλογιεῖ : φλέγει Vp D || 31 νοεῖν m Ald. Maur. : νοῆσαι n
37, 7 τοῖς διὰ : τοῦ διὰ BWQ[2]TZ

36. h. Deut. 4, 24. i. Cf. Lc 12, 49-50. j. Rom. 12, 20. k. Cf.
Gen. 19, 24. Ps. 10, 6. l. Matth. 25, 41. m. Ps. 96, 3. n. Cf. Mc
9, 43. Is. 66, 24.
37. a. Is. 16, 3 (LXX). b. Cf. Ps. 138, 11 (LXX).

1. Le terme «matière» (ὕλη) est employé ici dans un sens essentiellement moral, par opposition à l'esprit, de même que plus loin (chap. 40)
et au Discours 37, 10.

termes spirituels. Ce feu consume la matière[1] et les
dispositions perverses, et le Christ veut qu'il soit allumé au
plus vite[i][2]; il désire, en effet, nous faire du bien rapidement, puisqu'il va jusqu'à nous donner «des charbons de
feu[j][3]» pour nous y aider. Je sais encore qu'il existe un feu
qui ne purifie pas, mais qui châtie; soit le feu de Sodome,
que le Seigneur fait pleuvoir sur tous les pécheurs et qui est
accompagné de soufre et de tempête[k], soit le feu «préparé
pour le diable et pour ses anges[l]», soit le feu «qui marche
devant la face du Seigneur et qui brûlera à l'entour ses
adversaires[m]»; et il y a aussi celui qui est encore plus
redoutable que les autres : il va avec le ver qui ne connaît
pas de répit, il ne s'éteint pas, mais il dure éternellement
pour les méchants[n]; tous ces feux, en effet, ressortissent à
la puissance d'anéantissement, à moins qu'il ne plaise à
quelqu'un de penser ici à ce feu plus ami des hommes et
qui agit d'une manière digne de Celui qui châtie.

37. De même que je connais un double feu, je connais
aussi une double lumière. L'une est la lampe éclairant la
partie directrice en nous[4] et réglant nos pas selon Dieu.
L'autre est trompeuse, indiscrète, opposée à la vraie
lumière, tout en faisant semblant d'être cette lumière, afin
de nous abuser par l'apparence. Elle est ténèbres, et elle
semble être midi, l'apogée de la lumière; c'est ainsi que
j'entends le texte : «ceux qui fuient dans les ténèbres de
midi[a]». Elle est nuit, et elle est considérée comme illumina-

2. Rapprochement de deux idées distinctes : le feu (*Lc* 12, 49) et la
hâte du Christ à recevoir un baptême qui désigne sa Passion (*Lc* 12, 50).
P.G.

3. Expression empruntée à S. Paul (*Rom.* 12, 20). P.G

4. Nouvel emploi du mot ἡγεμονικόν, qui, comme on l'a vu plus haut
(*Discours* 38, 7), est d'origine stoïcienne et désigne «la partie directrice»
de l'âme.

καὶ νύξ ἐστι καὶ φωτισμὸς νομίζεται τοῖς ὑπὸ τῆς τρυφῆς
διεφθαρμένοις. Τί γάρ φησιν ὁ Δαβίδ[b]; «Νὺξ ἦν περὶ
10 ἐμὲ τὸν δείλαιον καὶ ἠγνόουν· φωτισμὸν γὰρ εἶναι τὴν
τρυφὴν ὑπελάμβανον.» Ἀλλ᾽ ἐκεῖνοι μὲν τοιοῦτοι καὶ
οὕτως ἔχοντες, ἡμεῖς δὲ φωτίσωμεν ἑαυτοῖς φῶς γνώσεως·
C ἔστι δὲ τοῦτο ἐκ τοῦ σπείρειν εἰς δικαιοσύνην[c] καὶ τρυγᾶν
καρπὸν ζωῆς — πρᾶξις γὰρ θεωρίας πρόξενος — ἵνα τά τε
15 ἄλλα καὶ τοῦτο μάθωμεν, τί μὲν τὸ ἀληθινὸν φῶς, τί δὲ τὸ
ψευδόμενον, καὶ μὴ λάθωμεν περιπεσόντες, ὡς καλῷ, τῷ
χείρονι. Γενώμεθα φῶς, ὥσπερ οἱ μαθηταὶ παρὰ τοῦ
μεγάλου Φωτὸς ἤκουσαν[d], «Ὑμεῖς ἐστε τὸ φῶς τοῦ
κόσμου» λέγοντος. Γενώμεθα φωστῆρες ἐν κόσμῳ, λόγον
20 ζωῆς ἐπέχοντες[e], τουτέστι ζωτικὴ τοῖς ἄλλοις δύναμις.
Λαβώμεθα θεότητος, λαβώμεθα τοῦ πρώτου καὶ ἀκραιφνεσ-
τάτου Φωτός. Ὁδεύσωμεν πρὸς τὴν λάμψιν αὐτοῦ πρὸ τοῦ
D προσκόψαι τοὺς πόδας ἡμῶν ἐπ᾽ ὄρη σκοτεινὰ καὶ πολέμια.
Ἕως ἡμέρα ἐστίν, «ὡς ἐν ἡμέρᾳ εὐσχημόνως περιπατή-
25 σωμεν, μὴ κώμοις καὶ μέθαις, μὴ κοίταις καὶ ἀσελγείαις[f]»,
ἃ νυκτός ἐστι κλέμματα.

413A   38. Πᾶν μέλος καθαρισθῶμεν, ἀδελφοί, πᾶσαν ἁγνίσω-
μεν αἴσθησιν· μηδὲν ἀτελὲς ἡμῖν ἔστω μηδὲ τῆς πρώτης
γενέσεως, μηδὲν ἀφώτιστον καταλείπωμεν. Φωτισθῶμεν
τὸν ὀφθαλμὸν ἵν᾽ ὀρθὰ βλέπωμεν καὶ μηδὲν εἴδωλον

37, 12 ἑαυτοῖς in rasura A ἑαυτοὺς S Vp corr. S² ‖ 13 ἔσται T Ald.
Maur.
38, 3 καταλίπωμεν Vb C² QTVZ

37. c. Os. 10, 12. d. Matth. 5, 14. e. Phil. 2, 15-16. f. Rom.
13, 13.
38. a. Cf. Matth. 7, 3-5.

1. Citation libre. P.G.
2. Les deux idées d'action et de contemplation qui, dans d'autres
milieux chrétiens, sont placées dans une opposition exaspérée, constituent au contraire, dans la pensée de Grégoire, une interaction harmo-

tion par ceux que les délices ont corrompus : que dit, en
effet, David? «La nuit était autour de moi, malheureux, et
je ne le savais pas, car je prenais mes délices pour
l'illumination[b1].» Tels sont ces gens-là et tel est leur état.
Nous, au contraire, illuminons-nous nous-mêmes par la
lumière de la connaissance; et cela se fait en «semant en
vue de la justice[c]» et en vendangeant le fruit de vie, car
l'action introduit à la contemplation[2]. Ainsi apprendrons-
nous, entre autres choses, quelle est la vraie lumière et
quelle est la fausse, et nous ne tomberons pas, sans nous en
rendre compte, sur le mal en le prenant pour le bien.
Devenons lumière, comme les disciples reçurent ce nom
quand la grande Lumière leur disait : «Vous êtes la lumière
du monde[d].» Devenons «des flambeaux dans le monde,
tenant la parole de vie[e]», c'est-à-dire une puissance de vie
pour les autres. Saisissons la divinité, saisissons la première
et la plus pure Lumière. Marchons vers sa clarté avant que
nos pieds ne heurtent contre des montagnes enténébrées et
hostiles. Tant qu'il fait jour, «marchons avec dignité
comme pendant le jour, non avec ripailles et beuveries,
non avec luxures et débauches[f]» qui sont les larcins de la
nuit.

38. Purifions chaque membre, frères, sanctifions chaque
sens; que rien en nous ne soit imparfait ni ne relève de la
première naissance; ne laissons rien qui ne soit illuminé.
Purifions l'œil, afin que notre regard soit droit, et ne
portons en nous-mêmes aucune idole pour nous prostituer

nieuse (cf. aussi *Discours* 14, 4; 20, 12; 21, 6 et 19-20; 43, 12 et 43). Voir
les observations de J. PLAGNIEUX, *Saint Grégoire de Nazianze théologien,*
Paris 1951, p. 141-164 et T. SPIDLIK, *Grégoire de Nazianze. Introduction à
l'étude de sa doctrine spirituelle,* Roma 1971, p. 113 s. L'action est souvent
une condition nécessaire à la contemplation, exactement comme la
préparation du chrétien par l'intermédiaire de l'accomplissement des
commandements divins.

5 πορνικὸν ἐν ἡμῖν αὐτοῖς φέρωμεν ἐκ φιλοπόνου θέας καὶ
περιέργου. Κἂν γὰρ τῷ πάθει μὴ προσκυνήσωμεν, ἀλλὰ
τὴν ψυχὴν ἐμολύνθημεν. Εἴ τις δοκὸς ἐν ἡμῖν, εἴ τι
κάρφος[a], ἀνακαθαίρωμεν, ἵνα καὶ τὰ τῶν ἄλλων ὁρᾶν
δυνώμεθα. Φωτισθῶμεν ἀκοήν, φωτισθῶμεν γλῶσσαν, ἵνα
10 ἀκούσωμεν τί λαλήσει Κύριος ὁ Θεὸς[b] καὶ ἀκουστὸν ἡμῖν
γένηται τὸ πρωϊνὸν ἔλεος[c] καὶ ἀκουτισθῶμεν ἀγαλλίασιν
καὶ εὐφροσύνην[d], ἀκοαῖς θείαις ἐνηχουμένην · ἵνα μὴ ὦμεν
μάχαιρα ὀξεῖα[e] μηδὲ ξυρὸν ἠκονημένον[f] μηδὲ ὑπὸ τὴν
B γλῶσσαν στρέφωμεν κόπον καὶ πόνον[g], ἀλλὰ λαλῶμεν Θεοῦ
15 σοφίαν ἐν μυστηρίῳ, τὴν ἀποκεκρυμμένην[h], τὰς πυρίνας
γλώσσας αἰδούμενοι[i]. Ἰαθῶμεν ὄσφρησιν, ἵνα μὴ θηλυνώ-
μεθα μηδὲ ἀντὶ ὀσμῆς ἡδείας κονιορτώμεθα[j], ἀλλ' εὐφραι-
νώμεθα, τοῦ ἐκκενωθέντος δι' ἡμᾶς μύρου[k] πνευματικῶς
ἀντιλαμβανόμενοι καὶ τοσοῦτον ἐξ αὐτοῦ ποιούμενοι καὶ
20 μεταποιούμενοι ὥστε καὶ αὐτὸν ἡμῶν ὀσφραίνεσθαι ὀσμὴν
εὐωδίας[l]. Καθαρθῶμεν ἀφήν, γεῦσιν, λάρυγγα, μὴ μαλακῶς
ἐπαφώμενοι καὶ λειότησι χαίροντες, ἀλλὰ τὸν σαρκωθέντα
δι' ἡμᾶς Λόγον ψηλαφῶντες[m] ὡς ἄξιον καὶ Θωμᾶν κατὰ
τοῦτο μιμούμενοι[n] · μὴ χυμοῖς καὶ ὄψοις γαργαλιζόμενοι,
25 τοῖς ἀδελφοῖς τῶν πικροτέρων γαργαλισμῶν, ἀλλὰ γευό-
μενοι καὶ γινώσκοντες ὅτι χρηστὸς ὁ Κύριος[o], τὴν κρείττω

38, 5 αὐτοῖς om. A ‖ περιφέρωμεν W²Q Pd Vp ‖ 6 post περιέργου add.
φλέγον τὸ πάθος D ‖ 9 δυνάμεθα A Z S R Ve ‖ 11 ἀκουτισθῶμεν :
ἀκουσθῶμεν A ‖ 15 πυρίνους Dmg. ‖ 17 εὐφραινόμεθα Pd R² D Z
ὀσφραινώμεθα TV Ald. Maur. ‖ 20 ἡμῶν αὐτῶν S CRO Ve ἡμῶν αὐτὸν
O² αὐτῶν ἡμῶν Ald. Maur. ‖ 25 πικροτέρων : προτέρων A ‖ 26 χριστὸς
AC

38. b. Ps. 84, 9. c. Ps. 142, 8. d. Cf. Ps. 50, 10 (LXX).
e. Cf. Ps. 56, 5. f. Cf. Ps. 51, 4. g. Ps. 10, 7 (LXX). h. I Cor. 2, 7.
i. Act. 2, 3. j. Is. 3, 24 (LXX). k. Cant. 1, 3. l. Cf. Gen. 8, 21.
m. I Jn 1, 1. n. Cf. Jn 20, 27. o. Ps. 33, 9.

à elle[1], par un regard obstiné et indiscret, car, même si nous n'adorons pas l'objet de notre passion, du moins nous en avons l'âme souillée. S'il y a en nous quelque poutre, s'il y a quelque paille, retirons-les, pour que nous puissions aussi voir celles qui sont chez les autres[a]. Illuminons l'oreille, illuminons la langue; «nous entendrons ce que dira le Seigneur Dieu[b]», «il nous fera entendre sa miséricorde au matin[c]», «nous écouterons l'exultation et la joie[d]» qui retentissent aux oreilles des hommes divins, nous ne serons pas une épée tranchante[e] ni un rasoir aiguisé[f], nous ne roulerons pas «sous la langue peine et douleur[g]»; mais «parlons d'une sagesse de Dieu mystérieuse, celle qui est demeurée cachée[h]», tout en respectant les langues de feu[i]. Guérissons l'odorat, afin de ne pas être efféminés et de ne pas nous trouver «couverts de poussière au lieu d'une odeur agréable[j]»; délectons-nous, au contraire, en participant spirituellement au «parfum répandu[k]», à cause de nous, et en étant façonnés et transformés par lui à tel point que le Seigneur «sente une odeur agréable[l][2]» venant de nous. Purifions le toucher, le goût, la gorge; ne recherchons pas ce qui est délicat au toucher et ne prenons pas plaisir à ce qui est doux, mais «palpons[m]», comme il faut le faire, le Verbe qui s'est fait chair pour nous, et imitons Thomas sur ce point[n]; ne laissons pas les sauces et les mets chatouiller notre palais – ils sont les compagnons de chatouillements plus fâcheux[3] –, mais «goûtons et connaissons que le Seigneur

1. L'idolâtrie est souvent représentée dans le Bible comme une prostitution. Cf. *Discours* 37, 17 (*SC* 318, p. 305, n. 4). P.G.

2. Allusion à *Genèse* 8, 21 dont le texte est : «Le Seigneur sentit une odeur agréable.» Le pronom αὐτόν employé ici désigne le Seigneur, et non pas le parfum, comme le disent les Mauristes dans une note. En effet, αὐτόν qui est masculin ne peut représenter μύρον qui est neutre. P.G.

3. Opposition à la πικρὰ γεῦσις (cf. *Discours* 38, 12), le «goût amer» de l'arbre de la connaissance, comme on le voit dans la *Genèse*.

C γεῦσιν καὶ μένουσαν · μηδὲ μικρὰ τὸν πικρὸν καὶ ἀχάριστον
ἀγωγὸν ἀναψύχοντες, τὸν παραπέμποντα καὶ οὐ κατέχοντα
τὸ διδόμενον, ἀλλὰ τοῖς γλυκυτέροις μέλιτος λόγοις[p] τοῦτον
30 εὐφραίνοντες.

39. Καὶ πρὸς τοῖς εἰρημένοις ἔτι καλὸν τὴν κεφαλὴν
καθαιρομένους, ὡς καθαίρεται κεφαλή, τὸ τῶν αἰσθήσεων
ἐργαστήριον, κρατεῖν τὴν Χριστοῦ κεφαλήν, ἐξ ἧς τὸ πᾶν
σῶμα συναρμολογεῖται καὶ συμβιβάζεται[a], καὶ τὴν ὑπεραί-
5 ρουσαν ἡμῶν ἁμαρτίαν κάτω βάλλειν, ὑπεραιρομένην τῷ
κρείττονι. Καλὸν καὶ ὦμον ἁγιάζεσθαι καὶ καθαίρεσθαι ἵνα
δυνηθῇ τὸν σταυρὸν αἴρειν Χριστοῦ, μὴ παντὶ ῥᾳδίως
416A αἰρόμενον. Καλὸν καὶ τὰς χεῖρας τελειοῦσθαι καὶ τοὺς
πόδας · τὰς μὲν ὡς ἐν παντὶ τόπῳ ὁσίας αἴρεσθαι καὶ
10 δράσσεσθαι τῆς Χριστοῦ παιδείας, μή ποτε ὀργισθῇ
Κύριος[b], καὶ πιστεύεσθαι λόγον διὰ τοῦ πρακτικοῦ, ὡς τὸν
ἐν χειρὶ τοῦδε τοῦ προφήτου δεδομένον[c] · τοὺς δὲ μὴ ὀξεῖς
εἶναι πρὸς τὸ ἐκχέειν αἷμα[d] μηδὲ εἰς κακίαν τρέχοντας,
ἀλλ' ἑτοίμους εἰς τὸ Εὐαγγέλιον[e] καὶ πρὸς τὸ βραβεῖον τῆς
15 ἄνω κλήσεως[f] καὶ Χριστὸν ὑπονίπτοντα[g] καὶ καθαίροντα
δέχεσθαι. Εἴ τις ἐστὶ καὶ κοιλίας κάθαρσις, χωρητικῆς καὶ
ἀναδοτικῆς τῶν ἐκ τοῦ Λόγου τροφῶν, καλὸν καὶ ταύτην
μὴ θεοποιεῖν[h] ἐκ τρυφῆς καὶ τῆς καταργουμένης βρώσεως,
ἀλλὰ καθαίρειν ὅτι μάλιστα καὶ ποιεῖν λεπτοτέραν, ὥστε
20 τὸν Λόγον Κυρίου ἐν μέσῃ δέχεσθαι καὶ ἀλγεῖν[i] καλῶς
B ὑπὲρ τοῦ Ἰσραὴλ πταίοντος. Εὑρίσκω καὶ τὴν καρδίαν καὶ
τὰ ἐντὸς τιμῆς ἀξιούμενα. Πείθει δέ με τοῦτο Δαβίδ,

39, 3-4 πᾶν τὸ σῶμα T Ald. Maur. ‖ 5 ὑπεραιρομένη τὸ A ‖ 7 πάντη
CO corr. O³ ‖ 8 καὶ¹ om. S Vb Vp D B Q ‖ καὶ² om. BWQTVZ add. T²
‖ 9 ὁσίως CO ‖ 10 δράσεσθαι A Vb corr. Vb² ‖ 12 ἐν τῇ χειρὶ Ald. Maur.
‖ 16 εἰ : ἤ Rmg. Omg. ‖ τε καὶ S CRO Ve Vb Vp ‖ 17 τῶν τοῦ λόγου
CRO Ve ‖ 18 καὶ om. A ‖ 22 ἐντὸς n Ald. Maur. : ἐνδόσθια m ‖ δέ με m
V : με n praeter V Ald. Maur.

38. p. Ps. 18, 11.
39. a. Col. 2, 19.   b. Ps. 2, 12 (LXX).   c. Cf. Jér. 50, 1. Aggée 1, 1.

est bon[o]», goût plus noble et durable; n'accordons pas un
bref rafraîchissement à ce gosier fâcheux et ingrat, qui
transmet et ne retient pas ce qu'on lui donne, mais
réjouissons-le par les paroles (divines) «plus douces que
miel[p]».

39. En plus de ce qui vient d'être dit, il est encore bon
de purifier la tête – comme il y a lieu de le faire pour cette
tête où s'élaborent les sensations –, et de «s'attacher à la
Tête» du Christ, «de laquelle tout le corps tire harmonie et
cohésion[a]». Il est bon de jeter à bas le péché qui s'élève
au-dessus de nous, pour que le meilleur en nous s'élève
au-dessus de lui. Il est bon aussi de sanctifier et de purifier
l'épaule, afin qu'elle puisse porter la croix du Christ, qui
n'est pas facilement portée par tout le monde. Il est bon
aussi de rendre parfaits les mains et les pieds : les mains, car
elles doivent s'élever saintes en tout lieu, «saisir l'enseignement» du Christ, «de peur que le Seigneur ne s'irrite[b], et
accréditer par l'action la parole qui a été «donnée par la
main du prophète[c]»; les pieds car ils ne doivent pas être
«agiles pour répandre le sang[d]» ni courir vers le mal, mais
être «prêts pour l'Évangile[e]», pour «le prix attaché à
l'appel d'en haut[f]», et pour recevoir le Christ qui lave les
pieds (de ses Apôtres) et les purifie[g]. S'il y a aussi une
purification du ventre qui reçoit et digère les nourritures
venant du Verbe, il est bon de ne pas faire de lui un dieu[h]
par les délices et la nourriture périssable, mais de le purifier
le plus possible et de l'exténuer, de manière qu'il puisse
recevoir en lui le Verbe du Seigneur et qu'il souffre[i]
noblement pour les fautes d'Israël; car je trouve (dans
l'Écriture) que le cœur et les viscères sont dignes d'honneur : c'est David qui m'en persuade, quand il demande

d. *Ps.* 13, 3 (LXX). e. *Éphés.* 6, 15. f. *Phil.* 3, 14. g. Cf. *Jn*
13, 5.10. h. Cf. *Phil.* 3, 19. i. Cf. *Jér.* 4, 19.

καρδίαν καθαρὰν ζητῶν ἐν ἑαυτῷ κτίζεσθαι καὶ Πνεῦμα
εὐθὲς ἐν τοῖς ἐγκάτοις ἐγκαινίζεσθαι^j, τὸ διανοητικόν,
25 οἶμαι, οὕτως δηλῶν καὶ τὰ τούτου κινήματα ἢ διανοήματα.

40. Τί δὲ ἡ ὀσφύς; Τί δὲ οἱ νεφροί; Μηδὲ γὰρ τοῦτο
παρέλθωμεν. Ἁπτέσθω καὶ τούτων ἡ κάθαρσις · ἔστωσαν
ἡμῶν αἱ ὀσφύες περιεζωσμέναι^a καὶ ἀνεσταλμέναι δι'
ἐγκρατείας, ὥσπερ τῷ Ἰσραὴλ πάλαι, κατὰ τὸν νόμον, τοῦ
5 πάσχα μεταλαμβάνοντι^b. Οὐδεὶς γὰρ καθαρῶς Αἴγυπτον
ἐξέρχεται οὐδὲ φεύγει τὸν ὀλοθρεύοντα^c, μὴ ταῦτα παιδα-
C γωγήσας. Οἱ δὲ τὴν καλὴν ἀλλοίωσιν ἀλλοιούσθωσαν, ὅλον
τὸ ἐπιθυμητικὸν πρὸς Θεὸν μεταφέροντες, ὥστε δύνασθαι
λέγειν · «Κύριε, ἐναντίον σου πᾶσα ἡ ἐπιθυμία μου^d» καὶ
10 «Ἡμέραν ἀνθρώπου οὐκ ἐπεθύμησα^e». Δεῖ γὰρ γενέσθαι
ἄνδρα ἐπιθυμιῶν^f τῶν τοῦ Πνεύματος. Οὕτως ἂν ἡμῖν καὶ
ὁ τὸ πλεῖστον τῆς ἰσχύος ἐπὶ τοῦ ὀμφαλοῦ καὶ τῆς ὀσφύος^g
φέρων δράκων καταλυθείη, τῆς περὶ ταῦτα δυναστείας
αὐτῷ νεκρωθείσης. Μὴ θαυμάσῃς δὲ εἰ καὶ τοῖς ἀσχήμοσιν
15 ἡμῶν τιμὴν περισσοτέραν τίθημι^h, λόγῳ νεκρῶν ταῦτα καὶ
σωφρονίζων καὶ κατὰ τῆς ὕλης ἱστάμενος. Πάντα δῶμεν
Θεῷ «τὰ μέλη τὰ ἐπὶ τῆς γῆςⁱ», πάντα καθιερώσωμεν.
Μὴ λοβὸν ἥπατος μηδὲ νεφροὺς μετὰ τῆς πιμελῆς μηδὲ τὸ
D μέρος τοῦ σώματος μηδὲ τὸ καὶ τό. Διὰ τί γὰρ τὰ ἄλλα

39, 25 οὕτως : τούτῳ Maur. om. S

40, 3 ἡμῶν AB Dmg. Ald. Maur. : ὑμῶν cett. codd. ‖ 15 περισσοτέραν
τίθημι τιμὴν A ‖ τίθημι n Maur. : περιτίθημι m Ald. ‖ 18 τὸ : τι AT D

39. j. Ps. 50, 12.
40. a. Lc 12, 35. Cf. Éphés. 6, 14.   b. Cf. Ex. 12, 11.   c. Cf. Ex.
11, 4-6; 12, 29.   d. Ps. 37, 10.   e. Jér. 17, 16 (LXX).   f. Dan. 9, 23.
g. Cf. Job 40, 16 (LXX).   h. Cf. I Cor. 12, 23.   i. Col. 3, 5.

1. Pour la signification allégorique de l'Égypte, voir aussi Discours
37, 9.
2. Le terme ἐπιθυμητικόν est aussi d'emploi essentiellement philoso-

«qu'un cœur pur soit créé en lui et qu'un esprit droit soit
renouvelé dans ses entrailles[j]»; il désigne ainsi, je crois, la
faculté qui pense en nous, ainsi que ses mouvements et ses
pensées.

40. Et que dire des flancs? Et que dire des reins? Ne
laissons pas cela de côté; que la perfection les touche aussi!
«Que nos flancs soient entourés d'une ceinture[a]» et serrés
par la continence, comme la Loi le prescrivait jadis à Israël
quand il participait à la Pâque[b]. Nul, en effet, ne sort
d'Égypte avec pureté et n'échappe à l'Exterminateur[c] sans
cette discipline[1]. Et que nos reins subissent la noble
transformation en transférant entièrement sur Dieu leur
capacité de désir[2], de façon que nous puissions dire :
«Seigneur, devant toi est tout mon désir[d]» et : «je n'ai pas
désiré le jour de l'homme[e]» : il faut, en effet, que nous
devenions «un homme de désirs[f]» – les désirs de l'Esprit.
C'est ainsi que le dragon, qui porte la plus grande partie de
sa force dans le nombril et dans les flancs[g] pourra être
anéanti par nous, si nous faisons mourir la puissance qu'il
possède à cet égard. Ne t'étonne pas si les parties les moins
honorables en nous sont celles que je traite avec le plus
d'honneur[h] en les faisant mourir et en les assagissant par le
verbe, et en me dressant contre la matière[3]. Donnons à
Dieu tous «nos membres qui sont sur la terre[i]», consa-
crons-les-lui tous, non pas seulement un lobe du foie ou les
reins avec la graisse[4], ou telle partie du corps, ou celle-ci et

phique, parce qu'il désigne, cela est connu, la partie de l'âme qui
manifeste les désirs, selon la tripartition platonicienne. Cf. son emploi
chez GRÉGOIRE DE NYSSE (*De an. et res.*, PG 46, 53 A, etc.) qui
remarque, comme le Nazianzène, que les affections de l'âme ne doivent
pas être étouffées, mais dirigées vers un meilleur usage.

3. Ὕλη a ici la signification de «matière» au sens moral, comme on l'a
déjà vu au chap. 36.

4. Allusion au rituel des sacrifices juifs (cf. *Lévitique* 3, 4.10.15, etc.).
P.G.

417A 20 ἡμῖν ἀτιμαστέα; Ὅλους δὲ ἡμᾶς αὐτοὺς ἀνενέγκωμεν ·
γενώμεθα ὁλοκαυτώματα λογικά[1], θύματα τέλεια · μηδὲ τὸν
βραχίονα μόνον μηδὲ τὸ στηθύνιον ἀφαίρεμα ἱερατικὸν
ποιώμεθα – μικρὸν γὰρ τοῦτο –, ἀλλ' ὅλους διδόντες ἡμᾶς
αὐτοὺς ὅλους ἀντιλαμβάνωμεν · ἐπειδὴ τοῦτό ἐστι λαβεῖν
25 καθαρῶς, τὸ τῷ Θεῷ δοθῆναι καὶ ἱερουργῆσαι τὴν ἡμῶν
αὐτῶν σωτηρίαν.

41. Ἐπὶ πᾶσι καὶ πρὸ πάντων φύλασσέ μοι τὴν καλὴν
παρακαταθήκην[a], ᾗ ζῶ, ᾗ καὶ πολιτεύομαι, καὶ ἣν
συνέκδημον λάβοιμι, μεθ' ἧς καὶ ἀλγεινὰ πάντα φέρω καὶ
B τερπνὸν ἅπαν διαπτύω, τὴν εἰς Πατέρα καὶ Υἱὸν καὶ ἅγιον
5 Πνεῦμα ὁμολογίαν. Ταύτην πιστεύω σοι σήμερον, ταύτῃ
καὶ συμβαπτίσω καὶ συνανάξω σε. Ταύτην δίδωμι παντὸς
τοῦ βίου κοινωνὸν καὶ προστάτιν, τὴν μίαν θεότητά τε
καὶ δύναμιν ἐν τοῖς τρισὶν εὑρισκομένην ἑνικῶς καὶ τὰ
τρία συλλαμβάνουσαν μεριστῶς, οὔτε ἀνώμαλον οὐσίαις
10 ἢ φύσεσιν οὔτε δὲ αὐξομένην ἢ μειουμένην ὑπερβολαῖς καὶ
ὑφέσεσι, πάντοθεν ἴσην, τὴν αὐτὴν πάντοθεν, ὡς ἐν οὐρανοῦ

40, 22 στηθύνιον μόνον BQTVZ Ald. Maur.
41, 2 ᾗ καὶ : καὶ ᾗ S καὶ TZ Ald. Maur. ‖ καὶ ἣν : ἣν καὶ Q m′ Maur. ‖
4 ἅπαν m : πᾶν n ‖ 10 δὲ : δι' S om. BTV Ald. Maur. ‖ αὐξανομένην m

40. j. *Rom.* 12, 1.
41. a. II *Tim.* 1, 14.

41, 11 πάντοθεν ἴσην — 12 συμφυΐαν MAXIMUS, *Ambigua,* PG 91,
1304 C

1. On trouve la même expression (ὁλοκαυστόματα λογικά) dans le
Discours 33, 15.
2. L'épaule et la poitrine de la victime sont des parties réservées aux
prêtres (*Nombr.* 6, 20; *Lév.* 10, 14-15). P.G.
3. La profession de foi nicéenne a vraiment accompagné l'écrivain
toute sa vie. Elle conclut solennellement, comme l'observe BERNARDI
(p. 215), cet important discours tenu dans la basilique des Saints
Apôtres : l'évêque s'apprête à conférer le baptême et pose donc les

celle-là ; pourquoi, en effet, devrions-nous mépriser les
autres ? Au contraire, offrons-nous tout entiers, soyons des
holocaustes « spirituels[1] », des victimes parfaites, ne préle-
vons pas pour le prêtre l'épaule seule, la poitrine seule[2] –
c'est là peu de chose –, mais donnons-nous tout entiers
pour nous recevoir en retour tout entiers, car c'est purement recevoir que se donner à Dieu et faire de notre propre
salut une offrande sacrée.

41. En plus de tout et avant tout, « garde », je t'en prie,
« le bon dépôt[a] » pour lequel je vis et je milite, que je
souhaite avoir avec moi quand je partirai, avec lequel je
supporte tout ce qui est pénible et méprise tout ce qui est
agréable : c'est la confession de la foi au Père, au Fils et au
Saint-Esprit[3]. Je te la confie aujourd'hui ; avec elle je te
plongerai dans l'eau et avec elle je t'en ferai remonter. Je te
la donne pour compagne et protectrice de toute ta vie :
c'est l'unique divinité, l'unique puissance[4] qui se trouve
dans les Trois d'une manière une et qui réunit les Trois
d'une manière distincte[5] ; ele ne connaît ni différence de
substance ou de nature[6], ni accroissement ou diminution
par supériorité ou infériorité ; elle est de toute part égale, la
même de toute part, comme l'unique beauté et l'unique

conditions préliminaires pour celui qui veut être baptisé. Elles consis-
tent en une récapitulation de la théologie nicéenne en même temps que
d'autres points fondamentaux de la religion chrétienne.

4. Le terme δύναμις employé pour désigner l'essence de Dieu se
rencontre aussi dans les *Discours* 1, 7 et 22, 12.

5. Remarquer la structure de la phrase, construite avec le parallélisme
et l'antithèse, qui constituent deux des procédés habituels de la
rhétorique asiatique (cf. E. NORDEN, *Die antike Kunstprosa,* Leipzig
1909[2], p. 564-566).

6. Il me semble que l'emploi de οὐσίαι et φύσεις pour désigner les
hypostases est exceptionnel ; de toute façon – pour éviter toute
ambiguïté –, les termes sont utilisés au pluriel et, du reste, en grec, οὐσία
et ὑπόστασις étaient compris dans des sens assez proches.

κάλλος καὶ μέγεθος· τριῶν ἀπείρων ἄπειρον συμφυΐαν,
Θεὸν ἕκαστον καθ' ἑαυτὸ θεωρούμενον, ὡς Πατέρα καὶ
Υἱόν, ὡς Υἱὸν καὶ τὸ Πνεῦμα τὸ ἅγιον, φυλασσομένης
15 ἑκάστῳ τῆς ἰδιότητος. Θεὸν τὰ τρία σὺν ἀλλήλοις νοού-
μενα, ἐκεῖνο διὰ τὴν ὁμοουσιότητα, τοῦτο διὰ τὴν
μοναρχίαν. Οὐ φθάνω τὸ ἓν νοῆσαι καὶ τοῖς τρισὶ περι-
λάμπομαι· οὐ φθάνω τὰ τρία διελεῖν καὶ εἰς τὸ ἓν
C ἀναφέρομαι. Ὅταν ἕν τι τῶν τριῶν φαντασθῶ, τοῦτο
20 νομίζω τὸ πᾶν καὶ τὴν ὄψιν πεπλήρωμαι καὶ τὸ πλεῖον
διέφυγεν. Οὐκ ἔχω τὸ μέγεθος τούτου καταλαβεῖν, ἵνα δῶ
τὸ πλεῖον τῷ λειπομένῳ. Ὅταν τὰ τρία συνέλω τῇ θεωρίᾳ,
μίαν ὁρῶ λαμπάδα, οὐκ ἔχων διελεῖν ἢ μετρῆσαι τὸ φῶς
ἑνιζόμενον.

42. Φοβῇ σὺ γέννησιν, ἵνα μή τι πάθῃ Θεός, ὁ μὴ
πάσχων; Ἐγὼ φοβοῦμαι τὴν κτίσιν, ἵνα μὴ Θεὸν ἀπολέσω
D διὰ τῆς ὕβρεως καὶ τῆς ἀδίκου κατατομῆς, ἢ τὸν Υἱὸν
τέμνων ἀπὸ τοῦ Πατρὸς ἢ ἀπὸ τοῦ Υἱοῦ τὴν οὐσίαν τοῦ
5 Πνεύματος. Τὸ γὰρ παράδοξον, ὅτι μὴ κτίσις ἐπάγεται
μόνον Θεῷ παρὰ τοῖς κακῶς θεότητα ταλαντεύουσιν, ἀλλὰ

41, 14 τὸ πνεῦμα ἅγιον S τὸ ἅγιον πνεῦμα Ald. Maur.

41, 17 οὐ φθάνω — 20 τὸ πᾶν *Doctrina Patrum*, p. 189 Diekamp; 17 οὐ
φθάνω — περιλάμπομαι *Doctrina Patrum*, p. 276 Diekamp

1. Le mot συμφυΐα utilisé ici n'est pas un terme technique pour
désigner l'union des trois personnes dans la Trinité; ailleurs (*Lettre*
101, 31; *SC* 208) il désigne l'union des deux natures dans le Christ.
Grégoire l'a même utilisé pour qualifier son amitié avec Basile (*Lettre* 1).
2. Voir ci-dessus *Discours* 39, 11, note 2. P.G.
3. On sait que le terme «consubstantiel» (ὁμοούσιος) a été adopté par
le Concile de Nicée (325) pour affirmer la divinité du Fils; il est «de
même substance» que le Père, «consubstantiel» au Père. P.G.

grandeur du ciel; c'est une cohésion[1] infinie de trois
infinis; chacun est Dieu, si on le contemple en lui-même –
le Père comme le Fils, le Fils comme le Saint-Esprit,
chacun gardant sa «propriété»[2], – et les Trois sont Dieu, si
on les pense ensemble; dans un cas, c'est à cause de
la consubstantialité[3], dans l'autre, c'est à cause de la
«monarchie»[4]. Dès que je pense à l'unité, je suis environné
de la splendeur des Trois; dès que je distingue les Trois, je
suis ramené à l'unité. Lorsque je me représente l'un des
Trois, je crois que c'est le Tout, mes yeux en sont remplis,
et la plus grande partie m'a échappé; je n'en puis saisir la
grandeur, et j'en laisse ainsi la plus grande partie à ce qui
reste hors d'atteinte; lorsque je réunis les Trois dans la
contemplation, je vois une seule splendeur, sans pouvoir
distinguer ou mesurer la lumière qui est une.

42. Tu redoutes le mot «génération», car tu ne veux pas
que Dieu subisse quelque chose, lui, l'Impassible[5]? Moi, je
redoute le mot «création», car je ne veux pas perdre Dieu
par ton insolence et par ta division inique[6], en séparant le
Fils du Père, et en séparant du Fils la substance de l'Esprit.
Car ce qui est étrange, ce n'est pas seulement que la
création soit introduite en Dieu par ceux qui pèsent

4. Le mot de «monarchie» sert à désigner l'unité divine sans
méconnaître la distinction des personnes; la «monarchie» s'oppose à la
«polyarchie» (c'est-à-dire au polythéisme des païens) et à l'«anarchie»
(c'est-à-dire à l'athéisme); voir *D.* 29, 2 : *SC* 250, 178.

5. Les ariens se représentaient la génération du Fils comme une
génération dans l'ordre matériel, ce qui aurait impliqué une modification subie par la nature du Père, une «passion» au sens philosophique
du mot; la génération était donc, selon eux, incompatible avec la
perfection divine. P.G.

6. Pour les ariens, le Fils avait été créé par le Père; il y avait donc une
division absolue, une «coupure» entre la substance du Père et celle du
Fils. P.G.

420A καὶ αὐτὴ πάλιν ἡ κτίσις εἰς ἑαυτὴν τέμνεται. Ὥσπερ τοῦ
Πατρὸς ὑποστέλλεται ὁ Υἱὸς τοῖς ταπεινοῖς καὶ κάτω
κειμένοις, οὕτως ὑποστελλομένης πάλιν καὶ ἀπὸ τοῦ Υἱοῦ
10 τῆς ἀξίας τοῦ Πνεύματος, ὡς ἂν καὶ Θεὸς καὶ κτίσις
ὑβρίζηται τῇ καινῇ ταύτῃ θεολογίᾳ. Οὐδὲν τῆς Τριάδος, ὦ
οὗτοι, δοῦλον οὔτε κτιστὸν οὔτε ἐπείσακτον, ἤκουσα τῶν
σοφῶν τινος λέγοντος. «Εἰ ἔτι ἀνθρώποις ἤρεσκον, Χριστοῦ
δοῦλος οὐκ ἂν ἤμην», φησὶν ὁ θεῖος ἀπόστολος[a]. Εἰ ἔτι
15 κτίσματι προσεκύνουν ἢ εἰς κτίσμα ἐβαπτιζόμην, οὐκ ἂν
ἐθεούμην οὐδὲ τὴν πρώτην μετεποιούμην γέννησιν. Τί
φήσω πρὸς τοὺς τὴν Ἀστάρτην προσκυνοῦντας ἢ τὸ
Χαμὼς βδέλυγμα Σιδωνίων ἢ τοῦ ἄστρου τὸν τύπον,
τοῦ μικρὸν ὑπὲρ ταῦτα θεοῦ τοῖς εἰδωλολάτραις, πλὴν
20 κτίσματος καὶ ποιήματος, αὐτὸς ἢ μὴ προσκυνῶν τὰ δύο,
B   εἰς ἃ συμβεβάπτισμαι, ἢ προσκυνῶν τὰ ὁμόδουλα; Ὁμό-

42, 12 οὔτε ... οὔτε : οὐδὲ ... οὐδὲ m′ Ald. Maur. ǁ ἤκουσας AW Vb Vp
Ald. ǁ 21 ὁμόδουλα[2] : δοῦλα BD[2] Ald.

42. a. *Gal.* 1, 10.

1. Le verbe ταλαντεύω a ici le sens à la fois ironique et polémique de
«mesurer avec la balance» le poids (c'est-à-dire la dignité) des personnes
de la Trinité; il équivaut à μετρέω qu'on trouve, lui aussi, appliqué
ironiquement aux subtilités des ariens, dans le *Discours* 33, 1.
2. C'est la doctrine des ariens et des pneumatomaques relativement à
l'Esprit-Saint, qui se place, d'après eux, sur le même plan que les
puissances angéliques, mais qui, en tant que créature, est de toute façon
à un degré plus bas que le Fils. Voir pour une information plus détaillée
SIMONETTI, *La crisi ariana,* p. 481 s.
3. La théologie nouvelle à laquelle il est fait ironiquement allusion est
celle des ariens; cf. la même attitude polémique dans le *Discours* 20, 10.
4. La créature est servante de Dieu : c'est donc dans cette situation
que serait l'Esprit, s'il était considéré comme une créature; cf. *Discours*
33, 17; 34, 10, etc.
5. Toute cette phrase apparaît aussi dans GRÉGOIRE DE NYSSE, *Vie
de Grégoire le Thaumaturge, PG* 46, 913 A, où est exposée la μυσταγωγία
du Thaumaturge. C'est pourquoi le sage dont il est question tout de

misérablement la divinité[1], mais encore c'est que même la
création soit à son tour divisée contre elle-même : de même
que le Fils est écarté du Père par ces hommes bas et
terre-à-terre, de même l'Esprit est à son tour écarté de la
dignité du Fils[2], de sorte que ce sont à la fois Dieu et la
création qui sont outragés par cette nouvelle théologie[3].
Rien dans la Trinité, mes amis, n'est servile[4], ni créé, ni
introduit du dehors, voilà ce que j'ai entendu dire à un
sage[5]. «Si je plaisais encore aux hommes, je ne serais pas
serviteur du Christ[a]», dit le divin Apôtre. Si j'adorais
encore une créature[6], si j'étais baptisé au nom d'une
créature, je ne serais pas divinisé et je ne réformerais pas
ma première naissance. Que dirai-je à ceux qui adorent
Astarté ou Chamos[7], l'abomination des Sidoniens, ou la
figure d'un astre[8] – dieu un peu au-dessus des deux autres
aux yeux des idolâtres, mais qui est créé et fait –, si
moi-même je n'adore pas les deux au nom desquels je suis
baptisé conjointement, ou bien si j'adore mes compagnons

suite après pourrait être justement Grégoire le Thaumaturge. Cette
identification aurait été proposée par un scholiaste, qui n'a pas été mieux
identifié, et par Basile le Petit, comme on le déduit de l'annotation des
Mauristes *ad locum*. Nous ne savons pas, cependant, sur quels éléments
ceux-ci ont fondé leur identification. En effet, le Fils et l'Esprit seraient
«introduits du dehors», «intrus», s'ils n'étaient pas Dieu comme le Père.

6. Adorer l'Esprit-Saint serait alors comme adorer une créature :
cf. *Discours* 33, 17; 34, 10, etc. (c'est une objection typique de la
pneumatologie nicéenne); cf. également un peu plus loin et le chap. 43.
S'ils sont créés, le Fils et l'Esprit seraient, en effet, seulement des
créatures, même s'ils ont une plus grande dignité que l'homme.

7. Chamos était une idole des Moabites (cf. *Nombr.* 21, 29) à laquelle
Salomon édifia aussi un temple (cf. *I Rois* 11, 7).

8. Allusion polémique à l'adoration des astres, qui était, chez les
païens de l'époque, une des conceptions philosophiques les plus
répandues. Le soleil était le symbole du Dieu suprême; de même que
Dieu gouverne l'univers de façon invisible, de même le soleil donne vie
de façon visible à l'univers et à l'homme. Il suffit de lire à ce sujet
Julien l'Apostat, *Discours au roi Hèlios*.

δουλα γάρ, καὶ εἰ μικρὸν τιμιώτερα, ἐπεὶ καὶ ἐν ὁμοδούλοις
ἐστί τις διαφορὰ καὶ προτίμησις.

43. Θέλω τὸν Πατέρα μείζω[a] εἰπεῖν, ἐξ οὗ καὶ τὸ ἴσοις
εἶναι τοῖς ἴσοις ἐστὶ καὶ τὸ εἶναι. Τοῦτο γὰρ παρὰ πάντων
δοθήσεται. Καὶ δέδοικα τὴν ἀρχήν, μὴ ἐλαττόνων ἀρχὴν
ποιήσω καὶ καθυβρίσω διὰ τῆς προτιμήσεως· οὐ γὰρ δόξα
5 τῷ ἐξ οὗ ἡ τῶν ἐξ αὐτοῦ ταπείνωσις. Πρὸς δὲ καὶ
ὑφορῶμαι τὴν σὴν ἀπληστίαν, μὴ τὸ «μεῖζον» λαβὼν
διχοτομήσῃς τὴν φύσιν, κατὰ πάντα τῷ μείζονι χρώμενος.
C Οὐ γὰρ κατὰ τὴν φύσιν τὸ «μεῖζον», τὴν αἰτίαν δέ. Οὐδὲν
γὰρ τῶν ὁμοουσίων τῇ οὐσίᾳ μεῖζον ἢ ἔλαττον. Θέλω τὸν
10 Υἱὸν προτιμῆσαι τοῦ Πνεύματος, ὡς Υἱόν, καὶ οὐ συγχωρεῖ
μοι τὸ βάπτισμα τελειοῦν με διὰ τοῦ Πνεύματος. Ἀλλὰ
δέδοικας μὴ τριθεΐαν ὀνειδισθῇς; Ἔχε σὺ τὸ ἀγαθόν, τὴν
ἐν τοῖς τρισὶν ἕνωσιν· ἐμοὶ τὴν μάχην παράπεμψον. Ἔασον
ἐμὲ ναυπηγὸν εἶναι, σὺ χρῶ τῇ νηΐ. Καὶ εἰ ναυπηγός ἐστιν
15 ἕτερος, ἐμὲ λάβε τῆς οἰκίας ἀρχιτέκτονα· σὺ ταύτην
οἴκει μετὰ ἀσφαλείας, καὶ εἰ μηδὲν ἐμόχθησας. Οὐχ

43, 1 μείζω : μείζονα m Q corr. Vb² ‖ 2 ἐπεὶ καὶ τὸ εἶναι A ‖ 4 ποιήσας
καθυβρίσω A ‖ 5 τὸ ἐξ οὗ AT R ‖ 9 τὸ μεῖζον A ‖ 9-10 προτιμῆσαι τὸν
υἱὸν m praeter Pd (sed cum signis transp. Pd) ‖ 11 μοι : με Z om. Ald.
Maur. ‖ 14 ἐμὲ : με S B Ald. Maur.

43. a. *Jn* 14, 17.

43, 1 θέλω τὸν πατέρα — 13 παράπεμψον *Doctrina Patrum,* p. 3
Diekamp

1. Cf. *D.* 30, 7 : *SC* 250, 240.
2. Répétition de notions déjà connues de la théologie trinitaire de
Grégoire : cf. ci-dessus *Discours* 39, 12 et *Introduction,* p. 37 s.
3. La fonction principale du baptême est de «rendre parfait»
(τελειοῦν); la perfection est donnée par l'Esprit-Saint, dont le rôle
principal est de sanctifier : cf. aussi chap. 44 et *Discours* 33, 17, ainsi que
BASILE, *Sur le Saint-Esprit,* 16, 38 *SC* 17 bis, p. 376-384. L'observation

de servitude? Car ce sont mes compagnons de servitude, même s'ils sont plus à l'honneur que moi, puisque aussi bien entre compagnons de servitude il y a une certaine différence et une certaine prééminence.

43. Je désire dire que le Père est «plus grand[a]», lui de qui ceux qui sont égaux tirent leur égalité et leur être – cela, tout le monde l'admettra –; et je redoute de l'appeler «le principe», par crainte de faire de lui un principe d'êtres inférieurs et d'outrager les autres par cette prééminence, car ce n'est pas glorifier celui de qui viennent les autres que de rabaisser ceux qui viennent de lui. De plus, je soupçonne que tu es insatiable, et je crains que, prenant le terme «plus grand», tu ne divises en deux la nature en appliquant à tort ce terme «plus grand». En effet, ce n'est pas à la nature que s'applique le terme «plus grand», mais à la cause[1], car aucun de ceux qui sont consubstantiels n'est plus grand ou moins grand au point de vue de la substance[2]. Je désire donner la prééminence au Fils sur l'Esprit, en tant que Fils; mais le baptême ne me le permet pas, lui qui achève ma sanctification par l'Esprit[3]. Mais tu redoutes qu'on te reproche d'admettre trois dieux[4]? Garde pour ta part le bien qu'est l'unité dans les Trois, et confie-moi le combat. Laisse-moi être le constructeur du navire et sers-toi du navire. Et si un autre est le constructeur du navire, accepte-moi comme architecte de la maison et habite-la en sécurité, même si tu n'as pris aucune peine.

fait partie de la pneumatologie orthodoxe et se retrouve un peu partout chez les auteurs nicéens.

4. L'accusation de trithéisme est un peu partout répandue contre les Cappadociens, à cause de la distinction qu'ils font entre hypostase et *ousia,* qui devait passer difficilement dans certains milieux, même orthodoxes. Grégoire lui-même doit s'en défendre également dans le *Discours* 31, 13; GRÉGOIRE DE NYSSE compose son traité *Ad Eustathium, de Sancta Trinitate* pour clarifier sa position à cet égard (cf. p. 5, 5 s. Müller).

ἧττον εὐπλοήσεις ἢ οἰκήσεις τὴν οἰκίαν, ἐμοῦ τοῦ ταῦτα
κατασκευάσαντος, εἰ καὶ μηδὲν περὶ ταῦτα πεφιλοπόνηκας.
Ὁρᾷς τὴν εὐγνωμοσύνην ὅση; ὁρᾷς τοῦ Πνεύματος τὴν
20 χρηστότητα; Ἐμὸς ὁ πόλεμος ἔστω, σὸν τὸ ἐκνίκημα.
D Ἐγὼ βαλλοίμην, σὺ δὲ εἰρήνευε, τῷ προπολεμοῦντι συνευχόμενος · χεῖρα δίδου διὰ τῆς πίστεως. Ἔχω τρεῖς λίθους
οἷς σφενδονήσω τὸν ἀλλόφυλον[b]. Ἔχω τρεῖς ἐμπνεύσεις
421A κατὰ τοῦ υἱοῦ τῆς Σαραφθίας[c], αἷς ζωοποιήσω νενεκρωμέ-
25 νους. Ἔχω τρεῖς ἐπικλύσεις κατὰ τῶν σχιδάκων[d], αἷς
καθιερώσω τὴν θυσίαν, ὕδατι πῦρ ἐγείρων, τὸ παρα-
δοξότατον · καὶ τοὺς προφήτας καταβαλῶ[e] τῆς αἰσχύνης,
μυστηρίου δυνάμει χρώμενος.

44. Τί μοι δεῖ μακροτέρων λόγων; Διδασκαλίας γὰρ ὁ
καιρός, οὐκ ἀντιλογίας. «Μαρτύρομαι ἐνώπιον τοῦ Θεοῦ
καὶ τῶν ἐκλεκτῶν ἀγγέλων[a]», μετὰ ταύτης βαπτισθήσῃ
τῆς πίστεως. Εἰ μὲν ἄλλως ἐγγέγραψαι ἢ ὡς ὁ ἐμὸς
5 ἀπαιτεῖ λόγος, δεῦρο καὶ μετεγγράφηθι. Ἐγὼ τούτων οὐκ
ἀφυὴς καλλιγράφος, γράφων ἃ γέγραμμαι καὶ διδάσκων ἃ
καὶ μεμάθηκα καὶ τετήρηκα ἐξ ἀρχῆς εἰς τήνδε τὴν πολιάν.

43, 18 εἰ καὶ : καὶ εἰ B T ‖ πεφιλοσόφηκας Vp D πεφιλοπόνηται Dmg. ‖
20 ἔστω cum σὸν τὸ ἐκνίκημα coniungunt Ald. Maur.
44, 2 τοῦ om. n ‖ 7 καὶ[1] om. S Vp D habet s.u. Ve

---

43. b. Cf. I *Sam.* 17, 40.49.   c. Cf. IV *Rois* 17, 21-22 (LXX).
d. Cf. III *Rois* 18, 34-38.   e. Cf. III *Rois* 18, 40.
44. a. 1 *Tim.* 5, 21.

1. Paroles adressées à un auditoire qui n'est évidemment pas assez
compétent en ce qui concerne les problèmes théologiques; la discussion
technique doit être réservée à celui qui s'y entend, c'est-à-dire à
l'évêque.
2. Allusion au combat de David contre Goliath. P.G.
3. Élie rendit la vie au fils de la veuve de Sarephta en soufflant trois
fois sur lui (d'après le texte de la *Septante*). P.G.
4. Élie fit descendre par sa prière le feu du ciel sur le bûcher qu'il

Tu ne feras pas moins une heureuse navigation ou tu
n'habiteras pas moins la maison, si c'est moi qui ai tout
organisé, sans que tu fournisses aucun travail. Tu vois quel
est mon désintéressement? Tu vois la bonté de l'Esprit? A
moi la guerre! A toi le prix de la victoire! Que je sois
frappé de traits! Toi, reste en paix, aide de ta prière celui
qui se bat pour toi, tends-lui la main comme signe de ta
confiance[1]. J'ai trois pierres avec lesquelles je frapperai
l'étranger, grâce à ma fronde[b2]; j'ai trois insufflations à
faire sur le fils de la femme de Sarephta[c3], grâce auxquelles
je ferai vivre ceux qui sont des cadavres; j'ai à verser trois
fois de l'eau sur le bois, et je consacrerai ainsi la victime en
faisant jaillir le feu avec de l'eau[d], ce qui est le plus
extraordinaire; et je jetterai à terre les prophètes d'ignominie, en usant de la puissance du mystère[e4].

44. Qu'ai-je besoin de plus longs propos? C'est le
moment d'enseigner, non de disputer. « J'atteste devant
Dieu et les anges élus[a]» que tu seras baptisé avec cette foi.
Si l'on a écrit en toi autre chose que ce que mon discours
demande, viens ici, et que l'on modifie ce qui a été écrit[5]!
Je ne suis pas sans talent pour écrire cela en toi; j'écris ce
que l'on a écrit en moi, j'enseigne ce que j'ai appris et gardé
depuis le début jusqu'à la vieillesse où je suis. A moi le

avait fait arroser trois fois. Il fit ensuite massacrer les prophètes de Baal
qui avaient été incapables d'accomplir le même prodige. Dans cet
exemple et dans le précédent le chiffre trois fait allusion à la triple
immersion du baptême. P.G.

5. Comme l'oberve BERNARDI (p. 215), «les candidats doivent
émettre au préalable une confession de foi mentionnant expressément
leur adhésion au consubstantiel, ce qui revient à dire au symbole de
Nicée. L'évêque n'admettra aucune objection. Il ajoute même : "Si les
termes de ton inscription sont différents de ce que je demande, viens les
modifier." Il ne s'agit pas de réclamer une rétractation à ceux qui ont
déjà été baptisés, mais d'exiger une nouvelle profession de foi de la part
de ceux qui, l'ayant fournie antérieurement, n'ont pas encore reçu le
baptême.»

Ἐμὸς ὁ κίνδυνος, ἐμὸν καὶ τὸ γέρας, τοῦ τῆς σῆς ψυχῆς
B οἰκονόμου, καὶ τελειοῦντός σε διὰ τοῦ βαπτίσματος. Εἰ δὲ
10 οὕτως ἔχεις καὶ καλοῖς ἐνεσημάνθης τοῖς γράμμασι,
φύλασσέ μοι τὰ γεγραμμένα, ἐν καιροῖς τρεπτοῖς ἄτρεπτος
μένων περὶ ἀτρέπτου πράγματος. Μίμησαι τὸν Πιλᾶτον ἐπὶ
τὸ κρεῖττον, κακῶς γράφοντα καλῶς γεγραμμένος. Εἰπὲ
τοῖς μεταπείθουσί σε · « Ὃ γέγραφα, γέγραφα[b].» Καὶ γὰρ
15 ἂν αἰσχυνοίμην εἰ τοῦ κακοῦ μένοντος ἀκλινοῦς τὸ καλὸν
ῥᾶστα μετακλίνοιτο, δέον εὐμετακινήτους μὲν εἶναι πρὸς τὸ
κρεῖττον ἀπὸ τοῦ χείρονος, ἀκινήτους δὲ πρὸς τὸ χεῖρον
ἀπὸ τοῦ βελτίονος. Εἰ οὕτως βαπτίζῃ καὶ κατὰ ταύτην τὴν
μαθητείαν, « Ἰδοὺ τὰ χείλη μου οὐ μὴ κωλύσω[c]», ἰδοὺ
20 κίχρημι τὰς χεῖρας τῷ Πνεύματι. Ταχύνωμεν τὴν σωτη-
C ρίαν, ἀναστῶμεν ἐπὶ τὸ βάπτισμα · σφύζει τὸ Πνεῦμα,
πρόθυμος ὁ τελειωτής, τὸ δῶρον ἕτοιμον. Εἰ δὲ σκάζεις[d]
ἔτι καὶ μὴ καταδέχῃ τὸ τέλειον τῆς θεότητος, ζήτει τὸν
βαπτιστὴν ἢ καταβαπτιστήν. Ἐμοὶ δὲ οὐ σχολὴ τέμνειν
25 θεότητα καὶ νεκρόν σε ποιεῖν ἐν καιρῷ τῆς ἀναγεννήσεως,
ἵνα μήτε τὸ χάρισμα ἔχῃς μήτε τὴν ἐλπίδα τῆς χάριτος, ἐν
ὀλίγῳ ναυαγήσας[e] τὴν σωτηρίαν, ὡς ὅ τι ἂν ὑφέλῃς τῶν
τριῶν τῆς θεότητος, τὸ πᾶν ἔσῃ καθῃρηκὼς καὶ σεαυτῷ
τὴν τελείωσιν.

D   45. Ἀλλ᾽ οὔπω τύπος οὐδεὶς ἐν τῇ σῇ ψυχῇ, οὔτε
χείρονος γράμματος οὔτε βελτίονος, σήμερον δέ σε γρα-
φῆναι δεήσει καὶ παρ᾽ ἡμῶν τυπωθῆναι πρὸς τελειότητα;

44, 16 μετακλίνοιτο n Maur. : κλίνοιτο m Ald. ‖ 23-24 σὸν βαπτιστὴν
Ald. ‖ 24 ἢ καταβαπτιστὴν om. S Pd add. S² Pd² ‖ 27 ὡς ὅτι —
29 τελείωσιν om. B ‖ 28 σεαυτὸν A
45, 2 οὔτε : οὐδὲ Maur.

44. b. Jn 19, 22.   c. Ps. 39, 10.   d. Cf. III Rois 18, 21.   e. Cf. I-
Tim. 1, 19.

risque, à moi aussi la récompense, moi qui suis l'intendant de ton âme et qui te donne la perfection par le baptême. Si tu es dans ces dispositions, si c'est le bon texte que l'on a écrit en toi, garde, je t'en prie, ce qui a 'été écrit, et, au milieu des circonstances changeantes, reste inchangé[1], à l'égard de ce qui est inchangeable. Imite – mais en mieux – Pilate qui écrivait une chose défectueuse, tandis qu'on a écrit en toi ce qui est bien ; dis à ceux qui essaient de te faire changer d'avis : «Ce que j'ai écrit, je l'ai écrit[b].» J'aurais honte si, alors que le mal reste stable, le bien pliait très aisément ; nous devons nous mouvoir facilement vers le bien en quittant le mal, mais être immobiles pour aller vers le mal en quittant le bien. Si tu es baptisé dans ces dispositions et avec cette doctrine[2], «voici, je ne retiendrai pas mes lèvres[c]», voici, je prête mes mains à l'Esprit. Hâtons le salut ; levons-nous pour aller au baptême ; l'Esprit trépigne d'impatience, l'initiateur s'empresse, le don est prêt. Mais si tu boites encore[d], et si tu n'admets pas la divinité dans sa perfection, cherche quelqu'un pour te baptiser ou pour te noyer ; il ne m'est pas loisible d'opérer une coupure dans la divinité et de faire de toi un cadavre au moment de ta seconde naissance, pour que tu n'aies ni la grâce, ni l'espérance de la grâce, et que tu provoques en un instant le naufrage[e] de ton salut. Car si tu soustrais l'un des Trois à la divinité, c'est le tout que tu auras supprimé, ainsi que la perfection pour toi-même.

45. Mais rien n'est encore marqué dans ton âme, ni mauvais, ni bon texte ; et c'est aujourd'hui que nous devons écrire en toi et te marquer en vue de la perfection.

---

1. L'idéal du chrétien est l'ἀπάθεια : à cet idéal est consacrée une bonne partie du *Discours* 36 (cf. chap. 10 et les remarques que nous avons faites à ce sujet : *SC* 318, p. 263).
2. Dans le *Discours* 33, 17 également le caractère exhaustif de la déclaration de foi s'allie au caractère exhaustif de la formule baptismale.

Εἴσω τῆς νεφέλης χωρήσωμεν[a], δός μοι τὰς πλάκας τῆς
5 σῆς καρδίας[b], γίνομαί σοι Μωϋσῆς, καὶ εἰ τολμηρὸν
424A εἰπεῖν · ἐγγράφω δακτύλῳ Θεοῦ νέαν δεκάλογον[c], ἐγγράφω
σύντομον σωτηρίαν. Εἰ δέ τι θηρίον αἱρετικὸν καὶ ἀλό-
γιστον, κάτω μεινάτω[d], ἢ κινδυνεύσει λιθοβολούμενον τῷ
λόγῳ τῆς ἀληθείας. Βαπτίσω σε μαθητεύων εἰς ὄνομα
10 Πατρὸς καὶ Υἱοῦ καὶ ἁγίου Πνεύματος. Ὄνομα δὲ κοινὸν
τῶν τριῶν ἕν, ἡ θεότης. Γνώσῃ καὶ τοῖς σχήμασι καὶ
τοῖς ῥήμασιν, ὡς ὅλην ἀποπέμπῃ τὴν ἀθεΐαν, οὕτως ὅλῃ
θεότητι συντασσόμενος. Πίστευε τὸν σύμπαντα κόσμον,
ὅσος τε ὁρατὸς καὶ ὅσος ἀόρατος, ἐξ οὐκ ὄντων παρὰ
15 Θεοῦ γενόμενον καὶ προνοίᾳ τοῦ ποιήσαντος διοικούμενον,
δέξασθαι τὴν εἰς τὸ κρεῖττον μεταβολήν. Πίστευε μὴ
οὐσίαν εἶναί τινα τοῦ κακοῦ μήτε βασιλείαν, ἢ ἄναρχον ἢ
παρ' ἑαυτῆς ὑποστᾶσαν ἢ παρὰ τοῦ Θεοῦ γενομένην, ἀλλ'
ἡμέτερον ἔργον εἶναι τοῦτο καὶ τοῦ πονηροῦ, ἐκ τῆς
20 ἀπροσεξίας ἐπεισελθὸν ἡμῖν, ἀλλ' οὐχὶ τοῦ κτίσαντος.
B Πίστευε τὸν Υἱὸν τοῦ Θεοῦ, τὸν προαιώνιον Λόγον, τὸν
γεννηθέντα ἐκ τοῦ Πατρὸς ἀχρόνως καὶ ἀσωμάτως, τοῦτον
ἐπ' ἐσχάτων τῶν ἡμερῶν γεγενῆσθαι διὰ σὲ καὶ Υἱὸν
ἀνθρώπου, ἐκ τῆς Παρθένου προελθόντα Μαρίας ἀρρήτως

45, 5 καρδίας : διανοίας Vp D corr. Vpmg. Dmg. ‖ μωσῆς ABWQ
Ald. Maur. ‖ εἰ καὶ B Ald. Maur. ‖ 7 αἱρετικὸν : πονηρὸν C Rmg. O Ve ‖
9 βαπτίζω CRO Ve ‖ 12 οὕτως om. m' ‖ 16 δέξεσθαι WQVZ ‖
23 γεγεννῆσθαι A Q Pd RO² Ve Vp D γενῆσθαι S

45. a. Cf. Ex. 24, 18.　b. Cf. Ex. 31, 18.　c. Cf. Ex. 20, 3-17.
d. Cf. Ex. 19, 12-13.

1. Cette signification allégorique de l'épisode d'Exode 24, 15 est
également exposée dans le D. 28, 2 (SC 250, p. 102) où revient la
distinction entre les divers degrés de la foi, correspondant à la distance
entre les divers personnages ; cet épisode est traité de façon analogue par
GRÉGOIRE DE NYSSE, Vie de Moïse II, 154 s. (SC 1 bis, p. 204 s).

Entrons à l'intérieur de la nuée[a], donne-moi les tablettes[b] de ton cœur, je suis pour toi Moïse − bien qu'il soit audacieux de dire cela −, j'écris en toi avec le doigt de Dieu un nouveau décalogue[c], j'écris en toi un abrégé du salut. S'il y a quelque bête hérétique et dénuée de raison, qu'elle reste en bas, ou bien elle risque d'être lapidée[d] par la parole de vérité[1]. Je te baptiserai en t'instruisant au nom du Père, du Fils et du Saint-Esprit; et le nom commun au Trois est unique, c'est la divinité. Tu comprendras, d'après les gestes et les paroles[2], que, si tu rejettes l'athéisme tout entier, de même tu te ranges avec la divinité tout entière. Crois[3] que l'ensemble de l'univers, aussi bien visible qu'invisible, a été tirée du néant par Dieu, qu'il est gouverné par la providence de celui qui l'a fait, et qu'il reçoit le changement pour un état meilleur. Crois que le mal n'a ni substance[4] ni royauté, ou sans commencement, ou subsistant par elles-mêmes, ou venant de Dieu; crois au contraire que le mal est notre œuvre et celle du Malin, et qu'il s'est introduit parmi nous par ton incurie, non par celle du créateur. Crois que le Fils de Dieu, le Verbe antérieur aux siècles, engendré par le Père d'une manière intemporelle et incorporelle, est devenu aussi fils de l'homme à cause de toi, dans les derniers jours; il vient de la Vierge Marie d'une manière ineffable et sans tache − car

2. Comme le remarquent les Mauristes «per vocem σχήμασι Gregorius significat ritum externum et baptismi caeremonias».

3. Cette *expositio fidei* s'inspire du symbole de Nicée, mais par son ample développement elle prélude déjà au symbole de Constantinople qui date de quelques mois plus tard (remarquer, par exemple, l'insistance sur l'Incarnation du Christ et la mention de la Vierge Marie).

4. Cette précision sur l'inexistence du mal est dirigée probablement contre le dualisme des manichéens qui devraient être assez répandus dans les deux derniers siècles de l'Empire Romain. Cette affirmation est inspirée par PLOTIN (cf. *Ennéade* I, 8, 1, etc.) et est reprise par les autres Cappadociens (cf. BASILE, *Hom.* 9, 5, *PG* 31, 341 B-C; GRÉGOIRE DE NYSSE, *Or. Catéch.* 6 s., *PG* 45, 25 s. et *De an. et res., PG* 46, 93 B); on la trouve encore chez GRÉGOIRE DE NAZIANZE, *Poèmes* I, 1, 4, v. 24-25.

25 καὶ ἀρυπάρως — οὐδὲν γὰρ ῥυπαρὸν οὗ Θεὸς καὶ δι' οὗ
σωτηρία —, ὅλον ἄνθρωπον, τὸν αὐτὸν καὶ Θεόν, ὑπὲρ ὅλου
τοῦ πεπονθότος, ἵνα ὅλῳ σοι τὴν σωτηρίαν χαρίσηται,
ὅλον τὸ κατάκριμα λύσας τῆς ἁμαρτίας · ἀπαθῆ θεότητι,
παθητὸν τῷ προσλήμματι, τοσοῦτον ἄνθρωπον διὰ σὲ ὅσον
30 σὺ γίνῃ δι' ἐκεῖνον Θεός · τοῦτον ὑπὲρ τῶν ἀνομιῶν ἡμῶν
ἦχθαι εἰς θάνατον, σταυρωθέντα τε καὶ ταφέντα, ὅσον
θανάτου γεύσασθαι, καὶ ἀναστάντα τριήμερον ἀνεληλυθέναι
C εἰς τοὺς οὐρανοὺς ἵνα σε συναγάγῃ κάτω κείμενον · ἥξειν
τε πάλιν μετὰ τῆς ἐνδόξου αὐτοῦ παρουσίας, κρίνοντα
35 ζῶντας καὶ νεκρούς, οὐκέτι μὲν σάρκα, οὐκ ἀσώματον δέ,
οἷς αὐτὸς οἶδε λόγοις, θεοειδεστέρου σώματος, ἵνα καὶ ὀφθῇ
ὑπὸ τῶν ἐκκεντησάντων[e] καὶ μείνῃ Θεὸς ἔξω παχύτητος.
Δέχου πρὸς τούτοις ἀνάστασιν, κρίσιν, ἀνταπόδοσιν τοῖς
δικαίοις τοῦ Θεοῦ σταθμοῖς. Ταύτην δὲ εἶναι φῶς τοῖς
40 κεκαθαρμένοις τὴν διάνοιαν, τουτέστι Θεὸν ὁρώμενόν τε
καὶ γινωσκόμενον, κατὰ τὴν ἀναλογίαν τῆς καθαρότητος, ὃ
δὴ καὶ βασιλείαν οὐρανῶν ὀνομάζομεν · σκότος δὲ τοῖς
τυφλώττουσι τὸ ἡγεμονικόν, τουτέστιν ἀλλοτρίωσιν Θεοῦ
κατὰ τὴν ἀναλογίαν τῆς ἐντεῦθεν ἀμβλυωπίας. Δέκατον,
45 ἐργάζου τὸ ἀγαθὸν[f] ἐπὶ τούτῳ τῷ θεμελίῳ τῶν δογμάτων,
ἐπειδὴ «πίστις χωρὶς ἔργων νεκρά[g]», ὡς ἔργα δίχα
425 A πίστεως. Ἔχεις τοῦ μυστηρίου τὰ ἔκφορα καὶ ταῖς τῶν

45, 34 κρινοῦντα Vp D corr. Vpmg. Dmg. κρίνοντας S || 39 φῶς μὲν A

45. e. Cf. *Apoc.* 1, 7. *Jn* 19, 37. *Zach.* 12, 10.   f. *Gal.* 6, 10.   g. *Jac.*
2, 10.

45, 26 ὅλον ἄνθρωπον — 28 τῆς ἁμαρτίας *Doctrina Patrum,* p. 67
Diekamp

1. Le terme πρόσληψις, associé à θεότης, désigne le fait, pour le Christ,
d'avoir assumé la chair; cf. *Discours* 38, 13; 39, 13; 37, 2; *Lettre* 101,
25-26 etc. (*SC* 208).

il n'y a aucune tache là où se trouvent Dieu et le moyen du
salut —; il est homme tout entier et en même temps Dieu,
pour le bien de celui qui a été tout entier atteint, afin de
t'accorder le salut à toi tout entier, en détruisant tout
entière la condamnation du péché; il est impassible par sa
divinité, passible par ce qu'il a assumé[1]; il est autant
homme à cause de toi, que toi, tu deviens Dieu à cause de
lui[2] : lui, pour nos iniquités, il a été conduit à la mort, il a
été crucifié et enseveli, autant seulement qu'il faut pour
goûter la mort, et il est ressuscité le troisième jour, il est
monté aux cieux pour t'y conduire avec lui, toi qui es
ici-bas; il reviendra avec son glorieux avènement, jugeant
les vivants et les morts; il n'est plus chair, mais il n'est pas
sans corps; pour des raisons qu'il connaît lui-même il a un
corps semblable à Dieu : ainsi il peut être vu par ceux qui
l'ont transpercé[e], comme il reste Dieu, exempt de toute
épaisseur[3]. Admets, en plus de cela, la rétribution suivant
les justes balances de Dieu : c'est la lumière pour ceux qui
ont opéré la purification de leur pensée, autrement dit, c'est
Dieu, vu et connu dans la mesure où l'on est pur, et nous
appelons cela le royaume des cieux; au contraire, ce sont
les ténèbres pour ceux qui aveuglent leur raison, autrement
dit, c'est l'éloignement de Dieu, dans la mesure de la faible
vue d'ici-bas. En dixième lieu[4], «travaille à faire le bien[f]»
sur le fondement de ces dogmes, puisque «la foi sans les
œuvres est morte[g]», comme les œuvres séparées de la foi.
Tu as ainsi ce qui peut être divulgué de notre mystère et

---

2. Même observation dans le *Discours* 30, 6.

3. L'épaisseur de la chair. Voir *supra,* D. 38, 2, note 4. P.G.

4. On peut distinguer dans ce qui précède neuf articles de foi : Dieu
créateur, Incarnation, mort du Christ, Résurrection, Ascension, retour
du Christ, résurrection des morts, Jugement, Rétribution. Avec le
dixième article mentionné ici, on a le «nouveau décalogue» annoncé
ci-dessus. P.G.

πολλῶν ἀκοαῖς οὐκ ἀπόρρητα. Τἄλλα δὲ εἴσω μαθήσῃ, τῆς
Τριάδος χαριζομένης, ἃ καὶ κρύψεις παρὰ σεαυτῷ σφραγῖδι
50 κρατούμενα.

46. Πλὴν ἐκεῖνο εὐαγγελίζομαί σε. Ἡ στάσις, ἣν
αὐτίκα στήσῃ μετὰ τὸ βάπτισμα πρὸ τοῦ μεγάλου βήμα-
τος, τῆς ἐκεῖθεν δόξης ἐστὶ προχάραγμα. Ἡ ψαλμῳδία,
μεθ' ἧς δεχθήσῃ, τῆς ἐκεῖθεν ὑμνῳδίας προοίμιον. Αἱ
B 5 λαμπάδες, ἅσπερ ἀνάψεις, τῆς ἐκεῖθεν φωταγωγίας μυστήριον, μεθ' ἧς ἀπαντήσομεν τῷ νυμφίῳ φαιδραὶ καὶ παρθένοι
ψυχαί[a], φαιδραῖς ταῖς λαμπάσι τῆς πίστεως, μήτε καθεύ-
δουσαι διὰ ῥᾳθυμίαν, ἵνα μὴ λάθῃ παρὼν ἀδοκήτως ὁ
προσδοκώμενος, μήτε ἄτροφοι καὶ ἀνέλαιοι καὶ καλῶν
10 ἔργων ἐπιδεεῖς, ἵνα μὴ τοῦ νυμφῶνος ἐκπέσωμεν. Ὁρῶ
γὰρ τὸ πάθος, ὡς ἐλεεινόν. Ὁ μὲν παρέσται, ἀπαιτούσης
τῆς κραυγῆς τὴν ἀπάντησιν, αἱ δὲ ἀπαντήσονται, ὅσαι
φρόνιμοι, μετὰ λαμπροῦ τοῦ φωτὸς καὶ δαψιλεστέρας τῆς
τούτου τροφῆς, αἱ δὲ ταραχθήσονται ζητοῦσαι τὸ ἔλαιον
15 οὐκ ἐν καιρῷ παρὰ τῶν ἐχόντων. Ὁ δὲ εἰσελεύσεται
δρομαῖος · αἱ δὲ συνεισελεύσονται, αἱ δὲ ἀποκλεισθήσονται,
τὸν τοῦ εἰσελθεῖν καιρὸν εἰς τὸ παρασκευάσασθαι δαπανή-
σασαι, καὶ πολλὰ μετακλαύσονται, ὀψὲ μαθοῦσαι τὴν

45, 48 τὰ δὲ ἄλλα Ald. Maur.
46, 1 σε : σοι T Pdmg. Cmg. Rmg. Ve mg. Ald. Maur. ‖ 3 ἐκεῖθεν
Amg. S Vb Vp D Ald. Maur. : ἐκεῖσε n Pd CRO Ve ‖ 6 ἀπαντήσωμεν S
Vb D V -ίσωμεν Vp -οιμεν CRO Ve ‖ 7 καὶ μήτε Pd CRO Ve ‖
13 φωτὸς : νυμφῶνος Dmg.

46. a. Cf. *Matth.* 25, 1-13.

1. Malgré toutes les explications de caractère théologico-philosophique, Grégoire conserve bien la signification cachée du mystère de la
foi et donne à ses paroles une tonalité mystique ; on retrouve plusieurs
fois chez lui, en effet, l'idée de μύστης et de μυστήριον.
2. Ici commence une évocation de la parabole des vierges sages et des
vierges folles (*Matth.* 25, 1-13). P.G.

n'est pas interdit aux oreilles de la foule. Le reste, tu l'apprendras chez nous, par la grâce de la Trinité, et tu le garderas caché en toi-même et retenu par un sceau[1].

46. Au reste, j'annonce une bonne nouvelle : l'attitude que tu prendras, debout aussitôt après le baptême, devant le grand autel, est une préfiguration de la gloire de là-bas ; la psalmodie avec laquelle tu seras accueilli est le prélude du chant des hymnes de là-bas ; les lampes que tu allumeras évoquent le cortège de lumière de là-bas, avec lequel nous irons à la rencontre de l'époux, nous, âmes brillantes et vierges[a][2], avec les lampes brillantes de la foi[3] : ne nous endormons pas par indolence, pour que ne nous surprenne pas l'arrivée inattendue de celui qu'on attend ; ne soyons pas sans nourriture, sans huile et dépourvus d'œuvres bonnes, pour n'être pas exclus de la salle des noces. Car je vois combien ce malheur est affligeant : l'époux sera là, au moment où le cri invite à aller à sa rencontre ; elles iront à sa rencontre, toutes les vierges sages, avec une lumière brillante et de l'huile pour l'entretenir ; les autres seront dans le trouble, cherchant de l'huile à contretemps auprès de celles qui en ont. L'époux entrera précipitamment ; les premières entreront avec lui ; les autres trouveront la porte fermée, pour avoir occupé aux préparatifs le temps de l'entrée ; elles pleureront abondamment, comprenant trop

---

3. « L'entrée dans l'église au sortir du baptistère comportera donc une station des nouveaux baptisés face au sanctuaire, c'est-à-dire face à l'ensemble formé dans l'abside par le trône épiscopal, le banc du Clergé qui se déploie de part et d'autre, et la table d'autel située au centre et en avant. Ce privilège des nouveaux baptisés n'en serait pas un si le *bêma* était habituellement visible de la nef. Sans doute faut-il donc comprendre qu'ils seront pour la première fois admis à l'intérieur des tentures qui ferment l'abside du côté de la nef. L'entrée dans l'église se fait pendant que l'assistance chante des psaumes, et la procession qui entre porte des lampes allumées, symbole de la foi » (BERNARDI, p. 215-216).

C ζημίαν τῆς ῥαθυμίας, ὅταν μηκέτι ὁ νυμφὼν αὐταῖς εἰσι-
20 τητὸς ᾖ καὶ πολλὰ δεομέναις, ὃν κακῶς ἑαυταῖς
ἀπέκλεισαν · ἄλλον τρόπον μιμησάμεναι τοὺς ὑστεροῦντας
τοῦ γάμου, ὃν ὁ καλὸς πατὴρ ἑστιᾷ τῷ καλῷ νυμφίῳ[b], διὰ
τὴν γυναῖκα τὴν νεόνυμφον ἢ διὰ τὸν ἀγρὸν τὸν νεώνητον ἢ
τὸ ζεῦγος τῶν βοῶν, ἃ κακῶς ἐκτήσαντο, διὰ τῶν μικρῶν
25 τὰ μείζονα ζημιούμενοι. Οὐδεὶς γὰρ ἐκεῖ τῶν ὑπεροπτικῶν
καὶ ῥαθύμων οὐδὲ τῶν ῥυπαρῶς ἀλλ᾿ οὐ νυμφικῶς ἐστολισμένων, κἂν ἐντεῦθεν ἑαυτὸν ἀξιώσῃ τῆς ἐκεῖθεν λαμπρο-
φορίας καὶ λαθὼν ἑαυτὸν παρενείρῃ[c] κεναῖς ἐλπίσιν ἐξαπα-
τώμενος. Εἶτα τί; Ὅταν ἔνδον γενώμεθα, τότε οἶδεν ὁ
30 νυμφίος ἃ διδάξει καὶ ἃ συνέσται ταῖς συνεισελθούσαις
ψυχαῖς. Συνέσται δέ, ὡς οἶμαι, διδάσκων τὰ τελεώτερά
D τε καὶ καθαρώτερα · ὧν καὶ ἡμεῖς μεταλάβοιμεν, οἵ τε
διδάσκοντες ταῦτα καὶ οἱ μανθάνοντες, ἐν αὐτῷ Χριστῷ τῷ
Κυρίῳ ἡμῶν, ᾧ ἡ δόξα εἰς τοὺς αἰῶνας. Ἀμήν.

46, 19 εἰσιτὸς SD corr. D² ‖ 26 ἐστολισμένων m BTV Ald. Maur. :
ἐσταλμένων AW Q² Vmg. Z, Q non liquet ‖ 27 κἀντεῦθεν AV S ‖
34 post ἡ δόξα add. καὶ τὸ κράτος Ald. Maur. ‖ post αἰῶνας add. τῶν
αἰώνων Vp D Maur.

Subscriptiones : εἰς τὸ βάπτισμα · λόγος ϛ A εἰς τὸ βάπτισμα · στίχοι
ΑΫ ΙΘ R Ve D εἰς τὸ βάπτισμα Vb B (altera manus, sed antiquior) W O
C; subscriptiones om. QTVZ Vp, del. S² (deest P)

46. b. Cf. Lc 14, 16-24.   c. Cf. Matth. 22, 11-13.

tard le dommage causé par leur indolence, lorsque la salle
des noces ne leur sera plus accessible malgré toutes leurs
demandes, car elles l'auront malencontreusement fermée
pour elles ; elles auront imité d'une autre manière ceux qui
ne viennent pas au festin des noces que le bon père célèbre
pour le bon époux[b2], l'un à cause de la femme qu'il a
nouvellement épousée, un autre à cause du champ qu'il a
récemment acheté, un autre à cause de la paire de bœufs
qu'il a malencontreusement acquise, et, pour les petites
choses, ils se privent des grandes. Là il n'y a personne
d'arrogant et d'indolent, ni personne ayant un vêtement
souillé, et non le vêtement de noces, même si tel ou tel
ici-bas s'est jugé digne de porter le vêtement splendide de
là-bas et s'est glissé furtivement parmi ceux qui le portent[c],
en s'abusant par de vaines espérances. Qu'arrivera-t-il
ensuite ? Lorsque nous serons à l'intérieur, alors l'Époux
sait ce qu'il nous enseignera et comment il se comportera
avec les âmes qui seront entrées en même temps que lui. Ce
sera, je pense, en leur enseignant ce qu'il y a de plus parfait
et de plus pur. Puissions-nous y participer, nous aussi,
nous qui vous donnons cet enseignement, et vous qui le
recevez, dans le Christ lui-même notre Seigneur, à qui est
la gloire pour les siècles. Amen.

1. Allusion à la parabole des invités au repas de noces (*Lc* 14, 16-24).
P.G.

Εἰς τὴν Πεντηκοστήν

428A
429A 1. Περὶ τῆς ἑορτῆς βραχέα φιλοσοφήσωμεν, ἵνα πνευματικῶς ἑορτάσωμεν. Ἄλλη μὲν γὰρ ἄλλῳ πανήγυρις · τῷ δὲ
θεραπευτῇ τοῦ Λόγου λόγος, καὶ λόγων ὁ τῷ καιρῷ
προσφορώτατος. Καὶ οὐδὲν οὕτως εὐφραίνει καλὸν τῶν
5 φιλοκάλων οὐδένα, ὡς τὸ πανηγυρίζειν πνευματικῶς τὸν
φιλέορτον. Σκοπῶμεν δὲ οὕτως. Ἑορτάζει καὶ Ἰουδαῖος,
ἀλλὰ κατὰ τὸ γράμμα · τὸν γὰρ σωματικὸν διώκων νόμον
εἰς τὸν πνευματικὸν νόμον οὐκ ἔφθασεν. Ἑορτάζει καὶ
Ἕλλην, ἀλλὰ κατὰ τὸ σῶμα καὶ τοὺς ἑαυτοῦ θεούς τε καὶ
10 δαίμονας · ὧν οἱ μὲν παθῶν εἰσι δημιουργοὶ κατ' αὐτοὺς
ἐκείνους, οἱ δὲ ἐκ παθῶν ἐτιμήθησαν. Διὰ τοῦτο ἐμπαθὲς
αὐτῶν καὶ τὸ ἑορτάζειν, ἵν' ᾖ τιμὴ Θεοῦ τὸ ἁμαρτάνειν,
πρὸς ὃν καταφεύγει τὸ πάθος, ὡς σεμνολόγημα. Ἑορτά-

Titulus εἰς τὴν πεντηκοστὴν καὶ εἰς τὸ πνεῦμα τὸ ἅγιον S Pd εἰς τὴν
πεντηκοστὴν καὶ εἰς τὸ ἅγιον πνεῦμα · ἔχει δογματικός · ἐρρέθη ἐν
κωνσταντινουπόλει D εἰς τὴν πεντηκοστὴν καὶ τὸ ἅγιον πνεῦμα · ἐρρέθη ἐν
κωνσταντινουπόλει · ἔχει δογματικὰ R Vp (δογματικὸν Vp), τοῦ αὐτοῦ εἰς
τὴν ἁγίαν πεντηκοστὴν καὶ εἰς τὸ πνεῦμα τὸ ἅγιον C O
τοῦ αὐτοῦ λόγος εἰς τὴν πεντηκοστὴν Z τοῦ αὐτοῦ εἰς τὴν ἁγίαν
πεντηκοστὴν T τοῦ αὐτοῦ εἰς τὴν πεντηκοστὴν QV εἰς τὴν πεντηκοστὴν
AW γρηγορίου ἐπισκόπου ναζιανζοῦ λόγος εἰς τὴν ἁγίαν πεντηκοστὴν E τοῦ
ἁγίου γρηγορίου ἐπισκόπου ναζιανζοῦ τοῦ θεολόγου λόγος εἰς τὴν ἁγίαν
πεντηκοστὴν Pa τοῦ ἐν ἁγίοις πατρὸς ἡμῶν γρηγορίου ἐπισκόπου ναζιαζοῦ
τοῦ θεολόγου λόγος εἰς τὴν ἁγίαν πεντηκοστὴν Pg titulus deperditus in B,
tota oratio in P

1, 4 καλῶν Pa Pg CRO Ve corr. C²R²O² ‖ 10 παθῶν εἰσι m Pa : εἰσι
παθῶν n E Pg Ald. Maur. ‖ 13 ἑορτάζωμεν BW E Vp

DISCOURS 41

Pour le jour de la Pentecôte

1. Traitons brièvement de cette fête, afin de la célébrer selon l'Esprit. Aux autres, des solennités d'un autre genre[1]; mais au serviteur de la Parole, il faut la parole[2], et, parmi les paroles, celles qui sont le mieux en accord avec la circonstance. On n'est pas moins heureux de voir de belles choses, quand on aime la beauté, que l'on n'éprouve de joie à célébrer les fêtes selon l'Esprit, quand on aime les fêtes. Remarquons ceci : le juif célèbre des fêtes, mais selon la lettre, tendu vers la loi du corps, il ne s'est point porté jusqu'à la loi spirituelle. Le Grec[3] célèbre aussi des fêtes, mais selon le corps, conformément à la nature de ses dieux et de ses génies, qui, les uns, sont les auteurs des vices – les Grecs l'avouent eux-mêmes –, tandis que les autres reçoivent un culte par le moyen de ces vices[4]; aussi leurs fêtes sont-elles sous l'emprise du mal; le péché leur sert à honorer la divinité, en qui les vices trouvent protection, comme s'ils étaient chose honorable. Nous célébrons des

---

1. Même attitude au début du *Discours* 40 (mais tenons compte du fait que le *Discours* 41 est chronologiquement antérieur).

2. Par un rapprochement qui lui est familier, Grégoire met en parallèle le *Logos* (Verbe divin) avec cet autre *logos* qu'est la parole humaine. P.G.

3. Comprenez : le païen.

4. Ἐμπαθεῖς : c'est ainsi que sont appelés les dieux païens dans le *Discours* 31, 16. Thèmes typiques de l'apologétique chrétienne.

B ζομεν καὶ ἡμεῖς, ἀλλ' ὡς δοκεῖ τῷ Πνεύματι. Δοκεῖ δὲ ἢ
15 λέγοντάς τι τῶν δεόντων ἢ πράττοντας. Καὶ τοῦτό ἐστι τὸ
    ἑορτάζειν ἡμῶν, ψυχῇ τι θησαυρίσαι τῶν ἑστώτων καὶ
    κρατουμένων, ἀλλὰ μὴ τῶν ὑποχωρούντων καὶ λυομένων
    καὶ μικρὰ σαινόντων τὴν αἴσθησιν, τὰ πλείω δὲ λυμαινο-
    μένων τε καὶ βλαπτόντων, κατά γε τὸν ἐμὸν λόγον.
20 Ἀρκετὸν γὰρ τῷ σώματι ἡ κακία αὐτοῦ[a]. Τί δὲ δεῖ τῇ
    φλογὶ πλείονος ὕλης ἢ τῷ θηρίῳ δαψιλεστέρας τροφῆς, ἵνα
    μᾶλλον δυσκάθεκτον γένηται καὶ τοῦ λογισμοῦ βιαιότερον;

    2. Διὰ ταῦτα μὲν οὖν ἑορταστέον πνευματικῶς. Ἀρχὴ
C δὲ τοῦ λόγου — ῥητέον γάρ, καὶ εἰ μικρόν τι παρεκβατικώ-
    τερος ἡμῖν ὁ λόγος, καὶ φιλοπονητέον τοῖς φιλολόγοις, ἵν'
    ὥσπερ ἥδυσμά τι τῇ πανηγύρει συγκαταμίξωμεν — · τὴν
 5 ἑβδομάδα τιμῶσιν Ἑβραίων παῖδες ἐκ τῆς Μωϋσέως νομο-
    θεσίας, ὥσπερ οἱ Πυθαγορικοὶ τὴν τετρακτὺν ὕστερον, ἣν
    δὴ καὶ ὅρκον πεποίηνται · καὶ τὴν ὀγδοάδα δὲ καὶ τὴν
    τριακάδα οἱ ἀπὸ Σίμωνος καὶ Μαρκίωνος, οἷς δὴ καὶ
    ἰσαρίθμους τινὰς Αἰῶνας ἐπονομάζουσι καὶ τιμῶσιν. Οὐκ
10 οἶδα μὲν οἷστισι λόγοις ἀναλογίας ἢ κατὰ τίνα τοῦ ἀριθμοῦ
    τούτου δύναμιν, τιμῶσι δ' οὖν. Τὸ μὲν πρόδηλον, ὅτι ἐν ἓξ

    1, 19 τε καὶ : καὶ S Pd CRO Vb
    2, 5 μωσέως n E Pg Ve² ‖ 7 δὴ m E QZ Pg Ald. Maur. om. ABWTV
    Pg ‖ δὲ m Pa : om. n E Pg Ald. Maur. ‖ τὴν² om. ABVQT Ald. Maur.

    1. a. Cf. Matth. 6, 34.

    1. C'est-à-dire : les Hébreux. Cf. Discours 39, 7, p. 161, n. 2. P.G.
    2. C'était une conviction répandue parmi les chrétiens (il suffit de lire,
    par exemple, Tatien, Clément d'Alexandrie, Tertullien) que les sages et
    la sagesse grecque étaient postérieurs à Moïse et au judaïsme qu'ils
    auraient imité, en le déformant.
    3. La tétractys pythagoricienne était faite par la représentation géomé-
    trique du nombre 10 présenté en forme de triangle, les 10 points étant
    disposés le long des trois côtés. En outre, on avait le nombre parfait, car

fêtes, nous aussi, mais de la manière qui plaît à l'Esprit. Or, ce qui lui plaît, c'est que l'on parle ou que l'on agisse comme on le doit. Célébrer une fête chez nous, c'est amasser pour son âme quelques-uns de ces biens qui sont stables et souverains, et non point ceux qui sont changeants et fugitifs, qui peuvent bien un peu flatter les sens, mais qui sont surtout des maux et des dommages, à mon avis. Le corps a bien assez de sa propre malice[a]; pourquoi donner à la flamme une plus abondante matière, ou à la bête une plus copieuse nourriture qui la rendra plus indocile et plus rebelle à la raison?

2. Ainsi donc, nous devons célébrer nos fêtes selon l'Esprit. Comme exorde de ce discours — exorde qui nous écarte un peu de notre propos, il est vrai, mais il faut bien avoir quelque complaisance pour ceux qui aiment les discours, et mêler quelque agrément à la solennité —, comme exorde, nous dirons donc que le nombre sept est à l'honneur chez «les enfants des Hébreux[1]», d'après le précepte de Moïse. Plus tard[2], les pythagoriciens firent de même pour le nombre quatre[3], par lequel ils jurent; et les disciples de Simon et de Marcion vénèrent les nombres huit et trente[4], auxquels ils rapportent un nombre semblable d'«éons»[5] qu'ils honorent; je ne sais quelles sont leurs raisons symboliques ou quelle est la puissance de ces nombres; toujours est-il qu'ils les honorent.

Mais la vérité, c'est que Dieu, après avoir pendant six

---

le chiffre 10, obtenu par la disposition des 10 points dans le triangle, était formé par la somme des nombres premiers (1, 2, 3 et 4), représentant chacun la réalité (point : 1; ligne : 2; surface : 3; solide : 4).

4. Notices brèves et parfois inexactes sur les hérétiques du IIe siècle; la confusion entre Marcion et Marc le Mage revient, comme dans les *Discours* 31, 7 et 33, 16.

5. Les «éons», dans les théories gnostiques, sont des êtres intermédiaires entre Dieu et la matière. P.G.

ἡμέραις ὁ Θεὸς τὴν ὕλην ὑποστήσας τε καὶ μορφώσας καὶ
διακοσμήσας παντοίοις εἴδεσι καὶ συγκρίμασι καὶ τὸν νῦν
D ὁρώμενον τοῦτον κόσμον ποιήσας[a], τῇ ἑβδόμῃ κατέπαυσεν
15 ἀπὸ τῶν ἔργων[b], ὡς δηλοῖ καὶ ἡ τοῦ Σαββάτου προση-
γορία, «κατάπαυσιν» ἑβραϊκῶς σημαίνουσα. Εἰ δέ τις καὶ
ὑψηλότερος περὶ ταῦτα λόγος, ἄλλοι φιλοσοφείτωσαν. Ἡ
τιμὴ δὲ αὐτοῖς οὐκ ἐν ἡμέραις μόνον, ἀλλὰ καὶ εἰς
ἐνιαυτοὺς φθάνουσα. Ἡ μὲν οὖν τῶν ἡμερῶν, τὸ Σάββα-
432A 20 τον[c], τοῦτο δὴ τὸ συνεχῶς παρ' αὐτοῖς τιμώμενον, καθὸ
καὶ ἡ τῆς ζύμης ἄρσις[d] ἰσάριθμος · ἡ δὲ τῶν ἐτῶν, ὁ
ἑβδοματικὸς ἐνιαυτὸς τῆς ἀφέσεως[e]. Καὶ οὐκ ἐν ἑβδομάσι
μόνον, ἀλλὰ καὶ ἐν ἑβδομάσιν ἑβδομάδων, ὁμοίως ἔν τε
ἡμέραις καὶ ἔτεσιν. Αἱ μὲν οὖν τῶν ἡμερῶν ἑβδομάδες
25 γεννῶσι τὴν Πεντηκοστήν, κλητὴν ἁγίαν παρ' αὐτοῖς ἡμέραν[f] · αἱ δὲ τῶν ἐτῶν, τὸν Ἰωβυλαῖον παρ' αὐτοῖς ὀνομα-
ζόμενον, ὁμοίως γῆς τε ἄφεσιν ἔχοντα καὶ δούλων ἐλευθερίαν καὶ κτήσεων ὠνητῶν ἀναχώρησιν[g]. Καθιεροῦσι γὰρ οὐ
γενημάτων μόνον οὐδὲ πρωτοτόκων, ἀλλ' ἤδη καὶ ἡμερῶν
30 καὶ ἐτῶν ἀπαρχὰς τῷ Θεῷ τοῦτο τὸ γένος. Οὕτως ὁ ἑπτὰ
τιμώμενος ἀριθμὸς τὴν τιμὴν τῆς Πεντηκοστῆς συνεισή-
γαγεν. Ὁ γὰρ ἑπτὰ ἐφ' ἑαυτὸν συντιθέμενος γεννᾷ τὸν
B πεντήκοντα, μιᾶς δεούσης ἡμέρας ἣν ἐκ τοῦ μέλλοντος
αἰῶνος προσειλήφαμεν, ὀγδόην τε οὖσαν τὴν αὐτὴν καὶ

2, 14 κατέπαυσεν m Pa Pg Q Maur. : καταπαύει n praeter Q E Vb
Dmg. Ald. -παύσει V ‖ 19 τὸ σαβ- [— 27 ἔχοντα] deperditum in A ‖
20 δὴ : δηλοῖ B Vp D Maur. ‖ 26 ἰωβυλαῖον Maur. : ἰοβηλαῖον (uel ἰω-)
codd. Ald. ‖ 29 γεννημάτων E W Z Ald. Maur. ‖ 30 οὕτως n E Pd R² Ve
Vp D Pa Pg Ald. Maur. : οὗτος S CRO Pdmg. Dmg. Vemg. Vb Z ‖
31 συνεισῆγεν A συνήγαγεν E Pg Vb Q ‖ 32 ἐφ' : ἐπὶ ABQ E Ald. Maur.
‖ 34 καὶ πρώτην τὴν αὐτὴν CRO Ve corr. Ve²

2. a. Cf. *Gen.* 1, 1-31.   b. *Gen.* 2, 3.   c. Cf. *Ex.* 20, 8-10; 31, 15-16.
d. Cf. *Ex.* 12, 15.   e. Cf. *Lév.* 25, 4.   f. *Lév.* 23, 21 (LXX).
g. Cf. *Lév.* 25, 8 s.

2, 33 μιᾶς δεούσης — 36 τῶν ψυχῶν MAXIMUS, *Ambigua*, PG 91,
1389 C

jours produit et organisé la matière, après l'avoir ornée de
tant d'espèces variées et complexes, après avoir créé notre
monde visible[a], Dieu, le septième jour, se reposa de ses
œuvres[b], comme on le sait par le nom même de «sabbat»
qui, en hébreu, veut dire *repos*. Si l'on peut donner du
sabbat une plus haute explication, que d'autres la cherchent!

Cet honneur n'affectait pas seulement les jours, il s'éten-
dait aussi aux années. En ce qui concerne les jours, celui
que les Hébreux honorent, c'est le sabbat[c], et celui-ci est
chez eux en perpétuel honneur. De même, c'est pendant
sept jours que dure la fête des Azymes[d]. Et, pour ce qui est
des années, la septième est l'an de rémission[e]. Ils ne
rendent pas seulement hommage au septième jour, mais
parmi les semaines il y a la septième, comme pour les jours
et les années : ainsi sept fois sept jours amènent la
«Pentecôte»[1], qui est appelée chez eux «le jour saint»[f].
Sept fois sept amènent ce qu'on nomme chez eux «le
Jubilé» : alors, tout à la fois, la terre se repose, les esclaves
sont mis en liberté, et ceux qui ont acheté des terrains s'en
dessaisissent[g]. Ils consacrent donc à Dieu non seulement
les prémices des fruits de la terre et les premiers-nés, mais
aussi les prémices des jours et des années; tel est l'usage de
ce peuple.

Ainsi l'honneur rendu au nombre sept a amené la
solennité de la Pentecôte, car sept multiplié par lui-même
donne cinquante jours moins un, et ce dernier, nous le
prenons au siècle futur, qui est à la fois huitième et premier[2];

1. «Pentecôte», du grec *Pentècostè*, littéralement : *cinquantième (jour)*.
P.G.

2. Le 8ᵉ jour désigne la fin de la semaine du monde et le commencement de l'éternité : cf. ORIGÈNE, *In Lev. hom.* 8, 4, *SC* 287, p. 22, 4-9;
Sel. in Psalm. 118, 164, *PG* 12, 1624 B; BASILE, *In Hexaem.* 2, 8 *SC* 26,
p. 184. C'est donc probablement à Origène et à Basile (ses maîtres) que
Grégoire fait allusion peu après, quand il parle, sans les nommer, de
ceux qui ont réfléchi sur ces questions.

35 πρώτην, μᾶλλον δὲ μίαν καὶ ἀκατάλυτον. Δεῖ γὰρ ἐκεῖσε
καταλῆξαι τὸν ἐνταῦθα Σαββατισμὸν τῶν ψυχῶν, ὡς
δοθῆναι μερίδα τοῖς ἑπτὰ καί γε τοῖς ὀκτώ[h], καθὼς ἤδη
τινὲς τῶν πρὸ ἡμῶν τὸ Σολομώντειον ἐξειλήφασι.

C   3. Τῆς δὲ τοῦ ἑπτὰ τιμῆς πολλὰ μὲν τὰ μαρτύρια, ὀλίγα
δὲ ἐκ πολλῶν ἡμῖν ἀρκέσει. Ὡς ἑπτὰ μὲν ὀνομαζόμενα
τίμια Πνεύματα · τὰς γὰρ ἐνεργείας, οἶμαι, τοῦ Πνεύματος,
Πνεύματα φίλον τῷ Ἡσαΐᾳ καλεῖν[a]. Κεκαθαρμένα δὲ τὰ
5 λόγια Κυρίου, κατὰ τὸν Δαβίδ, ἑπταπλασίως[b]. Καὶ ὁ μὲν
δίκαιος ἑξάκις μὲν ἐξ ἀναγκῶν ἐξαιρούμενος, ἐν δὲ τῷ
ἑβδόμῳ μηδὲ πλησσόμενος[c]. Ὁ δὲ ἁμαρτωλὸς οὐχ ἑπτάκις
μόνον, ἀλλὰ καὶ ἑβδομηκοντάκις ἑπτὰ συγχωρούμενος[d].
Καὶ μέντοι πάλιν ἐκ τῶν ἐναντίων – ἐπαινετὴ γὰρ καὶ ἡ
10 τῆς κακίας κόλασις –, Κάϊν μὲν ἐκδικούμενος ἑπτάκις[e],
τουτέστι δίκας εἰσπραττόμενος τῆς ἀδελφοκτονίας · ὁ δὲ
Λάμεχ ἑβδομηκοντάκις ἑπτά[f], ὅτι φονεὺς ἦν μετὰ τὸν
νόμον καὶ τὸ κατάκριμα. Οἱ δὲ πονηροὶ γείτονες ἑπταπλα-
D σίονα εἰς τὸν κόλπον ἀπολαμβάνοντες[g] · ἑπτὰ δὲ στύλοις ὁ
15 τῆς Σοφίας οἶκος ὑπερειδόμενος[h] · τοσούτοις δὲ ὀφθαλμοῖς
ὁ τοῦ Ζοροβάβελ λίθος κοσμούμενος[i]. Ἑπτάκις δὲ τῆς
ἡμέρας ὁ Θεὸς αἰνούμενος[j]. Καὶ μὴν καὶ στεῖρα τίκτουσα

3, 2 ἡμῖν ἐκ πολλῶν BQZ ἐκ πολλῶν tantum E ‖ 3 πνεύματα : πνεῦμα
B ‖ 5 τοῦ κυρίου AWQV Pg Ald. Maur. ‖ 6 μὲν om. m VZ ‖ 14 κόλπον
αὐτῶν Rufinus Maur. ‖ 15 ἐπερειδόμενος SC Vb D Pa

2. h. *Eccl.* 11, 2.
3. a. Cf. *Is.* 11, 2-3.   b. *Ps.* 11, 7.   c. *Job* 5, 19.   d. *Matth.* 18, 21-
22.   e. *Gen.* 4, 15.24.   f. *Gen.* 4, 24.   g. *Ps.* 78, 12.   h. Cf. *Prov.* 9, 1.
i. Cf. *Zach.* 3, 9.   j. *Ps.* 118, 164.   k. I *Sam.* 2, 5 (LXX).

1. Littéralement : *cesser le sabbatisme d'ici-bas,* c'est-à-dire cesser d'être
soumis aux vicissitudes du temps. P.G.

ou, plus exactement, il est un et éternel. Car c'est là-haut que nos âmes doivent cesser d'être soumises au sabbat de cette terre[1], afin que soit donnée «la part à sept et même à huit[h][2]», ainsi que certains avant nous ont déjà entendu ce texte de Salomon.

3. Que le nombre sept soit en honneur, il y en a une foule de témoignages; il nous suffira d'en rapporter quelques-uns. Ainsi sont mentionnés sept esprits de haute dignité[a][3]; ce sont, je le crois, les opérations de l'Esprit qu'Isaïe a coutume d'appeler elles-mêmes «esprits». «Les paroles du Seigneur sont» – au dire de David – «sept fois purifiées[b]». Le juste est «six fois délivré des tribulations, et à la septième le mal ne le frappe point[c]». Le pécheur reçoit le pardon «non seulement sept fois, mais soixante-dix fois sept fois[d]». D'autre part et inversement – car c'est chose louable de châtier le péché – «de Caïn il est tiré sept fois vengeance[e]», c'est-à-dire qu'on réclame de lui la peine de son fratricide; quant à Lamech, c'est «soixante-dix fois sept fois[f]», parce qu'il a été meurtrier après que fut portée la loi condamnant Caïn. Les mauvais voisins reçoivent «le septuple dans le sein[g]». C'est sur sept colonnes que repose le demeure de la Sagesse[h]. C'est le même nombre d'yeux qui ornent la pierre de Zorobabel[i]. C'est «sept fois par jour» qu'on loue Dieu[j]. Et même «celle qui était stérile donne le jour à sept enfants[k]», le nombre parfait, par

2. Voici la traduction des versets 1 et 2 de ce chapitre 11 du livre de Ben Sirac, d'après la *Septante* : «Jette ton pain sur la face de l'eau, car après de nombreux jours tu le trouveras; donnes-en une part à sept, et même à huit, car tu ne sais pas quel malheur arrivera sur la terre.» Les mots du verset 2 cités par Grégoire semblent être une évocation de la plénitude du bonheur céleste. P.G.

3. C'est le texte d'où sont tirés les noms des sept dons de l'Esprit-Saint (d'après la nomenclature de la *Septante* et de la *Vulgate*). P.G.

433 A ἑπτά[k], τὸν τέλειον ἀριθμόν, ἡ τῆς ἀτελοῦς ἐν τέκνοις
ἀντίθετος.

4. Εἰ δὲ δεῖ καὶ τὰς παλαιὰς ἱστορίας σκοπεῖν, ἐννοῶ
μὲν τὸν ἕβδομον ἐν προγόνοις Ἐνὼχ τῇ μεταθέσει τετιμη-
μένον[a]. Ἐννοῶ δὲ καὶ τὸν εἰκοστὸν πρῶτον Ἀβραὰμ τῇ
πατριαρχίᾳ δεδοξασμένον, μυστηρίου προσθήκῃ μείζονος[b].
5 Τρισσουμένη γὰρ ἡ ἑβδομὰς τὸν ἀριθμὸν τοῦτον ἐργάζεται.
Τολμήσειε δ' ἄν τις τῶν πάντα νεανικῶν καὶ ἐπὶ τὸν νέον
Ἀδὰμ ἐλθεῖν[c], τὸν Θεόν μου καὶ Κύριον Ἰησοῦν Χριστόν,
ἀπὸ τοῦ παλαιοῦ καὶ τοῦ ὑπὸ τὴν ἁμαρτίαν Ἀδάμ,
ἑβδομηκοστὸν ἕβδομον ἀριθμούμενον κατὰ τὴν τοῦ Λουκᾶ
B 10 γενεαλογίαν ἀναποδίζουσαν[d]. Ἐννοῶ δὲ καὶ τὰς ἑπτὰ
σάλπιγγας Ἰησοῦ τοῦ Ναυῆ καὶ περιόδους τοσαύτας, καὶ
ἡμέρας καὶ ἱερέας, ἐξ ὧν τὰ Ἱεριχούντια τείχη κατασείε-
ται[e]. Ὡς δὲ καὶ τὴν ἑβδόμην ἀναστροφὴν Ἡλίου τοῦ
προφήτου[f], τῷ τῆς Σαραφθίας χήρας υἱῷ τὸ ζῆν ἐμπνεύ-
15 σασαν καὶ τοῦ αὐτοῦ τὴν ἰσάριθμον κατὰ τῶν σχιδάκων
ἐπίκλυσιν, ἡνίκα πυρὶ θεοπέμπτῳ τὴν θυσίαν ἀνήλωσε καὶ
τοὺς τῆς αἰσχύνης προφήτας κατέκρινε, τὸ ἴσον οὐ δυνη-
θέντας ἐκ τῆς προκλήσεως[g]. Οὕτω δὲ καὶ τὴν ἑβδόμην
κατασκοπὴν τοῦ νέφους τῷ παιδαρίῳ προστεταγμένην[h],
20 Ἐλισσαίου δὲ τὴν ἴσην διάκαμψιν ἐπὶ τὸν παῖδα τῆς

4, 3 καὶ om. n Pg Ald. Maur. ‖ τῇ om. A ‖ 8 τοῦ² om. AB Z S add.
S²mg. ‖ 11 τὰς περιόδους CO Ve corr. O² Ve² ‖ 13 ὡς δὲ — ἀναστροφὴν
om. TVZ Vp D Ald. add. Dmg. (ὥσπερ δὴ Dmg.) pro quibus uerbis
haec praebent TVZ Vp D Pd² mg. Ald. : ὥσπερ δὲ μυστικὴν τὴν τρισσὴν
ἐμφύσησιν : textum ex duabus sententiis consarcinatum ediderunt Maur.
‖ 14 χήρας om. Maximus ‖ τῷ ζῆν A S τὴν ζωὴν R ‖ 16 ἀνήλωσεν S CRO
Ve D Maur. : ἀνάλωσεν n E Pa Pg Pd (in ras.) Vb Vp R³O³ Ald. ‖
18 προσκλήσεως S Vp B² ‖ 20 δὲ : τε TZ Ald. Maur. ‖ ἐπὶ n Pg Ald.
Maur. : περὶ m Pa

4. a. *Gen.* 5, 3.24. b. Cf. *Gen.* 5, 3-24. 25-30; 10, 21-24; 11, 10-27.
c. Cf. I *Cor.* 15, 45. d. *Lc* 3, 23-28. e. Cf. *Jos.* 6, 3-20. f. Cf. III
Rois 17, 18-22. g. Cf. III *Rois* 18, 25-40. h. Cf. III *Rois* 18, 43-44.

opposition à celle qui était imparfaite en ses enfants.

4. Et s'il faut examiner les anciennes histoires, je remarque que c'est le septième parmi les hommes des premiers temps, Hénoch, qui eut l'honneur d'être enlevé par Dieu[a1]. Je remarque aussi au vingt-et-unième rang Abraham, qui reçut la dignité de patriarche par l'adjonction d'un plus grand mystère, car sept répété trois fois donne ce chiffre[b2]. Et si l'on est de ceux qui ont en tout une hardiese juvénile, on osera peut-être aller jusqu'au nouvel Adam[c], mon Dieu et mon Sauveur Jésus-Christ, qui figure à la soixante-dix-septième place à partir de l'Adam ancien et soumis au péché, selon la généalogie ascendante de Luc[d]. Je remarque aussi les sept trompettes de Josué, fils de Navé, ainsi que les sept tours accomplis le long de la ville, les sept jours et les sept prêtres ; après quoi, les murailles de Jéricho s'écroulent[e]. Je remarque aussi que, de même, le prophète Élie s'étendit sept fois sur le fils de la veuve de Sarepta, geste qui insuffla la vie[f3] ; et le même prophète fit verser trois fois aussi de l'eau sur le bois, quand le feu du ciel vint consumer la victime et confondre les prophètes d'ignominie qui n'avaient pas pu obtenir le même résultat par leurs invocations[g4]. De même, le prophète donne l'ordre à son jeune serviteur d'observer sept fois s'il s'élève un nuage[h], et Élisée, s'étant étendu le même nombre de fois sur le fils de la Sunamite,

---

4, 13 ὡς δὲ καὶ — 16 ἐπίκλυσιν MAXIMUS, *Ambigua,* PG 91, 1393 B

1. Hénoch a le septième rang dans la généalogie qui comprend : Adam, Seth, Énos, Caïnan, Malaléel, Jared, Hénoch. P.G.

2. Abraham est le 21e descendant d'Adam, si l'on rapproche les renseignements généalogiques fournis par la *Genèse :* 5, 3-24.25-30; 10, 21-24; 13, 10-27. P.G.

3. Le texte de la *Septante,* tel que nous l'avons, dit qu'Élie s'étendit trois fois sur l'enfant. P.G.

4. Voir *D.* 40, 43, p. 300, n. 3. P.G.

C Σουμανίτιδος, τὴν πνοὴν ζωπυρίσασαν[i]. Τοῦ δὲ αὐτοῦ,
οἶμαι, δόγματος — ἵνα μὴ λέγω τὴν ἑπτάκαυλον καὶ
ἑπτάλυχνον τοῦ ναοῦ λυχνίαν[j] — ἐν ἑπτὰ μὲν ἡμέραις ὁ
ἱερεὺς τελειούμενος[k], ἐν ἑπτὰ δὲ ὁ λεπρὸς καθαιρόμενος[l],
25 ἐν τοσαύταις δὲ ὁ ναὸς ἐγκαινιζόμενος[m]. Ἑβδομηκοστῷ δὲ
ἔτει ὁ λαὸς ἐκ τῆς αἰχμαλωσίας ἐπαναγόμενος[n], ἵν' ὅπερ
ἐστὶν ἐν μονάσι, τοῦτο ἐν δεκάσι γένηται, καὶ ἀριθμῷ
τελειοτέρῳ τὸ τῆς ἑβδομάδος τιμηθῇ μυστήριον. Τί μοι τὰ
πόρρω λέγειν; Ἰησοῦς αὐτός, ἡ καθαρὰ τελειότης, οἶδε μὲν
30 τρέφειν ἐν ἐρημίᾳ καὶ πέντε ἄρτοις πεντακισχιλίους[o], οἶδε
δὲ καὶ ἑπτὰ πάλιν τετρακισχιλίους[p]. Καὶ τὰ τοῦ κόρου
λείψανα, ἐκεῖ μὲν δώδεκα κόφινοι[q], ἐνταῦθα δὲ σπυρίδες
436A ἑπτά[r]· οὐδέτερον ἀλόγως, οἶμαι, οὐδὲ ἀναξίως τοῦ Πνεύματος. Καὶ σὺ δ' ἂν κατὰ σαυτὸν ἀναλεγόμενος πολλοὺς
35 τηρήσαις ἀριθμούς, ἔχοντάς τι τοῦ φαινομένου βαθύτερον.
Ὁ δὲ τῷ παρόντι καιρῷ χρησιμώτατον, ὅτι κατὰ τούτους
ἴσως τοὺς λόγους ἢ ὅτι ἐγγύτατα τούτων ἢ καὶ θειοτέρους
τινάς, τιμῶσι μὲν Ἑβραῖοι τὴν Πεντηκοστὴν ἡμέραν,
τιμῶμεν δὲ καὶ ἡμεῖς· ὥσπερ ἐστί τινα καὶ ἄλλα τῶν
40 Ἑβραϊκῶν, τυπικῶς μὲν παρ' ἐκείνοις τελούμενα, μυστικῶς
δὲ ἡμῖν ἀποκαθιστάμενα. Τοσαῦτα περὶ τῆς ἡμέρας προδια-
λεχθέντες, ἐπὶ τὸ ἑξῆς τοῦ λόγου προΐωμεν.

4, 21 σωμανίτιδος Pa Vb Vp D corr. Vb² σουναμίτιδος Maur. ‖
ζωπυρίσασαν S : ζωπυρίσαντα Ve -ήσαντα Pd RO -ήσασαν O² cett. codd.
‖ 29 δὲ αὐτὸς Maximus ‖ 29-30 τρέφειν μὲν Ald. Maur. ‖ 31 ἐν ἑπτὰ S Vb
Vp D ‖ 32-33 ἑπτὰ σπυρίδες S Vb Vp D Pd (cum signis transp.) ‖
33 οὐθέτερον m Pa ‖ 34 σεαυτὸν BWTV E ‖ 39 τινα : ἃ BWQTVZ om.
A καὶ ἄλλα τινὰ Maur. ‖ 41 διαλεχθέντες QT corr. Q²mg.

4. i. Cf. IV Rois 4, 35 (LXX). j. Cf. Ex. 25, 31-37. k. Cf. Lév.
8, 33. Ex. 29, 30. l. Cf. Lév. 14, 37-39. m. Cf. III Rois 8, 65.
n. Cf. Jér. 25, 11; 29, 10. II Chr. 36, 21. o. Cf. Matth. 14, 19.21. Mc
6, 41.44. Lc 9, 16. Jn 6, 9.11. p. Cf. Matth. 15, 36.38. Mc 8, 6-9.
q. Cf. Matth. 14, 20. Mc 6, 43. Lc 9, 17. Jn 6, 13. r. Cf. Matth. 15, 37.
Mc 8, 8.

ranime en lui le souffle[i1]. C'est aussi à la même idée, je
crois, que se rattachent je ne dis pas seulement les sept
branches et les sept lumières du chandelier du Temple[j],
mais l'initiation des prêtres en sept jours[k], la purification
de la lèpre au bout de sept jours[12] et la dédicace du Temple
pendant le même nombre de jours[m]. Enfin c'est à la
soixante-dixième année que le peuple revient de la captivité[n], afin que ce qui est vrai des unités le soit aussi des
dizaines et que le mystère de la septaine soit honoré dans
un nombre encore plus parfait. Mais pourquoi parler de
choses lointaines? Jésus lui-même, la Perfection pure, sait
nourrir dans le désert cinq mille hommes avec cinq pains[o],
il sait aussi faire de même pour quatre mille hommes avec
sept pains[p]; et, quand on est rassasié, les restes font ici
douze paniers[q] et là sept corbeilles[r]. Aucun de ces détails
n'est, je crois, sans raison, ni indigne de l'Esprit. Et si tu
réfléchis en toi-même, tu remarqueras sans doute que
beaucoup de nombres impliquent un sens plus profond
qu'il ne paraît extérieurement. Mais ce qui nous est, en la
circonstance présente, le plus utile, c'est de dire que les
Hébreux – peut-être pour ces raisons, ou pour d'autres
toutes semblables, ou pour d'autres plus divines – honorent le jour de la Pentecôte, et que nous l'honorons nous
aussi; de même qu'il y a aussi certains autres usages qu'ils
observaient d'une manière figurative, tandis que nous les
rétablissons en leur sens mystique. Après ces préliminaires
sur le jour présent, avançons vers la suite du discours.

4, 29 Ἰησοῦς — 33 τοῦ Πνεύματος MAXIMUS, *Ambigua*, PG 91,
1396 B

1. Grégoire se réfère ici à un texte conforme à celui de la *Septante*,
mais l'hébreu a un texte différent dans ce passage. P.G.
2. Il s'agit de la lèpre des maisons. P.G.

5. Πεντηκοστὴν ἑορτάζομεν καὶ Πνεύματος ἐπιδημίαν
B καὶ προθεσμίαν ἐπαγγελίας[a] καὶ ἐλπίδος συμπλήρωσιν. Καὶ
τὸ μυστήριον ὅσον, ὡς μέγα τε καὶ σεβάσμιον. Τὰ μὲν
σωματικὰ τοῦ Χριστοῦ πέρας ἔχει, μᾶλλον δὲ τὰ τῆς
5 σωματικῆς ἐνδημίας · ὀκνῶ γὰρ εἰπεῖν τὰ τοῦ σώματος,
ἕως ἂν μηδεὶς πείθῃ με λόγος ὅτι κάλλιον ἀπεσκευάσθαι
τῷ σώματι. Τὰ δὲ τοῦ Πνεύματος ἄρχεται. Τίνα δὲ ἦν τὰ
Χριστοῦ; Παρθένος, γέννησις, φάτνη, σπαργάνωσις, ἄγγελοι δοξάζοντες, ποιμένες προστρέχοντες, ἀστέρος δρόμος,
10 Μάγων προσκύνησις καὶ δωροφορία, Ἡρώδου παιδοφονία,
φεύγων Ἰησοῦς εἰς Αἴγυπτον, ἐπανιὼν ἐξ Αἰγύπτου, περιτεμνόμενος, βαπτιζόμενος, μαρτυρούμενος ἄνωθεν, πειραζό-
μενος, λιθαζόμενος[b] δι᾿ ἡμᾶς, οἷς τύπον ἔδει δοθῆναι τῆς
ὑπὲρ τοῦ λόγου κακοπαθείας, προδιδόμενος, προσηλούμενος,
C 15 θαπτόμενος, ἀνιστάμενος, ἀνερχόμενος, ὧν καὶ νῦν πάσχει
πολλά · παρὰ μὲν τῶν μισοχρίστων τὰ τῆς ἀτιμίας καὶ
φέρει — μακρόθυμος γάρ —, παρὰ δὲ τῶν φιλοχρίστων
τὰ τῆς ἐπιτιμίας. Καὶ ἀναβάλλεται ὥσπερ ἐκείνοις τὴν
ὀργήν, οὕτως ἡμῖν τὴν χρηστότητα · τοῖς μὲν ἴσως μετα-
20 νοίας διδοὺς καιρόν, ἡμῶν δὲ δοκιμάζων τὸν πόθον, εἰ

5, 2 προθεσμίας ἐπαγγελίαν Pd CRO Ve corr. Pd² ‖ 3 μὲν δὴ Maur. ‖
6 ἀπεσκεύασται Pa Pd RO Ve corr. O² ‖ 7 τοῦ σώματος Maur. probante
Sinko, De trad. 179-180 ‖ 8 Χριστοῦ S ABW : τοῦ Χριστοῦ cett. codd.
Ald. Maur. ‖ 9 προτρέχοντες S CO D ‖ 10 post παιδοφονία trai.
περιτεμνόμενος A ‖ 11 εἰς om. A ‖ 13-14 τῆς ὑπὲρ n Ald. Maur. : ὑπὲρ
τῆς m E Pa Pg

---

5. a. Cf. Jn 14, 16.26; 15, 26; 16, 7.   b. Cf. Jn 8, 59.

---

1. C'est la promesse faite à plusieurs reprises par le Christ aux
Apôtres de leur envoyer l'Esprit-Saint (Jn 14, 14.26; 15, 26; 16, 27).
P.G.
2. Selon les Mauristes et BERNARDI (p. 159), ce serait une allusion
polémique à Origène, pour qui l'incarnation de l'âme ne serait rien
d'autre que le résultat d'une faute et servirait seulement à purifier l'âme

5. C'est la Pentecôte que nous célébrons, la venue de l'Esprit, l'échéance de la promesse[a1] et la réalisation de l'espérance. Quel mystère! Qu'il est grand et vénérable! Ce qui a trait au corps du Christ s'achève, ou plutôt ce qui regarde son séjour corporel parmi nous, car j'hésite à parler de «ce qui a trait au corps» jusqu'à ce que l'on me démontre qu'il est mieux de ne pas être débarrassé du corps[2]. Et voici que commence ce qui a trait à l'Esprit. Ce qui concernait le Christ, qu'était-ce? Ceci: la Vierge, la naissance, la crèche, les langes, les Anges chantant sa gloire, les bergers accourant à lui, la marche de l'étoile, l'adoration des Mages et leurs offrandes, le massacre des enfants par Hérode, la fuite de Jésus en Égypte, son retour d'Égypte, la circoncision, le baptême, le témoignage d'en haut, la tentation, les coups de pierre[b] reçus pour nous et par lesquels devait nous être donné l'exemple des souffrances à endurer pour la doctrine[3], la trahison, la crucifixion, l'ensevelissement, la résurrection, l'ascension, toutes choses dont plusieurs l'atteignent encore, car ses ennemis l'outragent, et il le supporte par longanimité; ses amis, au contraire, lui rendent honneur. Et il suspend, pour les premiers, l'effet de sa colère, et pour nous, celui de sa bonté; c'est sans doute qu'il veut donner aux uns le temps de se repentir et qu'il veut, quant à nous, éprouver notre désir, voir si nous ne perdons point courage parmi

---

elle-même, qui ne reviendrait donc à sa perfection qu'après s'être dépouillée du corps (Origène, *De principiis* I, 7, 4; II, 6, 3; II, 9, 7 *SC* 252, p. 214; 314 s., 366 s.).

3. Allusion aux mauvais traitements subis par Grégoire lui-même et par des membres de sa communauté peu de temps auparavant, pendant une irruption des ariens dans sa chapelle de l'*Anastasia* (cf. *Poème Sur sa vie*, v. 652-678, et *Lettres* 77 et 78). Grégoire donne une interprétation spirituelle au fait qu'il se soit mis en sûreté, soulignant (cf. *Discours* 31, 1) que le *Logos* divin, qui est avec lui – puisqu'il s'identifie au porteur du *Logos* de vérité –, ne peut être lapidé.

μὴ ἐκκακοῦμεν ἐν ταῖς θλίψεσι καὶ τοῖς ὑπὲρ εὐσεβείας
ἀγῶσιν, ὅσπερ ἄνωθεν θείας οἰκονομίας λόγος καὶ τῶν
ἀνεφίκτων αὐτοῦ κριμάτωνᶜ, οἷς εὐθύνει σοφῶς τὰ ἡμέτερα. Τὰ μὲν δὴ Χριστοῦ τοιαῦτα· καὶ τὰ ἑξῆς
25 ὀψόμεθα ἐνδοξότερα καὶ ὀφθείημεν. Τὰ δὲ τοῦ Πνεύματος
— παρέστω μοι τὸ Πνεῦμα καὶ διδότω λόγον, ὅσον καὶ
D βούλομαι· εἰ δὲ μὴ τοσοῦτον, ὅσος γε τῷ καιρῷ σύμμετρος.
437A Πάντως δὲ παρέσται δεσποτικῶς, ἀλλ' οὐ δουλικῶς, οὐδὲ
ἀναμένον ἐπίταγμα, ὥς τινες οἴονται. Πνεῖ γὰρ ὅπου θέλει
30 καὶ ἐφ' οὓς βούλεται καὶ ἡνίκα καὶ ὅσον. Οὕτως ἡμεῖς καὶ
νοεῖν καὶ λέγειν ἐμπνεόμεθα περὶ τοῦ Πνεύματος.

6. Τὸ Πνεῦμα τὸ ἅγιον οἱ μὲν εἰς κτίσμα κατάγοντες,
ὑβρισταὶ καὶ δοῦλοι κακοὶ καὶ κακῶν κάκιστοι. Δούλων
γὰρ κακῶν ἀθετεῖν δεσποτείαν, καὶ ἐπανίστασθαι κυριότητι
καὶ ὁμόδουλον ποιεῖν ἑαυτοῖς τὸ ἐλεύθερον. Οἱ δὲ Θεὸν
5 νομίζοντες, ἔνθεοι καὶ λαμπροὶ τὴν διάνοιαν. Οἱ δὲ καὶ
B ὀνομάζοντες, εἰ μὲν εὐγνώμοσιν, ὑψηλοί· εἰ δὲ ταπεινοῖς,
οὐκ οἰκονομικοί, πηλῷ μαργαρίτην πιστεύοντες καὶ ἀκοῇ
σαθρᾷ βροντῆς ἦχον καὶ ὀφθαλμοῖς ἀσθενεστέροις ἥλιον καὶ

5, 21 ἐκκακῶμεν S Vb Vp D O² BT ‖ 22 ὥσπερ E Vb Vp Ve Dmg.
WT Pa Pg Ald. Maur. ὅπερ S D² corr. W²T² ‖ 23 σαφῶς SD ‖ 24 τοῦ
Χριστοῦ A ‖ 27 ἀλλ' ὅσος Maur. ‖ ὅσως A ‖ 29 ἐπιτάγματος CRO Ve (ut
uid.) corr. Ve²O² ‖ 30 οὓς : ὅσους E Pd Vp
6, 1 κατάγοντες : καταβάλλοντες ABWQ E Pg ‖ 5 ἔνθεοι — 6 ὀνομάζοντες om. DV add. D²V² mg.

5. c. Rom. 11, 33.

1. «Piété» est employé à cette époque au sens d'adhésion à la vraie
doctrine, de même que l'on dit encore aujourd'hui «les impies» pour
désigner les hérétiques. Cf. SC 250, p. 73, n. 2. P.G.
2. Sur ce mot, voir ci-dessus Discours 38, 8, p. 119, n. 2. P.G.
3. Allusion polémique aux pneumatomaques, qui faisaient du Saint-
Esprit un esprit analogue aux natures angéliques, qui sont des δοῦλοι de
Dieu.

les épreuves et les combats à soutenir pour la piété[1]. Ainsi procèdent la divine «économie»[2] d'en haut et les «insondables jugements[c]» par lesquels il nous dirige en sa sagesse. Voilà ce qui a trait au Christ. Nous allons maintenant voir la suite, une réalité plus glorieuse, et puissions-nous être vus par elle! Pour ce qui concerne l'Esprit, que l'Esprit m'assiste et me donne toute la parole que je veux; ou du moins, à défaut de cela, celle que réclame la circonstance! Cette assistance, il me la donnera avec pleine maîtrise, et non comme un esclave; il n'a pas d'ordre à attendre, comme certains l'imaginent[3]. Il souffle en effet où bon lui semble, sur qui il veut, quand et autant qu'il lui plaît. Ainsi c'est lui qui nous inspire à la fois ce que nous pensons et ce que nous disons au sujet de l'Esprit.

6. Ceux qui rabaissent l'Esprit-Saint au rang de créature sont des impudents[4], des esclaves mauvais, et même les pires d'entre les mauvais : car c'est agir en mauvais esclaves que de repousser l'autorité, de se révolter contre le souverain pouvoir et de faire partager sa propre servitude à ce qui est libre[5]. Au contraire, ceux qui le croient Dieu sont des hommes divins, et leur pensée est toute lumière. Et ceux qui l'appellent Dieu, s'ils le font devant des hommes de bien, ils sont sublimes : s'ils le font devant des âmes basses, ils ne sont pas prudents : ils confient à un terrain fangeux une pierre précieuse, à des oreilles malades le bruit du tonnerre, à des yeux trop faibles la lumière du

---

4. Autre allusion aux pneumatomaques et aux ariens : si l'Esprit-Saint est un esprit comme les anges, il est une créature comme eux (cf. ATHANASE, *Lettre à Sérapion* I, 1, 10-11 *PG* 26, 529-532, 556-560; DIDYME, *De Trinit.* II, *PG* 39, 481, 576, 617).

5. Le terme est technique à propos de la condition de l'Esprit dans le sens que les nicéens soulignaient, c'est-à-dire que, si l'Esprit n'est pas Dieu, mais est créé comme les anges et les hommes, il est l'esclave de Dieu comme eux (ὁμόδουλος). Cf. *Discours* 33, 17; 34, 10.

τροφὴν στερεὰν τοῖς ἔτι γάλα ποτιζομένοις[a] · δέον κατὰ
10 μικρὸν προάγειν αὐτοὺς εἰς τὸ ἔμπροσθεν, καὶ προβιβάζειν
τοῖς ὑψηλοτέροις, φωτὶ φῶς χαριζομένους καὶ ἀληθείᾳ
προξενοῦντας ἀλήθειαν · διὸ καὶ ἡμεῖς τὸν τελεώτερον
τέως ἀφέντες λόγον — οὔπω γὰρ καιρὸς — οὕτως αὐτοῖς
διαλεξώμεθα.

7. Εἰ μὲν οὐδὲ ἄκτιστον, ὦ οὗτοι, ὁμολογεῖτε τὸ
Πνεῦμα τὸ ἅγιον οὐδὲ ἄχρονον, τοῦ ἐναντίου πνεύματος
C σαφῶς ἡ ἐνέργεια · δότε γὰρ τῷ ζήλῳ τι καὶ παρα-
τολμῆσαι μικρόν. Εἰ δὲ τοσοῦτον γοῦν ὑγιαίνετε ὥστε τὴν
5 πρόδηλον φεύγειν ἀσέβειαν καὶ τῆς δουλείας ἔξω τιθέναι τὸ
καὶ ὑμᾶς ποιοῦν ἐλευθέρους, τὸ ἑξῆς αὐτοὶ σκέψασθε μετὰ
τοῦ ἁγίου Πνεύματος καὶ ἡμῶν. Πείθομαι γὰρ ποσῶς
τούτου μετέχειν ὑμᾶς καὶ ὡς οἰκείοις ἤδη συνδιασκέψομαι.
Ἢ δότε μοι τὸ μέσον δουλείας καὶ δεσποτείας, ἵν' ἐκεῖ θῶ
10 τὴν ἀξίαν τοῦ Πνεύματος, ἢ τὴν δουλείαν φεύγοντες, οὐκ
ἄδηλον ὅποι τάξετε τὸ ζητούμενον. Ἀλλὰ ταῖς συλλαβαῖς

6, 10 προσάγειν D² ‖ 14 διαλεξώμεθα m ABV E Pa : -όμεθα TQV²Z
S²D² Pg Rufinus Ald. Maur. W deperditum
7, 1 μὲν οὖν Pd C RO Ve Vp D Q ‖ 4 ὥστε καὶ A D ‖ 6 ἡμᾶς E Pg
Ald. Maur. ‖ 9 τῆς δουλείας καὶ τῆς δεσποτείας Maur. ‖ 10 ἢ : καὶ A ‖
11 τάξηται C τάξητε RO Ve

6. a. Cf. I Cor. 3, 2.

1. Passage très important qui montre à la fois la sûreté doctrinale de
Grégoire et le soin qu'il met à ne pas heurter certains de ses auditeurs
timorés. La doctrine trinitaire n'est pas encore formulée avec ses
dernières précisions. Le Pères du Concile de Nicée, si fermes pour
définir la consubstantialité du Père et du Fils, s'étaient contentés
d'affirmer qu'ils croyaient au Saint-Esprit, sans rien ajouter. Aussi
certains catholiques, tout en croyant, d'après l'Écriture, en la divinité de
l'Esprit, ne l'appelaient pas *Dieu,* parce que l'Écriture ne lui donne pas
explicitement ce titre de *Dieu.* Grégoire estime qu'il faut dire que
l'Esprit-Saint est Dieu, mais ne le dire que devant ceux qui sont capables
de comprendre cette vérité. Basile n'a jamais appelé le Saint-Esprit *Dieu;*
Grégoire le lui a discrètement reproché dans deux de ses *Lettres* (58 et

soleil, et une nourriture solide à ceux qui ne prennent encore que du lait[a1]. C'est peu à peu qu'il faut les conduire plus avant et les amener à ce qui est plus élevé, en octroyant une lumière par une lumière et en procurant une vérité par une vérité. C'est pourquoi, renonçant nous-mêmes à l'enseignement plus parfait – ce n'est pas encore le moment –, parlons-leur comme il suit.

7. Si vous ne reconnaissez pas, mes amis, que l'Esprit-Saint est incréé et en dehors du temps, vous êtes manifestement sous l'action de l'esprit opposé[2]; accorde à mon zèle quelque petit excès d'audace! Mais si vous avez une foi assez saine pour éviter l'impiété manifeste et pour mettre hors de la condition d'esclave celui précisément qui vous rend libres, examinez ce qui suit, avec le Saint-Esprit et avec nous, car je crois que vous avez quelque participation à l'Esprit, et dès lors j'examinerai la question comme avec des gens qui sont de chez nous : donnez-moi un intermédiaire entre la condition d'esclave et celle de maître, pour que j'y mette la dignité de l'Esprit; mais si vous évitez de le mettre au rang des esclaves, il n'est pas difficile de voir où vous placerez ce que nous cherchons[3]. Et pourtant les

---

59). La proclamation officielle de la divinité du Saint-Esprit sera faite quelques mois plus tard par le Concile de Constantinople (381). D'ailleurs, le symbole promulgué par ce concile ne dit pas que l'Esprit-Saint est Dieu, mais qu'il est *adoré* avec le Père et le Fils, ce qui revient au même, car l'adoration ne s'adresse qu'à Dieu. P.G.

2. L'Esprit du mal. P.G.

3. Ces personnes, comme on le déduit de ce passage, sont assez proches de Grégoire, des familiers (οἰκεῖοι), car leur position théologique, en ce qui concerne la pneumatologie, n'est pas très différente de la sienne (autre allusion à cette catégorie de personnes dans le *Discours* 31, 6). Leur opinion cependant, même s'ils ne sont pas totalement mal disposés à l'égard de l'Esprit-Saint, est insoutenable, car il n'existe pas de situation intermédiaire entre le pouvoir et la servitude, deux conditions que de telles personnes n'étaient pas disposées à attribuer à l'Esprit.

δυσχεραίνετε καὶ προσπταίετε τῇ φωνῇ καὶ λίθος προσκόμ-
ματος ὑμῖν τοῦτο γίνεται καὶ πέτρα σκανδάλου[a], ἐπεὶ καὶ
Χριστὸς[b] τισίν · ἀνθρώπινον τὸ πάθος. Συμβῶμεν ἀλλήλοις
15 πνευματικῶς, γενώμεθα φιλάδελφοι μᾶλλον ἢ φίλαυτοι.
D Δότε τὴν δύναμιν τῆς θεότητος καὶ δώσομεν ὑμῖν τῆς
φωνῆς τὴν συγχώρησιν · ὁμολογήσατε τὴν φύσιν ἐν ἄλλαις
440 A φωναῖς, αἷς αἰδεῖσθε μᾶλλον, καὶ ὡς ἀσθενεῖς ὑμᾶς ἰατρεύ-
σομεν · ἔστιν ἃ καὶ τῶν πρὸς ἡδονὴν παρακλέψαντες.
20 Αἰσχρὸν μὲν γάρ, αἰσχρὸν καὶ ἱκανῶς ἄλογον κατὰ ψυχὴν
ἐρρωμένους μικρολογεῖσθαι περὶ τὸν ἦχον καὶ κρύπτειν τὸν
θησαυρόν, ὥσπερ ἄλλοις βασκαίνοντας ἢ μὴ καὶ τὴν
γλῶσσαν ἁγιάσητε δεδοικότας · αἴσχιον δὲ ἡμῖν ὃ ἐγκα-
λοῦμεν παθεῖν καὶ μικρολογίαν καταγινώσκοντας αὐτοὺς
25 μικρολογεῖσθαι περὶ τὰ γράμματα.

B 8. Μιᾶς Θεότητος, ὦ οὗτοι, τὴν Τριάδα ὁμολογήσατε, εἰ
δὲ βούλεσθε, μιᾶς φύσεως · καὶ τὴν «Θεὸς» φωνὴν παρὰ
τοῦ Πνεύματος ὑμῖν αἰτήσομεν. Δώσει γάρ, εὖ οἶδα, ὁ τὸ
πρῶτον δοὺς καὶ τὸ δεύτερον, καὶ μάλιστα εἰ δειλία τις εἴη
5 πνευματική, μὴ ἔνστασις διαβολικὴ τὸ μαχόμενον. Ἔτι
σαφέστερον εἴπω καὶ συντομώτερον · μήτε ἡμᾶς εὐθύνητε
τῆς ὑψηλοτέρας φωνῆς — φθόνος γὰρ οὐδεὶς ἀναβάσεως —
οὔτε ἡμεῖς τὴν ἐφικτὴν τέως ὑμῖν ἐγκαλέσομεν, ἕως ἂν καὶ
δι' ἄλλης ὁδοῦ πρὸς τὸ αὐτὸ φέρησθε καταγώγιον. Οὐ

7, 16 δώσωμεν B Pg Pd corr. Pd² ‖ 17 ἄλλαις : ἀλλήλαις Smg. ‖ 22 ἢ n
R² Ald. Maur. : εἰ m Pg ‖ 23 δεδοικότες S Pd CRO Ve Pa corr. Pa mg. ‖
ἡμῖν om. Pd CRO Ve
8, 3 αἰτήσομεν n Pg Ald. Maur. : -ωμεν E -ομαι m Pa ‖ 5 καὶ μὴ
Maur. ‖ 6 μήτε ὑμεῖς ἡμᾶς Maur., quibus nisus Engelbrecht Rufinum
correxit ‖ 8 οὐδ' ἡμεῖς S Vb Vp D E Pg ‖ ἐγκαλέσωμεν ABW Rufinus

7. a. Is. 8, 14.   b. Cf. Rom. 9, 33.

1. Il s'agit, comme on le verra mieux par le début du chap. 8, du mot
Dieu (Θεός), titre que ces chrétiens n'osent pas donner à l'Esprit-Saint,
tout en croyant à sa divinité. P.G.

syllabes vous émeuvent, le mot vous fait broncher[1] et il devient pour vous «pierre d'achoppement et roc de scandale[a]»! D'ailleurs, le Christ fut cela pour quelques-uns[b]; c'est un sentiment humain. Mettons-nous d'accord selon l'Esprit. Soyons amis de nos frères plutôt qu'amis de nous-mêmes! Accordez-nous (pour l'Esprit) la puissance de la divinité et nous vous ferons la concession du mot. Reconnaissez sa nature en employant d'autres mots pour lesquels vous avez plus de respect, et nous vous soignerons comme des malades auxquels on concède furtivement quelques douceurs. Car c'est déjà une honte, oui une honte et un prodige d'aberration d'avoir une croyance saine et d'éprouver des scrupules pour un son, et de cacher ce trésor par je ne sais quelle malveillance à l'égard des autres ou par crainte de sanctifier votre langue; mais c'est une plus grande honte pour nous d'éprouver ce que nous vous reprochons, et de condamner votre scrupule en tenant nous-mêmes scrupuleusement aux lettres[2].

8. Confessez, mes amis, la Trinité d'une unique divinité ou, si vous le voulez, d'une unique nature, et nous demanderons pour vous à l'Esprit le mot «Dieu». Il donnera, je le sais bien, la seconde chose, celui qui a donné aussi la première, surtout si c'est une certaine timidité spirituelle et non un entêtement diabolique qui cause le débat. Parlons encore plus clairement et plus brièvement : ne nous censurez pas pour le mot trop élevé – il n'y a pas à jalouser cette ascension –, et nous ne vous ferons pas grief du mot auquel vous vous êtes tenus jusqu'ici[3], tant que vous vous dirigerez, quoique par un autre chemin, vers le

2. Comme on le voit par ces mots, Grégoire, qui n'a pas encore une position sûre en 379, tente de se faire des amis même de ceux qui n'ont pas encore le courage de proclamer ouvertement la divinité de l'Esprit.

3. C'est-à-dire : ne nous reprochez pas d'appeler l'Esprit-Saint *Dieu*, et nous ne vous reprocherons pas de dire : *l'Esprit-Saint* sans plus. P.G.

10 γὰρ νικῆσαι ζητοῦμεν, ἀλλὰ προσλαβεῖν ἀδελφούς, ὧν
τῷ χωρισμῷ σπαραττόμεθα. Ταῦτα ὑμῖν, παρ' οἷς τι καὶ
ζωτικὸν εὑρίσκομεν, τοῖς περὶ τὸν Υἱὸν ὑγιαίνουσιν, ὧν τὸν
C βίον θαυμάζοντες οὐκ ἐπαινοῦμεν πάντη τὸν λόγον · οἱ τὰ
τοῦ Πνεύματος ἔχοντες, καὶ τὸ Πνεῦμα προσλάβετε, ἵνα μὴ
15 ἀθλῆτε μόνον ἀλλὰ καὶ νομίμως, ἐξ οὗ καὶ ὁ στέφανος[a].
Οὗτος ὑμῖν δοθείη τῆς πολιτείας μισθός, ὁμολογῆσαι τὸ
Πνεῦμα τελείως καὶ κηρύξαι σὺν ἡμῖν τε καὶ πρὸ ἡμῶν
ὅσον ἄξιον. Τολμῶ τι καὶ μεῖζον ὑπὲρ ὑμῶν, τὸ τοῦ
Ἀποστόλου φθέγξασθαι. Τοσοῦτον ὑμῶν περιέχομαι καὶ
20 τοσοῦτον ὑμῶν αἰδοῦμαι τὴν εὔκοσμον ταύτην στολὴν καὶ
τὸ χρῶμα τῆς ἐγκρατείας καὶ τὰ ἱερὰ ταῦτα συστήματα
καὶ τὴν σεμνὴν παρθενίαν καὶ κάθαρσιν καὶ τὴν πάννυχον
ψαλμῳδίαν καὶ τὸ φιλόπτωχον καὶ φιλάδελφον καὶ φιλό-
ξενον, ὥστε καὶ ἀνάθεμα εἶναι ἀπὸ Χριστοῦ[b] καὶ παθεῖν τι,
25 ὡς κατάκριτος, δέχομαι · μόνον εἰ σταίητε μεθ' ἡμῶν καὶ
D κοινῇ τὴν Τριάδα δοξάσαιμεν. Περὶ γὰρ τῶν ἄλλων, τί χρὴ
καὶ λέγειν, σαφῶς τεθνηκότων – οὓς Χριστοῦ μόνου ἐγεῖραι,
τοῦ ζωοποιοῦντος τοὺς νεκροὺς κατὰ τὴν αὐτοῦ δύναμιν,
441A οἳ κακῶς τῷ τόπῳ χωρίζονται τῷ λόγῳ συνδεδεμένοι, καὶ
30 τοσοῦτον πρὸς ἀλλήλους ζυγομαχοῦσιν, ὅσον ὀφθαλμοὶ
διάστροφοι, τὸ ἓν βλέποντες, καὶ οὐ τῇ ὄψει, τῇ θέσει δὲ
στασιάζοντες; εἴ γε καὶ διαστροφὴν αὐτοῖς ἐγκλητέον, ἀλλὰ
μὴ τύφλωσιν.

Ἐπεὶ δὲ μετρίως ἐθέμην τὰ πρὸς ὑμᾶς, φέρε καὶ πρὸς
35 τὸ Πνεῦμα πάλιν ἐπανέλθωμεν · οἶμαι δὲ καὶ ὑμεῖς ἤδη
συνέψεσθε.

8, 11 σπαραττόμεθα S Pd CR Dmg. Vb Vp Pa : -σσόμεθα n O Ve D
Pg Ald. Maur. ‖ ταῦθ' S C Vb ‖ 13 πάντη om. n Pg Ald. ‖ 18 ὑμῶν :
ἡμῶν W E Vp ‖ 19 φθέγξομαι Pd CRO Ve Vp D Pg ‖ καὶ om. ABWQV
E Pg

8. a. Cf. II Tim. 2, 5.   b. Rom. 9, 3.

1. Ici sont visés ceux qui n'admettent pas la divinité de l'Esprit. P.G.
2. Puisqu'ils admettent la divinité du Père et celle du Fils. P.G.

même gîte. Nous cherchons non pas à vaincre, mais à gagner des frères dont la séparation est pour nous un déchirement. Voilà ce que nous vous disons, à vous chez qui nous trouvons un élément de vie, puisque votre pensée est saine au sujet du Fils; nous admirons votre vie, mais nous n'approuvons pas totalement votre langage; vous qui avez ce qui est de l'Esprit, accueillez aussi l'Esprit, afin de ne pas lutter sans plus, mais de «lutter selon les règles», ce qui vous vaudra «la couronne[a]». Puissiez-vous obtenir, pour prix de votre conduite, de confesser parfaitement l'Esprit et de le proclamer avec nous et devant nous autant qu'on le doit! Je ne crains pas de dire même plus encore à votre louange, en employant les termes de l'Apôtre: je vous suis si attaché, j'ai tant de respect pour la modestie qui paraît en vos vêtements, pour l'austérité que révèle votre visage, pour vos saintes assemblées, pour la virginité et la pureté qui font votre noblesse, pour vos chants des psaumes durant les nuits entières, pour votre amour envers les pauvres, envers vos frères et envers les étrangers, que je consens pour vous «à être anathème loin du Christ[b]» et à souffrir comme un réprouvé, pourvu que vous vous unissiez à nous et qu'ensemble nous glorifions la Trinité! Quant aux autres[1], que dire d'eux, sinon qu'ils sont visiblement des morts; que le Christ seul peut les ressusciter, lui qui rend la vie aux morts, selon sa propre puissance; qu'ils font scission de fait, et bien à tort, alors que la même doctrine les unit[2]; et qu'ils sont en dissidence avec leurs frères comme lorsque deux yeux, atteints de strabisme, se portant sur un même objet, divergent non point par la vision, mais par la direction du regard? Au vrai, est-ce un strabisme qu'il faut leur reprocher? N'est-ce point plutôt une cécité? Mais j'ai suffisamment fait état de ce qui nous concerne. Revenons à l'Esprit. J'espère que maintenant vous me suivez.

B 9. Τὸ Πνεῦμα τὸ ἅγιον ἦν μὲν ἀεὶ καὶ ἔστι καὶ ἔσται,
οὔτε ἀρξάμενον οὔτε παυσόμενον, ἀλλ' ἀεὶ Πατρὶ καὶ Υἱῷ
συντεταγμένον τε καὶ συναριθμούμενον · οὐδὲ γὰρ ἔπρεπεν
ἐλλείπειν ποτὲ ἢ Υἱὸν Πατρὶ ἢ Πνεῦμα Υἱῷ. Τῷ μεγίστῳ
5 γὰρ ἂν ἦν ἄδοξος ἡ θεότης, ὥσπερ ἐκ μεταμελείας ἐλθοῦσα
εἰς συμπλήρωσιν τελειότητος. Ἦν οὖν ἀεὶ μεταληπτόν[a], οὐ
μεταληπτικόν · τελειοῦν, οὐ τελειούμενον · πληροῦν[b], οὐ
πληρούμενον · ἁγιάζον[c], οὐχ ἁγιαζόμενον · θεοῦν[d], οὐ θεούμενον · αὐτὸ ἑαυτῷ ταὐτὸν ἀεὶ καὶ οἷς συντέτακται·
10 ἀόρατον, ἄχρονον, ἀχώρητον, ἀναλλοίωτον[e], ἄποιον, ἄπο-
σον, ἀνείδεον, ἀναφές, αὐτοκίνητον, ἀεικίνητον, αὐτεξού-
σιον[f], αὐτοδύναμον[g], παντοδύναμον[h] – εἰ καὶ πρὸς τὴν
πρώτην αἰτίαν, ὥσπερ τὰ τοῦ Μονογενοῦς ἅπαντα, οὕτω δὴ
καὶ τὰ τοῦ Πνεύματος ἀναπέμπεται · – ζωὴ καὶ ζωο-
15 ποιόν[i] · φῶς καὶ χορηγὸν φωτός[j] · αὐτοαγαθὸν[k] καὶ πηγὴ
C ἀγαθότητος · Πνεῦμα εὐθές[l], ἡγεμονικόν[m], κύριον[n], ἀπο-
στέλλον[o], ἀφορίζον[p], ναοποιοῦν[q] ἑαυτῷ, ὁδηγοῦν[r], ἐνεργοῦν

9, 3 post συντεταγμένον add. τε καὶ συνημμένον Vb²mg. T ‖ τε om.
Ald. Maur. ‖ οὐδὲ n E Pg Ald. Maur. : οὔτε m Pa ‖ 9 αὐτῷ ἑαυτῷ AB ‖
13 δὴ m Pa Ald. Maur. : δὲ n E Pg ‖ 14 ζωοποιοῦν A S Pd mg.

9. a. Cf. I Cor. 6, 11.   b. Sag. 1, 7.   c. I Cor. 6, 11.   d. Cf. I Cor.
3, 16-17; 6, 19. II Cor. 6, 16.   e. Sag. 7, 23.   f. Sag. 7, 23.   g. Cf. II
Cor. 3, 17.   h. Sag. 7, 23.   i. Cf. Jn 6, 63.   j. Cf. Jn 14, 26.   k. Ps.
142, 10.   l. Ps. 50, 12 (LXX).   m. Ps. 50, 14 (LXX).   n. II Cor.
3, 17.   o. Cf. Act. 13, 4.   p. Cf. Act. 13, 2.   q. I Cor. 3, 16; 6, 19.
II Cor. 6, 16.   r. Ps. 142, 10. Is. 63, 14.

1. Grégoire attribue à l'Esprit-Saint les mêmes caractéristiques que
celles qu'il énumère pour la nature divine dans son ensemble (cf. supra,
Discours 38, 7). Ainsi, peu après, ce qui est particulier au Fils et à l'Esprit
est également rapporté à la Cause Première.
2. C'est le terme technique de la pneumatologie de Basile, que
Grégoire emploiera encore dans le Discours 31, 17. Que ce soit chez
BASILE (Sur le Saint-Esprit 17, 41 s., SC 17 bis, p. 392 s.) ou chez
Grégoire, συναριθμεῖν est employé dans la polémique avec les peumato-

9. L'Esprit-Saint était toujours, il est et il sera[1] : il n'a pas commencé, il ne finira point; toujours il est uni au Père et au Fils et compté avec eux[2]. Il ne convenait pas, en effet, qu'à un moment quelconque le Fils manquât au Père, ou l'Esprit au Fils : ce serait le comble du déshonneur pour la divinité d'être arrivée à regret, en quelque sorte, à la plénitude de la perfection[3]. Depuis toujours l'Esprit se communique[a] sans participer à d'autres[4]; il perfectionne[5], mais ne tient pas d'ailleurs sa perfection; il remplit[b], mais il n'est pas rempli[6]; il sanctifie[c], mais il n'est pas sanctifié; il déifie[d], mais il n'est pas déifié; il est toujours identique à lui-même et à Ceux auxquels il est uni; il est invisible; il est hors du temps; il est hors de l'espace; il ne change pas[e]; il n'a ni qualité, ni quantité, ni forme extérieure, ni réalité tangible; il se meut lui-même, il se meut sans cesse; il est libre[f]; il est puissant par lui-même[g], il est tout-puissant[h], encore que tout se rapporte à la cause première, aussi bien tout ce qui est au Fils unique que ce qui est à l'Esprit. Il est vie et il vivifie[i]; il est lumière et il dispense la lumière[j]; il est bon[k] par lui-même et source de bonté; il est l'Esprit droit[l], souverain[m], seigneur[n]; il envoie[o], il met à part[p], il s'édifie un temple[q], il guide[r], il opère à son gré[s], il

maques qui voulaient plutôt introduire le concept de «sous-numération» (ὑπαρίθμησις), c'est-à-dire énumérer en plaçant l'Esprit à un rang inférieur par rapport aux deux autres Personnes.

3. Si l'Esprit n'existait pas *ab initio* avec le Père et le Fils, il faudrait qu'il ait été surajouté ensuite à cause d'un manque dans la nature divine : ce raisonnement se retrouve dans la polémique contre les macédoniens (cf. GRÉGOIRE DE NYSSE, *Adv. Macedon.*, p. 91, 2 s. Müller).

4. On participe à l'Esprit, il ne participe pas aux autres (cf. *Discours* 31, 29 : *SC* 250, p. 334).

5. Définition courante de l'activité spécifique de l'Esprit-Saint : cf. *Discours* 31, 29 (*SC* 250, p. 334) et GRÉGOIRE DE NYSSE, *Adv. Macedon.*, p. 95-96 Müller.

6. Pour ces autres définitions de l'Esprit, cf. *Discours* 31, 29 : *SC* 250, p. 334 s.

ὡς βούλεται[s], διαιροῦν[t] χαρίσματα · Πνεῦμα υἱοθεσίας[u],
ἀληθείας[v], σοφίας, συνέσεως, γνώσεως, εὐσεβείας, βουλῆς,
20 ἰσχύος, φόβου, τῶν ἀπηριθμημένων[w] · δι' οὗ Πατὴρ
γινώσκεται καὶ Υἱὸς δοξάζεται[x] καὶ παρ' ὧν μόνων
γινώσκεται · μία σύνταξις, λατρεία μία, προσκύνησις,
δύναμις, τελειότης, ἁγιασμός. Τί μοι μακρολογεῖν; Πάντα
ὅσα ὁ Πατὴρ τοῦ Υἱοῦ, πλὴν ἀγεννησίας. Πάντα ὅσα ὁ
25 Υἱός, τοῦ Πνεύματος, πλὴν γεννήσεως. Ταῦτα δὲ οὐκ
οὐσίας ἀφορίζει, κατά γε τὸν ἐμὸν λόγον, περὶ οὐσίαν δὲ
ἀφορίζεται.

D   10. Ὠδίνεις τὰς ἀντιθέσεις; ἐγὼ δὲ τοῦ λόγου τὸν
δρόμον. Τίμησον τὴν ἡμέραν τοῦ Πνεύματος · ἐπίσχες
μικρὸν τὴν γλῶτταν, εἰ δυνατόν. Περὶ ἄλλων γλωσσῶν[a] ὁ
444Α λόγος · ταύτας αἰδέσθητι ἢ φοβήθητι, μετὰ πυρὸς ὁρω-
5 μένας. Σήμερον δογματίσωμεν, αὔριον τεχνολογήσωμεν ·
σήμερον ἑορτάσωμεν, αὔριον ἀσχημονήσωμεν. Ταῦτα
μυστικῶς, ἐκεῖνα θεατρικῶς · ταῦτα ταῖς ἐκκλησίαις, ἐκεῖνα
ταῖς ἀγοραῖς · ταῦτα τοῖς νήφουσιν, ἐκεῖνα τοῖς μεθύουσιν ·
ταῦτα σπουδαζόντων, ἐκεῖνα παιζόντων κατὰ τοῦ Πνεύ-
10 ματος.

9, 22 γινώσκεται : κηρύττεται Ε ‖ 24 τῆς ἀγεννησίας Maur. ‖ 25 τῆς
γεννήσεως Maur. ‖ 26 περιουσίαν CRO περιουσία S
10, 3 γλῶσσαν Ε D B corr. Dmg. ‖ 4 διὰ πυρὸς C RO Ve

9. s. I Cor. 12, 11.   t. Ibid.   u. Rom. 8, 15.   v. Jn 14, 17; 15, 26.
w. Is. 11, 2 (LXX).   x. Cf. Jn 16, 14.
10. a. Cf. Act. 2, 3.

9, 23-24 πάντα ὅσα — ἀγεννησίας cf. IOH. DAMASC., Expos. fidei, 8,
p. 23, 117 Kotter

1. Comme l'avait déjà expliqué BASILE (cf. Sur le Saint-Esprit 26, 64,
SC 17 bis, p. 476), c'est l'Esprit-Saint qui nous permet de connaître le
Père et le Fils.

distribue[t] les grâces; il est l'Esprit d'adoption[u], de vérité[v],
de sagesse, d'intelligence, de science, de piété, de conseil,
de force, de crainte, suivant l'énumération[w]. C'est par lui
que le Père est connu, que le Fils est glorifié[x1], et il n'est
connu que d'eux seuls; ils forment un seul ensemble, avec
unité de culte, d'adoration, de puissance, de perfection, de
sainteté. Ai-je besoin de parler longuement? Tout ce qui
est au Père est au Fils, sauf d'être inengendré; tout ce qui
est au Fils est à l'Esprit, sauf d'être engendré. Ces
choses-là[2] ne divisent pas la substance, à mon avis, mais
elles se divisent à propos de la substance.

10. Tu veux donner le jour à tes objections? Et moi, à la
suite de mon discours. Honore le jour de l'Esprit. Retiens
un peu ta langue, si c'est possible; c'est d'autres langues[a]
qu'il s'agit[3]; respecte-les, ou crains, puisque tu les vois
accompagnées de feu. Aujourd'hui, enseignons; à demain,
les arguties[4]! Aujourd'hui, célébrons la fête; à demain, les
manques de courtoisie! Ici, le mystère; là, le théâtre. Ici, les
églises, là, les places publiques. Ici, la tempérance; là,
l'ivresse. Ici, le propos est sérieux; là on plaisante contre

2. Nous gardons l'expression du texte, qui est vague. L'auteur fait
allusion aux «propriétés» (ἰδιότητες), ou mieux aux «relations» (σχέσεις)
qui distinguent entre elles les personnes de la Trinité. Ailleurs, il
emploie bien ces mots de «propriétés» (p. ex. *Discours* 29, 12; 31, 9;
28, 31 : *SC* 250, p. 200, 292, 330, 338) et de «relations» (p. ex. *Discours*
31, 9 : *ibid*, p. 292). P.G.

3. Les langues de feu, sous la forme desquelles l'Esprit-Saint est
apparu à la Pentecôte. P.G.

4. Le terme a l'acception négative typique de Grégoire, qui
l'applique habituellement à la polémique contre Eunome et son école
(cf. *Discours* 27, 2; 29, 21; 31, 18); cependant il peut désigner également,
d'une manière générale, les subtilités et les dissertations des hérétiques,
quels qu'ils soient : cf. BASILE, *Sur le Saint-Esprit* 4, 6; 6, 13, *SC* 17 bis,
p. 270, 286.

Ἐπεὶ δὲ ἀπεσκευασάμεθα τὸ ἀλλότριον, φέρε, καταρτί-
σωμεν τὸ ἡμέτερον.

11. Τοῦτο ἐνήργει, πρότερον μὲν ἐν ταῖς ἀγγελικαῖς καὶ
οὐρανίοις δυνάμεσι καὶ ὅσαι πρῶται μετὰ Θεὸν καὶ περὶ
Θεόν. Οὐ γὰρ ἄλλοθεν αὐταῖς ἡ τελείωσις καὶ ἡ ἔλλαμψις
καὶ τὸ πρὸς κακίαν δυσκίνητον ἢ ἀκίνητον, ἢ παρὰ τοῦ
5 ἁγίου Πνεύματος. Ἔπειτα ἐν τοῖς Πατράσι καὶ ἐν τοῖς
Προφήταις, ὧν οἱ μὲν ἐφαντάσθησαν Θεὸν ἢ ἔγνωσαν, οἱ δὲ
B καὶ τὸ μέλλον προέγνωσαν τυπούμενοι τῷ Πνεύματι τὸ
ἡγεμονικὸν καὶ ὡς παροῦσι συνόντες τοῖς ἐσομένοις·
τοιαύτη γὰρ ἡ τοῦ Πνεύματος δύναμις. Ἔπειτα ἐν τοῖς
10 Χριστοῦ μαθηταῖς — ἐῶ γὰρ Χριστὸν εἰπεῖν, ᾧ παρῆν, οὐχ
ὡς ἐνεργοῦν, ἀλλ᾽ ὡς ὁμοτίμῳ συμπαρομαρτοῦν —, καὶ
τούτοις τρισσῶς, καθ᾽ ὅσον οἷοί τε ἦσαν χωρεῖν, καὶ κατὰ
καιροὺς τρεῖς· πρὶν δοξασθῆναι Χριστὸν τῷ πάθει, μετὰ τὸ
δοξασθῆναι τῇ ἀναστάσει, μετὰ τὴν εἰς οὐρανοὺς ἀνάβασιν
15 ἢ ἀποκατάστασιν ἢ ὅ τι χρὴ λέγειν. Δηλοῖ δὲ ἡ πρώτη τῶν
νόσων καὶ ἡ τῶν πνευμάτων κάθαρσις[a], οὐκ ἄνευ Πνεύματος δηλαδὴ γινομένη, καὶ τὸ μετὰ τὴν οἰκονομίαν
ἐμφύσημα[b], σαφῶς ὂν ἔμπνευσις θειοτέρα, καὶ ὁ νῦν

10, 11 δὲ ABWQTV Pc O² ras. Ald. Maur. : δὴ Pd Vb D Pg δὴ δὲ S
CROmg. Ve Vp Z Pa
11, 3 ἤ² om. A ǁ 7-8 τῷ ἡγεμονικῷ A E Pc Pdmg. το (sic) ἡγεμονικῷ
Pg ǁ 11 ὁμοτίμως S Pc ὁμοτίμω* B ǁ 12 οἷοι BQTVZ E D Pa Ald.
Maur. : οἵον A W (ut uid.) S Pd CRO Ve Vb Vp Dmg. Pc Pg ǁ 16 καὶ
τῶν πνευμάτων BZ C RO Ve ǁ 17 γενομένη Ald. Maur.

11. a. Cf. *Matth.* 10, 1. *Mc* 3, 15. *Lc* 9, 1.   b. Cf. *Jn* 20, 22.

1. Sur la nature, la perfection et la sanctification des natures angéliques, voir ce qui a déjà été dit en note au *Discours* 38, 9.
2. Le terme τὸ ἡγεμονικόν, comme on l'a vu d'autres fois (*Discours*
37, 14; 38, 7; 40, 37), est d'origine stoïcienne; il désigne «la partie
dominante» de l'âme, c'est-à-dire l'intellect.
3. Le terme ὁμότιμον («ayant même dignité») nous ramène donc à la
pneumatologie basilienne, pour laquelle ce mot est fondamental, on le

l'Esprit. Et maintenant que nous avons écarté ce qui est étranger, allons, établissons ce qui est nôtre.

11. L'Esprit a d'abord exercé son action dans les puissances angéliques et célestes, et dans toutes celles qui sont les premières après Dieu et qui sont autour de Dieu. En effet, ce n'est pas d'ailleurs qu'elles tiennent leur perfection, leur illumination, la difficulté ou plutôt l'impossibilité de se laisser aller au mal; tout cela ne leur vient que du Saint-Esprit[1]. Puis il a agi dans les Patriarches et les Prophètes : les uns ont perçu une image de Dieu ou l'ont connu; les autres ont prédit l'avenir grâce à une impression produite par l'Esprit sur la partie directrice[2] de leur âme : ils assistaient aux événements futurs comme à des faits présents. Telle est la puissance de l'Esprit. Puis il opère dans les disciples du Christ – car je ne parle pas du Christ auquel l'Esprit était présent, non par son action, mais l'accompagnant comme ayant même dignité[3]; dans les disciples il agit de trois manières, suivant leur capacité à le recevoir, et à trois moments; avant que le Christ soit glorifié par sa Passion, après qu'il a été glorifié par la résurrection, et après sa montée aux cieux, ou son rétablissement – ou ce qu'il faut dire. Les preuves en sont tout d'abord la purification des maladies et des esprits[a], ce qui ne se fit pas, évidemment, sans l'Esprit; et après l'économie[1]», l'insufflation[b], ce qui marque clairement une inspiration plus divine; et c'est maintenant la division en

---

sait (cf. *Sur le Saint-Esprit*). Ainsi Grégoire, en 379, alors qu'il prononce le *Discours* 41, est encore lié à l'«économie» de Basile à propos de la divinité de l'Esprit; mais peu de temps après il en viendra à affirmer explicitement que l'Esprit est «consubstantiel» (ὁμοούσιον) (voir *Discours* 31, 10 *SC* 250, p. 292; 31, 29, p. 334). Sans doute, dans ce *Discours* 41 (ci-dessous, chap. 12), on trouve ὁμοούσιον, mais il y paraît encore étroitement lié à ὁμότιμον. La concorde entre l'Esprit et le Fils est soulignée également dans le *Discours* 29, 2.

1. Pour le sens de ce mot, voir *Discours* 38, 8, p. 119, n. 2. P.G.

μερισμὸς τῶν πυρίνων γλωσσῶν[c], ὃ καὶ πανηγυρίζομεν.
C 20 Ἀλλὰ τὸ μὲν πρῶτον ἀμυδρῶς · τὸ δὲ δεύτερον ἐκτυπώ-
τερον · τὸ δὲ νῦν τελεώτερον, οὐκέτι ἐνεργείᾳ παρὸν ὡς
πρότερον, οὐσιωδῶς δέ, ὡς ἂν εἴποι τις, συγγινόμενόν τε
καὶ συμπολιτευόμενον. Ἔπρεπε γάρ, Υἱοῦ σωματικῶς ἡμῖν
ὁμιλήσαντος, καὶ αὐτὸ φανῆναι σωματικῶς, καὶ Χριστοῦ
25 πρὸς ἑαυτὸν ἐπανελθόντος, ἐκεῖνο πρὸς ἡμᾶς κατελθεῖν ·
ἐρχόμενον[d] μὲν ὡς Κύριον, πεμπόμενον[e] δὲ ὡς οὐκ ἀντί-
θεον. Αἱ γὰρ τοιαῦται φωναὶ οὐχ ἧττον τὴν ὁμόνοιαν
δηλοῦσιν ἢ φύσεις χωρίζουσιν.

D 12. Διὰ τοῦτο μετὰ Χριστὸν μέν, ἵνα Παράκλητος ἡμῖν
μὴ λείπῃ · «Ἄλλος[a]» δέ, ἵνα σὺ τὴν ἰσοτιμίαν ἐνθυμηθῇς.
445 A Τὸ γὰρ «ἄλλος», «ἄλλος ἐγώ» καθίσταται. Τοῦτο δὲ
συνδεσποτείας, ἀλλ' οὐκ ἀτιμίας ὄνομα. Τὸ γὰρ «ἄλλος»
5 οὐκ ἐπὶ τῶν ἀλλοτρίων, ἀλλ' ἐπὶ τῶν ὁμοουσίων οἶδα
λεγόμενον. Ἐν γλώσσαις[b] δέ, διὰ τὴν πρὸς τὸν Λόγον
οἰκείωσιν. Πυρίναις δέ[c], ζητῶ πότερον διὰ τὴν κάθαρσιν
– οἶδε γὰρ ὁ λόγος ἡμῶν καὶ πῦρ καθαρτήριον, ὡς
πολλαχόθεν[d] βουλομένοις ὑπάρχει μαθεῖν – ἢ διὰ τὴν
10 οὐσίαν. Πῦρ γὰρ ὁ Θεὸς ἡμῶν[e] καὶ πῦρ καταναλίσκον τὴν
μοχθηρίαν, κἂν πάλιν ἀγανακτῇς τῷ ὁμοουσίῳ στενοχωρού-
μενος. Μεριζομέναις δέ[f], διὰ τὸ τῶν χαρισμάτων διάφορον ·
καθεζομέναις δέ[g], διὰ τὸ βασιλικὸν καὶ τὴν ἐπὶ τοῖς

11, 19 ὃ S Pd C RO Ve QZ Pa Pc Ald. Maur. : ᾧ ABTV Vb Vp D E
Pg W deperditum

12, 2 ἄλλως SD corr. S² || σὺ in ras. B σοι A || ὁμοτιμίαν Maur. || 3 ante
ἐγὼ add. οἷος Pa Pc Pd CRO Ve Maur. οἶον add. Vp eras. Pd² Vp² ||
9 πανταχόθεν E Pg Maur. || 11 ἀγανακτεῖς S Pa || 13 ἐπὶ m VT (in ras.)
Z E Pa Pg : ἐν ABWQ Ald. Maur. in sanctis Rufinus

11. c. Cf. Act. 2, 3. d. Cf. Jn 16, 8. e. Cf. Jn 14, 16-17.
12. a. Jn 14-16. b. Act. 2, 3. c. Ibid. d. Cf. Ps. 11, 7; 16, 3;
65, 10. Is. 9, 18. Jér. 23, 29. Mal. 3, 2-3. e. Deut. 4, 24. f. Cf. Act.
2, 3. g. Cf. ibid.

langues de feu[c], ce que nous célébrons. La première
manifestation était obscure; la seconde, plus expressive;
celle d'aujourd'hui est plus parfaite : l'Esprit n'est plus
seulement là par son action, comme précédemment, mais
c'est substantiellement, pourrait-on dire, qu'il est présent
aux Apôtres et réside avec eux. Et de fait il convenait,
puisque le Fils avait habité parmi nous corporellement, que
l'Esprit se manifestât aussi corporellement; puisque le
Christ était remonté dans son séjour, que l'Esprit descendît
vers nous, «venant[d]» en tant que Seigneur, «envoyé[e]» en
tant qu'il n'est pas opposé à Dieu : de tels mots montrent
aussi bien l'harmonie que la séparation des natures.

12. Aussi vient-il après le Christ, pour que le «Paraclet»
ne nous manque pas; c'est «un autre Paraclet[a]», afin que tu
entendes qu'il a égale dignité, car «autre» signifie «un
autre moi-même», c'est l'indication d'une communauté de
puissance, non d'une absence de dignité; «autre» se dit, je
le sais, non pas de ceux qui sont sans rapports entre eux,
mais de ceux qui ont même substance. Il vient en langues[b],
à cause de sa parenté avec le Verbe[1]. Ce sont des langues de
feu[c]; je me demande si ce n'est pas à cause de la
purification[2], car notre Parole[3] le connaît aussi comme un
feu purificateur – ainsi que cela résulte de plusieurs
passages[d], pour ceux qui veulent s'instruire –, ou à cause
de sa substance, car notre Dieu est «un Feu», et «un Feu
qui consume[e]» l'iniquité, même si tu te fâches encore
d'être acculé au «consubstantiel». Les langues se divisent[f]
à cause de la diversité des dons. Elles se posent sur
chacun[g], parce que l'Esprit a la dignité royale et se repose

1. Le Verbe, ou la Parole *(Logos);* d'où le rapprochement entre les
langues et le *Verbe* divin. P.G.
2. Le feu est considéré ici dans sa réalité essentielle et son activité
purificatrice, comme dans le *Discours* 40, 36.
3. C'est-à-dire la Sainte Écriture. P.G.

ἁγίοις ἀνάπαυσιν, ἐπεὶ καὶ Θεοῦ θρόνος τὰ χερουβίμ[h].
15 Ἐν ὑπερῴῳ[i] δέ – εἰ μή τῳ περιεργότερος εἶναι δοκῶ τοῦ
δέοντος – διὰ τὴν ἀνάβασιν τῶν δεξομένων καὶ τὴν
B χαμόθεν ἔπαρσιν, ἐπεὶ καὶ ὕδασι θείοις ὑπερῴᾳ τινὰ στεγά-
ζεται, δι' ὧν ὑμνεῖται Θεός[j]. Καὶ Ἰησοῦς αὐτὸς ἐν ὑπερῴῳ
τοῦ μυστηρίου κοινωνεῖ τοῖς τὰ ὑψηλότερα τελουμένοις[k],
20 ἵνα ἐκεῖνο παραδειχθῇ, ὅτι τὸ μέν τι καταβῆναι δεῖ Θεὸν
πρὸς ἡμᾶς, ὃ καὶ πρότερον ἐπὶ Μωϋσέως οἶδα γενόμενον[l],
τὸ δὲ ἡμᾶς ἀναβῆναι, καὶ οὕτω γενέσθαι κοινωνίαν Θεοῦ
πρὸς ἀνθρώπους, τῆς ἀξίας συγκιρναμένης. Ἕως δ' ἂν
ἑκάτερον ἐπὶ τῆς ἰδίας μένῃ, τὸ μὲν περιωπῆς[m], τὸ δὲ
25 ταπεινώσεως, ἄμικτος ἡ ἀγαθότης καὶ τὸ φιλάνθρωπον
ἀκοινώνητον, καὶ χάσμα ἐν μέσῳ μέγα καὶ ἀδιάβατον[n],
οὗ τὸν πλούσιον τοῦ Λαζάρου μόνον καὶ τῶν ὀρεκτῶν
Ἀβραὰμ κόλπων[o] διεῖργον, τὴν δὲ γενητὴν φύσιν καὶ
ῥέουσαν τῆς ἀγενήτου καὶ ἑστηκυίας.

C   13. Τοῦτο ἐκηρύχθη μὲν ὑπὸ προφητῶν, ὡς ἐν τῷ
« Πνεῦμα Κυρίου ἐπ' ἐμέ, οὗ εἵνεκεν ἔχρισέν με[a]» · καὶ

12, 21 πρὸς ἡμᾶς : δι' ἡμᾶς Pc ‖ μωσέως n E Pd ‖ 23 δ' ἂν om.
Maximus ‖ 26 ἐν μέσῳ μέγα m QZ Pa Pc Ald. Maur. : μέγα ἐν μέσῳ
ABWTV E Maximus μέγα om. Pg ‖ 25 ἄμικτος — 15, 15 λαλούντων
deficit iactura folii unius Vb ‖ 27 μόνον om. Maximus ‖ 28 τοῦ Ἀβραὰμ
Maximus ‖ πᾶσαν δὲ τὴν Maximus ‖ γεννητὴν S T E Ald. ‖ 29 ἀγεννήτου
SD TZ W³ Ald.
13, 1 τῶν προφητῶν B Maur. ‖ 2 οὗ εἵνεκεν ἔχρισέν με om. n E Pg Ald.
Maur.

12. h. *Ps.* 79, 2. Cf. *Is.* 37, 16. i. *Act.* 1, 13; cf. *Act.* 2, 1.
j. Cf. *Ps.* 103, 13. k. Cf. *Is.* 63, 14. l. Cf. *Ex.* 3, 8; 19, 18. m.
Cf. *Is.* 21, 8. *Ps.* 13, 2; 52, 3. n. *Lc* 16, 26. o. Cf. *Lc* 16, 23.
13. a. *Is.* 61, 1.

12, 23 ἕως δ' ἂν — 29 καὶ ἑστηκυίας MAXIMUS, *Ambigua*, PG 91,
1413 A

1. Ce passage, d'allure sibylline, s'éclaire si l'on y voit une allusion

sur les saints, puisque Dieu «a pour trône les Chérubins[h]».
Tout cela s'accomplit dans «la chambre haute[i]»; si l'on ne
me trouve pas plus subtil qu'il ne faut, c'est à cause de la
hauteur de ceux qui vont recevoir l'Esprit et à cause de leur
élévation au-dessus de la terre, car certaines chambres
hautes sont aussi recouvertes des eaux divines par lesquelles Dieu est loué[j1]. Et Jésus lui-même, c'est dans une
chambre haute qu'il fait participer au Mystère[2], ceux qu'il
initie à ce qu'il y a de plus élevé[k], afin de montrer d'une
part qu'il faut que Dieu descende vers nous – ce qui s'est
fait précédemment, je le sais, au temps de Moïse[1] –, et
d'autre part que nous devons monter et qu'ainsi s'accom-
plisse l'union de Dieu avec les hommes par fusion de
dignité. Tant que chacun reste à sa place, l'un dans sa
guette[m3], l'autre dans sa bassesse, la bonté ne se mêle pas,
l'amour pour les hommes ne se communique pas : il y a
entre les deux «un abîme grand» et infranchissable[n] non
seulement pour écarter le riche de Lazare et du sein
d'Abraham[o] qu'il envie, mais pour écarter la nature
procréée et ondoyante de celle qui est inengendrée et
stable.

13. L'Esprit a été proclamé par des Prophètes, par
exemple dans les textes : «L'Esprit du Seigneur est sur
moi; c'est pourquoi il m'a donné l'onction[a]»; «Sur Lui se

au texte : «De sa haute demeure, (Dieu) arrose les montagnes»
(*Ps.* 103, 13), détail donné par le psalmiste pour illustrer l'invocation :
«Mon âme, bénis le Seigneur» (*ibid.* 1). Les Mauristes donnent deux
références scripturaires qui n'ont aucun rapport avec ce que dit
Grégoire. P.G.

2. Il s'agit évidemment de l'Eucharistie. P.G.

3. Cf. *Discours* 37, 3. Περιωπή désigne un lieu d'observation. Allusion
à *Isaïe* 29, 8 où il est question de «la guette du Seigneur» (σκοπιὰν
Κυρίου); Grégoire emploie περιωπή, qui est plus rare que σκοπιά. On
peut aussi faire un rapprochement avec le texte : «Du ciel (Dieu) regarde
les fils des hommes» (*Ps.* 13, 2; 52, 3). P.G.

«ἐπαναπαύσεται ἐπ' αὐτὸν ἑπτὰ Πνεύματα[b]» καὶ «κατέβη
Πνεῦμα Κυρίου καὶ ὡδήγησεν αὐτούς[c]»· καὶ Πνεῦμα
5 ἐπιστήμης ἐμπλῆσαν Βεσελεὴλ τὸν ἀρχιτέκτονα τῆς σκη-
νῆς[d]· καὶ Πνεῦμα παροξυνόμενον[e]· καὶ Πνεῦμα ἐξᾶραν
Ἡλίαν ἐν ἅρματι, καὶ ζητηθὲν παρὰ Ἐλισσαίου διπλά-
σιον[f]· καὶ πνεύματι ἀγαθῷ καὶ ἡγεμονικῷ Δαβὶδ ὁδηγού-
μενός τε καὶ στεριζόμενος[g]. Ἐπηγγέλθη δέ, ὑπὸ μὲν Ἰωὴλ
10 πρότερον· «Καὶ ἔσται ἐν ταῖς ἐσχάταις ἡμέραις»,
D λέγοντος· «ἐκχεῶ ἀπὸ τοῦ Πνεύματός μου ἐπὶ πᾶσαν
448A σάρκα — δηλαδὴ τὴν πιστεύσασαν — καὶ ἐπὶ τοὺς υἱοὺς
ὑμῶν καὶ ἐπὶ τὰς θυγατέρας ὑμῶν[h]», καὶ τὰ ἑξῆς· ὑπὸ δὲ
Ἰησοῦ[i] καὶ ὕστερον, δοξαζομένου[j] τε καὶ ἀντιδοξάζοντος[k],
15 ὡς τὸν Πατέρα[l] καὶ ὑπὸ τοῦ Πατρός[m]. Καὶ ἡ ἐπαγγελία
ὡς δαψιλής· συνδιαιωνίσειν[n] καὶ συμπαραμενεῖν, εἴτουν νῦν
τοῖς κατὰ καιρὸν ἀξίοις εἴτε ὕστερον τοῖς τῶν ἐκεῖσε
ἀξιουμένοις, ὅταν ὁλόκληρον αὐτὸ τῇ πολιτείᾳ φυλάξωμεν,
ἀλλὰ μὴ τοσοῦτον ἀποβάλωμεν καθ' ὅσον ἂν ἁμαρτάνωμεν.

14. Τοῦτο τὸ Πνεῦμα συνδημιουργεῖ μὲν Υἱῷ καὶ τὴν
κτίσιν καὶ τὴν ἀνάστασιν. Καὶ πειθέτω σε τὸ «Τῷ Λόγῳ
B Κυρίου οἱ οὐρανοὶ ἐστερεώθησαν καὶ τῷ Πνεύματι τοῦ
στόματος αὐτοῦ πᾶσα ἡ δύναμις αὐτῶν[a]»· «Πνεῦμά»
5 τε «θεῖον τὸ ποιῆσάν με· πνοὴ δὲ παντοκράτορος ἡ
διδάσκουσά με[b]»· καὶ πάλιν· «Ἐξαποστελεῖς τὸ Πνεῦμά
σου καὶ κτισθήσονται καὶ ἀνακαινιεῖς τὸ πρόσωπον τῆς
γῆς[c].» Δημιουργεῖ δὲ τὴν πνευματικὴν ἀναγέννησιν, καὶ
πειθέτω σε τὸ «Μηδένα δύνασθαι τὴν βασιλείαν ἰδεῖν ἢ
10 λαβεῖν, ὅς τις μὴ ἄνωθεν ἐγεννήθη Πνεύματι[d]», καὶ τὴν
προτέραν ἐκαθαρίσθη γέννησιν, ἢ νυκτός ἐστι μυστήριον,

13, 3 ἀναπαύσεται Ald. Maur. ‖ 5 τὸν βεσελεὴλ AWV ‖ 9 δέ n E O²
Ve² Ald. Maur. : μὲν m Pa Pc Pg ‖ μὲν n E Ve² Ald. Maur. : om. m Pa Pc
Pg ‖ 12 πιστεύουσαν S² Ald. Maur. ‖ 16 συνδιαιωνίζειν Maur. ‖ συμπαρα-
μενεῖν VT Ald. Maur. : -μένειν cett. codd. (παραμένειν Q) ‖ εἴτουν : εἴτε Pd C
RO Ve ‖ 19 ἀποβάλλωμεν Pg
14, 5 τε : δὲ AQ

reposeront sept esprits[b]», «L'Esprit du Seigneur descendit
et vint les guider[c]». Et l'Esprit de science remplit Béséléel,
celui qui aménagea la Tente[d]. Et l'Esprit s'irrite[e]; l'Esprit
enlève Élie dans un char, et un double esprit est demandé
par Élisée[f], et c'est par un Esprit bon et apte à diriger que
David est conduit et affermi[g]. L'Esprit a été promis par
Joël en premier lieu : «Et il arrivera dans les derniers jours,
dit-il, que je répandrai de mon Esprit sur toute chair» -
évidemment sur celle qui a la foi – «et sur vos fils et sur vos
filles[h]» et la suite. Plus tard il est aussi promis par Jésus[i]
qui, glorifié par l'Esprit[j], glorifie ce dernier en retour[k], de
même qu'il glorifie le Père[l] et qu'il est glorifié par le Père[m].
Et la promesse – avec quelle abondance ! – durera éternellement[n] et subsistera soit avec ceux qui maintenant en sont
dignes dans le moment, soit plus tard avec ceux qui sont
jugés dignes des biens d'en haut, lorsque nous aurons, par
notre manière de vivre, gardé intact l'Esprit-Saint et que
nous ne l'aurons pas chassé selon la mesure de nos péchés.

14. Cet Esprit prend part avec le Fils à la création et à la
résurrection. Crois-en les textes : «Par la parole du Seigneur les cieux ont été affermis, et par le souffle de sa
bouche toute leur puissance[a]»; «C'est l'Esprit divin qui
m'a fait, c'est le souffle du Tout-Puissant qui m'instruit[b]»;
et encore : «Tu enverras ton Esprit et ils seront créés, et tu
renouvelleras la face de la terre[c].» Il opère aussi la
régénération spirituelle; crois-en le texte : «Nul ne peut
voir le Royaume ou le recevoir, s'il n'est pas né d'en haut
par l'Esprit[d]», et s'il n'a pas été purifié de sa première
naissance – qui est un mystère de nuit – par un modelage

---

13. b. *Is.* 11, 2.   c. *Is.* 63, 14.   d. Cf. *Ex.* 35, 30-36, 1.   e. Cf. *Is.*
63, 10.   f. Cf. IV *Rois* 2, 11.19.   g. Cf. *Ps.* 142, 10; 50, 14.   h. *Joël*
2, 28.   i. Cf. *Jn* 14, 16.   j. Cf. *Jn* 16, 14.   k. Cf. *Jn* 16, 13.   l. Cf. *Jn*
8, 49.   m. Cf. *Jn* 8, 54.   n. Cf. *Jn* 14, 16.
14. a. *Ps.* 32, 6.   b. *Job* 33, 4 (LXX).   c. *Ps.* 103, 30.   d. *Jn* 3, 5.

ἡμερινῇ καὶ φωτεινῇ διαπλάσει, ᾗ καθ' ἑαυτὸν ἕκαστος διαπλάττεται.

Τοῦτο τὸ Πνεῦμα — σοφώτατον γὰρ καὶ φιλανθρωπό-
15 τατον —, ἂν ποιμένα λάβῃ, ψάλτην ποιεῖ, πνευμάτων πονηρῶν κατεπᾴδοντα, καὶ βασιλέα τοῦ Ἰσραὴλ ἀναδείκνυ-
C σιν[e]. Ἐὰν αἰπόλον συκάμινα κνίζοντα, προφήτην ἐργάζε-ται[f]. Τὸν Δαβὶδ καὶ τὸν Ἀμὼς ἐνθυμήθητι. Ἐὰν μειράκιον εὐφυὲς λάβῃ, πρεσβυτέρων ποιεῖ κριτὴν καὶ παρ' ἡλικίαν[g].
20 Μαρτυρεῖ Δανιήλ, ὁ νικήσας ἐν λάκκῳ λέοντας[h]. Ἐὰν ἁλιέας εὕρῃ, σαγηνεύει Χριστῷ, κόσμον ὅλον τῇ τοῦ λόγου πλοκῇ συλλαμβάνοντας[i]. Πέτρον λαβέ μοι καὶ Ἀνδρέαν καὶ τοὺς υἱοὺς τῆς βροντῆς[j], τὰ πνευματικὰ βροντήσαντας. Ἐὰν τελώνας, εἰς μαθητείαν κερδαίνει καὶ ψυχῶν ἐμπόρους
25 δημιουργεῖ. Φησὶ Ματθαῖος[k], ὁ χθὲς τελώνης καὶ σήμερον εὐαγγελιστής. Ἐὰν διώκτας θερμούς, τὸν ζῆλον μετατίθησι καὶ ποιεῖ Παύλους ἀντὶ Σαύλων καὶ τοσοῦτον εἰς εὐσέβειαν ὅσον εἰς κακίαν κατέλαβεν[l].

Τοῦτο καὶ Πνεῦμά ἐστι πραότητος, καὶ παροξύνεται τοῖς
D 30 ἁμαρτάνουσιν. Τοιγαροῦν πειραθῶμεν ὡς πράου, καὶ μὴ ὀργίλου, τὴν ἀξίαν ὁμολογοῦντες καὶ τὸ βλάσφημον φεύ-γοντες καὶ μὴ βουληθῶμεν ἰδεῖν ὀργιζόμενον ἀσυγχώ-ρητα[m].

449A   Τοῦτο κἀμὲ ποιεῖ σήμερον ὑμῖν τολμηρὸν κήρυκα · εἰ
35 μὲν οὐδὲν πεισόμενον, τῷ Θεῷ χάρις · εἰ δὲ πεισόμενον, καὶ οὕτω χάρις · τὸ μέν, ἵνα φείσηται τῶν μισούντων ἡμᾶς,

14, 14 post φιλανθρωπότατον add. ἐὰν νέον ἐκ ποιμένων ἁρπάσῃ, ἀριστέα κατ' ἀλλοφύλων ἐργάζεται. ἔχεις τὴν κατὰ τοῦ Γολιὰθ νίκην τῷ Δαβὶδ μαρτυροῦσαν τῷ λόγῳ Pd R Vp D post ἀναδείκνυσιν add. C ‖ 20 τοὺς λέοντας Pd C RO Ve ‖ 32 ὀργιζομένου A ‖ 35 μὲν οὖν Maur.

14. e. Cf. I Sam. 16, 12-23.   f. Cf. Amos 7, 14.   g. Cf. Dan. 13, 45-60.   h. Cf. Dan. 6, 17.23.   i. Cf. Matth. 4, 18-22. Mc 1, 16-17. j. Mc 3, 17.   k. Cf. Matth. 9, 9.   l. Cf. Act. 9, 3 s.   m. Cf. Matth. 12, 31-32.

1. D'après le texte hébreu (Amos 7, 14), il s'agit de sycomores. Le pinçage était nécessaire dans la culture de ces arbres. P.G.

fait au jour et à la lumière et par lequel chacun est modelé de son plein gré.

Cet Esprit très sage et très ami des hommes saisit-il un berger, il en fait un harpiste dont les accents conjurent les esprits mauvais et il le désigne comme roi d'Israël[e] ; si c'est un chevrier « pinçant les mûriers[f1] », il en fait un prophète ; songe à David et à Amos. S'empare-t-il d'un adolescent bien doué, il l'établit comme juge des vieillards, sans même avoir égard à son âge[g] : témoin Daniel, celui qui, dans la fosse, fut vainqueur des lions[h]. Trouve-t-il des pêcheurs, il les prend à la seine pour le Christ, eux qui prennent le monde entier au filet de la parole : prends-moi ici Pierre et André[i] et les « fils du tonnerre[j] » qui ont fait retentir comme le tonnerre les paroles de l'Esprit. S'agit-il de publicains, il les « gagne » à l'apostolat et fait d'eux des « négociants » d'âmes. C'est ce que dit Mathieu, hier publicain et aujourd'hui évangéliste[k]. S'agit-il de persécuteurs ardents, il transforme leur zèle, il fait des Paul à la place des Saul et il les tourne vers la piété autant qu'il les a trouvés tournés vers le mal[l].

Cet Esprit est un Esprit de douceur ; et il s'irrite contre les pécheurs. Faisons donc l'expérience de sa douceur et non de sa colère en confessant sa dignité, en nous gardant du blasphème contre lui[m], et n'acceptons pas de le voir implacablement irrité.

C'est cet Esprit qui, aujourd'hui, fait de moi son héraut plein d'assurance devant vous. Si je n'en dois rien souffrir, grâces soient rendues à Dieu ! Si j'en dois souffrir[2], grâces soient rendues de même ! Dans le premier cas, pour qu'il épargne ceux qui nous haïssent ; dans le second cas, pour

2. C'est-à-dire de la part des ariens. Cette affirmation reprend celle qu'on a trouvée plus haut (chap. 5), suggérée par les violences que Grégoire avait subies peu de temps auparavant.

τὸ δέ, ἵν' ἡμᾶς ἁγιάσῃ, μισθὸν τοῦτον λαβόντας τῆς
ἱερουργίας τοῦ Εὐαγγελίου, τὸ τελειωθῆναι[n] δι' αἵματος.

15. Ἐλάλουν μὲν οὖν ξέναις γλώσσαις καὶ οὐ πατρίοις[a],
καὶ τὸ θαῦμα μέγα, λόγος ὑπὸ τῶν οὐ μαθόντων λαλού-
μενος, καὶ τὸ σημεῖον τοῖς ἀπίστοις, οὐ τοῖς πιστεύουσιν[b],
ἵν' ᾖ τῶν ἀπίστων κατήγορον, καθὼς γέγραπται ὅτι «ἐν
5 ἑτερογλώσσοις καὶ ἐν χείλεσιν ἑτέροις λαλήσω τῷ λαῷ
τούτῳ, καὶ οὐδ' οὕτως εἰσακούσονταί μου, λέγει Κύριος[c]».
B Ἤκουον δέ[d]. Μικρὸν ἐνταῦθα ἐπίσχες καὶ διαπόρησον πῶς
διαιρήσεις τὸν λόγον. Ἔχει γάρ τι ἀμφίβολον ἡ λέξις, τῇ
στιγμῇ διαιρούμενον. Ἆρα γὰρ ἤκουον ταῖς ἑαυτῶν δια-
10 λέκτοις ἕκαστος, ὡς φέρε εἰπεῖν, μίαν μὲν ἐξηχεῖσθαι
φωνήν, πολλὰς δὲ ἀκούεσθαι, οὕτω κτυπουμένου τοῦ
ἀέρος καί, ἵν' εἴπω σαφέστερον, τῆς φωνῆς φωνῶν
γινομένων, ἢ τὸ μὲν «Ἤκουον» ἀναπαυστέον, τὸ δὲ
«Λαλούντων ταῖς ἰδίαις φωναῖς[e]» τῷ ἑξῆς προσθετέον,
15 ἵν' ᾖ «Λαλούντων φωναῖς», ταῖς ἰδίαις τῶν ἀκουόντων,
ὅπερ γίνεται «ἀλλοτρίαις»· καθὰ καὶ μᾶλλον τίθεμαι.
Ἐκείνως μὲν γὰρ τῶν ἀκουόντων ἂν εἴη μᾶλλον ἢ τῶν
λεγόντων τὸ θαῦμα, οὕτω δὲ τῶν λεγόντων, οἳ καὶ μέθην[f]

15, 7 ἐπίσχες ἐνταῦθα A ‖ 10 ἕκαστος A m Pa Maur.: ἕκαστοι
BWQTVZ Pg Ald. om. E ‖ 13 γινομένης D corr. Dmg. ‖ 14 τὸ ἑξῆς S
Pd D E Pg corr. Pd² ‖ προστεθέον ἦν A ‖ 19 κα[ταγινώσκονται —
16, 2-3 καὶ ἀ]θέως deperditum in A

14. n. Cf. Hébr. 10, 14.
15. a. Cf. Act. 2, 4. b. I Cor. 14, 22. c. I Cor. 14, 21. Cf. Is.
28, 11. d. Act. 2, 6. e. Ibid. f. Cf. Act. 2, 13.

1. Grégoire écrit ξένας, et non pas ἑτέρας que porte le texte des Actes.
P.G.
2. Cela revient à dire : tandis que dans le premier cas se trouverait
vérifiée une sorte de «traduction simultanée», dans le second, il aurait
été donné aux Apôtres de parler diverses langues. Je ne serai pas
d'accord avec BERNARDI (p. 160, note 113) qui pense que Grégoire

qu'il nous sanctifie en nous faisant obtenir cette récompense pour le ministère de l'Évangile : d'être conduits à la perfection[n] par le sang.

15. Les Apôtres parlaient dans des langues étrangères[a][1], et non dans celle de leurs pères ; et c'est un grand prodige qu'un langage parlé par ceux qui ne l'ont pas appris, «signe destiné aux infidèles, non aux fidèles[b]», pour être un motif d'accusation contre les infidèles, ainsi qu'il est écrit : «C'est par des hommes d'une autre langue, et par d'autres lèvres que je parlerai à ce peuple ; et même ainsi ils ne m'écouteront pas, dit le Seigneur[c]». Et : «ils entendaient[d]» ; arrête-toi un peu ici et demande-toi comment tu diviseras le texte ; la lecture présente en effet une certaine ambiguïté qui est résolue par la ponctuation. Est-ce : «ils entendaient chacun dans leur propre langue[e]», comme si – admettons – une seule voix était émise et qu'on en entendait plusieurs, l'air étant frappé de façon appropriée, ou, pour parler plus clairement, une seule voix devenant plusieurs voix ? Ou bien, après le première partie : «ils entendaient», faut-il faire une pause, et le reste : «parlant dans leurs propres langues» doit-il être rattaché à la suite, pour que l'on ait : parlant dans des langues qui étaient propres à leurs auditeurs, c'est-à-dire des langues étrangères[2] ? C'est ce dernier sens que je préfère. Dans la première interprétation le prodige serait plutôt le fait de ceux qui entendaient que de ceux qui parlaient ; dans la seconde, il est le fait de ceux qui parlaient : et comme on les accuse d'ivresse[f], c'est bien

propose de corriger le texte que lui-même et ses auditeurs avaient sous les yeux ; Grégoire ne propose pas tant une correction qu'une double interprétation. Quant au texte lui-même, la *Vulgate* («quoniam audiebat unusquisque lingua sua illos loquentes»), s'accorde avec le texte grec que nous citons selon l'édition de Nestle-Aland : συνῆλθε τὸ πλῆθος καὶ συνεχύθη, ὅτι ἤκουον εἷς ἕκαστος τῇ ἰδίᾳ διαλέκτῳ λαλούντων αὐτῶν. Ἐξίσταντο δὲ καὶ ἐθαύμαζον λέγοντες κτλ.

καταγινώσκονται, δῆλον ὡς αὐτοὶ θαυματουργοῦντες περὶ
20 τὰς φωνὰς τῷ Πνεύματι.

C   16. Πλὴν ἐπαινετὴ μὲν καὶ ἡ παλαιὰ διαίρεσις τῶν
φωνῶν — ἡνίκα τὸν πύργον ᾠκοδόμουν[a] οἱ κακῶς καὶ
ἀθέως ὁμοφωνοῦντες, ὥσπερ καὶ τῶν νῦν τολμῶσί τινες — ·
τῇ γὰρ τῆς φωνῆς διαστάσει συνδιαλυθὲν τὸ ὁμόγνωμον
5 τὴν ἐγχείρησιν ἔλυσεν· ἀξιεπαινετωτέρα δὲ ἡ νῦν θαυ-
ματουργουμένη. Ἀπὸ γὰρ ἑνὸς Πνεύματος εἰς πολλοὺς
χεθεῖσα[b], εἰς μίαν ἁρμονίαν πάλιν συνάγεται[c]. Καὶ ἔστι
διαφορὰ χαρισμάτων[d], ἄλλου δεομένη χαρίσματος πρὸς
διάκρισιν τῆς βελτίονος, ἐπειδὴ πᾶσαι τὸ ἐπαινετὸν ἔχουσι.
10 Καλὴ δ' ἂν κἀκείνη λέγοιτο περὶ ἧς Δαβὶδ λέγει· «Κατα-
πόντισον, Κύριε, καὶ καταδίελε τὰς γλώσσας αὐτῶν[e]».
425 A Διὰ τί; Ὅτι «ἠγάπησαν πάντα ῥήματα καταποντισμοῦ,
γλῶσσαν δολίαν[f]»· μόνον οὐχὶ φανερῶς τὰς ἐνταῦθα
γλώσσας καταιτιώμενος, αἳ θεότητα τέμνουσιν. Ταῦτα μὲν
15 οὖν ἐπὶ τοσοῦτον.

17. Ἐπεὶ δὲ τοῖς κατοικοῦσιν Ἰερουσαλὴμ εὐλαβεστά-
τοις Ἰουδαίοις, Πάρθοις καὶ Μήδοις καὶ Ἐλαμίταις,
Αἰγυπτίοις καὶ Λίβυσι, Κρησί τε καὶ Ἄραψι, Μεσοποταμί-
ταις τε καὶ τοῖς ἐμοῖς Καππαδόκαις[a] ἐλάλουν αἱ γλῶσσαι
5 καὶ τοῖς ἐκ παντὸς ἔθνους τῶν ὑπὸ τὸν οὐρανὸν Ἰουδαίοις[b]

16, 4 τῇ γὰρ τῆς : τῆς γὰρ A ‖ 7 χυθεῖσα Maur. ‖ 8 ἄλλου : ἀλλ' οὐ S B
corr. S² ‖ 9 τοῦ βελτίονος E T Pg Rufinus Maur. (sed τῆς etiam
Maximus) ‖ 10 καταπόντησον AD ‖ 12 πάντα τὰ A Ald. Maur. ‖ 13 οὐχὶ
m Pa Maur. : οὐ n E Pg Ald. (W deperditum) ‖ 15 οὖν om. Vb Pd C RO
Ve habet in mag. D s.u. Vb²

16. a. Cf. Gen. 11, 1-9.   b. Cf. Act. 2, 4.   c. Cf. Act. 4, 32.   d. I
Cor. 12, 4.   e. Ps. 54, 10.   f. Ps. 51, 6.
17. a. Act. 2, 5.9-11.   b. Act. 2, 5.

16, 7 καὶ ἔστι διαφορά — 9 τῆς βελτίονος Maximus, Ambigua, PG 91,
1404 D

qu'ils opéraient un prodige à propos des voix grâce à
l'Esprit.

16. Certes, elle est digne de louange l'antique division
des langues au temps où des méchants et des impies qui
avaient le même langage bâtissaient la tour[a][1] – audace que
certains ont encore maintenant[2] –, car la division des
langues fit cesser l'accord et arrêta l'entreprise; mais plus
louable est le prodige de ce jour : par un seul Esprit la
division se fait entre plusieurs[b], et inversement c'est
l'union en un seul accord[c]. Et il y a une diversité de
grâces[d], qui réclame une autre grâce pour discerner entre
elles la meilleure espèce[3], puisque toutes les espèces
méritent des louanges. Et l'on peut dire aussi qu'elle est
belle, la division à propos de laquelle David dit : «Fais-les
sombrer, Seigneur, et divise leurs langues[e]» – pourquoi? –
«parce qu'ils ont aimé toutes les paroles qui font sombrer,
la langue trompeuse[f]». Peu s'en faut qu'il n'accuse ouvertement les langues d'ici qui scindent la divinité. Mais en
voilà suffisamment sur cette question.

17. Et puisque c'est «aux juifs les plus pieux habitant
Jérusalem, aux Parthes, aux Mèdes et aux Élamites, aux
Égyptiens et aux Libyens, aux Crétois et aux Arabes, aux
Mésopotamiens et aux Cappadociens[a]», mes compatriotes,
que les langues s'adressaient, ainsi qu'aux juifs qui venaient
«de toutes les nations qui sont sous le ciel[b]», et qui – s'il

1. La tour de Babel. P.G.

2. Il y a peut-être ici une allusion au fait que les hérétiques, malgré
leurs divergences d'opinions, s'entendent pour faire pièce à l'orthodoxie. P.G.

3. Le mot διαφορά a deux sens : *diversité* et espèce. Grégoire utilise
d'abord le terme dans sa première signification; puis, avec τῆς βελτίονος
et πᾶσαι, il se réfère à la seconde. P.G.

– εἴ τῳ φίλον οὕτω νοεῖν –, ἐκεῖσε συνειλεγμένοις, ἄξιον

B ἰδεῖν τίνες τε ἦσαν οὗτοι καὶ τῆς ποίας αἰχμαλωσίας. Ἡ
μὲν γὰρ εἰς Αἴγυπτον καὶ Βαβυλῶνα περίγραπτός τε
ἦν καὶ πάλαι τῇ ἐπανόδῳ λέλυτο. Ἡ δὲ ὑπὸ Ῥωμαίων

10 οὔπω γεγένητο, ἔμελλε δέ, εἴσπραξις οὖσα τῆς κατὰ
τοῦ Σωτῆρος θρασύτητος. Λείπεται δὴ τὴν ὑπ' Ἀντιόχου
ταύτην ὑπολαμβάνειν, οὐ πολὺ τούτων οὖσαν τῶν καιρῶν
πρεσβυτέραν. Εἰ δέ τις ταύτην μὲν οὐ προσίεται τὴν
ἐξήγησιν, ὡς περιεργοτέραν – οὔτε γὰρ παλαιὰν εἶναι τὴν

15 αἰχμαλωσίαν οὔτ' ἐπὶ πολὺ τῆς οἰκουμένης χεθεῖσαν –,
ζητεῖ δὲ τὴν πιθανωτέραν, ἐκεῖνο ἴσως ὑπολαβεῖν ἄμεινον,
ὅτι πολλάκις καὶ ὑπὸ πλειόνων τοῦ ἔθνους μεταναστάντος,
ὡς τῷ Ἔσδρᾳ[c] ἱστόρηται, αἱ μὲν τῶν φυλῶν ἀνεσώθησαν,
αἱ δὲ ὑπελείφθησαν · ὧν εἰκὸς διασπαρεισῶν εἰς ἔθνη

20 πλείονα τηνικαῦτα παρεῖναί τινας καὶ μετέχειν τοῦ θαύ-
ματος.

C 18. Καὶ ταῦτα προεξήτασται τοῖς φιλομαθέσιν, ἴσως οὐ
παρέργως. Καὶ ὅ τι ἂν ἄλλο συνεισφέρῃ τις εἰς τὴν
παροῦσαν ἡμέραν, καὶ ἡμῖν τοῦτο ἔσται συνειληχώς. Ἡμῖν
δὲ τὸν μὲν σύλλογον ἤδη διαλυτέον – ἱκανὸς γὰρ ὁ

17, 7 τε om. Pg Ald. Maur. ‖ 8 γὰρ om. C RO Ve add. O³ mg. ‖
11 δὴ : δεῖ B δὲ S Vb Pd C R Ve E Pg erasit Pd² ‖ 12 καιρῶν : ἐτῶν VZ
18, 1 φιλοθεάμοσιν A ‖ 2 παρέργως : περιέργως E Pg Ald. Maur.
probante Sinko, De tradit. orat. 184 ‖ ἄλλο m Maur. : om. n E Pg Ald.
alius Rufinus ‖ συνεισφέρῃ : -φέρει Pa συμφέρῃ ABWQ Ald. συμφέρει E
corr. W³ ‖ 3 συνειλοχὼς Ald. Maur. ‖ 7 τε καὶ S Vp D Pg ‖ 11 αἰῶνας
τῶν αἰώνων Pa Maur.

17. c. Cf. II Esd. 9, 7; 11, 8 (LXX; hébreu : Esd. 9, 7. Néhémie
1, 8).

1. C'est-à-dire : par quels événements (comme jadis la captivité de
Babylone) les juifs avaient été dispersés. P.G.
2. Allusion à l'émigration de Jacob et de sa famille en Égypte. P.G.
3. Après la prise de Jérusalem par Titus, en 70 de notre ère. P.G.

plaît à quelqu'un de penser ainsi – s'étaient réunis là, il y a
lieu de voir qui ils étaient et de quelle captivité ils
venaient[1]. La captivité en Égypte[2] et à Babylone était
limitée dans l'espace et avait depuis longtemps pris fin par
le retour. Celle due aux Romains[3] n'avait pas encore eu
lieu, mais elle devait venir, étant une punition de l'audace
des juifs contre le Sauveur[4]. Il ne reste donc qu'à songer
à celle qui eut pour auteur Antiochus et qui n'était
pas antérieure de beaucoup à ces événements[5]. Si l'on
n'accepte pas cette explication, si on la tient pour trop
subtile – car la captivité en question n'était pas ancienne et
il n'y avait pas eu dispersion en beaucoup de pays –, et si
l'on cherche l'explication la plus convaincante, il vaut
peut-être mieux penser que souvent et par le fait de
multiples ennemis le peuple avait été chassé, comme le
rapporte Esdras[c6], et que certaines tribus avaient été
rendues à leur patrie, tandis que d'autres étaient restées au
loin : ainsi, vraisemblablement, des individus appartenant à
des tribus disséminées en maintes nations se trouvaient
alors là et participaient au prodige.

18. Ces considérations préalables ont été faites pour
ceux qui désirent savoir; peut-être ne sont-elles pas sans
utilité. Et tout ce que tel ou tel apportera d'autre pour la
journée présente sera pour nous aussi une aubaine. Cependant nous devons mettre un terme à cette réunion, car ce

---

4. Allusion à la dispersion des juifs *(diaspora)*, interprétée communément, depuis l'époque des Apologistes, comme une punition pour la condamnation à mort du Christ (cf. JUSTIN, *Dial.* 110, *PG* 6, 729; *Apol.*
I, 47, *PG* 6, 400; EUSÈBE, *Hist. eccl.* IV, 6, 3 [Ariston de Pella];
TERTULLIEN, *Apologeticum* 21, 5, *CSEL* 69, p. 54).

5. Allusion à la persécution déclenchée contre les juifs par Antiochùs IV; elle dura de 167 à 164 av. J.-C. P.G.

6. Les deux passages auxquels il est fait allusion (II Esdras 9, 7 et
11, 8 dans la *Septante*) correspondent dans l'hébreu à *Esdras* 9, 7 et
Néhémie 1, 8, et dans la *Vulgate* à I *Esdras* 9, 7 et II *Esdras* 1, 8. P.G.

5 λόγος — τὴν δὲ πανήγυριν οὐδέποτε. Ἀλλ' ἑορταστέον, νῦν
μὲν καὶ σωματικῶς, μικρὸν δὲ ὕστερον ὅλον πνευματικῶς,
ἔνθα καὶ τοὺς λόγους τούτων εἰσόμεθα καθαρώτερον καὶ
σαφέστερον, ἐν αὐτῷ τῷ Λόγῳ καὶ Θεῷ καὶ Κυρίῳ ἡμῶν
Ἰησοῦ Χριστῷ, τῇ ἀληθινῇ τῶν σῳζομένων ἑορτῇ καὶ
10 ἀγαλλιάσει · μεθ' οὗ ἡ δόξα καὶ τὸ σέβας τῷ Πατρὶ σὺν
τῷ ἁγίῳ Πνεύματι, νῦν καὶ εἰς τοὺς αἰῶνας. Ἀμήν.

Subscriptiones : εἰς τὴν πεντηκοστὴν καὶ εἰς τὸ πνεῦμα τὸ ἅγιον ·
στίχοι ΥΠΑ Pd RVe D εἰς τὴν πεντηκοστὴν καὶ εἰς τὸ πνεῦμα τὸ ἅγιον Vb
εἰς τὴν πεντηκοστὴν καὶ εἰς τὸ πνεῦμα O εἰς τὴν πεντηκοστὴν C εἰς τὴν
ἁγίαν πεντηκοστὴν στίχοι ΥΠΑ A τοῦ ἁγίου γρηγορίου τοῦ θεολόγου εἰς τὴν
πεντηκοστὴν καὶ εἰς τὸ ἅγιον πνεῦμα Pa subscriptionem om. BWQTVZ
Vp E del. S² periit in Pg (deest P)

discours est suffisant; mais la fête, il n'y faut jamais mettre
fin. Il faut la célébrer maintenant en y associant le corps, et
un peu plus tard ce sera d'une manière entièrement
spirituelle, là où nous connaîtrons les raisons de tout cela
d'une manière plus pure et plus claire, dans le Verbe
lui-même notre Dieu et notre Seigneur Jésus-Christ, dans
la vraie fête et la joie des élus. Avec lui, gloire et honneur
au Père avec le Saint-Esprit maintenant et dans les siècles.
Amen.

NOTE ADDITIONNELLE

Les noms servant à désigner le baptême dans le Discours 40

Grégoire désigne le baptême non seulement par son nom, mais encore par toute une série de synonymes : ἀγαθόν, le bien ; ἀναγέννησις, la régénération, la nouvelle naissance ; ἀνάπλασις, ἀναπλασμός, le remodelage ; δῶρον, le don ; ἔκπλυσις, l'ablution ; ἔλλαμψις, l'illumination ; εὐεργεσία, le bienfait ; καθαρότης, la pureté ; καθάρσιον, κάθαρσις, la purification ; λουτρόν, le bain ; σφραγίς, le sceau ; τελειότης, la perfection ; τελείωσις, le perfectionnement, l'achèvement, l'initiation ; φώτισμα, φωτισμός, l'illumination ; χαρακτήρ, le caractère ; χάρις, χάρισμα, la grâce ; χρίσις, l'onction.

Cette ingéniosité verbale n'est pas seulement un héritage de la formation sophistique de l'auteur ; elle est plus encore le témoignage de l'enthousiasme du croyant devant la magnificence divine, dont il s'efforce d'expliciter les aspects. Il le déclare d'ailleurs lui-même au chap. 4 de ce *Discours* 40. P.G.

INDEX SCRIPTURAIRE

Les astérisques indiquent les allusions. Les chiffres des colonnes de droite renvoient au discours et au chapitre.

INDEX DES MOTS GRECS

On a relevé dans cet Index les noms propres, les mots qui intéressent la théologie et l'histoire des idées.

Les chiffres gras renvoient au discours, les autres chiffres indiquent le chapitre et la ligne. Les divers chapitres d'un même discours sont séparés par un point-virgule.

δυσθεώρητος (dit de la divinité) 38, 7, 23.

Δωδωναία (δρῦς) 39, 5, 4.

δωρεά 40, 21, 8; 23, 6, 14; 27, 22.

δῶρον 40, 4, 7; 12, 12; 18, 16, 17; 21, 17.

ἑβδομάς (ἡ) : le chiffre 7 est en honneur dans l'Écriture 41, 2, 5 et la suite jusqu'à la fin du chap. 4.

Ἑβραῖος 41, 2, 5; 4, 38.

ἐγκρατής 40, 26, 15.

εἰκών 38, 5, 10; 11, 12; 13, 18, 19, 36, 37; 14, 14. 39, 7, 13; 13, 5. 40, 10, 31; 14, 20; 32, 2; 34, 2.

Ἑκάτη 39, 5, 3.

ἑκατόνταρχος 39, 9, 12, 15.

Ἐκκλησία 40, 20, 13; 26, 22.

ἐκπλεονάζω 38, 4, 10.

ἐκπορεύομαι (la «procession» du Saint-Esprit) 39, 12, 20.

ἐκπορευτῶς 39, 12, 16.

ἔξαρχος 39, 14, 2.

ἔκφορος (τὰ τοῦ μυστηρίου ἔκφορα) 40, 45, 47.

Ἐλαμίτης 41, 17, 2.

Ἐλευσίς 39, 4, 13.

Ἐλισσαῖος 41, 4, 20; 13, 7.

ἔλλαμψις 38, 9, 13. 39, 8, 16 (bis); 41, 11, 3.

Ἕλλην 38, 2, 20. 39, 3, 4; 4, 2; 5, 13; 7, 1. 41, 1, 9.

ἑλληνίζω 38, 8, 19.

ἔμπνευσις 41, 11, 18.

ἐμφύσημα 41, 11, 18.

ἔνδυμα 40, 4, 8.

ἐνεργῶ (action de l'Esprit-Saint) 41, 11, 1.

ἐννόημα (la pensée divine) 38, 9, 5.

ἐννοῶ (appliqué à la pensée divine) 38, 9, 4; 10, 4.

ἐντολή 39, 8, 13, 14.

ἕνωσις 39, 11, 22.

Ἐνώχ 41, 4, 2.

ἐξαγόρευσις 40, 9, 12.

ἐξαγορεύω 40, 27, 7.

ἔξαλμα 40, 5, 9.

ἐξορκισμός 40, 27, 12.

ἑορτάζω 41, 1, 2, 6, 8, 13.

ἑορτή 41, 1, 1. (désignant ici le ciel) 41, 18, 9.

ἐπανόρθωσις 40, 7, 13.

ἐπίγειος 38, 1, 5.

ἐπίγνωσις 38, 2, 4. 39, 10, 4.

ἐπίσκοπος 40, 26, 10.

ἐπουράνιος 38, 1, 5.

ἑπτά (τὰ - τῆς κακίας πνεύματα) 39, 10, 7.

Ἔσδρας 41, 17, 18.

Εὔα 39, 12, 26.

Εὐαγγέλιον 39, 18, 36. 40, 29, 25; 39, 14. 41, 14, 38.

εὐδοκία (le bon plaisir du Père) 38, 15, 4, 9.

εὐσέβεια 41, 5, 21.

ἔφεσις 40, 22, 2.

ἑωσφόρος 38, 9, 15.

Ζακχαῖος 39, 9, 18. 40, 31, 21.

Ζεῦς 39, 4, 1.

Ζοροβάβελ 41, 3, 15.

Ἱεροσολυμίτης **40**, 26, 11.

Ἱερουσαλήμ **41**, 17, 1.

Ἰησούς **38**, 16, 2; 18, 26. **39**, 1,
1; 9, 7, 18; 14, 28; 15, 6, 18,
29; 16, 1, 14; 17, 12; 18, 10,
25; 20, 15. **41**, 4, 29; 5,
11; 12, 19; 13, 14; 18, 9.
Χριστός **38**, 2, 19. **39**, 12, 2.
41, 4, 7. Ὁ Ναυή (c.-à-d.
Josué) **41**, 4, 11.

Ἰορδάνης **38**, 16, 2; **39**, 15, 4.

ἰουδαΐζω **38**, 8, 18.

Ἰουδαῖος **38**, 2, 19; 15, 18, 20.
41, 1, 6; 17, 2, 5.

Ἶσις **39**, 5, 17.

Ἰσμαὴλ **40**, 24, 24.

Ἰσραήλ **38**, 2, 2. **39**, 9, 2. **40**,
15, 4; 39, 21; 40, 4. **41**, 14,
16.

Ἰωάννης (Jean-Baptiste) **38**, 2,
14; 17, 2. **39**, 14, 10, 16, 29;
15, 34; 17, 9. **40**, 27, 8.

Ἰώαννης (l'Apôtre) **40**, 25, 17.

Ἰωβυλαῖος (ὁ) **41**, 2, 26.

Ἰωήλ **41**, 13, 9.

καθαίρω **38**, 6, 16; 7, 18 *(bis)*;
16, 1. **40**, 38, 21; 39, 2 *(bis)*,
19.

καθαρόν (τὸ) **39**, 9, 1.

κάθαρσις **38**, 16, 2, 4. **39**, 8, 14,
16. **40**, 7, 21; 8, 3; 16, 2; 17,
9, 15; 18, 1 (αὐτοκάθαρσις);
19, 14, 22; 26, 16; 29,
4 *(bis)*, 33, 9; 34, 3; 35, 9;
40, 2. **41**, 11, 16; 12, 7.
δευτέρα **40**, 8, 26.

καινοτομῶ (περὶ τὰ ὀνόματα)

39, 12, 16. (à propos de
l'Incarnation) **39**, 13, 8.

Καῖσαρ **39**, 9, 16. **40**, 19, 5, 6.

κακοδοξία **38**, 16, 9.

κακόν (τὸ) **40**, 45, 17.

Κανδάκης **40**, 26, 5.

Καππαδόκης **41**, 17, 4.

καρδία **40**, 39, 21.

καρποφορούμενον (τὸ) **40**, 25,
28.

Κασταλία **39**, 5, 6.

καταβαπτιστής **40**, 44, 24.

κατακλυσμός **40**, 7, 20.

κατατέμνω **39**, 11, 26.

κατατομή **40**, 42, 3.

κατηχούμενος **40**, 16, 23.

Κελεός **39**, 4, 10.

κενῶ **38**, 13, 32-33.

κεφαλή **40**, 39, 1, 2, 3.

κηρύσσω **40**, 26, 17.

κιβωτός (l'arche d'alliance) **38**,
17, 3.

κοιλία **40**, 39, 16.

κοινωνία (Θεοῦ πρὸς ἀνθρώπους) **41**, 12, 23.

κοινωνῶ (la communion eu-
charistique) **40**, 31, 18.

κόλασις **40**, 24, 32. (ἡ ἐκεῖσε-)
40, 27, 9.

κολυμβήθρα **40**, 33, 14.

Κόρινθος **39**, 18, 29.

Κορύβαντες **39**, 4, 6.

Κουρῆτες **39**, 4, 2.

κόσμος **38**, 10, 9; 11, 13.
(νοητὸς-) **38**, 10, 2. (ὑλικὸς-)
38, 10, 4.

κρᾶμα (le mélange dont est
formé l'homme) **38**, 5, 21.

SIGLES ET ABRÉVIATIONS BIBLIOGRAPHIQUES

Althaus, *Die Heilslehre* : H. ALTHAUS, *Die Heilslehre des hl. Gregor von Nazianz,* Münster 1972.

Bernardi : J. BERNARDI, *La prédication des Pères cappadociens,* Paris 1968.

DACL : Dictionnaire d'Archéologie chrétienne et de Liturgie, Paris.

Gallay, *Vie* : P. GALLAY, *La vie de S. Grégoire de Nazianze,* Lyon-Paris 1943.

GCS : *Die griechischen christlichen Schriftsteller der ersten Jahrhunderte,* Leipzig-Berlin.

DTC : *Dictionnaire de Théologie Catholique,* Paris.

Grégoire de Nazianze, *Discours* :
–   *PG* 36-36 (reproduisant l'édition des Mauristes, t. I, Paris 1778);
–   *Discours* 1-3, 4-5, éd. J. Bernardi (*SC* 247, 309); *Discours* 20-23, 24-26, éd. J. Mossay (*SC* 270, 284); *Discours* 27-31, éd. P. Gallay (*SC* 250); *Discours* 32-37, éd. C. Moreschini, P. Gallay (*SC* 318).
    Poèmes :
    PG 37-38 (reproduisant l'édition des Mauristes, t. II, Paris 1840)
    De Vita sua, éd. C. Jungck, Heildeberg 1974.

Moreschini, «Il Platonismo cristiano» : C. MORESCHINI, «Il Platonismo cristiano di Gregorio Nazianzeno» dans : *Annali della Scuola Normale Superiore di Pisa* IV, 4 (1974), p. 1347-1392.
–   «Influenze» : C. MORESCHINI, «Influenze di Origene su Gregorio di Nazianzo», dans : *Atti dell'Accademia Toscana di Scienze e Lettere La Columbaria* XLIV (1979), p. 33-57.

Müller : *GREGORI NYSSENI Opera dogmatica minora,* ed.
F. Müller, Leiden 1958 (*Gregorii Nysseni Opera* III, 1).

PG : Patrologia Graeca (J.-P. Migne), Paris.

SC : *Sources Chrétiennes,* Paris.

Simonetti, *La crisi ariana* : M. SIMONETTI, *La crisi ariana nel IV
secolo,* Roma 1975.

Sinko, *De traditione orationum* : T. SINKO, *De traditione orationum
Gregorii Nazianzeni,* Pars I, *Meletamata Patristica* 2, Cracoviae 1917.

TABLE DES MATIÈRES

SOURCES CHRÉTIENNES

Fondateurs : H. de Lubac, s.j.
† J. Daniélou, s.j.
C. Mondésert, s.j.
Directeur : D. Bertrand, s.j.
Directeur-adjoint : J.N. Guinot

Dans la liste qui suit, dite «liste alphabétique», tous les ouvrages sont rangés par nom d'auteur ancien, les numéros précisant pour chacun l'ordre de parution depuis le début de la collection. Pour une information plus complète, on peut se procurer deux autres listes au secrétariat de «Sources Chrétiennes»
29, rue du Plat, 69002 Lyon (France) – Tél. : 78.37.27.08 :
   1. la «liste numérique», qui présente les volumes et leurs auteurs actuels d'après les dates de publication; elle indique les réimpressions et les ouvrages momentanément épuisés ou dont la réédition est préparée.
   2. la «liste thématique», qui présente les volumes d'après les centres d'intérêt et les genres littéraires : exégèse, dogme, histoire, correspondance, apologétique, etc.

LISTE ALPHABÉTIQUE (1-358)

SOUS PRESSE

JEAN CHRYSOSTOME : **Sur Babylas**. M. Schatkin.

NICOLAS CABASILAS : **La vie en Christ.** Tome II. M.-H. Congourdeau.

GRÉGOIRE LE GRAND : **Homélies sur Ézéchiel**. Tome II. P. Morel.

TERTULLIEN : **Contre Marcion**. Tome I. R. Braun.

GEOFFROY D'AUXERRE : **Entretien de Simon-Pierre avec Jésus**. H. Rochais.

GRÉGOIRE DE NYSSE : **Lettres**. P. Maraval.

JEAN CHRYSOSTOME : **Trois catéchèses baptismales**. A. Piédagnel.

PROCHAINES PUBLICATIONS

Les Apophtegmes des Pères. Tome I. J.-C. Guy.

BASILE DE CÉSARÉE : **Homélies morales.** Tome I. E. Rouillard, M.-L. Guillaumin.

BERNARD DE CLAIRVAUX : **Vie de S. Malachie, Éloge de la Nouvelle Milice.** P.-Y. Émery.

CÉSAIRE D'ARLES : **Œuvres monastiques.** Tome II : **Œuvres pour les moines.** A. de Vogüé, J. Courreau.

GRÉGOIRE LE GRAND : **Lettres**. Tome I. P. Minard (†).

HERMIAS : **Moquerie des philosophes païens**. R.P. C. Hanson. (†).

Également aux Éditions du Cerf :

LES ŒUVRES DE PHILON D'ALEXANDRIE
publiées sous la direction de
R. ARNALDEZ, C. MONDÉSERT, J. POUILLOUX.
Texte original et traduction française.

Photocomposition laser
Abbaye de Melleray
C.C.S.O.M.
44520 Moisdon-la-Rivière

—

Achevé d'imprimer par
Corlet, Imprimeur, S.A.
14110 Condé-sur-Noireau (France)

N° d'Éditeur : 8907
N° d'Imprimeur : 16256
Dépôt légal : janvier 1990

Imprimé en C.E.E.